LA BOÎTE DE PANDORE

Bernard Werber

LA BOÎTE DE PANDORE

ROMAN

Albin Michel

Pour Alice,
bienvenue de ce côté du miroir…

« Nous vivons dans l'oubli de nos métamor-
phoses. »

Paul Éluard

« Et quand ils demanderont ce que nous
faisons, vous pourrez répondre : nous nous
souvenons.

C'est comme ça que nous finirons par
gagner la partie. »

Ray Bradbury, *Fahrenheit 451*

ACTE I

Hypnos

1.

– Vous n'êtes pas seulement ce que vous croyez être. Alors je vous pose la question : saurez-vous vous rappeler qui vous êtes vraiment ?

L'hypnotiseuse Opale se prépare à enchaîner avec son tour final, le clou du spectacle. Elle scrute de ses grands yeux verts rehaussés de khôl noir l'assistance, à la recherche d'un volontaire.

– Qui parmi vous souhaite découvrir les mémoires enfouies au fond de son propre esprit ?

Personne ne réagit, tous baissent le regard. Elle relève une mèche de ses longs cheveux roux ondulés qui lui tombe sur les yeux.

– Personne ? Dans ce cas je vais désigner l'un d'entre vous au hasard. Lequel vais-je choisir ?

Pourvu que cela ne tombe pas sur moi.

Elle darde un index parfaitement manucuré en direction de la salle, le faisant passer sur chacun des spectateurs qu'elle examine les uns après les autres, avant de s'arrêter sur l'un d'entre eux.

– Vous !

Zut. Pas de chance.

– Oui, vous, monsieur. Pouvez-vous venir avec moi s'il vous plaît ?

L'homme se lève en laissant échapper un soupir. Il s'avance et monte sur scène, un sourire crispé sur le visage. Face à son peu d'enthousiasme, Opale demande à la salle de l'encourager.

Pourquoi c'est toujours sur moi que cela tombe ?

La salle de la péniche-théâtre La boîte de Pandore contient à peu près trois cents personnes. Elles applaudissent avec d'autant plus d'énergie qu'elles sont soulagées de ne pas avoir été elles-mêmes choisies.

Sur scène, l'hypnotiseuse et son cobaye s'observent. Elle, sculpturale, vêtue d'une robe noire au large décolleté dans lequel plonge un pendentif en forme de dauphin en lapis-lazuli. Lui, cheveux bruns, yeux noisette, lunettes fines en métal doré, vêtu d'un polo, d'un jean et de chaussures à semelle de crêpe épaisse.

– Merci pour votre spontanéité, l'accueille-t-elle non sans ironie. Comment vous appelez-vous et quel âge avez-vous ?

– René Toledano. 32 ans, répond-il avec une mauvaise volonté évidente.

– Que faites-vous dans la vie ?

– Je suis professeur d'histoire au lycée Johnny-Hallyday.

– Pourquoi êtes-vous ici, monsieur Toledano ?

– Avec ma collègue Élodie (il désigne une dame blonde aux cheveux courts qui salue timidement au troisième rang), nous avons un rituel : tous les dimanches soir nous assistons à un spectacle avant d'aller dîner dans une pizzeria.

– Ah ! Donc demain c'est la rentrée des classes pour vous

deux. Beaucoup de stress en perspective pour parvenir à gérer nos chères têtes blondes, n'est-ce pas ?

Quelques rires retentissent dans la salle.

– Absolument. Élodie et moi voulions profiter de cette dernière soirée de vacances pour nous détendre avant le tourbillon de l'année scolaire.

– Et pourquoi avez-vous choisi mon spectacle ?

– J'aime la magie et Élodie l'hypnose. Dimanche dernier elle m'a accompagné voir un prestidigitateur, c'était mon tour de lui faire plaisir.

– Juste un échange de bons procédés, donc ?

– Je dois dire que le titre du spectacle, « Hypnose et mémoires oubliées », m'a intrigué.

Avec un sourire, la femme aux longs cheveux roux l'invite à s'asseoir sur le fauteuil de velours rouge au centre de la scène, surmonté d'une immense photo représentant un œil vert assez similaire au sien. Elle reprend :

– Laissez-moi vous poser une question, monsieur Toledano. Pour vous, l'expression « mémoire oubliée », qu'est-ce que cela évoque ?

Intéressé par la question, René rebondit, plus détendu :

– En tant que professeur d'histoire, j'ai l'impression que le monde devient amnésique. Du coup on répète les erreurs du passé puisqu'on a oublié leurs conséquences.

Encouragé par une rumeur d'approbation venue de plusieurs personnes dans la salle, René poursuit :

– Et comme, à notre époque, tout va plus vite, j'ai l'impression que tout est oublié aussi de plus en plus rapidement.

L'hypnotiseuse reprend la parole.

– Ça c'est la « mémoire collective », mais quel est votre rapport à votre... « mémoire individuelle » ?

J'ai l'impression qu'elle attend quelque chose de moi. Qu'est-ce qu'elle cherche à me faire dire ?

– Plutôt satisfaisant, je peux me rappeler d'infimes détails de l'histoire de France. Mais depuis peu j'ai des trous de mémoire qui m'inquiètent. Par exemple il m'arrive de plus en plus souvent d'oublier où j'ai rangé mes clefs, où j'ai garé ma voiture. La semaine dernière, j'ai oublié mon code de carte bleue. Pour être tout à fait sincère, j'ai peur de terminer comme mon père qui souffre de la maladie d'Alzheimer.

– Pour un professeur d'histoire, perdre la mémoire ce serait un comble, n'est-ce pas ?

Au lieu de répondre, René jette un regard dans la salle en direction de sa collègue.

Je suis sûr qu'Élodie aussi se demande pourquoi on perd du temps avec ces questions très personnelles au lieu de commencer le numéro.

Il a l'impression que cette salle aux hublots donnant sur le fleuve est une prison dont il doit s'échapper et que sa geôlière, la belle hypnotiseuse, n'en a pas fini avec lui. Elle tourne autour de son fauteuil comme un serpent encercle sa proie.

– Là je ne vous parle pas de mémoire à court terme, ni de mémoire à long terme, monsieur Toledano, mais de mémoire... « profonde ». Très profonde même. Ensemble, nous allons chercher à découvrir les sous-couches de votre mémoire qui sont cachées sous la surface de votre mémoire consciente. Êtes-vous prêt à découvrir cette mémoire profonde qui fait que vous êtes précisément ce que vous êtes ?

De quoi elle me parle ?

– « Mémoire profonde » ? Désolé. Je ne sais pas ce que cela veut dire.

– Vous allez pouvoir le découvrir si vous acceptez de tenter l'expérience. Je veux être parfaitement honnête et vous informer que c'est la première fois que je l'accomplis sur scène.

Quoi ? Je suis le premier ? Si ça se trouve elle maîtrise mal son numéro. Il faut que je réponde quelque chose, tout le monde me regarde, ils doivent me trouver ridicule. Bon, de toute façon c'est trop tard pour faire demi-tour.

Après une moue, il hoche la tête en signe d'approbation.

– Si vous êtes prêt, alors on y va.

Elle fait un signe au régisseur. La lumière se focalise sur René, la laissant dans une semi-pénombre.

– Fermez les yeux. Détendez-vous. Respirez amplement. Vous sentez une douce torpeur vous envahir et vous vous préparez à vivre une expérience très agréable et nouvelle.

« Détendez-vous », pile la phrase qui m'a toujours stressé. Ça commence bien…

– Maintenant, visualisez un escalier. Descendez les marches. Ça y est ? Vous êtes arrivé devant la porte de l'inconscient. La voyez-vous ?

Je ne vois strictement rien.

– René, vous m'entendez ? Vous êtes toujours avec nous ? Répondez à ma question. Voyez-vous cette porte ?

Pas besoin d'ouvrir les yeux pour savoir que tout le monde me regarde. Si je n'y mets pas un peu de bonne volonté, à tous les coups, Élodie va me dire que j'ai saboté le tour parce que je n'aime pas l'hypnose et que je n'apprécie que la magie classique. Bon, allez, je vais faire un effort. Elle m'a demandé quoi déjà ? Ah oui, l'escalier. Descendre les marches et voir quoi ? La « porte de l'inconscient », c'est ça.

L'hypnotiseuse reprend :

– Alors vous la voyez ?

Il me semble distinguer quelque chose. Oui, peut-être. Ça doit être ça. Ça pourrait être ça.

– En effet. Je la vois.

C'est ça.

– Continuez à me parler. Dites-moi exactement ce que vous découvrez au fur et à mesure que cela apparaît devant vous. Nous vous écoutons. Alors elle ressemble à quoi cette porte de l'inconscient ?

– Elle est métallique, épaisse, blindée, avec de grosses charnières et une énorme serrure rouillée.

– Imaginez que je vous en donne la clef. Introduisez-la dans la serrure. Vous tournez la clef, le pêne se libère, vous baissez la poignée, vous poussez lentement la porte. Vous y arrivez ?

– Non.

– Insistez.

Facile à dire, cette serrure est rouillée. Je ferais peut-être mieux d'ouvrir les yeux et de tout arrêter là. En même temps, je sens qu'elle ne va pas me laisser renoncer si facilement. Tant pis, il faut que je joue le jeu.

– Ça y est, elle est ouverte.

– Bravo, René ! Vous découvrez un couloir avec des portes numérotées. Vous les voyez ? Pouvez-vous les décrire ?

– La moquette est épaisse et rouge, les portes sont blanches et il y a des numéros gravés en noir sur des plaques dorées.

– Quel est le numéro le plus proche de vous ?

C'est flou. Il faut que je fasse un peu de mise au point.

– Le 111.

– Cela signifie que vous-même êtes actuellement devant la

porte 112. C'est donc votre 112e vie! Bien. Il va maintenant vous falloir choisir quelle vie vous désirez visiter. Formulez clairement ce qui vous ferait plaisir.

– Eh bien… disons la vie où j'ai eu le comportement le plus… héroïque.

– Très bien. La porte correspondant à cette vie « héroïque » va s'éclairer d'une lumière rouge. Vous la voyez, n'est-ce pas?

– Oui, c'est la 109.

– Il y a trois vies de cela, donc. Une vie récente, une vie moderne. Allez-y. Ouvrez-la.

Je ne suis pas complètement rassuré.

– Allez-y, René. N'ayez pas peur. Je suis là. Nous sommes tous là, nous ne vous laisserons pas tomber.

Bon, de toute façon, au point où j'en suis, autant continuer jusqu'au bout.

– Ça y est.

– Décrivez-moi en détail ce que vous voyez, ce que vous entendez, ce que vous ressentez derrière la porte 109, René.

Ses yeux bougent sous ses paupières, René frémit, son visage marque une intense surprise. Après un temps, enfin, il articule :

– Je vois mes…

2.

– … mains.

Il poursuit son exploration, relatant au public ce qu'il découvre au fur et à mesure.

L'esprit de René distingue des bras dans le prolongement du

corps dans lequel il se trouve. Ses doigts sont couverts de cicatrices et ses ongles sont abîmés. Ses mains, qui dépassent d'un uniforme bleu horizon, paraissent appartenir à un jeune homme. Il est dehors, la nuit. Il allume le briquet tempête qu'il trouve dans sa poche et examine sa montre qui indique 05 h 35.

Il distingue d'autres hommes autour de lui. Ils portent tous le même uniforme bleu horizon. Son savoir d'historien l'identifie sans peine comme celui des militaires français de la Première Guerre mondiale. Leur respiration constelle l'air glacé de nuages de vapeur opaques. Ils sont réunis dans une tranchée, étayée de planches, à plus de deux mètres sous la surface du sol. Une odeur de pourriture et de chair brûlée les environne. René sent que son corps a très froid.

Qu'est-ce que je fiche là ?

Un sous-officier en képi et galon annonce qu'il va faire l'appel. Une série de noms et de prénoms s'égrène.

Quand René entend « caporal Hippolyte Pélissier », il se surprend à répondre :

– Présent !

René déduit que Hippolyte Pélissier est son « ancien nom » dans cette « ancienne vie ».

Le sous-officier passe les hommes en revue. Arrivé devant Hippolyte Pélissier, il examine sa plaque et dit :

– Dites donc, caporal, je connais vos états de service, mais cela ne vous dispense pas de prendre soin de votre apparence. Vous vous devez d'être impeccable. Certes on tue, mais que cela ne nous empêche pas de le faire avec élégance. Allez vous recoiffer avant que la hiérarchie n'arrive.

– À vos ordres, sergent.

Hippolyte fonce dans le coin toilette, se met face à la plaque miroir, se coiffe rapidement en faisant tenir sa mèche avec un peu de salive. Le René Toledano actuel peut à ce moment-là voir le visage qu'il avait dans son ancienne vie d'Hippolyte Pélissier.

C'est moi, ça ?

Il doit avoir 20 ans tout au plus. Les pointes de sa fine moustache brune remontent, couvertes de cire. Il a des yeux gris, des cheveux noirs, des lèvres fines, une fossette au menton. Se regarder dans le miroir semble l'apaiser. Il se passe encore un peu de salive dans les cheveux. La voix tonitruante du sergent l'arrache à sa contemplation.

– Qu'est-ce que vous faites, caporal ? Vous croyez vraiment que c'est le moment de jouer les Narcisse ? Rejoignez votre poste, c'est l'heure de l'inspection.

Hippolyte Pélissier revient dans le rang et s'aligne avec les autres militaires. Le sergent demande à tous de vérifier le bon fonctionnement de leur fusil et de leur pistolet. Ils s'exécutent. Enfin on annonce l'arrivée du général. L'homme couvert de galons et de médailles est entouré d'officiers haut gradés. Il monte sur une caisse et harangue la foule des soldats présents.

– Bonjour messieurs. Je suis le général Nivelle.

Tous sont impressionnés car ils ont évidemment entendu parler de leur célèbre chef.

– Aujourd'hui, 16 avril 1917, sur ce terrain proche de la ville de Laon, nous avons décidé de lancer une offensive afin de briser la ligne de résistance du front allemand. Cette ligne, c'est le chemin des Dames. L'infanterie avancera de cent mètres toutes les trois minutes. C'est à peine plus rapide qu'à Verdun où nous avons pu reprendre, dans des conditions similaires, le fort de Douaumont. Nous utiliserons la même tactique, qui s'est avérée victorieuse. Ensuite, pour la première fois, des chars interviendront, les chars

Schneider, pour prendre les Allemands à revers et ainsi soulager l'infanterie. L'objectif est d'atteindre le sud de Laon avant la tombée de la nuit.

Hippolyte lève la main.

– Mon général ?

Déjà des officiers zélés veulent faire taire l'importun, mais Nivelle, d'un geste magnanime, signale qu'il consent à l'écouter.

Hippolyte reprend :

– Là-haut, ils sont comment les Boches ?

Le chef militaire a un ricanement.

– Vous n'avez donc pas entendu nos canons tonner ces derniers jours ? Là-haut, les Allemands se sont pris des pelletées d'obus dans la figure, venus tout droit de la manufacture de Saint-Étienne. Je peux même vous donner le chiffre exact : nos 5 310 canons ont déjà tiré cinq millions d'obus de petit calibre et un million et demi de gros calibre. Nous devons avoir détruit les trois quarts des lignes ennemies. Il n'y a plus qu'à finir le travail. Les Allemands sont blessés et fatigués. Ils ne seront pas en mesure de vous opposer autre chose qu'une faible résistance. Vous allez monter cette colline pour les achever. Ainsi, c'est nous, et plus précisément vous qui allez mettre fin à cette guerre épuisante grâce à cette victoire décisive. Ensuite, les envahisseurs teutons rentreront chez eux et nous chez nous en héros retrouver nos femmes, nos familles, nos amis et tout redeviendra paisible comme avant.

Le général Nivelle marque un temps d'arrêt. Il regarde les autres officiers, puis lance d'une voix puissante :

– L'heure est venue. Confiance, courage et vive la France !

Tous répètent en chœur :

– Vive la France !

– Soyez des héros ! conclut le général.

Le sergent à son côté reprend la parole :

– Chacun à son poste, prêt pour l'offensive terrestre.

Hippolyte vérifie qu'il a bien son poignard et sa gourde. Il fait très froid en ce mois d'avril. Il a même neigé toute la nuit. La respiration des soldats dessine des nuages de vapeur de plus en plus allongés. Sur la droite d'Hippolyte, René distingue le coin des Sénégalais. Ces derniers grelottent tellement qu'on entend leurs dents claquer.

Le sergent hurle :

– Tenez-vous prêts !

La plupart des soldats s'emparent de leur gourde remplie de rhum et avalent une grande rasade pour se donner du courage. Hippolyte pour sa part a préféré y mettre du vin rouge sicilien. C'est sa seule excentricité, mais il y tient. Le jus de raisin fermenté le réchauffe et le rassérène.

La lumière de l'aurore point à l'horizon. Autour d'eux quelques oiseaux gazouillent, indifférents aux préoccupations humaines. L'attente semble interminable et tous ont envie de s'élancer hors de leur trou à rats. Enfin à 6 h 00 précises le son strident du sifflet à roulette du sergent retentit, repris au loin par les autres officiers.

L'un des premiers, Hippolyte monte à l'échelle et surgit hors de sa tranchée. La pente de la colline est raide, mais praticable. Tout d'un coup, un nuage passe, le ciel se couvre et il se met à pleuvoir. Le terrain déjà bien enneigé devient boueux et glissant.

De là où il est, Hippolyte repère, sur sa gauche, les chars d'assaut Schneider qui commencent à avancer, avant de rapidement s'embourber. Les fantassins franchissent les premiers mètres sans résistance, au son des détonations des canons placés à l'arrière

23

qui finissent de nettoyer ce qui pourrait rester des positions de défense ennemies. Le sommet de la pente s'éclaire de bouquets jaunes, en des explosions qui se transforment en torsades de fumée. Rassurés, ils accélèrent. Ils atteignent les barbelés. Les soldats du génie s'avancent avec leurs cisailles et entreprennent méthodiquement de couper les fils métalliques. Un passage est libéré.

L'ascension peut reprendre. Soudain, des rafales provenant d'un nid de mitrailleuses adverses fauchent les soldats les plus en avant. Hippolyte et ses compagnons se couchent au sol, puis tentent de viser les casques sombres qui dépassent des abris en face d'eux. Un soldat blessé, placé en tête de l'offensive, sort une grenade, la dégoupille et la lance. Les soldats allemands du nid de mitrailleuses sont neutralisés. Certains, blessés ou estropiés, hurlent et sortent. Ils sont facilement achevés. La pluie redouble.

– En avant! En avant! répète le sergent en ponctuant chaque phrase de sifflements.

Ils poursuivent leur ascension et tombent face à un autre nid de mitrailleuses qu'ils doivent là encore nettoyer. L'artillerie française se déchaîne sur la crête alors que la pluie rend le terrain de plus en plus glissant et difficile à gravir. Un groupe de soldats ennemis apparaît. Hippolyte et ses camarades se plaquent au sol. Les tirs adverses se font de plus en plus précis. Hippolyte ramasse une grenade à proximité et a le réflexe de la relancer dans la direction d'où elle lui semble être partie. Il sent ses tempes qui battent fort et sa respiration qui s'emballe.

– Allez! En avant! hurle le sergent qui s'est prudemment placé derrière ses troupes.

Les hommes bleu horizon se dégagent de la boue collante et se mettent à courir. En face, ça tire de partout en rafales.

Plusieurs soldats tombent sous les balles et la voix du sergent scande :

– Avancez ! Avancez ! Bon sang !

Puis d'un ton encore plus dur, le gradé lance :

– Les lâches qui feront demi-tour seront abattus par les mitrailleuses qu'on a placées en bas de la côte spécialement pour eux. Et s'ils s'en sortent malgré tout, ils seront fusillés en tant que déserteurs !

Son sifflet à roulette produit un son qui énerve plus les troupes qu'il ne les encourage. Certains reviennent sur leurs pas et sont abattus par des tirs de mitrailleuses en provenance de la tranchée française. Hippolyte constate qu'ils ne peuvent plus avancer ni reculer. Lui et ses compagnons d'armes restent bloqués dans leur position, à la recherche d'une solution. Soudain, venus du bas de la pente, des soldats les rejoignent. La pluie empêche Hippolyte de bien les distinguer. Il espère que ce sont des renforts, mais quand ils se rapprochent il est lourdement détrompé. À nouveau des camarades se font faucher par ces ennemis surgis de derrière. Privés de protection, les soldats sont désormais coincés entre deux lignes de feu. Finalement, le sergent, dissimulé derrière un amoncellement de cadavres, leur ordonne d'attaquer les soldats du bas en priorité.

Ses hommes obéissent, tentent la manœuvre et multiplient les pertes. Les tirs les encerclent alors que le jour se lève. Les Français parviennent à tuer tous les Allemands surgis du bas de la côte, mais au prix de pertes considérables…

Hippolyte est d'ailleurs l'unique survivant de cette première vague d'assaut. Plutôt qu'un héros, il se sent comme une bête traquée. Il lui faut vite prendre une décision. Sa respiration est hachée. Son cœur bat vite. Monter, cela veut dire affronter seul les nids de mitrailleuses ennemies. Descendre, c'est risquer d'être pris pour un déserteur.

Alors, il suit les traces de pas des Allemands qui ont surgi par-derrière et découvre un tunnel dont l'entrée est dissimulée par une motte de terre. Il connaît bien les tunnels car, en tant que membre des corps francs, il a dû en emprunter à plusieurs reprises pour des missions commando. Côté français comme côté allemand, ceux du génie se sont transformés en taupes creusant la terre pour construire des galeries et poser des explosifs sous les lignes ennemies.

Hippolyte pénètre dans le passage. Des marches conduisent à un couloir souterrain. Tout est étayé par des poutres. Il comprend que les Allemands, installés depuis longtemps, ont pris le temps de renforcer ce réseau de galeries souterraines pour éviter d'être touchés par l'artillerie française et pouvoir surgir, au moment de l'offensive, avec des troupes intactes. De ce fait, comme ils n'étaient pas au sommet de la crête, les bombardements des derniers jours ne les ont en rien affectés, contrairement à ce qu'escomptait Nivelle.

Hippolyte avance dans le tunnel et découvre des caisses d'explosifs. Soudain, entendant un bruit, il se cache dans une anfractuosité et repère un soldat allemand. Il attend que ce dernier soit suffisamment avancé pour l'attaquer par-derrière, plaquer sa main sur sa bouche et l'égorger. Les gestes d'Hippolyte sont simples, précis, efficaces. De la carotide du soldat giclent des jets de sang tiède. Il le relâche et le corps s'effondre comme une poupée de chiffon.

Une voix se fait entendre : « *Heinrich ! Wo bist du ? Was passiert ? Heinrich !* » En l'absence de réponse, le soldat accourt. Hippolyte le surprend de la même manière que son camarade et le tue tout aussi rapidement. Son uniforme est taché du sang de ses ennemis.

D'autres voix retentissent. Il s'agit cette fois de deux soldats qui transportent une caisse d'explosifs. Les prenant par surprise, Hippolyte poignarde et tue facilement le premier, mais le second, beaucoup plus grand et gros, le saisit au torse et l'enserre de ses énormes bras. Hippolyte, plus frêle, trouve l'énergie de se dégager d'un coup de coude, avant de lui faire face, son poignard brandi en avant.

Leurs souffles à tous deux se font courts. Ils se tiennent en respect. L'autre est plus lourd, plus puissant, mais moins alerte. Hippolyte parvient à lui infliger plusieurs estafilades, mais aucune n'est suffisamment profonde pour mettre son adversaire hors jeu. Les couches de graisse le protègent comme une armure. Finalement, l'Allemand parvient à désarmer son adversaire et à le plaquer au sol, l'écrasant de tout son poids. Hippolyte retient à bout de bras le poignet ennemi, dont l'arme s'approche dangereusement de son visage, tout en essayant avec sa main libre de lui comprimer la pomme d'Adam. Mais, là encore, ses doigts glissent dans les plis du double menton huileux.

Ce face-à-face lui semble durer une éternité. Hippolyte respire l'odeur aigre qui émane du visage de son adversaire à quelques centimètres du sien. Des gouttes de sueur coulent sur son front. Le couteau, pointé sur son œil droit, descend inexorablement. Hippolyte pousse, serre la gorge de l'Allemand mais, incapable de le retenir davantage, il relâche la pression et sent alors le couteau s'enfoncer dans son œil droit et traverser son cerveau dans un craquement de bois sec.

3.

René Toledano se réveille en sursaut, l'œil gagné par un tic. L'hypnotiseuse intervient aussitôt.

– Non ! Surtout n'ouvrez pas encore les yeux ! Comme pour la plongée sous-marine, il faut respecter des paliers pour sortir de la transe hypnotique. Refermez les paupières.

Le professeur d'histoire ne tient pas compte de son injonction. Tous les spectateurs peuvent constater qu'il est livide, qu'il a la respiration saccadée et qu'il tremble de tout son corps. Il pousse un cri de rage, quitte la scène, s'enfuit vers la sortie. Son amie Élodie veut l'arrêter, mais il la repousse, et franchit la porte de La boîte de Pandore. Il court droit devant lui sur les berges du quai de la Seine, son œil droit n'en finissant pas de s'ouvrir et de se fermer sans qu'il puisse le maîtriser. Il court longtemps, avant de s'arrêter essoufflé pour vomir dans le fleuve.

Son tic à l'œil commence à disparaître. Il repense au général Nivelle qui leur annonçait une victoire certaine : « Soyez des héros ! »

Tu parles ! Nous étions des moutons guidés par des bergers aveugles.

Il comprend que, comme il le redoutait, cette hypnotiseuse ne maîtrise pas sa technique de plongée dans l'inconscient. Il a servi de premier cobaye à une expérience mal contrôlée. Elle a raté son guidage dans sa descente, elle a raté sa remontée, elle a surtout échoué dans son désir de lui faire vivre un moment réjouissant.

Je n'aurais pas dû y aller. Tout ce qu'elle a fait, c'est me plonger dans un cauchemar devant un public de voyeurs qui a dû me trouver pitoyable.

Les images précises de l'offensive du chemin des Dames lui reviennent comme un film, sauf qu'il en ressent maintenant toutes les sensations physiques : le froid, le sol qui tremble sous les obus, les odeurs de poudre et de chair brûlée. Il ne peut pas avoir inventé tout cela dans son esprit.

Dire que des gens ont vraiment vécu cet enfer. Tant qu'on n'y est pas allé on ne peut pas se rendre compte.

Un nouveau haut-le-cœur le gagne quand il repense à un de ses camarades dont il a vu la jambe se séparer du corps et s'envoler sous le coup d'un obus.

– Eh ! toi !

René relève la tête. Une silhouette s'approche de lui. C'est un jeune homme qui arbore toute la panoplie du skinhead : blouson militaire, tête rasée, rangers, piercings au nez et aux oreilles. Il lui lance :

– Je veux ton fric et vite.

L'homme parle avec un fort accent allemand. Il a des symboles nazis tatoués sur tout le corps. Croix gammée, tête de mort et signe des SS.

Il dégaine un couteau à cran d'arrêt. René recule, mais derrière lui, il n'y a que le fleuve.

L'autre insiste.

– Allez ! File-moi ton portefeuille.

À mesure qu'il se rapproche de lui, le professeur d'histoire perçoit son haleine fortement chargée de bière. Il est tétanisé, incapable de bouger ou de parler.

– Tant pis. Je vais le prendre sur ton cadavre et après je te jetterai dans le fleuve où tu serviras de dîner aux poissons.

29

Le skinhead sourit en exhibant ses dents dorées, puis il change de physionomie, serre les mâchoires et avance d'un air menaçant, couteau en avant.

C'est un rêve. Me voilà dans un autre cauchemar, plus contemporain. Ou alors je suis encore sous l'influence de l'hypnotiseuse. Je crois que c'est réel, mais tout se passe dans mon imagination. Il va y avoir un décompte et il va disparaître. 10... 9... 8...

Quand le skinhead lance sa lame en avant, René Toledano l'esquive presque machinalement. La pointe de l'arme blanche lui égratigne la main. Il éprouve une sensation de brûlure et voit son sang couler. Il regarde sa main comme si elle ne lui appartenait pas.

Si c'est un rêve, pourquoi ai-je mal?

Lorsque le deuxième coup arrive, René parvient à le retenir en croisant ses deux mains qu'il tend en avant. Puis, instinctivement, le professeur d'histoire saisit le poignet du skinhead, le retourne et le force à lâcher l'arme. Lorsque l'autre lui paraît déséquilibré, il lui fauche la jambe pour le faire tomber. René Toledano se sent des capacités de combat dont il ignorait totalement l'existence.

Il donne un coup de pied dans le couteau qu'il fait voler dans le fleuve. Le skinhead fulmine et l'insulte en allemand. Il se penche tel un taureau prêt à charger. Il dégaine un deuxième poignard à la lame plus large et plus longue, dissimulé dans un étui attaché à son mollet. Quelques rats intrigués passant par là s'arrêtent pour observer cette lutte réjouissante entre mâles humains.

Nouvel assaut du skinhead.

Corps à corps. Les combattants chutent au sol et roulent. Leurs mains cherchent à agripper, leurs ongles à griffer, leurs dents à mordre. Leurs yeux sont révulsés et leurs bouches grimaçantes. La lame du poignard les sépare, tantôt repoussée, tantôt brandie.

D'un mouvement, René Toledano retourne l'arme contre l'assaillant qui, en roulant sur lui-même, s'enfonce la lame dans le thorax.

Oh non.

Le professeur d'histoire relâche son étreinte, l'autre tente de se relever ; le manche du poignard dépasse de sa poitrine ; il a un rictus, puis après avoir tenté maladroitement de se remettre debout, il tombe à genoux et bascule en avant. L'arme s'enfonce plus profondément.

Non, non, non, non, non.

Les rats sont étonnés que cela s'arrête si rapidement.

René s'approche lentement, au cas où son adversaire ferait semblant d'être mort. Il le retourne. L'autre, les yeux grands ouverts, ne bouge plus. Du sang déborde de la commissure de ses lèvres.

Cela ne s'est pas produit, cela n'existe pas, je vais me réveiller de ce cauchemar.

Comme il ne se passe rien, René Toledano met la main devant la bouche et le nez de son agresseur pour voir s'il respire encore, puis lui touche la poitrine et constate qu'elle ne se soulève plus. Il lui palpe les poignets à la recherche du moindre battement. En vain.

Je crois que là ce n'est plus de l'hypnose ni un rêve... Cela se passe ici et maintenant dans cette vie.

Le cœur de René bat à tout rompre, il respire amplement et ressent un goût amer dans la gorge. Il recule, s'éloigne du corps, tourne la tête pour voir si quelqu'un arrive.

Mais qu'est-ce que j'ai fait ?

Il se remet face au corps de sa victime qui n'en finit pas de déverser son liquide rouge. Déjà des rats approchent pour renifler le sang, qu'il éloigne à coups de pied.

C'est affreux. Il faut que j'aille au commissariat le plus proche et que j'explique ce qu'il s'est vraiment passé... C'était de la légitime défense. Cela arrive tous les jours de se faire menacer dans des coins déserts... Je n'ai fait que protéger ma vie.

Il tourne encore la tête. Cette partie très à l'ouest du fleuve est peu touristique car excentrée, et donc peu fréquentée.

Il faut que je dise la vérité.

Il reste là à contempler le corps du skinhead.

Les policiers ne me croiront pas. Ils se diront que j'ai poignardé un clochard. Rien ne prouve que j'étais en état de légitime défense.

Même ma blessure à la main ? Une simple égratignure, ils se moqueront de moi.

Il regarde partout autour de lui et ne repère toujours aucun témoin. Alors, obéissant à une pulsion, il tire le corps de son assaillant jusqu'au bord de la berge. Il retire le couteau et le jette au loin dans le fleuve. Du bout du pied, il pousse ce corps pour le faire basculer dans l'eau.

Mais qu'est-ce qu'il m'arrive ? J'ai tué un homme et maintenant, voilà que je me débarrasse de son corps en le jetant dans le fleuve.

Au loin, la péniche La boîte de Pandore, illuminée, continue d'émettre des bruits d'applaudissements réguliers. Le tic à son œil droit reprend.

Dans quel pétrin suis-je allé me fourrer ?

Il rejoint alors sa voiture garée un peu plus loin et s'enfuit dans la nuit.

Les rats, déçus, lèchent la petite flaque de sang, seule trace de l'affrontement, et apprécient l'arrière-goût de bière.

4.

De retour chez lui, René claque la porte d'entrée et reste plaqué, comme s'il craignait qu'un ennemi l'ait suivi. Il verrouille toutes les serrures. Il retrouve le décor familier de son appartement au septième étage de son petit immeuble du XVe arrondissement parisien, à la station Charles-Michel.

Dans son salon, sa collection de masques de tous les pays du monde semble se moquer de lui comme le public de La boîte de Pandore. Le masque japonais du théâtre kabuki, le masque africain des Baoulés et celui du carnaval vénitien semblent les plus féroces.

Il respire fort.

J'ai tué un homme!

René Toledano se rend dans la salle de bains, se lave les mains et s'asperge d'eau glacée. Il désinfecte sa petite blessure à la main sans se donner la peine de mettre un pansement. Il jette ses vêtements ensanglantés dans la machine à laver, puis se regarde dans le miroir au-dessus du lavabo et, d'un geste, rabat sa mèche frontale comme Hippolyte. Son tic à l'œil droit le reprend.

– Qui suis-je? articule-t-il, comme s'il parlait à son propre reflet.

Je ne me reconnais pas. Qui est cette personne que je vois dans la glace? Est-ce bien moi? Pourquoi ai-je ce corps et ce visage-là? Est-ce que cette apparence correspond à ce que je suis vraiment? Quel est ce type qui se croit un héros, mais qui n'est qu'un monstre? Tout ça c'est la faute de ma « mémoire profonde ». Cette cave secrète que j'aurais surtout dû ne jamais ouvrir.

Il a un haut-le-cœur.

– Qui ai-je été ? demande-t-il.

Mais il n'ose prononcer ce qu'il pense :

J'ai été un assassin, j'ai oublié, je m'en suis souvenu et mainte-
nant… je le suis redevenu.

Des images de tous ces Allemands qu'il a égorgés de sang-
froid dans le tunnel se superposent dans son esprit.

C'était la guerre. C'était autorisé. C'était ça être un héros.

Nouveau tic à l'œil droit. Il ferme les yeux et presse ses mains
sur ses paupières.

D'aussi loin qu'il s'en souvienne, depuis sa plus tendre
enfance, René a toujours cherché à avoir une vie tranquille. Il a
eu une scolarité agréable et était curieux de tout. Sa mère était
professeur de sciences. Elle était celle qui lui faisait la morale :
« Si tu fais quelque chose de mal, il faut le dire. Faute avouée est
à moitié pardonnée. Il est interdit de mentir ou de dissimuler.
Retiens bien ça, René, faute avouée est à moitié pardonnée. »
Son père était professeur d'histoire. C'est lui qui lui indiquait
comment s'évader des cadres imposés par la société. Selon lui, la
meilleure manière d'avoir une perspective sur sa propre existence était de connaître ce qu'il appelait le « passé de son propre
troupeau ».

Quand René était enfant, son père, Émile, l'avait abreuvé de
vrais récits historiques et lui avait donné le goût et la curiosité
de la vie de leurs ancêtres. Son chemin avait été tracé par son
père et René s'y était inscrit tout naturellement.

Grâce à lui, il avait aussi découvert avec passion la mythologie grecque, les grands textes latins, les récits du Moyen Âge. Il
lui racontait les grandes batailles, puis, après un temps d'arrêt, il
prenait la main de son fils et déclarait, tout à coup solennel :

– Mon fils, sache que la guerre, la vraie guerre, c'est affreux. Des scènes ignobles de pauvres gens qui s'entretuent sans même se connaître. Ça se poursuit dans les hôpitaux avec des victimes estropiées, ou dans les prisons avec des innocents pourrissant dans des cages. Crois-moi, il n'y a rien d'exaltant ou de beau à une bataille. Et pourtant, c'est ce qu'on retient le plus de l'histoire. C'est dommage. Je verrais bien une histoire où l'on retiendrait les moments de plaisirs et de joie, mais cela n'intéresserait personne.

Un jour, en revenant de l'école, il devait avoir 11 ans, René avait dit à son père :

– Papa, on nous demande de retenir « 1515, Marignan », mais on ne nous dit presque rien de cette bataille. C'était pourquoi ? Où est Marignan ? Cela a servi à quoi ?

– Bonne question, fiston. Marignan c'est au nord de l'Italie. François Ier voulait asseoir son statut de jeune roi issu d'une lignée non légitime. Pour cela, il a attendu l'occasion de pouvoir faire un coup d'éclat. Il a profité des prétendues mœurs dissolues des nobles du Nord italien que désapprouvait le pape, pour faire du zèle en proposant au souverain pontife de moraliser deux cités censées être Sodome et Gomorrhe. Il est entré par les Alpes dans le nord de l'Italie. Les Milanais et les Turinois, pour le contrer, ont acheté une armée de mercenaires suisses. Car Marignan avait beau se situer en Italie, la bataille a opposé les Français aux Suisses. Et elle a été complètement ratée ! Les deux armées se sont cherchées dans la neige et le brouillard sans se trouver. Finalement, à cause du manque de visibilité, elles se sont autodétruites par erreur, parce qu'elles avaient pris leurs propres troupes pour les troupes ennemies. Au matin, les Suisses, un peu plus débrouillards, ont réussi à dénicher les Français et étaient sur le point de remporter la bataille, quand les Vénitiens sont arrivés en renfort des Français. Ils sont tombés sur les Suisses et ont remporté *in extremis* le combat. Après ça, les Français se sont retirés d'Italie.

— Mais alors cette bataille n'a servi à rien, papa !

— Beaucoup de pauvres gens sont morts dans la neige ce jour-là pour rien. Ce n'était qu'un coup de propagande. Alors oui, ça a permis à François Ier de faire sa propre pub, en s'autoproclamant grand vainqueur de la bataille de Marignan, et de passer pour un grand chef militaire charismatique. Tout le monde a oublié l'intervention décisive des Vénitiens et grâce à ce coup de com' François Ier a légitimé son statut de roi conquérant auprès de sa population. La leçon à tirer de tout ça, mon fils, c'est que l'important n'est pas ce qu'on accomplit réellement, mais ce que les historiens en rapportent.

— Donc les plus forts de tous ce sont les historiens ? C'est pour ça que tu es historien, papa ?

Son père n'avait pas répondu. Il avait poursuivi :

— Par la suite, François Ier s'est réellement persuadé qu'il avait gagné la bataille et qu'il était un excellent stratège. Il s'est alors lancé dans une grande offensive contre son principal rival, l'empereur Charles Quint : la bataille de Pavie en 1525 où François Ier a été battu à plate couture, fait prisonnier et a dû payer pour sa libération une lourde rançon qui a ruiné le pays. Après ça, il a renoncé à la guerre pour se consacrer à la peinture, la musique et aux femmes légères. D'où son image de roi mécène et galant séducteur. Enfin, pour en revenir à Marignan, la vérité c'est que si les élèves et les profs connaissent cette bataille, c'est avant tout parce que 1515 c'est facile à retenir !

Pour René cette discussion avait été une révélation.

Son père avait ajouté :

– Jules Michelet n'a pas aidé : il a écrit en 1840 une grande histoire de France qui était devenue la référence absolue sur ce qu'il fallait savoir et dire de notre passé. C'est lui qui avait sélectionné les batailles décisives, les rois qui lui semblaient déterminants et ceux qui étaient médiocres, comment interpréter les faits. Mais il avait tout déformé pour servir sa propre vision politique et personne n'était ensuite venu le contredire.

René avait retenu que ce qu'on connaît du passé ce n'est qu'une caricature de propagande répandue par les historiens pour faire plaisir à leur puissant commanditaire. Et après cette conversation édifiante sur Marignan, René avait spontanément créé son fichier de texte « Mnemos », livrant la vraie version peu connue d'événements historiques qu'il ne voulait surtout pas oublier. Il se souvient aussi des grandes discussions qu'il a eues par la suite avec Émile sur d'autres sujets aussi surprenants et qui lui ont permis de compléter ses fiches.

Un jour René avait demandé à son père :

– Papa, pourquoi tu ne le dis pas en cours, ce que tu me racontes ?

Émile l'avait regardé d'un air sérieux :

– Retiens bien ça : on ne peut pas révéler brutalement aux gens ce qui s'est réellement passé. Pour celui qui est habitué aux mensonges, la vérité semble toujours suspecte.

René s'était alors fait une promesse : « Plus tard quand je serai grand, moi aussi je serai professeur d'histoire, sauf que moi, j'oserai dire la vérité à tout le monde, et tant pis si les gens ne me croient pas. »

Sa mère, Pénélope, voyant la curiosité de son fils et la complicité qu'il avait créée avec son père, avait souhaité ne pas être en reste. Elle l'avait à son tour abreuvé d'informations, cette fois-ci plutôt scientifiques : elle lui parlait du fonctionnement du cerveau et de l'origine de l'univers. Elle était très nerveuse et fumait beaucoup. Elle avait été emportée des années plus tard par un cancer des poumons. Après son décès, Émile avait fait une dépression. C'est à ce moment-là qu'étaient apparus ses premiers gros trous de mémoire. Il entrait dans des pièces et ne se souvenait plus de ce qu'il venait y chercher. Il oubliait le début de ses phrases : « De quoi parlait-on déjà ? » « C'était quoi ta question ? » Il oubliait le code de son immeuble. Une fois, il s'était perdu et avait été incapable de retrouver sa propre adresse. Il n'avait que 55 ans. Il avait consulté un neurologue et le diagnostic était tombé, en un terrible mot allemand. Décidément ce pays ne leur portait pas chance dans la famille. « Alzheimer ». Son père avait pris aussitôt une retraite anticipée.

René, alors étudiant de 23 ans, avait dû signer les papiers pour le faire admettre dans un centre spécialisé, la clinique des Papillons. La devise de cet établissement était simple : « Tout est mémoire ». Leur logo représentait un crâne fendillé d'où s'échappaient des papillons, symbolisant sans doute les souvenirs.

Depuis, René rendait visite à son père au moins une fois par semaine. Il voyait bien en discutant avec lui que son monde se rétrécissait comme une peau de chagrin. Il devait chercher tous les noms et tous les prénoms : « Comment il s'appelle, déjà, le président de la République ? » ; « Comment elle s'appelait ta mère ? » ; « Comment tu t'appelles, déjà ? » Après les noms, c'était son vocabulaire qui avait disparu : «Tu sais ce truc qui sert à ouvrir les bouteilles avec un manche qui tourne?»; «Tu aurais une autre de ces boules de verre qui servent à faire la lumière, comment cela s'appelle déjà, tu sais avec un filament électrique dedans?»

René avait alors découvert une nouvelle source d'angoisse : il avait l'impression qu'en regardant son père sombrer, il voyait comment il allait lui-même finir. Car cette maladie était censée être héréditaire. C'est pour cela que ses récentes petites pertes de mémoire l'inquiétaient vraiment. Il visualisait son cerveau comme un sac à dos troué qui laissait passer les petits objets et qui n'allait que se détériorer de plus en plus jusqu'au moment où il laisserait passer de gros objets, puis tous les objets, tous les souvenirs, tous les visages, tous les noms, les prénoms, les tire-bouchons, les ampoules et enfin tous les mots.

Tout disparaît pour mon père. Tout va disparaître pour moi. Ce n'est qu'une question de temps.

Jusqu'à ce soir, il était un homme qui s'accrochait à sa mémoire comme un naufragé à un radeau. Un homme tranquille, un bon fonctionnaire, à la vie répétitive, un ami d'Élodie, un professeur d'histoire enthousiaste bien noté par sa hiérarchie, un futur retraité avec une épée de Damoclès au-dessus de la tête qui se nommait «Alzheimer».

Voilà ce qu'il était jusqu'à il y a une heure, jusqu'à cette découverte de la «mémoire profonde». Jusqu'à ce qu'il lui arrive quelque chose d'inattendu qui l'avait forcé à découvrir une part cachée de lui-même.

Il y avait un tueur caché derrière la porte blindée de mon incons-cient. Une mémoire enfouie derrière ma mémoire habituelle que ce spectacle a fait ressurgir. Si je n'y avais pas assisté j'aurais continué à vivre sans jamais y accéder.

Il s'asperge le visage d'eau glacée.

Il faut que je sache.

Il allume son ordinateur et tape dans son moteur de recherche : « Bataille du chemin des Dames ».

Il apprend que la ligne de front s'étendait entre Soissons et Reims. La première charge des Français contre les lignes allemandes avait bien eu lieu le 16 avril 1917 à 6 h 00. Du côté français il y avait 850 000 hommes contre 680 000 du côté allemand. Les Français étaient bien sous les ordres du général Nivelle. On s'était aperçu après la bataille que les Allemands, établis depuis 1914, avaient créé un vaste réseau de galeries souterraines profondes, solidement étayées, permettant de relier l'arrière du front et les premières lignes. C'est pour cela que, malgré les bombardements chargés de nettoyer la crête, les soldats d'infanterie français s'étaient retrouvés pris en tenaille par leurs ennemis qui surgissaient derrière eux par les tunnels. Rien que le premier jour d'offensive, les pertes s'étaient élevées à 150 officiers et 5 000 soldats, dont la moitié de tirailleurs sénégalais. Malgré la promesse du général Nivelle que l'offensive durerait au maximum deux jours, elle s'était étendue du 16 avril au 24 octobre 1917. À l'arrivée, il y avait eu 187 000 morts côté français contre 163 000 morts côté allemand.

Pourtant, René s'en rend bien compte, personne n'a jamais vraiment fait le bilan de cette monumentale erreur stratégique. Dans l'enthousiasme de la victoire, on a oublié que cette bataille terrible avait été aussi meurtrière qu'inefficace.

Lors de la Seconde Guerre mondiale, vingt et un ans plus tard, les généraux français, satisfaits de la dernière, se sont préparé à une nouvelle guerre de tranchées. Ils n'avaient pas prévu que les Allemands entretemps fonderaient leur stratégie sur l'utilisation de leurs tanks en première ligne, ce qui leur a permis de contourner rapidement et sans difficulté les lignes de défense françaises.

Voilà le prix à payer lorsqu'on ne tire pas de leçons du passé.

René Toledano cherche sur Internet la liste officielle des morts répertoriés de la Première Guerre mondiale. Il découvre qu'a réellement existé un caporal Hippolyte Pélissier, mort à 23 ans durant l'offensive du chemin des Dames.

À tout hasard, René recherche s'il y a des photos de cet Hippolyte Pélissier. Il trouve une image qui laisse apparaître un visage qui ressemble en tout point à celui de la séance de régression. Mêmes yeux gris, même moustache, mêmes lèvres fines, même fossette au menton. René retourne sur la page du caporal.

Hippolyte Pélissier faisait partie des corps francs, ces premiers commandos chargés des missions dangereuses derrière les lignes de front. Il était considéré comme un soldat d'élite qui avait déjà tué plus d'une dizaine de soldats ennemis lors de précédentes actions. Il est mort dans un tunnel. Il a été décoré à titre posthume.

C'était un héros, et ce n'est pas forcément une bonne idée d'être un héros. Les héros sont ceux qui meurent en premier. Ce sont les lâches et les planqués qui survivent.

Ce sont eux qui se reproduisent et meurent de leur belle mort. Et ce sont donc eux qui racontent leur version de ce qui s'est passé. Les vrais héros, étant décédés, ne sont pas là pour les contredire.

Il observe à nouveau la photo du jeune soldat défunt.

Dire que ce tueur était enfoui quelque part dans mon esprit. Sauf que lui a poignardé des ennemis pendant la guerre, c'est un acte héroïque ; ce que j'ai fait moi, cela s'appelle un crime.

La photo d'Hippolyte Pélissier le trouble. Son incarnation semble le regarder à travers le temps.

Réduire le temps de vie des autres. Je n'ai jamais voulu cela. Je n'y ai jamais pris de plaisir.

J'ai tué pour obéir aux ordres de mes supérieurs. J'ai tué pour protéger mon pays des invasions étrangères. Et là je viens de tuer pour sauver ma propre vie. C'était de la légitime défense.

Il observe son reflet dans son écran d'ordinateur.

Deux corps différents pour une même âme ?

Il souffle.

Je dois me rendre à la police. Je le ferai demain matin au réveil.

Il se met au lit mais reste les yeux ouverts.

Passer tout le reste de ma vie en prison pour meurtre ? Parce qu'un ancien moi a ressurgi de ma mémoire profonde après une séance d'hypnose ?

Par la fenêtre, la lune, tel un œil géant, maternel, l'observe avec réprobation.

« *Faute avouée est à moitié pardonnée.* »

Il essaie d'oublier ce qu'il s'est passé en se laissant glisser dans le sommeil.

5. MNEMOS. LÉTHÉ, DÉESSE DE L'OUBLI.

Selon la mythologie grecque, la déesse de la nuit, Nyx, a engendré Hypnos, le dieu du sommeil (qui a donné le mot hypnose), et son frère jumeau Thanatos, le dieu de la mort (qui a donné les mots thanatopracteur ou thanatonaute).

La subtile différence qui distingue les deux frères est la possibilité d'un réveil.

Hypnos est lui-même le père de Morphée (à l'origine du mot morphologie), une divinité dont la vocation est d'endormir les mortels. Il adopte la forme d'êtres familiers et rassurants pour faciliter l'arrivée du sommeil.

Nyx a aussi pour petite-fille Léthé, la personnification de l'oubli. On la confond parfois avec le fleuve des Enfers du même nom, dont les eaux permettent aux âmes d'oublier qui elles ont été afin de pouvoir renaître sereinement.

Virgile en parle ainsi au chant VI de l'*Énéide*, où Énée visite les Enfers et retrouve son père :

« Énée demande à son père Anchise :

– Quel est ce fleuve et qui sont ces gens [...] ?

Alors celui-ci répond :

– Ce sont les âmes de ceux qui doivent recevoir un autre corps. Elles viennent boire dans l'onde du fleuve Léthé la liqueur d'insouciance et d'oubli. Depuis longtemps je voulais t'en parler, mon fils. [...]

– Donc il y a ici des âmes qui sont prêtes à partir pour revenir de nouveau dans l'épaisseur d'un corps ? [...]

– Lorsque la vie les a abandonnées, [...] les âmes sont purifiées des sédiments que leur corps a déposés [...]. Après quoi elles passent par les Champs Élysées pour poursuivre leur route. Seules quelques-unes resteront ici et, tel moi, Anchise, ces âmes bienheureuses conserveront pour toujours le souvenir intact de leur vie terrestre. Par contre les autres ne vont rester ici aux Champs Élysées que pour une période réduite, jusqu'à ce que leur pensée ait retrouvé sa pureté et sa simplicité.

Toutes les âmes que voici, lorsque leur temps sera venu, seront appelées en longue file sur la berge du fleuve Léthé afin que, débarrassées de tous les souvenirs passés, elles émettent le souhait de revenir dans un corps de chair. Alors commence la réincarnation des âmes. Les eaux du fleuve Léthé, les eaux de l'oubli, permettent aux âmes des morts d'oublier les souvenirs pénibles de leurs vies antérieures et elles renaîtront neuves pour habiter un corps nouveau. »

6.

Les nuages s'étirent pour dévoiler progressivement un soleil rose. Des pigeons roucoulent, s'invitent mutuellement à des ébats. René Toledano n'est pas arrivé à s'endormir. Il jette un œil à sa pendule qui indique 7 h 30. Il se lève, il se regarde dans le miroir de sa salle de bains. Il est très pâle, les yeux cernés.

Hier j'ai commis l'irréparable. La police va débarquer d'une minute à l'autre. À moins qu'ils attendent que je sois au lycée pour m'arrêter sur mon lieu de travail. Peut-être même devant mes élèves. Quelle humiliation ce serait : l'homme qui est censé vous éduquer n'a pas été capable de se contrôler et, pris d'une pulsion animale, il a commis l'irréparable.

Lui qui n'aime que la discrétion imagine déjà les manchettes des journaux :

« Le professeur d'histoire était un tueur de SDF. »

Parcouru d'un nouveau frisson, il se répète :

Le mieux serait peut-être que je me constitue prisonnier. Cela pourrait jouer en ma faveur. Je plaiderais la légitime défense.

Il s'habille rapidement, saisit sa sacoche et prend sa voiture pour rejoindre le commissariat de police le plus proche.

Une fois devant le bâtiment, il reste quelques minutes à fixer l'entrée, à observer les hommes en uniforme bleu marine qui vont et viennent.

Me croiront-ils ?

Une camionnette arrive et un homme menotté en sort. L'homme se débat et lance des insultes en direction des policiers.

– Lâchez-moi ! Il m'a cherché, je n'ai fait que me défendre.

René est effrayé.

Ils penseront que j'ai voulu me faire un SDF juste pour le plaisir, à la Orange mécanique. *Le fait que je me sois débarrassé de l'arme et du cadavre en les jetant dans la Seine ne joue pas en ma faveur. Je vais écoper d'une dizaine d'années au moins.*

Il redémarre et allume la radio pour se changer les idées. Le présentateur commence par les résultats de football. Un bon match pour l'équipe de Paris, même si le capitaine de l'équipe a été surpris dans un lieu de débauche en train de prendre de la drogue. Il enchaîne sur la guerre en Syrie. Il semble que le dictateur a de nouveau utilisé des gaz toxiques pour décimer sa propre population civile. Les associations d'aide aux victimes qui ont fourni les preuves de l'attaque annoncent des centaines de morts. Plusieurs pays ont demandé une condamnation officielle, mais la Russie et l'Iran, qui soutiennent officiellement le dictateur, ont opposé leur veto. Le porte-parole du gouvernement syrien affirme que ce sont les rebelles qui se sont eux-mêmes empoisonnés pour attirer l'attention de l'opinion internationale.

La grève des cheminots se poursuit sur tous les réseaux pour le week-end. Les syndicats ne veulent pas de la nouvelle réforme du président. Ce dernier a annoncé que, malgré les blocages, il ne céderait pas. Le conflit risque de s'éterniser.

C'est la commémoration du génocide arménien de 1915. Le président turc a averti que tous les pays qui reconnaîtraient ce qu'il nomme le « mensonge historique du génocide arménien » seraient automatiquement exclus des échanges diplomatiques et commerciaux avec la Turquie. Il nie le million et demi de morts tués par l'armée turque et a déclenché une manifestation de rue pour qu'on se rappelle du « massacre des Turcs par les Arméniens en 1915 ». Le gouvernement arménien a demandé aux pays du monde entier d'avoir le courage de privilégier la vérité aux intérêts économiques ou diplomatiques avec Ankara.

Fait divers : encore trois jeunes femmes de 20 ans sont décédées à Paris après avoir absorbé à leur insu du GHB. Le GHB, gamma-hydroxybutyrate, est aussi appelé « élixir de l'oubli » ou « drogue des violeurs ». Quand il n'entraîne pas de décès du fait de mauvais dosages, les victimes ayant ingurgité du GHB subissent des viols dont elles ont à peine le souvenir et s'avèrent incapables de décrire leurs agresseurs.

Météo : du soleil prévu pour les prochains jours. Risque de canicule pour tout ce mois de septembre.

Le journal se termine par les résultats du loto.

René Toledano est soulagé. Aucune mention d'un cadavre trouvé flottant dans la Seine.

Ils ne le retrouveront peut-être jamais. Ou alors ils s'en fichent. Tous les jours des SDF saouls tombent dans le fleuve. Le seul endroit où cette information existe, c'est dans ma mémoire. Il me suffit d'oublier et ce sera comme si cela ne s'était jamais passé.

Il manque de peu de percuter une voiture qui vient de sa droite ; son conducteur l'insulte.

– Eh ! la priorité, connard ! Tu as oublié le code la route ?

Il a raison, comme l'indique le fronton de la clinique de papa :
« Tout est mémoire ». Je dois rester concentré. Je dois vivre dans le
présent et oublier le passé. C'est une question de survie. Ce qui n'est
pas mémorisé n'existe pas. N'existe plus.

Hier soir je suis allé voir un spectacle d'hypnose et j'ai été le sujet
d'une expérience nouvelle, mal maîtrisée par celle qui me l'a fait
subir. Je suis parti avant la fin pour me reposer chez moi.

C'est tout.

Il se le répète comme un mantra.

Il ne s'est rien passé d'autre.

7.

René Toledano gare sa voiture dans le parking du lycée
Johnny-Hallyday. À l'entrée trône la statue de l'idole des jeunes,
mort en 2017. Il tient sa guitare électrique et sont gravées dans le
ciment les paroles de l'une de ses chansons les moins connues,
« Je lis », comme une profession de foi incitant les jeunes à s'intéresser à l'écrit. La première fois qu'il était arrivé dans ce lieu, ces
paroles atterrantes de naïveté et offertes aux élèves comme si elles
provenaient d'un sage antique l'avaient stupéfait. Il s'était dit :

Le lycée Johnny-Hallyday… et pourquoi pas le lycée Mickey-
Mouse ? Après tout c'est aussi une idole des jeunes !

Le professeur d'histoire entre et salue de loin le proviseur Pinel
qui surveille la foule des élèves et des professeurs dans la cour
centrale. Les murs de l'établissement en béton sont recouverts
de graffitis mentionnant excréments, sexualité contre nature
et insultes variées puisant à l'un et l'autre thèmes. Quelques

inscriptions plus politiques appellent à la destruction de la société de consommation et à la révolte.

Ne plus penser au skinhead. Faire mon boulot.

Il marche d'un pas déterminé. Il adresse un signe complice à ses collègues comme si ceux-ci s'apprêtaient à livrer une bataille.

La bataille contre l'ignorance. L'adversaire est coriace et il ne faut pas le sous-estimer.

Si je ne pense plus à « ce à quoi je ne dois pas penser », je devrais arriver à bien faire mon travail et alors tout redeviendra comme avant.

Faute oubliée est à moitié pardonnée.

Il sent soudain revenir son tic. Il inspire profondément et serre les poings.

Il faut que je retrouve mes réflexes professionnels.

Il fonce aux toilettes, s'enferme et se met à vomir.

On ne peut pas changer le passé. Je ne peux pas revenir en arrière comme dans un jeu vidéo pour rejouer la scène. Cela fait partie du passé, je ne peux plus rien y faire.

Le reste de ma vie sera celle d'un assassin et la seule alternative que j'aurai désormais est :

soit je me fais arrêter par la police et je vais en prison ;

soit je ne me fais pas attraper et je devrai apprendre à composer avec ma culpabilité.

Il ferme les yeux, inspire longuement, tire la chasse d'eau.

Il rejoint sa salle de classe, entre et monte sur l'estrade. Les trente et un nouveaux élèves de son premier cours sont déjà assis. Ils le regardent et même s'ils ne le connaissent pas, ils voient bien qu'il n'est pas dans un état normal. Outre la pâleur de sa peau et ses yeux cernés, leur prof a une respiration saccadée et le visage parcouru de tics. Pour se donner une contenance, René sort une petite bouteille d'eau minérale de sa sacoche. Il boit une gorgée puis commence :

— Nous allons travailler ensemble jusqu'à juin et j'espère que cela se fera sans anicroche. Car, à la fin de l'année, il y a le bac. Ceux qui ne seront pas prêts ne l'auront pas.

Il fait l'appel et chaque élève répond « présent ».

Caporal Hippolyte Pélissier ? Présent.

Il déglutit.

— Bien, tout d'abord je vous demande à tous de prendre des notes. Et je compte sur vous pour mettre dans vos travaux la même exigence que je mets à accomplir mon métier.

Il a un geste maladroit, renverse la bouteille d'eau. Les élèves éclatent de rire, mais cela détend l'atmosphère qui était pesante jusque-là.

Ils sentent que je ne suis pas dans mon état normal. Il faut que je me reprenne. Les moutons ne doivent pas se douter que leur berger a eu un accident, sinon je n'aurai plus d'autorité.

— Tenez-vous bien. Je vous préviens, s'il y a le moindre problème, je n'hésiterai pas à vous envoyer chez le proviseur, monsieur Pinel.

C'est le principe de base à respecter pour éviter les problèmes : être le plus dur possible au début de l'année, relâcher progressivement la pression au fur et à mesure pour arriver à une totale décontraction en juin.

En dehors des deux premiers rangs, la plupart des élèves ont déjà l'air peu intéressés par ce qu'il va dire. Il a préparé un PowerPoint qu'il projette sur le grand écran placé au-dessus de son bureau. Il commence par un petit film qui présente le Big Bang et la formation des planètes sur la musique de la *Symphonie « du Nouveau Monde »* d'Antonín Dvořák. Il commente :

– Voici le passé. Est-ce que vous vous rendez compte du nombre de hasards qu'il a fallu pour que vous soyez vivants ici et maintenant dans cette classe face à moi ? Il a fallu que le Big Bang crée l'explosion originelle. Qu'il se déploie dans le vide sidéral pour former l'univers visible. Que notre planète Terre se forme. Qu'elle soit protégée par une couche d'atmosphère. Qu'elle soit recouverte par les océans. Que la vie éclose dans ces océans.

Sur l'écran apparaît une algue bleue, puis une paramécie, puis un poisson argenté.

– Il a fallu qu'un animal arrive à sortir de l'eau pour marcher sur la terre ferme. Le *Tiktaalik* a été le premier poisson à se hisser sur terre en s'aidant de ses nageoires. Alors a commencé l'« aventure ». Aventure de la vie, aventure de l'intelligence, aventure de la conscience.

D'autres images se succèdent à un rythme rapide. Elles représentent des primates avec des outils de pierre, des hommes préhistoriques autour d'un feu, des grottes aux parois recouvertes d'illustrations, des villages entourés de champs cultivés, des villes fortifiées, des scènes de batailles à cheval, des rois se faisant couronner.

– Tous vos ancêtres ont eu la chance de naître, de ne pas mourir de maladie infantile, de grandir, de ne pas être tués à la guerre, d'éviter ou de survivre aux grandes épidémies et aux grandes famines.

René constate qu'il a enfin réussi à attirer l'attention de la classe.

– Jusqu'à ce que vos deux parents se rencontrent et fassent l'amour…

Cette mention fait pouffer les élèves, surpris que leur professeur puisse faire allusion à la sexualité en cours d'histoire, mais celui-ci continue, imperturbable.

– Vos deux parents qui ont fait l'amour et qui je l'espère vous ont éduqués pour vous permettre de perpétuer l'espèce et augmenter le niveau global d'intelligence et de conscience.

À l'écran, la silhouette à contre-jour d'un homme et d'une femme vêtus de manière contemporaine qui se tiennent la main face à un soleil couchant.

– Et durant cet acte, il a fallu que ce soit le bon parmi les 300 millions de spermatozoïdes qui ait pénétré l'ovule pour que vous soyez vivants aujourd'hui dans cette classe. C'est pourquoi il est si important de se rappeler d'où nous venons.

Les images défilent à nouveau, en accéléré et en marche arrière : depuis les parents contemporains au Big Bang il y a 15 milliards d'années.

– Ceux qui ont oublié le passé par pure paresse, ceux qui nient le vrai passé en le travestissant pour satisfaire leur propagande, tous ceux-là sont amenés à le répéter au lieu d'aller vers l'avant.

Enfin l'image se stabilise sur la photo d'un livre d'histoire des années 1970.

– Car même l'histoire officielle délivrée dans les manuels scolaires est parfois tronquée. Par exemple, on ne connaît les civilisations passées que par les traces qu'ont laissées celles qui étaient dotées de l'écriture. Parmi celles-ci, on ne connaît que le passé des civilisations qui abritaient des historiens. Et parmi ces dernières, que la version des vainqueurs.

– Pourquoi, monsieur ? demande un élève zélé du premier rang au visage marqué d'acné.

– Parce qu'une fois qu'on est mort, on peut rarement donner sa version de la bataille.

La classe éclate de rire.

– Les historiens ont essentiellement retenu les batailles et la vie des rois et des empereurs. Tout simplement parce que ce sont ces derniers qui les payaient et qu'il n'y avait que cela qui les intéressait.

À nouveau la classe semble amusée par cette révélation. Pas mécontent de son effet, René se sent plus détendu.

Ne plus penser au skinhead. Retrouver mon sillon professionnel. Je suis un professeur d'histoire. Juste un professeur d'histoire.

Il toussote, puis reprend :

– Mais ne nous leurrons pas, les guerres n'étaient que des assassinats de masse organisés au nom d'intérêts économiques, religieux ou des lubies de dirigeants. De simples individus égoïstes ou avides de pouvoir envoyaient les autres à l'abattoir pour conquérir encore plus de territoire, de matière première, d'argent, de maîtresses, d'esclaves ou d'ouvriers. Ils transformaient des individus paisibles en soldats meurtriers, obligés de tuer des personnes qu'ils ne connaissaient même pas et avec lesquelles ils auraient peut-être sympathisé s'ils les avaient rencontrées dans d'autres circonstances, qui sait, comme le tourisme. Imaginez les soldats de deux armées, face à face, qui soudain décideraient de partir en vacances ensemble. Ils joueraient au ballon, se baigneraient… En fait, si on ne leur bourre pas le crâne avec la propagande nationaliste ou la religion, la plupart des gens souhaitent plutôt du bien à leur prochain.

Les élèves sont surpris par cette réflexion. Cela encourage René à poursuivre.

– Mais voilà, il y a eu des guerres. Et les plus grands tueurs se sont mis à avoir un statut de héros, on leur attribuait des médailles. Les historiens du côté des vainqueurs inventaient ensuite un scénario crédible pour faire passer auprès du public et de la postérité l'idée que ces crimes étaient légitimes et nécessaires.

Il marque un temps pour que tous mesurent ses paroles.

– Mais ce n'est pas le pire. Souvent, ces mêmes historiens aux ordres de leurs puissants commanditaires inversaient les rôles et faisaient croire que les victimes étaient les bourreaux et inversement. Des questions ?

Un autre élève au premier rang, le nez orné d'énormes lunettes aux verres épais comme des culs-de-bouteille, lève la main.

– Tout cela est un peu théorique. Est-ce que vous pourriez citer un exemple précis à noter ?

– Bien sûr. La Crète. Vous connaissez tous la légende de Thésée et du minotaure ? Le minotaure était un monstre à tête de taureau à qui l'on offrait régulièrement comme tribut sept jeunes hommes et sept jeunes femmes athéniens pour qu'il les dévore. Il avait été enfermé dans un labyrinthe et c'est le héros Thésée, aidé d'Ariane, la fille du roi Minos, qui a réussi à tuer ce monstre. Mais de récentes découvertes archéologiques ont révélé une réalité bien différente. La Crète était une civilisation raffinée et pacifique, préexistant à celle des Grecs. Quand ces derniers ont commencé à envahir les îles avoisinantes, ils sont rapidement entrés en rivalité avec la Crète qui avait développé un commerce florissant avec tout le bassin méditerranéen. Les Crétois construisaient des bateaux plus solides que les Grecs continentaux, leurs cités étaient plus sophistiquées, leur culture plus subtile et surtout leurs richesses étaient plus grandes. Cela ne pouvait qu'attiser la convoitise de ceux-ci, issus des peuplades indo-européennes brutales. Le roi Minos a opposé une défense inadaptée à la violence de ses agresseurs. Il ne s'attendait pas à tant de férocité et pensait pouvoir négocier. Mais comment négocier avec des populations qui ont purement et simplement décidé de votre élimination ? En quelques mois à peine, un monde de raffinement fut détruit par des hordes de guerriers sanguinaires. Une fois que toutes les cités minoennes ont été incendiées, les femmes violées, les richesses pillées, les hommes réduits en esclavage, les textes brûlés, les Grecs ont inventé la légende du héros Thésée, chef grec luttant contre un monstre à tête de taureau mangeur de jeunes gens. Et nous n'avons plus à notre disposition que la version des historiens grecs qui en ont fait… une jolie histoire.

Les élèves affichent maintenant des mines étonnées. René Toledano aime cet instant qu'il nomme « le décillement » : ce moment où l'on sépare les paupières jointes par les cils, ce qui empêchait de voir. Ce mot est lui-même emprunté au vocabulaire de la fauconnerie : on cillait un oiseau de proie, c'est-à-dire qu'on lui cousait les paupières pour le dompter, avant de les lui découdre pour le faire chasser. Il poursuit.

– Je pourrais aussi vous donner un exemple encore plus ancien, non militaire cette fois, pour vous montrer comment les historiens nous manipulent : la pyramide de Khéops en Égypte. On a toujours cru que c'était le pharaon Khéops qui l'avait fait construire en 2500 avant Jésus-Christ. Parce que c'était ce que rapportaient ses scribes et qu'il n'y avait aucun moyen d'avoir plus d'informations. Or, ces scribes n'étaient bien sûr que des fonctionnaires payés pour raconter ce qu'on leur disait de raconter. Mais pas plus tard qu'au début de l'année, preuve a été faite, grâce aux nouveaux systèmes de datation modernes, que cette pyramide a en fait été construite au moins 5 000 ans avant Jésus-Christ. Une entrée a été découverte sous le règne de Khéops qui, visitant ce monument, a décidé d'en faire son tombeau. Il ne l'a donc jamais fait bâtir et il en aurait été bien incapable étant donné les techniques rudimentaires à l'époque de son règne. C'était juste un monument inoccupé depuis des milliers d'années, qui a été récupéré et détourné de sa fonction pour servir la mégalomanie de ce pharaon. C'est comme si, dans 2 500 ans, un monarque tombait sur la tour Eiffel et décidait d'en faire son tombeau sans savoir à quoi elle servait auparavant.

Certains élèves affichent des moues dubitatives.

— Et c'est cela qu'on devra écrire au bac ?

— Cela vous servira pour toute votre vie, répond-il, énigmatique. Retenez bien : il y a une différence entre l'histoire vécue et l'histoire racontée, l'histoire des dirigés et l'histoire des dirigeants. La mémoire est le plus grand enjeu politique, c'est pour cela que la plupart des politiciens veulent la récupérer et la modeler à leur avantage.

— Mais, monsieur, reprend un élève, si on vous écoute et qu'on raconte des histoires qui ne sont pas au programme, on va rater notre bac.

— Vous préférez donc avoir le bac à être informés de la vérité ?

L'élève n'ose pas répondre par l'affirmative, mais semble déjà avoir son opinion sur le sujet.

C'est le premier jour, il me teste parce qu'il sent que je ne suis pas complètement dans mon assiette. Ça commence bien.

— Ce sont les gens comme vous, qui préfèrent obéir et tous être semblables au lieu de réfléchir et de s'individualiser, qui préparent une société fasciste.

L'élève paraît un peu sonné par la disproportion de l'argument.

Bon, j'y suis allé un peu fort là, mais c'est trop tard, tant que je n'aurai pas trouvé un moyen de me calmer vraiment, je risque d'aller de réactions épidermiques en réactions épidermiques.

La sonnerie de la récréation retentit. René attend que tous les élèves aient quitté la classe pour sortir prendre l'air. Il croise le regard de Pinel, toujours planté devant la porte de son bureau donnant sur la cour. Celui-ci esquisse un geste de la main dans sa direction, qui doit vouloir dire : « Ça s'est bien passé ? » Ce à quoi René répond par un pouce tendu signifiant : « Bien sûr. Comme d'habitude. »

Il me regarde bizarrement. Est-ce qu'il se doute de quelque chose ? Est-ce que je porte la trace de mon crime sur le visage ?

Son tic à l'œil droit le reprend. Il se dirige vers les toilettes et se passe à nouveau un peu d'eau fraîche sur la figure.

C'est bon, j'ai tenu. J'ai sauvé les apparences grâce à mes réflexes professionnels. Je dois continuer mes cours comme si de rien n'était.

De toute façon, il n'y a que deux possibilités : soit le cadavre est découvert et j'irai en prison. Soit il n'est pas découvert et ça ne sert à rien de ressasser cette scène traumatisante.

Il suffit que j'oublie.

Oublier. Comment fait-on pour oublier ? Il suffit de ne plus y penser. Oublier quoi déjà ?

8.

Midi sonne. Il est temps de déjeuner.

La salle du self-service du lycée est peinte d'un orange luisant.

Accrochés au plafond, des néons éclairent d'une lueur blafarde des tables blanches en plastique brillant. Tout sent le désinfectant au pin.

René Toledano retrouve Élodie Tesquet à sa table habituelle au fond à droite, dans le coin le plus calme.

– Tu es blême. Tu n'as pas dormi ? lui demande-t-elle.

Il l'observe et s'imprègne de sa présence réconfortante. La jeune femme aux cheveux courts et blonds manifeste alors son inquiétude.

– Ça va, René ?

Et si je lui avouais tout ? C'est quand même elle qui m'a emmené voir ce spectacle. Elle pourrait me comprendre.

– Tu es parti brusquement de la péniche, j'ai essayé de t'appeler, en vain. Tiens, d'ailleurs tu as oublié ta veste. Je te l'ai rapportée.

Elle sort d'un sac sa veste beige.

Oui, tout lui avouer. Vider mon sac. C'est une amie, une vraie amie.

Ce souvenir est tellement lourd à porter. Ma culpabilité pourrait être plus légère si je la partageais avec elle. Elle pourrait peut-être même me donner le courage d'aller au commissariat pour tout avouer. M'accompagner éventuellement. Elle a toujours été là dans les moments difficiles. Je sais qu'elle ne me laissera pas tomber.

– J'ai…

Il laisse sa phrase en suspens.

… tué quelqu'un.

– … J'ai été transformé en monstre devant un public d'une centaine de personnes qui ont dû me trouver bien ridicule. Ça a été un moment très pénible pour moi.

– N'exagérons rien. C'était peut-être une situation inconfortable, mais ce n'était rien que de l'hypnose. Du spectacle. Souviens-toi, juste avant toi un type s'est mis à quatre pattes pour faire le chien, une femme a cru que la salle était composée d'extraterrestres qui l'avaient kidnappée et une autre a tenu en équilibre entre deux chaises, raide comme une planche. De l'hypnose, quoi. Personne ne te jugeait. Tous étaient conscients d'assister à une expérience nouvelle tentée sur un type qui avait courageusement accepté de jouer le jeu dans le cadre d'un spectacle. C'est tout.

Il observe la porte, sur le seuil de laquelle pourraient surgir des policiers, mais tout ce qu'il voit, ce sont d'autres professeurs qui se détendent après le premier contact avec leurs élèves.

– Il faut que je te dise, Élodie, je sais maintenant pourquoi on ne se rappelle pas ses vies antérieures. Parce qu'elles peuvent venir « polluer » notre vie actuelle. En tout cas, après avoir fait ressurgir ma vie de soldat de la Première Guerre mondiale je… enfin… j'étais très nerveux.

– J'ai bien vu.

– Je n'en ai pas dormi de la nuit.

Elle affiche une moue interrogatrice.

– Ne me dis pas que tu crois que tu as réellement vécu une de tes vies antérieures, René ?

– Il en est bien question dans le bouddhisme ou chez les Grecs.

– Mais ce ne sont que des textes mystiques datant de plus de 2 000 ans !

– Dans le Talmud aussi. Attends que je retrouve. Ah ça y est. Avant que le nouveau-né sorte du corps de sa mère, un ange vient mettre son doigt sur sa lèvre supérieure et lui dit : « Oublie », pour que l'enfant ne soit pas gêné par le souvenir de sa vie précédente. Du geste de l'ange, il lui reste une trace : le petit creux entre notre lèvre supérieure et la base de notre nez, qu'on nomme l'« empreinte de l'ange ». C'est pour cela qu'on ne se souvient plus de nos vies antérieures : pour qu'elles ne viennent pas nous traumatiser dans notre vie actuelle.

— Jolie légende. Mais ce n'est qu'une légende.

— Avec cette expérience d'hypnose régressive j'ai franchi la frontière interdite. Et il en est sorti... un monstre. Un monstre que je subis et que je ne contrôle plus.

Sa collègue, professeur de SVT, le regarde en se demandant s'il est sérieux. Elle s'apprête à dire quelque chose, puis se reprend.

— Allons nous servir, propose-t-elle.

Ils quittent leurs chaises et font la queue pour leur repas. Élodie tente de changer de sujet.

— Et sinon, avec tes nouveaux élèves, ça s'est passé comment ?

— Comment définir cette première impression ? Je vais essayer de trouver une formule : « Ils entendent mais ils n'écoutent pas. Ils voient mais ils ne regardent pas. Ils savent mais ils ne comprennent pas. »

— Dis donc, tu es sacrément désabusé. J'ai du mal à te reconnaître. Tu tiens un discours de vieux réac'.

— Je reconnais que ce matin j'étais moins détendu que l'année dernière à la même période. J'ai l'impression que mon travail ne sert à rien. Les élèves semblent se désintéresser de tout. Je commence à ne plus les supporter car je n'arrive pas à les élever, au sens littéral du terme. On se prépare une prochaine génération d'incultes et d'ignares. Ils répètent le programme, l'actualité, ce que disent leurs parents, la pub, Internet, ils n'ont aucune pensée personnelle ni aucune envie de la développer. Ils veulent juste adhérer à des pensées toutes faites, comme ils vont au fast-food. C'est de la *fast* pensée prémâchée : cela n'a pas de goût, mais ça s'ingère facilement.

— C'est faux. Il y a des élèves formidables qui sont très éveillés. Toi-même tu m'as dit l'année dernière que certains qui t'avaient semblé nuls au début se sont révélés excellents, rappelle Élodie.

— Bons élèves oui, mais bons humains, cela reste à voir. Enfin quand même, ils ne comprennent même pas l'intérêt de réfléchir par eux-mêmes ! Ils se contentent de répéter ce qu'on leur dit pour avoir l'examen. Ils ne pensent qu'au bac, ils s'en fichent de ce qu'il s'est passé pour leurs ancêtres. Ils n'ont même pas conscience que c'est l'histoire de leurs propres aïeux que je leur enseigne.

— Il faut réveiller leur curiosité naturelle, c'est notre métier. C'est à nous de trouver le moyen de les intéresser.

La serveuse de la cantine propose de la choucroute à René. Il fait une moue dégoûtée, à la recherche d'un autre plat.

— Tu n'en prends pas ? s'étonne Élodie.

— Désolé. Depuis que j'ai revécu la vie d'Hippolyte, j'ai une sorte de répulsion pour tout ce qui évoque de près ou de loin le monde germain.

Elle prend une bière, lui préfère une bouteille de vin rouge puis reprend :

— Et puis je me sens une agressivité nouvelle, comme un afflux de testostérone. Il paraît que c'est le cas pour les soldats durant les batailles et je continue de le sentir comme si j'avais vraiment participé à cette guerre. C'est peut-être cela qui m'a empêché de dormir.

Ils retournent s'asseoir et mangent en silence. À la fin du repas, Élodie propose à René qu'ils aillent boire un café dehors pour qu'elle puisse fumer.

– J'ai l'impression que tu ne vas vraiment pas bien, René. Ton discours sur la jeunesse tout à l'heure m'a stupéfiée. Jamais je n'aurais cru que tu pouvais être aussi cynique.

– Je me sens mal, Élodie. J'ai l'impression que ma vie s'est effondrée d'un coup.

– À cause d'hier soir ?

– J'aimerais tellement effacer cette soirée.

– Je ne crois pas aux vies antérieures, mais je crois au pouvoir de la persuasion.

La jeune femme blonde pose sa main sur celle de René et lui adresse un signe complice.

– Nous sommes amis depuis longtemps, mais tu ne t'es jamais vraiment intéressé à moi, René. Il faut que je te parle de mon enfance. Ça devrait t'aider à résoudre ton problème actuel.

Elle déguste une gorgée de café, allume une cigarette et cherche dans les volutes de fumée le courage de lui raconter sa jeunesse.

9.

Adolescente, Élodie Tesquet voulait être la plus belle de sa classe. Ses parents l'habillaient comme une poupée, mais cela ne lui suffisait pas : elle souhaitait avoir le plus beau corps possible pour que tous l'admirent. Elle voulait ressembler aux couvertures des magazines féminins qui montraient des femmes minces aux jambes longilignes. Pour atteindre cet objectif, elle se faisait vomir, se bourrait de laxatifs.

Elle était devenue de plus en plus maigre, presque squelettique.

Son visage était émacié. Quand elle allait à la piscine, on voyait ses côtes.

Ses professeurs avaient averti ses parents. Ils avaient beau la sermonner, ils ne pouvaient pas la forcer à manger et elle était devenue très habile pour se faire vomir n'importe quand et n'importe où. Ses parents étaient affolés. Ils ne savaient plus quoi faire pour la sauver.

Alors, ils étaient allés consulter un spécialiste reconnu de l'anorexie, un médecin qui passait souvent à la télévision et qui était réputé pour ses réussites miraculeuses dans ce domaine : le docteur Maximilien Chob. C'était un homme d'une belle prestance, qui parlait en articulant exagérément.

— J'ai soigné et guéri toutes les jeunes femmes qui sont venues ici pour des troubles alimentaires, anorexie ou boulimie, avait-il affirmé en croisant et décroisant ses longs doigts lors de leur première entrevue, avant d'ajouter : Vous savez, 90 % des jeunes femmes qui viennent me voir doivent leur maladie à une expérience traumatique survenue dans leur enfance. Alors je dois vous poser la question suivante : avez-vous vécu dans votre enfance des attouchements ou des gestes inappropriés de la part de membres de votre famille ou d'amis de vos parents, par exemple ?

— Non, avait répondu catégoriquement la jeune Élodie.

— Est-il possible que vous l'ayez vécu et que vous l'ayez oublié ?

— Je ne me souviens de rien de tel.

— Donc vous l'avez peut-être oublié. Maintenant, détendez-vous et fermez les yeux. Visualisez votre chambre. Voyez-en chaque détail. Le lit. Les murs. Vos poupées. Vos jouets. Vous y arrivez ?

– Oui. À peu près.

– Bien, maintenant, visualisez une de vos nuits. Tout est éteint, à part peut-être une veilleuse. Vous entendez du bruit, la porte s'ouvrir, il y a quelqu'un sur le seuil de la chambre. Une silhouette. Vous voyez cette personne ?

– Non.

– Si, vous la voyez, mais vous avez tant envie d'oublier que votre esprit refuse de l'admettre. Détendez-vous. Laissez venir à vous la vérité oubliée. Laissez apparaître cette personne. Allez-y ! Avec un petit effort de mémoire, vous allez l'identifier. Ce n'est qu'une silhouette dans l'entrebâillement de la porte, mais je suis sûr que vous la voyez.

– Je ne vois personne.

– Allons, faites un effort, mademoiselle. Si vous voulez guérir il va falloir trouver. Qui est-ce ? Votre père ? Votre frère ? Un cousin ?

– Il n'y a personne.

– Cette silhouette appartient à quelqu'un que vous connaissez. Quelqu'un de votre famille. Ou un ami de vos parents. Quelqu'un que vous avez voulu oublier, mais à cause de qui votre esprit ne peut trouver la paix. Cela s'est produit, arrêtez de vous mentir à vous-même.

– Non, il ne s'est rien produit du tout.

– Qui est-ce ? Ayez le courage de le voir et de le nommer. Je suis sûr que vous en êtes capable, Élodie ! Votre guérison en dépend. Je sais que, désormais, vous pouvez affronter la vérité enfouie, aussi pénible soit-elle. Reprenez-vous. C'est pour votre bien. Après, tout ira mieux, je vous le promets.

Alors Élodie avait fini par prononcer un prénom :

– Christian.

– Qui est-ce ?

– Mon oncle Christian.

Le psychiatre avait marqué sa satisfaction.

– Bien. Vous le voyez, n'est-ce pas ? Vous êtes prête à revivre la scène ? Décrivez-moi ce qu'il se passe dans les moindres détails.

Et l'adolescente avait raconté une histoire en tout point conforme à ce que lui avait suggéré le thérapeute.

À l'issue de la séance, le docteur Chob l'avait félicitée pour son courage et lui avait dit qu'à partir de ce moment tout allait s'arranger, car elle avait eu la force de déterrer ce qui la rongeait de l'intérieur depuis son enfance, ce qu'il nommait sa « vérité cachée ».

De fait, les jours suivants, elle avait retrouvé l'appétit. Elle s'était remise à manger normalement. Le traitement de Chob avait entraîné sa guérison, mais aussi la condamnation de son oncle Christian.

Le père d'Élodie était allé lui casser la figure le soir même de sa « révélation » et avait été près de le tuer, mais la police était venue l'arrêter pour attouchements sur mineure. Le témoignage de l'adolescente avait été déterminant dans la procédure d'enquête. Christian avait été incarcéré et les autres détenus ne lui avaient pas rendu la vie facile, car la pédophilie, *a fortiori* intrafamiliale, est le pire crime qui soit, notamment pour les prisonniers. Il s'était suicidé dans sa cellule. Il avait laissé une lettre adressée à Élodie, sur laquelle il avait juste écrit : « Je te jure que je ne t'ai jamais touchée. »

Alors elle avait commencé à douter, cherché sur Internet d'autres « rescapées » du fameux Dr Chob et trouvé une fille qui avait vécu exactement la même situation avec des conséquences quasi similaires. En entrant en contact avec elle, elle avait découvert la « théorie des faux souvenirs » du docteur Elizabeth Loftus.

Cette dernière avait pris comme cheval de bataille la lutte contre les psychiatres et psychanalystes qui aidaient à reconstituer de faux incestes ou attouchements dans l'enfance de leurs patients pour créer chez eux un choc émotionnel qui faisait diversion. La plupart du temps, ces médecins étaient d'ailleurs de bonne foi, mais ne mesuraient pas leur pouvoir de suggestion. Dans l'article elle disait que seule la personne qui avait déposé le faux souvenir pouvait l'enlever.

Élodie était donc retournée voir le docteur Chob et lui avait demandé de défaire ce qu'il avait fait.

Au début, celui-ci n'avait pas voulu reconnaître la manipulation à laquelle il s'était livré. Il avait rappelé à Élodie qu'elle était arrivée malade, mais repartie guérie. Il lui avait même dit : « Toute guérison a un prix, tout miracle nécessite un sacrifice », avant d'ajouter : « J'ai utilisé de la dynamite pour éteindre l'incendie. Mais la fin justifie les moyens. »

Cependant, Élodie ne pouvait pas oublier que c'était la vie d'un homme innocent qu'il avait sacrifiée. L'adolescente l'avait alors menacé de révéler l'affaire sur les réseaux sociaux, puis aux médias et avait évoqué le risque qu'il soit accusé d'homicide indirect. Elle n'avait que 16 ans, mais elle se devait de rétablir l'injustice commise. Elle avait réussi à trouver les mots pour être convaincante. Chob avait fini par consentir à lui enlever son « faux souvenir » d'attouchements.

10.

La professeure de sciences manipule son briquet nerveusement.

— Voilà mon histoire. La découverte des faux souvenirs n'a pas rendu la vie à mon pauvre oncle Christian mais, au moins, cela m'a enlevé un peu de culpabilité et, surtout, ça a permis de réhabiliter sa mémoire. Pour moi, tout cela a été un cauchemar mais aussi une révélation. L'esprit est si facilement influençable : on peut déformer un cerveau comme de la pâte à modeler pour y faire pénétrer des mensonges auxquels la personne finit par croire sincèrement. Chob m'a proposé d'imaginer cette scène et j'ai fini par l'accepter, par l'intérioriser même. Et là, tout a basculé, entraînant ma survie et le sacrifice de mon oncle.

— C'est terrible ce que tu me racontes là, Élodie, je suis désolé pour toi. Mais je comprends mieux certaines choses. C'est pour cela que tu t'es passionnée pour l'hypnose ?

— Précisément.

Elle aspire à toute vitesse sa cigarette.

— Tout ça pour dire que, concernant ton « mini-traumatisme » d'hier soir, je te conseille de retourner voir cette hypnotiseuse pour qu'elle enlève ce faux souvenir qu'elle t'a implanté et qui te perturbe. Nous avons tous quelque chose à régler avec notre passé, à commencer par notre propre enfance, mais si on ajoute à cela nos vies antérieures, c'est sans fin...

— Je ne m'attendais pas à ce que tout cela ait un tel impact.

— Il faut que tu ailles la revoir pour qu'elle remette en ordre ce qu'elle a dérangé. Qu'elle retire de ton cerveau cette histoire de poilu et que tu puisses enfin dormir.

L'après-midi, René Toledano fait le même cours à deux autres classes, réinvitant à la recherche de la vraie version des événements derrière l'histoire officielle.

Puis, il rejoint la salle des profs et recherche sur Internet ce qu'il peut trouver à propos des faux souvenirs.

Il déniche un article de la psychologue américaine Elizabeth Loftus. Il décide d'en faire un article de son Mnemos.

11. MNEMOS. LES « FAUX SOUVENIRS ».

Elizabeth Loftus voulait démontrer que l'on pouvait s'auto-persuader de quelque chose de faux. Pour prouver qu'il est possible de tromper sa propre mémoire, elle a demandé à un assistant de trouver des cobayes.

Puis elle a rencontré personnellement ces sujets et elle leur a dit : « Quelqu'un de votre famille nous a raconté une anecdote amusante de votre jeunesse. » Elle a ensuite narré trois histoires : deux histoires vraies, auxquelles elle en a ajouté une troisième, complètement fausse, tout en garantissant qu'elle tenait ce troisième récit des parents du sujet, donc de sources sûres.

Elle inventait des événements anodins du genre : « Alors que vous étiez tout petit, vous vous êtes perdu dans un centre commercial et on a dû faire une annonce pour vous retrouver » ; « Vous avez renversé un verre de vin rouge sur la robe blanche d'une mariée » ; « Vous avez été mordu par un chien en essayant de lui caresser la tête ».

Lorsqu'on a demandé aux sujets, plusieurs mois plus tard, s'ils se souvenaient de cette histoire, 34 % étaient prêts à jurer qu'elle s'était réellement produite et ils pouvaient décrire en détail son déroulement.

Dans une autre expérience, Elizabeth Loftus a amené un groupe de cobayes à Disneyland. Elle les a ensuite interrogés sur leur visite, notamment sur le moment qu'ils avaient passé avec le personnage de dessin animé Bugs Bunny. Or, Bugs Bunny étant un héros non pas de Disney, mais du studio de cinéma concurrent Warner Bros., il est impossible de le croiser à Disneyland. Pourtant, 60 % des personnes testées se rappelaient avoir serré la main de Bugs Bunny à Disneyland, 50 % l'avoir serré dans leurs bras, et un se souvenait même de lui avoir enlevé puis remis sa fameuse carotte dans la patte.

Elizabeth Loftus a aussi utilisé les faux souvenirs pour servir d'autres projets. Elle a raconté à des étudiants que lorsqu'ils étaient enfants, ils aimaient les choux de Bruxelles ou les asperges (deux aliments que les enfants détestent en général tant qu'ils continuent souvent à les détester adultes). Par la suite, elle a vu ceux-ci changer de goût et se mettre à consommer ces deux légumes.

12.

L'œil vert trône au milieu de la scène, la silhouette de l'hypnotiseuse est illuminée par le projecteur.

— Vous n'êtes pas seulement ce que vous croyez être. Alors je vous pose la question : saurez-vous vous rappeler qui vous êtes vraiment ?

Opale scrute la salle de La boîte de Pandore, et repère René Toledano. Saisie aussitôt d'un infime tressaillement, elle poursuit quand même son laïus :

– Il va me falloir un volontaire. Qui veut se livrer à une expérience extraordinaire qui le marquera à tout jamais : l'expérience de la compréhension totale de lui-même ?

René s'empresse de répondre :

– Moi.

Avant qu'elle n'ait pu l'y inviter, il se lève.

– Non, pas vous, vous êtes déjà venu hier.

– Justement, j'aimerais que vous recommenciez l'expérience pour « arranger » les choses que vous avez « dérangées ».

Les gens dans le public ne comprennent pas ce qu'il se passe et le professeur d'histoire est conscient que cette gêne est à son avantage. Alors qu'elle ne l'y a toujours pas autorisé, il monte sur scène.

– Je ne crois pas que ce soit une bonne idée. Je vais désigner quelqu'un d'autre.

– J'insiste. Je veux être votre prochain cobaye.

– Eh bien je suis navrée, mais cela ne sera pas possible.

Il prend la salle à témoin.

– Et pourquoi ? Ah si, j'ai peut-être un début d'explication. Parce que vous m'avez introduit un faux souvenir, c'est cela ?

– Non. Parce que vous avez déjà fait cette expérience hier. Je vous en prie, monsieur…

– Toledano, René Toledano, vous avez déjà oublié ? Ironique pour quelqu'un qui travaille sur nos souvenirs.

— Non je n'ai pas oublié, mais je vous demanderais de retourner à votre place pour que je puisse poursuivre mon spectacle.

– Et si je refuse ?

Opale est un peu désarçonnée, mais elle ne veut pas céder.

– Je vous en prie, monsieur Toledano, ne compliquez pas les choses.

La salle réagit alors. Un homme siffle René, quelques spectateurs le huent. Il sent que s'il continue à vouloir défier cette hypnotiseuse, il risque de se faire sortir par le public, apparemment disposé à soutenir la jolie artiste contre cet importun qui vient gâcher le spectacle.

Opale et René se défient tous les deux pendant de longues secondes, quand son tic le reprend à l'œil droit.

Mon corps me trahit. Qu'est-ce que je fais ?

Alors, après une hésitation, il retourne à sa place en haussant les épaules sous les regards réprobateurs de ses voisins.

– Donc je disais qu'il va me falloir un volontaire. Qui d'autre veut venir vivre cette expérience unique et extraordinaire ?

Une femme très distinguée lève la main et se fait aussitôt chaleureusement applaudir.

– Venez me rejoindre sur scène, madame.

Le nouveau cobaye semble ravi d'être là.

– Avant de commencer, j'aimerais en savoir un peu plus sur vous, madame. Comment vous prénommez-vous ?

– Caroline. J'ai 42 ans et je travaille dans un bar à ongles, ma spécialité, c'est les ongles des orteils.

René Toledano assiste à la suite du spectacle. Au moment fatidique, la femme déclare :

– Je vois la porte de l'inconscient, mais lorsque j'appuie sur la poignée cela résiste comme s'il y avait un loquet fermé de l'autre côté.

– Essayez encore, madame.

– J'essaye mais cela résiste vraiment.

– Essayez encore, cela va finir par céder.

– Mais c'est une porte blindée, épaisse, avec une énorme serrure !

– Vraiment vous n'y arrivez pas ?

– J'essaie pourtant : je tire, je pousse, mais c'est trop lourd, et trop bien fermé. Je n'y arrive pas.

– Bien, alors remontez. Nous avons essayé, mais cela ne peut pas marcher à tous les coups, Caroline. Mesdames, messieurs, on l'applaudit quand même très fort pour son courage.

Opale ne peut cacher sa déception, mais comme elle ne veut pas clore son spectacle par un échec, elle ajoute un numéro improvisé et elle enchaîne avec un tour d'hypnose plus classique où elle demande à un nouveau cobaye d'imaginer qu'il est dans le désert. Ayant de plus en plus chaud, l'homme finit par se déshabiller et enlève sa chemise sous le regard amusé de la salle.

L'artiste aux longs cheveux roux et aux grands yeux verts reçoit de chaleureux applaudissements, suivis d'une standing ovation. Elle effectue une courbette modeste, le rideau rouge est tiré, la salle se rallume et les gens quittent en file indienne la péniche-théâtre.

Opale se démaquille lentement dans sa loge, se change pour enfiler des vêtements plus confortables et des chaussures de sport. Elle quitte La boîte de Pandore après avoir fermé la porte et éteint le néon placé sur le toit du bateau éclairant l'affiche : « OPALE, L'HYPNOTISEUSE QUI VOUS FERA DÉCOUVRIR VOTRE PASSÉ OUBLIÉ ».

Elle s'engage sur les berges de la Seine pour rejoindre sa voiture. Après une centaine de mètres, elle a l'impression que quelqu'un la suit. Elle perçoit nettement les pas d'un homme derrière elle, alors elle accélère, mais celui-ci fait de même. Elle sent qu'il se rapproche. Elle sort son smartphone et, par précaution, affiche le numéro d'urgence de la police. Il continue d'approcher. Elle saisit la bombe lacrymogène cachée dans son sac. D'un geste vif elle se retourne et en pulvérise un gros nuage directement sur le visage de son poursuivant.

Ce dernier, surpris, met les mains sur les yeux, puis s'effondre à genoux, convulsé par la toux et les pleurs.

— Je vais appeler la police ! le menace-t-elle.

Surtout pas.

— Non ! Ne faites pas ça ! Je ne vous veux aucun mal, je suis…

Elle le reconnaît.

— Le casse-pied de tout à l'heure. Qu'est-ce que vous me voulez encore ?

Il met du temps avant de pouvoir s'exprimer. Ses yeux le démangent, sa gorge le brûle. Il crachote et larmoie.

— Vous m'avez implanté un faux souvenir, je souhaite que vous me le retiriez.

— Je n'ai pas implanté le moindre faux souvenir, comme vous dites, je vous ai juste permis d'accéder à votre mémoire profonde.

— Vous m'avez plongé dans un cauchemar.

— C'est vous qui avez choisi d'ouvrir la porte de votre comportement le plus héroïque, n'est-ce pas ? Les héros finissent mal en général. C'est juste un coup de « pas de chance ».

Il se relève et retrouve l'intégrité de sa voix.

— Pas de chance !?

— Parfaitement, c'est « pas de chance » que l'offensive du chemin des Dames ait été aussi mal préparée par vos supérieurs, ce n'est pas de chance que le terrain ait été boueux, qu'il ait plu et neigé, ce n'est pas de chance que votre général Nivelle ait été un aussi mauvais stratège, ce n'est pas de chance que vous soyez tombé sur un soldat ennemi plus puissant que vous. Moi, je n'y suis pour rien. Quant à vous… eh bien, vous avez visité la vie que vous vouliez connaître, votre vie de héros. J'ai rempli mon engagement.

Il lui agrippe le poignet et le serre avec rage.

– RETIREZ-MOI CE FAUX SOUVENIR !

Elle tente de le forcer à lâcher prise. En vain.

– Lâchez-moi !

Il consent à desserrer son emprise.

– Désolé, mais je me dois d'insister. C'est comme si vous étiez venue chez moi, que vous m'aviez demandé d'ouvrir ma cave, que vous aviez sorti une sorte de vieux fromage moisi et puant, et que vous m'aviez laissé avec cette immondice nauséabonde au milieu du salon. Je vous demande juste de l'enlever.

À nouveau les deux se défient du regard. Yeux bruns contre yeux verts.

– À cause de vous j'ai… (*tué un homme*), je n'ai pas dormi de la nuit. Débrouillez-vous pour réparer le mal que vous m'avez fait. C'est votre métier après tout, fouiller dans les esprits pour y mettre de l'ordre.

– Je ne vous dois rien. Je ne pouvais pas savoir que c'était cela qui se cachait au fond de votre esprit.

Il cherche un moyen de reprendre le contrôle et se souvient du stratagème d'Élodie pour faire plier son psychiatre.

– Je vous rappelle que je suis venu voir votre spectacle, que j'ai payé ma place et pour seul résultat je suis reparti traumatisé. Vous voulez que je signale ce regrettable incident sur les réseaux sociaux ? Je pense que si je raconte ce que j'ai vécu, cela devrait intéresser beaucoup de spectateurs potentiels qui réfléchiront à deux fois avant de vous donner 30 euros pour voir votre représentation et ne plus arriver à dormir.

– C'est une menace ?

– Absolument.

Cette fois-ci c'est elle qui baisse son regard et d'un geste relève sa mèche rousse.

– On ne peut pas effacer un souvenir qui surgit de la mémoire profonde. Quand il est remonté, il est remonté, c'est trop tard.

– Si, vous pouvez, je le sais.

– Vous ne savez rien du tout. Le passé est immuable. On ne peut rien soustraire. Par contre, on peut tenter autre chose.

– Je vous écoute.

– Ajouter. On peut ajouter un souvenir positif, avec des émotions équivalentes, pour faire oublier un souvenir négatif ou en tout cas minimiser son impact.

René semble dubitatif. Opale continue :

– C'est comme quand on est enfant : on se fait mal, mais votre mère vous console avec un bon goûter. La plaie au genou est toujours là mais le gâteau au chocolat vous a fait un temps relativiser votre accident.

– Ne me parlez pas comme à un gamin.

– C'était une métaphore pour vous faire comprendre comment nous pouvons procéder.

– Trouvez la méthode qui vous convient, mais réparez le mal que vous m'avez fait.

– Très bien, suivez-moi.

Ils reviennent vers la péniche-théâtre. Opale ouvre la porte de La boîte de Pandore, rallume un projecteur, puis invite René à se rasseoir sur le fauteuil de velours rouge face à l'énorme œil vert qui sert de décor. Il obtempère. Le téléphone de René sonne alors. C'est Élodie qui veut certainement savoir où il en est.

– Il faut le mettre en mode avion, rappelle Opale. C'est un spectacle, sur mesure certes, mais cela reste un spectacle.

– Excusez-moi.

– Quelle vie voulez-vous connaître ?

– Après cette vie « héroïque » dans laquelle je suis mort jeune, violemment et sans famille, je voudrais découvrir le contraire : celle où j'ai vécu jusqu'à un âge très avancé et où je suis décédé de mort naturelle entouré de ma famille dans un pays en paix.

– Comme vous le souhaitez.

Elle lui propose de fermer les yeux, de se détendre, de visualiser l'escalier, la porte de l'inconscient, puis de retrouver le couloir aux 111 portes numérotées.

Il se concentre sur tous les éléments qu'il a formulés : « âgé », « de mort naturelle », « avec une famille », « dans un pays en paix ».

La lampe rouge de la porte 95 s'éclaire. Il l'ouvre.

13.

Ses mains sont fines, veinées, très ridées et couvertes de taches brunes. Son corps est étendu sur un lit, entouré du côté droit d'un vieil homme aux cheveux blancs, de trois jeunes couples et de six enfants. À sa gauche un prêtre et un homme en costume ancien.

René Toledano prend conscience de la forme de son corps et comprend qu'il est dans cette vie une vieille femme.

– Oh ma très chère !

René déduit que l'homme aux cheveux blancs qui a prononcé ces mots en lui prenant la main pour l'embrasser doit être son mari.

– Vous voyez, le notaire et le curé sont venus pour vous.

Celui qui est présenté comme notaire lui tend une feuille sur lequel est inscrit en gros « TESTAMENT ».

René peut ainsi obtenir plus d'informations sur qui il ou plutôt « elle » est. Il voit, inscrit d'une belle plume :

Comtesse Léontine de Villambreuse
Château de Villambreuse, 1785

Suit une longue liste énumérant des bâtisses, des terrains, des chevaux, des ânes, des poules, mais également des objets aussi hétéroclites que des carrosses, des charrues, des meubles et de l'argenterie.

Les yeux relisent, la main tremblante signe maladroitement, le notaire remercie et s'éclipse.

Puis le curé s'approche, proposant de « libérer l'âme par la confession ». Elle lui parle à l'oreille.

— Je confesse que j'ai passé beaucoup de temps à essayer de fuir les obligations mondaines imposées par mon rang : tous ces bals, tous ces importuns, toute cette société à honorer… Et mon mari et mes enfants qui passaient leur temps à me solliciter !

— Vous êtes absoute.

— Ce n'est pas tout. Je confesse que j'ai eu une relation charnelle avec le jardinier parce que mon mari a perdu depuis longtemps sa vigueur et que j'ai toujours gardé de l'appétit pour les choses de la chair.

— Euh… Vous êtes absoute aussi pour cela.

— Et sachez, ne vous en déplaise, que je n'ai pas seulement eu commerce avec le jardinier, aussi avec le garçon d'écurie et plusieurs de mes valets, et je n'ai pas honte de le dire : pourquoi seuls les hommes auraient-ils le droit d'afficher leurs conquêtes alors que nous, les femmes, ressentons nous aussi de tels élans pour l'autre sexe ? Plût à Dieu qu'un jour les femmes deviennent les égales des hommes et puissent, à leur instar, fréquenter des prostitués, ôtant par là aux hommes l'un de leurs nombreux privilèges.

Le curé, surpris, tousse en espérant que les autres n'ont rien entendu.

– Je dois aussi, mon père, vous dire que je méprise tous les bigots qui croient aux superstitions que l'Église alimente pour s'enrichir sur la crédulité des plus naïfs...

– Eh bien je crois que tout a été dit, l'interrompt le prêtre.

Le prêtre entonne une prière en latin qui couvre la voix de la vieille femme. Il lui impose le signe de croix sur le front.

– Vous êtes absoute, madame la comtesse. Votre âme pourra rejoindre le paradis.

Une fois le curé et le notaire partis, le comte s'approche.

– Eh bien, ma bien-aimée, le moment est opportun pour me dire... où ?

Il lui caresse le front.

– Où quoi ?

– Où avez-vous enterré la cassette avec les lingots ?

– Vous le savez, Gonzague, je déteste cette familiarité qui vous pousse à me rappeler dans vos adresses que vous m'aimez : « ma bien-aimée », « ma très chère », nous ne sommes pas des gueux, que diable !

– Très bien, Léontine. Dites-nous, où est cette cassette ? Si vous n'en révélez pas l'emplacement, cet argent patrimonial va être perdu pour toute la famille. Le médecin ne vous donne plus que quelques heures à vivre.

– C'est en partie l'héritage que je tiens de mes propres parents et, si vous vous en souvenez bien, Gonzague, ils avaient quelque grief contre vous à la fin de leur vie. Si je vous transmettais cet argent, ce serait leur manquer de respect.

— Mais il n'y a pas que moi, ma bien-aimée, il y a les enfants ! Mes enfants, allons, dites à votre mère et grand-mère que vous la chérissez.

Le fils aîné s'approche, d'un air menaçant :

— Allons, mère, parlez. On sait que la cassette est quelque part dans le parc derrière le château, mais où ? Près du lac ? Dans la zone forestière ?

Les petits-enfants prennent le relais :

— Où est l'or, madame ? Où sont les lingots ? Nous aimerions les voir…

— Donc vous n'êtes là, autour de moi, que pour vous enquérir de l'héritage. Comme des vautours guettant que l'animal soit devenu charogne pour le dévorer.

— Quelle infamie pour nous tous que vous puissiez croire cela !

— Ma très chère épouse !

— Mère !

— Madame !

Tous essaient de prendre sa main. Elle les repousse.

— Vous me dégoûtez tous autant que vous êtes. Votre amour pour moi n'est que tartuferie !

Léontine fixe sa famille. Ceux-ci font mine de n'avoir rien entendu et répètent leur discours sirupeux.

— Allez, parlez ma bien-aimée. Où est le trésor ?

— Où est le trésor, mère ?

— Où est le trésor, madame ?

La comtesse finit par lâcher :

— Marsout.

– Quoi « Marsout » ? Est-ce la commune où est dissimulé le coffret ?

– Marsout ? C'est du patois je crois.

– Moi je crois que c'est du latin, il faudrait faire revenir le prêtre, il pourra comprendre.

La vieille femme se redresse avec difficulté.

– Appelez la femme de chambre, j'ai besoin de me soulager.

Celle-ci arrive et l'aide à marcher en direction du réduit dans lequel est installée la chaise percée et sa bassine. La comtesse referme alors la porte, puis rumine seule dans ses toilettes.

René a la surprise d'accéder à ses pensées alors qu'elle ne parle pas.

Tous des imbéciles. Ils prétendent m'aimer mais moi je ne les aime pas. Je les méprise. Je les hais.

Je préfère les priver de mon argent que de le leur donner dans ces conditions.

Et puis tant mieux, je ris déjà à l'idée de les imaginer fouiller le domaine de fond en comble alors que j'ai caché la cassette sous le grand chêne tout au fond à gauche du parc.

Puis, depuis ses toilettes, elle hurle :

– Marsout !

Et elle s'effondre, alors que des pas se font déjà entendre dans le couloir. Ils trouvent son corps inanimé.

L'âme de la vieille femme sort de son enveloppe de chair abîmée. Cela forme un ectoplasme dont la silhouette est exactement similaire à celle de son enveloppe charnelle.

L'esprit de Léontine voit alors l'esprit de René.

Elle fronce les sourcils, étonnée.

– Mais qui diable êtes-vous ?

Le professeur d'histoire est pris de court.

– Je suis… enfin je suis… celui que vous allez devenir un jour dans le futur…

– Et que faites-vous là, à cet instant ? J'espère que vous n'êtes pas vous aussi sur la trace de mes lingots.

– Euh… non… je… enfin… vous…

Mais l'âme de Léontine est attirée par une lumière au loin, qu'elle part rejoindre, alors que déjà toute sa famille hurle, crie, pleure en secouant l'enveloppe charnelle abandonnée.

Derrière le professeur d'histoire vient d'apparaître une porte. Il l'emprunte, se retrouve dans le couloir, remonte jusqu'à la porte 112. Il l'ouvre, grimpe l'escalier alors que progressivement résonne une voix de femme qui égrène :

– … quatre, trois, deux, un, zéro. Ouvrez les yeux, monsieur Toledano.

Claquement sec de doigts.

14.

René bat des paupières.

– Alors ? lui demande Opale, visiblement à la fois curieuse et inquiète.

Il respire fort, encore bouleversé par la scène à laquelle il vient d'assister. Il réclame un verre d'eau. Opale va en chercher un en coulisse. Son souffle se stabilise. Puis il allume son smartphone, ouvre le fichier « Mnemos » et note rapidement tous les détails de la fin de la comtesse Léontine de Villambreuse.

– J'étais une vieille femme. J'ai eu accès à ses pensées ! Le soldat de 14-18, je le voyais agir de l'extérieur comme dans un film, mais cette vieille femme, je pouvais l'entendre penser comme si j'étais dans sa tête.

Opale est impressionnée. Il reprend, exalté par son expérience.

– C'était incroyable, je pouvais la voir de l'extérieur et l'entendre penser de l'intérieur.

Il se relève et respire amplement comme un plongeur revenu d'une descente particulièrement éprouvante.

– Donc ça va mieux ? Vous êtes guéri ? Je vous ai retiré le traumatisme de la première descente ?

Il ne l'écoute pas et poursuit.

– Je crois que je sais maintenant pourquoi j'ai toujours été mal à l'aise avec le concept de famille. Cela pourrait expliquer que je sois toujours célibataire à 32 ans. Et que je m'enfuis dès que je sens qu'une femme veut s'installer dans ma vie. Ce qui me trouble, c'est que les derniers mots de la comtesse ont été « Marsout ».

– Marsout ?

– Oui, elle l'a prononcé comme on prononcerait un anathème.

Opale est intriguée.

– Marsout ? Vous êtes sûr ?

– Je sais que ce n'est pas une insulte, ni l'emplacement du trésor.

– J'adore les énigmes et je crois que je peux résoudre celle-là.

– Je vous écoute.

– Les mois. Si vous comptez les doigts sur vos mains, mars est le troisième mois. Donc cela correspond au troisième doigt, le médium de la main gauche. Août est le huitième mois. Cela correspond aussi au troisième doigt de la main droite, là encore le médium. « Mars-août ». Votre Léontine a souhaité leur faire visualiser deux doigts d'honneur tendus en guise de révélation de l'emplacement de son héritage.

René admire la sagacité de l'hypnotiseuse.

– Vous voulez dire qu'avant de mourir elle leur a fait un double doigt d'honneur pour leur dire qu'ils pouvaient aller se faire voir ?

Madame la comtesse Léontine de Villambreuse était une vieille dame espiègle qui n'était pas dupe. Du peu que j'en ai perçu, elle devait être une « marrante ».

Opale se détend elle aussi. Elle remet sa veste, et s'apprête à éteindre le projecteur pour évacuer la scène.

– C'est quand même extraordinaire, votre hypnose. Vous m'avez révélé qu'il y a une machine à remonter dans le temps cachée dans mon cerveau. Une machine sans technologie, une machine qui ne fonctionne qu'avec la puissance de l'imagination.

– À mon avis ce n'est pas que votre imagination. Sinon vous n'auriez pas accès à autant de détails. Et puis vous ne pouvez pas aller n'importe où dans le temps, vous ne pouvez explorer que les lieux et les époques où vos karmas précédents ont vécu, n'est-ce pas ?

– Appelez cela comme vous voulez, mais je commence à trouver tout ça de plus en plus passionnant. Je veux recommencer.

– Il est tard.

– Imaginons que ce soit le « service après-vente » de votre spectacle.

– Vous en avez déjà bénéficié de mon service après-vente, maintenant il faut partir de ce théâtre. Levez-vous.

– Juste une autre fois.

Elle le fixe, étonnée, regarde sa montre.

– C'est-à-dire que j'ai un dîner prévu et…

– Vous appellerez pour dire que vous avez un empêchement de dernière minute. Vous me « devez » bien cela.

– Qu'est-ce que vous me voulez à la fin ? Je ne suis pas responsable de ce qui est arrivé dans vos vies antérieures.

– Je ne suis pas n'importe qui. Je suis votre premier cobaye et votre client. Vous ne voudriez pas laisser à un client l'impression d'avoir été abusé. Ce que je vous demande est légitime, je veux retrouver ma sérénité et arriver à dormir ce soir. La découverte de la vie de Léontine m'a certes permis de prendre un peu de recul, mais pas au point de compenser le stress qu'a provoqué chez moi la vie d'Hippolyte. Après tout, il n'est pas mort heureux, mais elle non plus. Ce sont deux vies qui ont mal fini.

– Vous allez encore me menacer de raconter votre aventure sur les réseaux sociaux ? Je considère pour ma part que vous abusez de ma patience. Je ne vous dois rien.

– Vous me devez la « paix de l'âme ». Une paix que vous avez troublée à mes dépens pour amuser des spectateurs.

Elle hésite, puis consent à envoyer un texto pour annuler son dîner.

Il s'étend sur le fauteuil de velours rouge et affiche une mine déterminée, tel un sportif prêt à battre un record.

– Donc il faut que je sois précis dans ma demande. Alors cette fois-ci je veux ouvrir la porte du couloir correspondant à…

Il ferme les yeux et cherche la meilleure formule.

Que demander pour être sûr de ne pas vivre une expérience trop désagréable ? Il faut que je pense satisfaction, joie.

– Je veux aller explorer la vie où j'ai connu le plus grand plaisir.

Opale, résignée, lui propose de respirer amplement et entame le décompte de la descente des marches. Un, deux, trois…

15.

Ses mains sont grosses, calleuses, recouvertes de crasse, les ongles sont rongés jusqu'à la lunule, surmontés de bras recouverts de poils épais noirs et frisés. Il perçoit une longue barbe qui le gratte sous le menton.

Son dos le picote et à côté de lui d'autres hommes torse nu sont assis sur le même banc que lui et enchaînés à une énorme rame de bois épaisse comme une poutre.

Ils effectuent tous le même mouvement d'avant en arrière pour tirer puis pousser de manière synchrone. Il perçoit une odeur iodée, qui recouvre des relents de pourriture, de sueur, d'urine et d'excréments. En haut de la travée, un homme à la peau noire frappe lentement mais régulièrement un tambour pour donner la cadence. Un petit homme bedonnant avec une veste verte arrive en brandissant une marmite.

– À la soupe, dit-il.

Il sert à chacun une gorgée de soupe marronnâtre en s'aidant d'une longue louche pour rester à distance des visages. L'homme à la veste verte continue sa progression dans l'allée et arrive face à lui.

– Non, pas pour toi, Zeno. Je sais que tu as fomenté une rébellion. Et comme tu sembles avoir un ascendant naturel sur les autres, si je te punis, ils comprendront ce qui les attend s'ils tentent quoi que ce soit.

René déduit donc que son ancienne incarnation est un galérien du nom de Zeno.

– J'ai faim, prononce la bouche du corps dans lequel il se trouve.

– Alors régale-toi avec ça.

L'homme à la veste verte pose sa marmite et sa cuillère. Il saisit son fouet et lui assène des coups qui sifflent. L'esprit de René placé dans le corps de Zeno ressent les brûlures de chaque coup.

– C'est bon, tu n'as plus faim ? Ou tu en veux encore ? ricane le bourreau en exhibant ses chicots.

Il reprend sa marmite et sa louche, continue sa tournée.

La sensation de manque est atroce, mais Zeno, par fierté, serre les mâchoires.

Un officier romain apparaît sur le pont. Il descend les marches qui mènent à la salle des rameurs. L'officier chuchote à l'oreille de l'homme à la veste verte, puis remonte vers le pont supérieur.

– Alerte, alerte. Bateaux carthaginois en vue. Préparez-vous à livrer bataille. Si nous gagnons, double ration de pain et un morceau de viande pour tous, signale le fouetteur.

Une rumeur d'enthousiasme circule parmi les galériens.

– Et trois jours de repos dans la ville la plus proche de Drépane. Si nous sommes capturés, les Carthaginois vont vous donner en sacrifice à leur dieu Baal. Ce sont des barbares cruels. Je vous rappelle qu'ils pratiquent des supplices ignobles sur leurs prisonniers et qu'ils sont cannibales. Non seulement vous souffrirez de manière atroce, mais en plus vos cadavres n'auront même pas de sépulture décente. Donc si vous ne voulez pas terminer en déjection de Carthaginois, je vous conseille de tout mettre en œuvre pour que notre bateau soit le plus rapide et le plus puissant.

L'homme à la veste verte indique à l'homme au tambour d'accélérer le rythme.

L'esprit de René, se souvenant qu'il a eu accès à la pensée de Léontine, essaie de pénétrer celle de Zeno. Il fouille sa mémoire. Il y découvre des souvenirs d'enfance, en Sicile, avec plusieurs frères et sœurs qui jouent avec lui au milieu des champs d'oliviers.

Des réminiscences d'une époque où il travaille avec son père sur le port de Syracuse. Des moments où il navigue sur des voiliers. Et puis un jour, les Romains débarquent et, sans donner d'explication, arrêtent et enchaînent tous les hommes. Ils annoncent que certains iront travailler dans les mines de fer et que d'autres deviendront galériens.

À partir de là les souvenirs de Zeno doivent être les mêmes que ceux de tous les galériens : il est enchaîné à une rame à manger de la soupe, à dormir sur le banc, à ne plus pouvoir se mouvoir en dehors de cette cale de bateau, à regarder ses voisins mourir les uns après les autres, d'épuisement ou de maladie, à entendre les pulsations de ce maudit tambour, à recevoir des coups de fouet. René découvre qu'il a effectivement tenté de s'évader, essayé d'inspirer aux autres la rébellion, mais il a été dénoncé en échange d'une miche de pain, puis privé de nourriture et battu. Cela faisait partie des risques.

René laisse de côté les souvenirs de Zeno et réintègre l'instant présent. Zeno distingue la mer à travers la fente qui recueille la rame. Il discerne au loin les bateaux ennemis. Du peu qu'il puisse voir, ceux-ci sont plus petits, mais ils ont des voiles plus larges, donc ils doivent être plus rapides et plus maniables. En tant que passionné de navigation avant sa capture, Zeno s'est intéressé à tout ce qui vogue sur la Méditerranée. Il sait que les Carthaginois sont d'excellents bâtisseurs de bateaux. Les Romains compensent la lenteur et la lourdeur de leurs vaisseaux par le nombre de galériens et par les énormes éperons de fer placés à la proue. Si bien que si le vent est puissant, les Carthaginois sont avantagés tandis que, si le vent est faible, ce sont les Romains qui s'avéreront les plus performants.

Les bateaux carthaginois approchent et la bataille commence.

L'homme au tambour accélère et le rythme se fait de plus en plus difficile à suivre. Tous les rameurs poussent un grand ahanement synchrone pour se donner de l'énergie.

Soudain, un choc, un fracas de bois. La galère est stoppée. Zeno se doute de ce qu'il se passe. Leur bateau a éperonné et crevé la coque d'un bateau ennemi. Au-dessus de leur tête, les cris de victoire des soldats romains.

Les galériens sont rassurés, ils sont dans un bateau vainqueur et vont obtenir pain, viande et repos. Mais une odeur d'huile et de bois brûlé se fait sentir. Là encore, Zeno sait de quoi il s'agit et cela ne le rassure pas : les Carthaginois ont dû lancer des étoupes enduites de poix à partir de leurs catapultes. S'ensuivent des cris. Tous les soldats romains sautent à l'eau pour rejoindre à la nage un autre bateau, abandonnant les galériens enchaînés au navire en flammes.

Zeno réagit aussitôt. Au bout de la travée, un seul gros cadenas contrôle toutes les chaînes. De là où Zeno est attaché, il est par chance accessible. Il s'en rapproche, fait levier avec une lance, arrache deux clous au banc et tente de faire sauter la serrure. Autour de lui les autres galériens sont tétanisés.

Zeno parvient à ouvrir le cadenas. Une clameur accueille son exploit. Enfin libre, il monte sur le pont et indique aux autres comment procéder pour éteindre le feu.

Une fois l'incendie péniblement arrêté, le galérien sicilien cherche de la nourriture, mais les provisions dans l'habitacle ont été réduites en cendre. Il va vers la poupe, saisit le gouvernail du bateau, qui, malgré l'attaque, n'est pas encore une épave et reste dirigeable.

Il observe le décor de la bataille. À droite les Romains, reconnaissables à leurs voiles rouges avec l'insigne de l'aigle noir tenant dans ses serres les lettres de la République romaine, SPQR, à gauche les Carthaginois avec leurs voiles blanches où est représenté un dauphin bleu surmontant un soleil jaune.

Il faut choisir un camp.

À droite, il sera récompensé comme le sauveur du bateau, mais il restera galérien. À gauche, il ne sera plus galérien, mais il risque d'être offert en sacrifice à Baal ou de servir de nourriture aux festins locaux. Même s'il ne les aime pas, il connaît les Romains, alors qu'il ne connaît pas les Carthaginois.

Que vaut-il mieux, un ennemi connu ou un ennemi inconnu ? Puisqu'il est parvenu à ouvrir le cadenas et à éteindre l'incendie, les autres galériens lui font confiance et attendent qu'il prenne sa décision.

René comprend que c'est le moment d'intervenir.

– Allez vers les Carthaginois, murmure-t-il.

Il espère ainsi découvrir si la communication fonctionne dans les deux sens. D'autant qu'il ne parle pas la même langue, se dit-il avant de remarquer que si lui peut le comprendre, alors l'autre doit aussi y parvenir.

– Rejoignez les Carthaginois ! répète-t-il plus fort.

Zeno secoue la tête, et se presse les tempes comme s'il avait une migraine. Il finit par murmurer :

– Mais qui parle à l'intérieur de ma tête ?

– Je suis le futur vous-même. C'est un peu compliqué à expliquer maintenant, mais acceptez la possibilité que je sois l'esprit de l'homme que vous serez dans…

Si je lui dis 2 000 ans, il ne va jamais me croire.

– … quelques années.

– Mais comment pouvez-vous me parler à l'intérieur de ma tête ? Vous êtes un dieu ?

– C'est une technique moderne qu'il serait un peu long de

vous expliquer. Retenez simplement que je suis une évolution de votre esprit dans le futur, dans un autre corps, mais que je peux revenir en arrière pour vous parler.

– J'ai mal à la tête. Partez. Je suis très occupé.

– Je comprends que c'est difficile à accepter pour quelqu'un qui n'a jamais été confronté à tout ça, alors je vous en supplie, écoutez mon conseil. Je connais l'issue de cette bataille et je connais les Carthaginois. Je peux vous affirmer que ce ne sont pas des barbares, ni des cannibales. Les Romains vous ont raconté cela pour légitimer leurs guerres. Les Carthaginois ne sont que leurs concurrents sur les routes maritimes de commerce. Ils sont raffinés et pacifiques. Vous pouvez aller vers eux sans crainte.

– Mais ils ont quand même détruit ce bateau et ont tenté de tuer tous ses occupants avec leurs étoupes enflammées ! Nous aurions pu tous mourir brûlés !

– Ils visaient les Romains, pas les galériens. Souvenez-vous de ce que vous avez vécu, Zeno. Vos vrais ennemis, ce sont ceux qui vous ont mis des chaînes, vous ont privé de nourriture et vous ont assommé de coups de fouet.

Alors Zeno, écoutant sa voix intérieure, dirige le bateau romain vers les Carthaginois. Les galériens sont chaleureusement accueillis sur le bateau arborant les symboles puniques du dauphin et du soleil.

Une femme carthaginoise aux longs cheveux ondulés et à la robe mauve vient vers Zeno, le regarde. Il lui fait signe qu'il a faim. Alors elle va chercher du pain qu'elle lui tend.

Il approche l'aliment de son nez, le renifle comme s'il s'agissait d'une fleur et le porte à sa bouche en tremblant. La mie fondant entre ses dents, la saveur de la farine, le contact de la croûte lui apportent une sensation extraordinaire. La femme lui tend un verre d'huile d'olive dans lequel il plonge le pain. Le goût de ces deux substances mélangées est encore plus extraordinaire. Un plaisir décuplé se fraie un chemin en lui. C'est à ce moment que la femme lui tend un bol rempli d'un liquide rouge. Il n'ose deviner de quoi il s'agit. Du vin. Ce troisième produit qui pénètre entre ses lèvres accroît les sensations des deux premiers.

Jamais il n'a senti sur sa langue et dans sa gorge des stimuli aussi délicieux. Chaque miette de pain, chaque goutte d'huile d'olive ou de vin est un pur ravissement. Toute sa bouche lui envoie des décharges de plaisir.

La Carthaginoise lui sourit et lui caresse les cheveux. Elle lui chuchote à l'oreille :

– Prends ton temps. Tu es libre, désormais.

Puis elle lui pose un délicat baiser sur son front. Après tout ce qu'il a vécu, après toutes ses souffrances, après toutes ses peurs, ce vin, ce pain, cette huile d'olive, cette phrase précise prononcée à cet instant, ce doux baiser de cette ravissante Carthaginoise, tout cela provoque de délicieux picotements dans son cerveau et dans tout son corps.

Un premier frisson de plaisir le parcourt, suivi d'un second. Ses membres sont agités de spasmes. Incapable de se contenir plus longtemps, il pleure et rit en même temps.

Alors, René se retire délicatement. Il est encore un peu vibrant, irradié de l'instant de joie et d'extase que son ancien lui-même a ressenti. Il observe la scène de l'extérieur.

À ce moment une voix de femme résonne, toute proche.

Cinq, quatre…

16.

… trois, deux, un, zéro.

Claquement de doigts. La sonnette retentit.

René est encore ravi de l'expérience qu'il vient de vivre.

Opale va voir à l'œilleton et revient en annonçant :

– Je crois que c'est votre collègue.

– Zut, elle se fait du souci pour moi. Mieux vaut ne rien faire, elle finira par repartir.

Après plusieurs nouvelles sonneries, un long silence s'installe.

Opale se tourne vers lui.

– Elle est quoi pour vous ? Juste une collègue ?

– Une amie.

– Elle a l'air de beaucoup tenir à vous.

– Nous sommes très liés et elle m'a vu décomposé ce matin, cela l'a inquiétée. C'est elle qui m'a conseillé de revenir vous voir.

Opale jette un coup d'œil dans le judas, puis annonce :

– C'est bon, elle est repartie.

Puis elle place sa chaise face à lui.

– C'était comment cette fois ? Cela avait l'air formidable, n'est-ce pas ?

– Hippolyte, je l'ai vu, Léontine, je l'ai vue et entendue, Zeno – il s'appelait Zeno –, je l'ai vu, je l'ai entendu et je lui ai parlé. Chaque fois, j'arrive à améliorer l'échange avec mes réincarnations précédentes.

– Donc c'était bien.

– C'était instructif.

– Je dois reconnaître, René, que vos progrès sont

impressionnants. On dirait que vous avez un don pour ce genre d'expériences de l'esprit.

Elle va lui chercher un verre d'eau fraîche, qu'elle lui tend. Il le porte à ses lèvres, et ce geste lui rappelle celui qu'il a fait lorsque la femme carthaginoise lui avait versé à boire.

– C'était ce que vous vouliez ? Votre vie où vous avez connu le plus grand plaisir ?

– Je viens de comprendre que le plaisir est relatif. Il consiste parfois dans la cessation de la douleur. Plus la douleur est forte, plus son arrêt va procurer un sentiment de ravissement. Et une longue période d'inconfort suivie d'un plaisir simple peut s'avérer un grand moment d'extase.

– Par effet de contraste ?

– Absolument.

Il boit l'eau à petites gorgées, comme s'il s'agissait d'un nectar.

– Je comprends aussi certains de mes choix. Au lycée, j'ai toujours refusé de faire de l'aviron. Par contre, j'ai une passion pour la voile. J'ai gagné des régates sur des petits voiliers, catamarans ou monocoques.

L'hypnotiseuse lui tend un biscuit.

– Et ce n'est pas tout. J'adore le vin italien, c'est en Sicile que je pars systématiquement en vacances, surtout la côte sud, je me passionne pour les guerres puniques et je déteste tout ce qui ressemble de près ou de loin à un tambour ou une batterie.

Il saisit son téléphone portable et tape dans la barre de recherche : « bataille navale Rome Carthage Sicile ».

– C'est bien ce que je pensais, ce devait être la bataille de Drépane, en Sicile, en 249 avant Jésus-Christ. La plus grande victoire navale carthaginoise où l'amiral Adherbal a battu le consul Publius Claudius Pulcher. Cent vingt navires dans les deux camps. Bon sang, c'est extraordinaire, j'y ai assisté, j'y étais !

– Vous avez vraiment apprécié cette dernière expérience, apparemment. Donc ça y est, vous avez réglé votre traumatisme d'hier ?

Déjà elle se relève et remet sa veste, prête à quitter le théâtre.

– Vous plaisantez ? J'étais galérien ! En dehors de ce plaisir final par simple contraste, ma vie était quand même ignoble ! Vous ne m'avez pour l'instant amené que dans des endroits et des époques où mon existence a été très éprouvante. Si on récapitule : la première fois c'était dans la boue des tranchées de 14-18 où je me suis fait transpercer le crâne avec un poignard, la deuxième fois j'ai agonisé entouré d'une famille qui n'en voulait qu'à mon argent, la troisième fois je me faisais fouetter sur un banc de rameurs ! On a fait mieux comme voyage touristique.

Opale laisse échapper des signes d'impatience.

– Je n'y peux rien si la vie de nos ancêtres était si âpre. Je pense qu'il y avait peu de gens qui dans le passé avaient des vies de plaisirs réguliers. La plupart vivaient une vie de devoir, de travail, de maladie, de faim, terminée par une mort douloureuse.

– Je veux visiter une autre de mes existences passées.

Elle relève les mèches tombées sur son front dans un geste d'impatience.

– Et moi je vous dis que vous êtes un enfant capricieux qui vient de découvrir un nouveau jouet et qui trépigne parce qu'on le lui a confisqué.

– Je suis un homme blessé. Par votre faute. Un homme qui cherche à cicatriser sa blessure pour pouvoir dormir.

– Cette fois, ça suffit. Je rentre chez moi.

Il saisit ses poignets pour la retenir.

– Vous allez faire quoi ? Me tuer, comme vous avez tué…
l'Allemand ?

Elle sait !?

Saisi d'un moment d'inquiétude, il finit par se reprendre.

Non, elle doit faire allusion à l'un des Allemands d'Hippolyte.

– Je veux que vous m'ameniez dans une vie passée « agréable »
de bout en bout.

Elle consent à se rassoir.

– La notion de « vie agréable » est subjective. C'est aussi votre
faute tout ça, vous n'êtes pas clair dans vos requêtes.

– Très bien, je reconnais que jusque-là j'ai eu ce que j'avais
demandé et qu'en effet c'est parce que je n'ai pas été suffisamment précis que j'ai obtenu des résultats décevants.

– Alors vous voulez quoi maintenant, René ?

– Je veux revenir dans la vie passée où j'ai connu…

*Que demander ? Qu'est-ce qui m'a manqué précisément dans les
trois autres vies que j'ai visitées ? Qu'est-ce qui me manque actuellement comme expérience forte ?*

– … où j'ai connu ma plus grande histoire d'amour.

Elle sent qu'il n'a pas fini et, en effet, il ajoute :

– Et je veux y revenir juste avant la rencontre pour la vivre à
fond.

Elle continue de garder le silence, alors il conclut :

– Et je veux la vivre en pleine force de l'âge, serein et en
bonne santé, dans un lieu qui n'est pas en guerre et de préférence sous une météo clémente.

Opale regarde sa montre. Il embraye.

– De toute façon vous avez annulé votre dîner. Vous avez
du temps devant vous.

Elle hausse les épaules.

– C'est la dernière fois, nous sommes bien d'accord ? Si vous vous retrouvez dans une situation qui ne vous plaît pas, cela ne sera plus mon problème.

– Je pense avoir bien circonscrit mon souhait.

– Dans ce cas, détendez-vous et fermez les yeux.

Le rituel reprend jusqu'à la porte blindée de l'inconscient. Au début, René ne distingue aucune porte éclairée, avant de s'apercevoir que c'est celle qui porte le numéro 1 dont la lampe rouge clignote. Un rayon de soleil filtre sous le pas de la porte.

Il se dit que comme le numéro 1 renvoie forcément à une époque antérieure à Zeno, qui vivait en 200 avant Jésus-Christ ; il risque donc de tomber sur un homme préhistorique ou, pire, un primate. Une fois de plus, il regrette de ne pas avoir été plus exhaustif dans la formulation de son souhait.

Certes, il devrait être en bonne santé, dans la force de l'âge, serein, dans un pays qui n'est pas en guerre, au soleil, mais si c'est pour être une sorte de singe… Quant à l'histoire d'amour, elle risque de l'unir à qui ? Une femme des cavernes, une primate, une… guenon ?

Tant que je n'aurai pas franchi cette porte je ne pourrai pas savoir.

Il tourne avec appréhension la poignée de la porte 1 et se retrouve…

17.

… face à une plage de sable fin blanc bordée de cocotiers. L'océan turquoise est paisible, la surface des flots translucide. Au loin, des dauphins joyeux s'élancent hors de l'eau en poussant des sifflements aigus.

Le soleil se lève, aux lueurs rosées. Il fait chaud, l'air exhale des relents de parfum de fleurs exotiques.

René regarde ses mains et voit qu'il a les doigts d'un homme d'une trentaine d'années. Mais ce qui le trouble est qu'il a aussi sa montre de René Toledano.

Il observe ses vêtements. Ils sont exactement semblables à ceux qu'il porte. Il se touche le visage et sent même ses lunettes d'homme du XXIe siècle.

Comment est-ce possible?

Il se dit que, cette fois-ci, l'expérience a échoué. Il a trouvé un lieu où il habite exactement le même corps.

Avec ses chaussures de ville, il marche sur la plage et il distingue au loin une silhouette humaine. Un homme en jupe beige est assis en position du lotus sur une pierre plate face à la mer. L'homme a les yeux clos, mais il les ouvre d'un coup.

Ils échangent un regard.

— Bonjour, dit l'inconnu.

René se retourne et constate que ça ne peut qu'être à lui que cet homme s'adresse.

— Oui, c'est à toi que je parle.

— Vous... enfin... vous me voyez vraiment?

— Et je t'entends et je te parle aussi. Et nous nous comprenons car nous utilisons tous les deux le langage de l'esprit, qui est universel. Nous parlons d'âme à âme, à travers le temps et l'espace.

— Et je suis « dans » quel corps?

— Dans l'apparence qui te convient le mieux. C'est moi qui l'ai souhaité : te voir de l'extérieur, tel que tu es à ton époque, et non pas de l'intérieur. Et c'est pareil pour moi.

— C'est possible?

— Bien sûr, il suffit de le vouloir.

– Je croyais que j'allais…

– Arriver directement à l'intérieur de mon esprit, c'est cela ?

– C'est comme ça que ça se déroule d'habitude.

– En fait, c'est moi qui ai voulu, pour que nous puissions dialoguer naturellement, que nous soyons deux personnes différentes.

L'homme lui tend la main.

– Je m'appelle Geb, et toi ?

– Je… je m'appelle René.

Geb est particulièrement souriant et décontracté. Tout respire en lui la bonne santé et la tranquillité. Il est torse nu, bronzé, musclé, avec des yeux bleus très clairs et sa jupe beige est bordée d'un liseré de motifs bleus très fins. Il regarde René et lui fait un signe amical. Il s'approche.

– Je suis ravi de te rencontrer, René. Tu sais qui je suis ?

– Je crois savoir.

– Je suis une incarnation de ton passé. Et toi, tu es une incarnation de mon futur. Je suis celui que tu as été et toi, celui que je vais devenir.

– Ah, vous êtes aussi au courant de cela ?

– Oui, grâce à la « méditation prospective », qui me permet de voyager dans mes vies à venir. Et dans ce cadre, j'ai souhaité non pas entrer dans ton esprit pour voir ton époque, mais te convoquer dans la mienne pour que nous puissions discuter ici. Et toi, tu utilises quelle technique pour venir me voir ?

– L'hypnose régressive. C'est une technique pour revenir dans ses vies antérieures. Je visualise dans mon esprit un couloir avec des portes numérotées. Chaque porte correspond à une vie.

– Tu es derrière laquelle ?

– La 112.

– Et moi ?

– Tu vis derrière la 1.

L'homme approuve :

– Il y aurait donc 111 réincarnations entre nous ?

– Je suis le dernier et vous êtes le premier, en tout cas dans mon couloir. Nous avons beaucoup de chance de nous rencontrer.

– Sache que tu peux contrôler beaucoup plus de choses que tu ne le crois simplement avec ton esprit. Il suffit de formuler clairement ta demande.

Ce n'est pas si simple tant qu'on ne connaît pas les conséquences de ses choix.

Face à lui, l'homme à la jupe beige semble satisfait de cette discussion.

– Beaucoup de gens ne font rien parce qu'ils n'ont aucune idée de leurs capacités. C'est le problème. Chez nous on dit « ce que tu veux, tu peux ». On pense que tout ce qu'on désire vraiment se produit. Le seul problème, c'est que parfois, lorsque notre vœu est exaucé, on s'aperçoit que ce n'est pas ce qu'on voulait vraiment, ou bien on est tellement étonné de la facilité à l'obtenir qu'on en veut toujours plus.

– J'aimerais bien que tout soit si simple.

– Mais c'est si simple. Nous n'avons comme seules limites que celles que nous nous fixons nous-mêmes, dit l'homme d'un ton assuré, tout en lui proposant de s'asseoir face à lui.

Ils observent mutuellement leurs vêtements et leur allure. Geb semble un peu intrigué par les chaussures, les lunettes et par la montre de René, mais il ne pose pas de questions à leur sujet.

Pour lui je dois être un homme du futur, je suis de la science-fiction incarnée. Si je pouvais voir une de mes incarnations à venir, je serais probablement tout aussi décontenancé.

– René, tu as dû émettre un souhait pour arriver ici. Qu'as-tu demandé ?

– D'accéder à la vie dans laquelle j'ai connu ma plus grande histoire d'amour.

L'autre éclate de rire.

– Alors, la vie où il y a eu la plus grande histoire d'amour de toutes « nos » existences, c'est... la mienne ?

– Il semblerait, concède René. Et vous, vous avez souhaité me rencontrer selon quel critère ?

– J'ai voulu connaître la vie dans laquelle j'ai le plus influé sur l'histoire de l'humanité.

Nouveau silence.

– Et ce serait... la mienne ?

– Je ne vois personne d'autre ici, René.

Il se retourne machinalement, mais ne distingue pas le moindre autre humain.

– Alors je dois vous avouer, monsieur Geb...

– Appelle-moi Geb.

– Eh bien, Geb, mon activité professionnelle ne me permet pas d'influer sur plus de quatre classes de trente élèves tous les ans. Je suis professeur d'histoire. J'enseigne la connaissance du passé aux enfants. Cela reste quand même limité comme action sur mes contemporains. Et vous, que faites-vous ?

– Je suis astronome. C'est amusant, nous sommes complémentaires, toi et moi. Toi, tu connais ce qu'il se passe dans le temps, moi je connais ce qu'il se passe dans l'espace. Cela me plaît. Enfin je veux dire cela me plaît de devenir un jour... toi.

– Cela me plaît aussi d'avoir été un jour... vous, répond René du tac au tac.

– Pourquoi ?

– Vous avez l'air tellement décontracté! Je n'ai jamais vu quelqu'un d'aussi relax que vous. Et puis votre lieu de vie semble sympathique, il fait beau, votre activité n'a pas l'air trop fatigante et paraît vous passionner. Mais où et quand vivez-vous précisément?

Tout à coup, la terre se met à trembler. Tout bouge. Des arbres tombent. Un deuxième mouvement de sol plus réduit suit, puis cela cesse. Une trompette retentit au loin.

– J'aurais bien aimé discuter encore avec toi, René. Nous avons évidemment beaucoup de choses à nous dire, mais là, comme tu as pu le sentir, il y a eu un séisme sur notre île.

– Un tremblement de terre!

– Cela arrive de temps en temps. Sinon on s'ennuierait. Mais quand on y réfléchit bien, rien n'est grave. Tant qu'on est vivant, tout va bien.

Tout cela a été énoncé avec flegme, comme s'il s'agissait d'une simple averse.

– Par contre, même si ce n'est pas grave, lorsque la conque d'alerte résonne, nous devons tous accourir pour réparer les maisons qui ont été abîmées. Je propose qu'on se retrouve demain, au même endroit, exactement à la même heure. Enfin, à ce qui correspond à la même heure pour nos temps respectifs.

Déjà, l'homme aux yeux bleu clair et à la jupe beige lui tourne le dos et s'en va par un sentier vers l'intérieur des terres.

René reste seul sur la plage. Il se retourne et voit une porte posée sur le sable. Il la franchit en sens inverse. Il arrive dans le couloir avec les portes aux plaques de cuivre numérotées. Il rejoint la 112 qui lui permet de franchir le passage de son inconscient. L'escalier est là.

Il remonte les marches.

Il entend une voix extérieure, féminine, qui entonne le décompte :
– 10, 9, 8...

18.

– ... 2, 1, 0.
Il n'ouvre pas les yeux.
– 0, répète-t-elle.
Il consent enfin à ouvrir lentement les paupières. Il regarde aussitôt l'heure à sa montre. Il est 23 h 23.
– Alors ? C'était comment cette fois ?
Le couloir est très puissant. Le couloir nettoie. Le couloir relativise tout. Le couloir a un effet extraordinaire.

Il remet tout dans une perspective beaucoup plus large. Même la phrase « je suis un assassin » perd de sa gravité. Oui, je suis un assassin, mais je ne suis pas que ça.

Je suis aussi un jeune soldat de la Première Guerre mondiale. Je suis aussi une vieille comtesse désabusée. Je suis aussi un galérien sicilien plein d'espoir.

Je suis aussi 111 autres vies.

Je commence à comprendre. La nouvelle phrase qui peut occuper mon esprit est : Je ne suis pas que moi. Je suis beaucoup plus que ça.

L'hypnotiseuse semble inquiète.
– Ça va, René ?
René se relève et essaie de se souvenir de chacun des détails de sa dernière plongée.
– Il y a encore eu une progression. Hippolyte, je pouvais voir ce qu'il voyait. Léontine, je pouvais voir par ses yeux et entendre

ses pensées. Zeno, je pouvais voir, entendre ses pensées et dialoguer de l'extérieur avec lui. Avec Geb, j'ai pu non seulement le voir et dialoguer, mais aussi être visible de lui, de telle sorte que nous avons discuté comme deux personnes face à face.

Elle relève ses longues mèches rousses.

– Vous avez entendu notre dialogue ? demande-t-il.

– Comme chaque fois, vous avez décrit ce que vous voyiez, ce que vous lui disiez et ce qu'il vous répondait. C'était assez surprenant à écouter, surtout si cela s'est déroulé comme vous dites, bien avant l'an 300 avant Jésus-Christ.

– Ce que vous n'avez peut-être pas perçu, c'est le niveau de décontraction de Geb. Je n'ai jamais vu quelqu'un d'aussi à l'aise, il était complètement détendu. Il émanait de sa personne une sorte d'insouciance et de force impressionnantes. Je peux d'autant plus mesurer cette tranquillité que je peux la comparer au stress du soldat Hippolyte, au dégoût de la comtesse de Villambreuse, ou à la douleur de vivre de Zeno. Geb était parfaitement serein. Sans peur, sans le moindre souci. Je ne savais même pas qu'on pouvait être à ce point détendu. J'avais demandé une vie sereine, mais là cela dépasse mon imagination. Comment puis-je vous décrire ce niveau de bien-être ? C'était comme si ce Geb n'avait jamais connu la moindre contrariété depuis sa naissance…

– Ce que vous avez accompli est remarquable.

– Par rapport aux autres cobayes ?

– Je vous l'ai déjà dit, vous êtes vraiment le premier. Vous avez vu que Caroline, la volontaire d'aujourd'hui, a échoué. Elle avait beau être enthousiaste, soit elle était encore trop sceptique, soit elle n'était pas aussi douée que vous.

Elle hésite, avant de confier :

– Je vais vous avouer quelque chose. Avant vous, je n'avais

qu'une connaissance théorique de ce protocole, je l'avais étudié théoriquement mais je ne l'avais jamais testé. Ce que vous avez accompli est complètement nouveau. J'ai pensé qu'en me jetant à l'eau j'y arriverais, mais je découvre avec vous que ce genre d'expériences peut mal tourner, voire, comme avec la volontaire d'aujourd'hui, ne pas marcher du tout, n'est-ce pas ?

– Vous envoyez les gens visiter leurs mémoires enfouies, mais en effet vous ne pouvez pas savoir ce qu'ils vont y trouver. Pour reprendre votre image, vous êtes comme un professeur de plongée sous-marine qui envoie des débutants pour la première fois sous l'eau.

– C'est pour cela que j'ai accepté de vous « réparer ». Je ne me rendais pas compte qu'en explorant les couches les plus profondes, on pouvait aussi rencontrer un monstre des abysses. Je vais désormais changer l'intitulé de mon spectacle. Je vais me contenter d'« hypnose », sans l'expression « régression dans ses vies antérieures ». C'est trop aléatoire et, à en juger par votre expérience, cela peut même s'avérer traumatisant. Je ne pourrai pas assurer un service après-vente à tous ceux qui débarquent par hasard dans des vies antérieures horribles.

– Donc ce sera quoi, le nouveau nom du spectacle ?

– « Hypnose et Illusionnisme ». Et j'ajouterai un super tour de magie, que m'a appris mon père, qui s'appelle « Malgré moi ». Cela devrait remplacer avantageusement la régression. Et ce tour, au moins, je le maîtrise parfaitement.

René approuve, alors elle poursuit.

– Quand même, je dois vous remercier, René. Vous m'avez permis de comprendre qu'il est très délicat voire dangereux d'explorer la mémoire de ses vies antérieures. Tout simplement parce que la plupart des vies de nos ancêtres étaient déplaisantes.

Enfin vous avez eu la chance d'accéder à un ancêtre qui paraissait vraiment détendu.

Il fait un signe d'assentiment.

— Vous êtes satisfait ?

— Maintenant oui.

— Je suis sûre que ce soir vous dormirez sans difficulté. Et maintenant que vous avez compris comment se déroule la plongée dans vos mémoires antérieures, vous pourrez descendre tout seul pour reprendre votre contact avec Geb.

L'hypnotiseuse met sa veste, éteint le projecteur. Cette fois-ci, René ne la retient pas. En revanche, elle lui tend sa carte de visite plastifiée.

Il lit :

Opale ETCHEGOYEN

Psychologue hypnotiseuse

06 xx xx xx xx

7, rue des Orfèvres

75001 Paris

Elle reste face à lui.

— J'aimerais que vous me rappeliez, monsieur Toledano.

— Pour vous dire si j'ai réussi à dormir ?

— Pour me dire où et quand vivait ce « Geb ». Simple curiosité. Mais cela me ferait vraiment plaisir de le savoir avec précision. Vous voulez bien ?

19.

Il marche sur les berges de la Seine.

C'est à cet endroit que je l'ai tué.

104

Il inspire profondément.

Ce skinhead dont j'ai raccourci l'existence, qui était-il avant? Et qui va-t-il devenir ensuite?

Il observe le fleuve sur lequel un rat mort flotte, glissant de gauche à droite, emporté par le courant.

Il faut que j'arrête de m'apitoyer sur mon sort. Désormais je sais qu'il n'y a pas qu'un seul sac de mémoire. Il y en a plusieurs. Et c'est la découverte de mes autres mémoires qui m'a transformé aujourd'hui en homme capable de tuer.

Il rentre chez lui, se couche en espérant que cette fois le sommeil va venir.

Il repense à Geb, l'homme qu'il a été, si tranquille, flegmatique et détaché. Le simple fait de l'avoir vu, de lui avoir parlé, d'avoir échangé leurs visions du monde l'a ouvert sur une perspective nouvelle. Par le bienfait de cette simple rencontre il a l'impression que... rien n'est grave.

Tant qu'on est vivant, toutes les contrariétés ne sont que des péripéties dans le flux de la vie. Sans elles, on s'ennuierait.

Cette rencontre, aussi brève soit-elle, a déjà transformé René. Elle a provoqué l'effet diamétralement opposé à celui de l'ouverture de la porte 109, sur Hippolyte Pélissier. En somme, la connaissance de vies passées est parfois maléfique et parfois une bénédiction.

Si peu de temps passé ensemble et pourtant quel bouquet de sensations! Avec Hippolyte j'ai eu une impression de pesanteur, avec Geb, de légèreté.

René Toledano remonte son drap jusqu'au menton et s'endort en se remémorant le décor de plage de sable blanc et fin sur fond de cocotiers, l'océan rempli de dauphins joyeux et l'air embaumé du parfum des fleurs exotiques.

20. MNEMOS. MUES NÉCESSAIRES.

Tout change en permanence. Nos chairs comme nos esprits.

Dans la Grèce antique, le serpent était le symbole du fleuve Léthé de l'oubli, car le serpent effectue une mue visible et spectaculaire. Quand il perd son ancienne peau, une neuve apparaît.

Durant la mue, le serpent est aveugle. Une fois la mue accomplie, le serpent doit se débarrasser de l'ancienne peau qui l'encombre.

De la même manière, durant notre sommeil, nous accomplissons un tri. Nos souvenirs de la veille se séparent en deux : ceux qu'il faut oublier et ceux qu'il faut mémoriser. Paradoxalement, le phénomène d'oubli, donc d'abandon de l'ancienne peau, est nécessaire au bon fonctionnement de notre cerveau : si nous devions nous souvenir de tout ce qui nous arrive dans la journée, notre cerveau serait rapidement encombré, puis saturé. Il s'épuiserait à gérer une si grande masse d'informations, ce qui nous empêcherait de réfléchir ou de former de nouveaux souvenirs.

Quant aux rêves, leur fonction est de récupérer des morceaux de mémoire qui ont été évacués par erreur et que l'inconscient considère nécessaire de conserver malgré tout.

21.

Sa paupière se soulève lentement, tel un rideau qui s'ouvre sur une scène. Sa pendule annonce 7 h 30. Le sommeil est donc revenu. Il a pu dormir. Il s'étire.

Il se sent mieux. Il va dans la salle de bains et boit au creux de ses mains. Il se voit dans le miroir et il repense à sa mère.

Maman m'a toujours culpabilisé.

« Tu n'aurais pas dû. » « Tu t'es trompé. » « J'étais sûre que tu n'y arriverais pas. »

Jusqu'au fameux : « Faute avouée est à moitié pardonnée. »

Il se souvient que, subrepticement, elle lui avait appris à se sentir coupable de tout. Au point qu'il s'était souvent demandé s'il n'était pas indirectement la cause de tout ce qui arrivait de mauvais sur terre.

Sa mère lui disait :

« Il suffit d'une goutte de vinaigre dans le lait pour le faire tourner. C'est l'effet papillon : une petite bêtise entraîne une avalanche de catastrophes irréversibles. Et cette petite bêtise, c'est comme par hasard toi qui la fais. »

Ma mère n'avait aucun respect pour moi, mais moi je dois en avoir pour moi. Il faut que je sois plus indulgent envers moi-même.

J'ai reçu assez de réprimandes et de leçons de morale, il est temps que je console l'enfant blessé qui est en moi.

D'abord me soigner, après me sermonner si nécessaire.

Geb m'a montré une manière de vivre différente, il faut que j'arrête de me flageller, d'avoir des regrets, de me faire du mal, d'entretenir le fantôme réprobateur de ma mère sur mon épaule.

Bon, j'ai tué ce skinhead, c'est fait, cela ne sert à rien de ne penser qu'à ça, on ne peut pas remonter le temps.

Il s'habille, allume Internet et interroge son moteur de recherche : « Cadavre repêché dans la Seine ». Rien. Puis, « skinhead noyé ». Mais nulle mention de l'assassinat.

Il se sent soulagé.

Peut-être qu'il a coulé, qu'il s'est fait dévorer par les poissons, ou broyer par un moteur de péniche. Peut-être que je peux m'en tirer comme ça, sans la moindre enquête.

Pendant qu'il prend son petit déjeuner, il retrouve sa routine, celle qu'il pratiquait machinalement avant sa rencontre avec Opale. S'apercevant qu'il a oublié de se raser, il revient dans la salle de bains.

Il faut que je change de visage.

Dans son miroir, il voit en surimpression l'image d'Hippolyte Pélissier, celles de Léontine de Villambreuse, de Zeno et de Geb.

Je suis tout ça. Je suis aussi constitué des choix de 111 personnes qui ont dû se dire que, dans leur prochaine vie, ils ne voulaient plus rencontrer les mêmes difficultés.

Il se dirige vers le lycée. Dans un embouteillage, il songe :

Alors l'âme serait comme un conducteur qui change de voiture. L'esprit change de corps, vie après vie.

Après sa vie éprouvante de galérien, mon âme a souhaité probablement une vie confortable. Après la vie dépourvue d'amour familial sincère de Léontine, elle a voulu probablement une vie sans famille. Après la vie de simple soldat soumis aux ordres de 14-18, elle a souhaité reprendre les rênes de son destin.

Machinalement, il allume la radio. Le présentateur annonce : « Un homme a foncé avec son camion dans la foule d'un supermarché. Il y aurait au moins trois morts et une vingtaine de blessés. Même si l'homme a poussé un cri religieux, la piste terroriste a d'ores et déjà été évacuée. La police privilégie l'acte isolé d'un homme souffrant de problèmes psychiatriques.

« Le Conseil constitutionnel a bloqué la loi autorisant les individus nés sous X à connaître l'identité de leurs vrais parents. Il semble en effet que plus de 30 % des pères devant la loi ne soient pas les pères biologiques et les membres du Conseil constitutionnel craignent que ce genre de révélation ne crée plus de troubles qu'il n'en résoudrait.

« Mort du dernier survivant des camps de concentration qui vivait à Londres. Cet événement arrive au moment précis où des rumeurs laissent entendre que l'Angleterre aurait décidé de ne plus faire référence à l'existence des camps de concentration dans les programmes d'histoire pour ne pas heurter les convictions de certains parents d'élèves. Rappelons que les théories révisionnistes sont actuellement très en vogue dans plusieurs pays, notamment du Maghreb et du Moyen-Orient, où les thèses négationnistes sont officiellement enseignées dans les écoles. Le ministre de l'Éducation français a pour sa part signalé qu'il maintiendrait l'enseignement de la Shoah, malgré les pressions de plus en plus fortes de certains parents d'élèves.

« Suite à l'affaire Fiona où, rappelez-vous, Cécile Bourgeon, sa mère, avait demandé en mai d'être soumise à l'hypnose pour tenter de se souvenir de l'endroit où elle avait enterré le cadavre de sa propre fille (qu'elle avait assassinée avec la complicité de son compagnon Berkane Makhlouf), la France, succédant ainsi à la Belgique, a décidé de reconnaître la valeur des témoignages sous hypnose dans les enquêtes criminelles.

« Météo : le beau temps va se maintenir avec des risques de fortes chaleurs. »

Une fois sa voiture garée au parking du lycée, René Toledano rejoint la cour de récréation, saluant au passage la statue de l'idole des jeunes.

Le proviseur lui adresse un signe d'encouragement depuis la porte d'entrée de son bureau.

Avant d'affronter les élèves, il va aux toilettes. Par acquit de conscience, il consulte encore son smartphone pour voir s'il est question d'un noyé dans la Seine.

Et puis soudain son sang se glace :

« Un corps a été repêché dans la Seine, il a été identifié comme étant celui d'un certain Helmut Krantz, un sans domicile fixe vivant principalement sur la berge ouest de la Seine. Tout témoin ou toute personne ayant des informations est prié de se signaler à la police. »

Ça devait arriver. Ils l'ont retrouvé et ils vont bientôt m'identifier et me rechercher.

Il est à nouveau tenté de se rendre à la police. Et à nouveau il se ravise. Plus vite que la fois précédente.

Ma rencontre avec Geb commence à produire des effets. Je me sens moins anxieux. C'est grâce à son mantra : « Rien n'est grave. Tant qu'on est vivant tout va. »

Il opère une sorte d'effet relaxant sur René.

Et puis, de toute façon, que la police me retrouve ou non, le fait que je m'angoisse n'y changera rien.

Il tire la chasse et se sent prêt à affronter la suite de sa journée, quelle qu'elle soit.

Il entre dans l'arène. Il regarde les élèves un par un.

Et eux, qui étaient-ils avant de naître ? Peut-être qu'eux aussi ont fait des guerres et tué de sang-froid. Peut-être qu'eux aussi, dans leurs vies antérieures, ont revêtu des personnalités monstrueuses.

Il inspire profondément et entame son cours comme il l'a

prévu. Le titre s'affiche sur l'écran : « Mensonges de l'histoire officielle et vérités à déterrer ». Il commence :

– Puisque vous réclamez les exemples précis, en voici un : Carthage.

Apparaît à l'écran un tableau représentant une bataille où s'affrontent des galères antiques.

– Les guerres puniques sont les guerres d'un peuple libérateur contre un peuple esclavagiste. Le général carthaginois Hannibal Barca, en 218 avant Jésus-Christ, a envoyé une armée en Espagne, puis en Gaule, qui a libéré les peuples sur son chemin. Il les a poussés à mettre en place des systèmes de gouvernements démocratiques. Il a franchi les Alpes avec ses éléphants lors de la deuxième guerre punique et, en fin stratège, a battu l'armée romaine dans le nord de l'Italie, notamment durant la fameuse bataille de Cannes. Il a ensuite libéré du joug des Romains les peuples du nord de l'Italie qu'il trouvait sur son chemin. Et lors du siège de Rome, il a épargné ses ennemis au lieu de les massacrer, convaincu que la violence n'était pas la solution et dans l'espoir que les Romains comprendraient qu'ils devaient respecter les autres peuples au lieu de les soumettre.

Un élève lève la main.

– Mais alors, monsieur, pourquoi on apprend autre chose avec les autres professeurs ?

– Toujours à cause de Michelet, cet historien du XIXe siècle qui a repris à son compte les boniments précédents pour les ériger en vérités incontestables. Il a écrit à la gloire des Romains, peuple envahisseur mais qui avait des historiens vivants, quand les historiens carthaginois s'étaient fait massacrer.

– Et nos ancêtres les Gaulois ? demande timidement un autre élève.

– On ne connaît pas la vraie histoire de nos ancêtres les Gaulois parce qu'ils n'avaient pas d'historiens, seulement des druides ou des bardes. Chez les Celtes par exemple, c'était la communication orale qui prévalait. Pour se faire son opinion sur l'invasion de la Gaule, on ne dispose que du livre *La Guerre des Gaules* écrit par César, mais fruit là encore d'un coup de propagande de son auteur pour lutter contre son rival Pompée et affermir son pouvoir à Rome. César, en racontant son invasion, a créé un feuilleton suivi par des centaines de milliers de Romains et c'est ainsi qu'il est devenu populaire. César avait compris que les gens s'ennuient et que rien ne les charme plus qu'une histoire dans laquelle un Romain vient conquérir des territoires de peuplades censées être barbares. Le souci de réalisme était secondaire par rapport à la volonté de ménager du suspense. Il est même possible que Vercingétorix n'ait jamais existé mais ait été inventé par César pour se trouver un adversaire à sa mesure.

– Un peu comme les Grecs avec le minotaure ? questionne un élève du premier rang.

– Exactement. L'invention de faux adversaires permet de légitimer les pires exactions.

Un élève semble préoccupé. René l'invite à s'exprimer.

– Pourquoi Jules Michelet est-il devenu l'unique référence officielle du passé, monsieur ?

– Parce qu'il racontait les histoires avec passion, enthousiasme, fougue, et qu'il arrivait ainsi à susciter une émotion. Il savait mettre en scène les drames et les événements heureux, là où les autres historiens ne faisaient qu'égrener des faits, des noms, des dates. Dommage qu'il n'ait pas mis son talent au service de la vérité, mais d'une interprétation très personnelle de la réalité.

René essaie de trouver la bonne formule :

– Parmi les peuples qui possèdent l'écriture et des historiens, ce seront ceux dont l'historien raconte l'histoire de la manière la plus touchante qui obtiendront une place de choix dans la mémoire collective.

Il poursuit son diaporama.

– Ainsi, les constructeurs de notre mémoire antique se nommaient Tite-Live, Suétone, Tacite, Cicéron pour Rome, Thucydide et Hérodote pour la Grèce.

– Donc tout ce qu'on sait sur les Romains est faux ?

– Non, pas tout, mais il ne faut pas oublier que ce ne sont là que des visions parcellaires et partisanes. Elles nous empêchent de comprendre la complexité du réel, plus indulgente envers les civilisations envahies. Tout comme pour le cas de la Crète, Carthage était un peuple de commerçants, une civilisation évoluée, subtile, aux navigateurs de talent. Et avec le recul, il me semble que les barbares étaient plutôt les Romains qui passaient leur temps dans les arènes à assister à des combats de gladiateurs, à mettre en scène les supplices les plus horribles pour distraire le peuple, et à s'entretuer entre dirigeants. Tenez, sur cent soixante-quatre empereurs romains, quarante-huit seulement sont décédés de mort naturelle. Cela signifie que cent seize ont été assassinés. C'était un peuple sanguinaire et violent. C'est pour cela qu'ils ont détruit des peuples pacifiques comme les Carthaginois ou les Gaulois puis ont effacé toutes les traces de leurs forfaits. Tuer ne leur a pas suffi, ils ont aussi souillé la mémoire collective.

Un élève du centre de la salle lève la main :

– Mais alors, notre histoire n'est que celle des crimes impunis ?

Aurait-il compris quelque chose ?

– J'en suis persuadé. Mais il y a prescription. On ne peut

plus juger les coupables, alors il faut pardonner. Pardonner ne veut pas dire oublier. C'est là qu'intervient l'histoire, non pas pour juger mais pour rappeler la vérité objective des faits.

– Donc il faudra dire cela au bac, monsieur ?

Il fixe l'élève au fond des yeux, y perçoit une lueur de défi. René se demande qui il pouvait être avant de naître.

Un casse-pied.

L'autre le fixe toujours d'un air moqueur.

Peut-être même était-ce un type qui m'a déjà agacé dans d'autres vies.

René ne se donne même pas la peine de répondre. Il sent toutefois soudain un début d'animosité dans la classe, hostile au discours « décalé » qu'il propose, bien éloigné des versions officielles dont ils sont coutumiers. Mais cela ne lui importe pas. Il conserve un calme souverain, ce qui lui fait plaisir.

Ça y est, je commence à me détacher de ma culpabilité, à accepter le risque de me faire arrêter par la police et passer le restant de mes jours en prison : ce n'est pas grave, tant que je reste vivant. Merci pour ta décontraction contagieuse, Geb.

Je vais simplement continuer à éveiller les esprits tant que je le peux.

Il observe un instant les nuages qui passent par la fenêtre.

Je suis vivant et j'agis. Le reste est accessoire.

22.

Élodie Tesquet fume dans la cour au pied de la statue de Johnny Hallyday. Quand elle aperçoit René, elle éteint sa cigarette et l'accompagne à la cantine.

– Tu as l'air d'aller beaucoup mieux qu'hier.

– J'ai pu dormir.

J'ai fait la paix avec le criminel qui est en moi.

– Cela me rassure de te voir comme ça, enchaîne Élodie en l'invitant à s'asseoir à leur table habituelle de la cantine.

– J'ai écouté tes conseils, je suis retourné voir l'hypnotiseuse. Je lui ai demandé d'arranger ce qu'elle avait dérangé, selon tes recommandations, et elle a accepté.

– Je me suis fait du souci hier, j'ai essayé de t'appeler. Je suis même allée là-bas, dans l'espoir de t'y trouver.

– Nous y étions mais nous ne voulions pas être dérangés en pleine plongée dans ma mémoire profonde.

Il lui raconte le défilé de ses anciens moi qui se sont succédé devant ses yeux.

– Après cela, j'ai eu l'impression que le fait de connaître la vérité sur mon passé et sur ce que j'ai été avant d'être moi non seulement me permettait d'expliquer certains de mes comportements (comme le fait que je ne fonde pas de famille, que j'aie peur de ramer, que j'aime la solitude, la voile et le vin), mais m'a fait découvrir en moi des talents insoupçonnés.

– Tu plaisantes? Tu ne vas pas me dire que tu crois réellement à ces inepties?

– L'hypnose régressive me semble une voie d'accès à l'inconscient. C'est un mode d'introspection plus rapide et plus spectaculaire que la psychanalyse. J'imagine que si l'on pouvait utiliser cet outil de manière « courante », on serait capable d'aller explorer l'esprit des névrosés et de dénouer les nœuds qui y sont enfouis. Cela fournirait des motifs pour expliquer leurs névroses. Peut-être qu'un type qui a la phobie de l'eau a été noyé dans une vie précédente, peut-être qu'une femme boulimique a connu la famine.

Élodie affiche un air dépité.

– Je te l'ai expliqué, ce n'est que de la manipulation mentale. De faux souvenirs qu'on t'a implantés sans que tu t'en aperçoives. C'est le principe de « proposition-acceptation » : on t'a proposé d'imaginer ce que tu étais avant et toi tu as accepté de le faire. Donc tu t'es inventé de jolies histoires parce que ton cerveau aime le jeu. C'est tout. Toi qui aimes la magie, tu dois pouvoir comprendre cela. Ce n'est qu'une illusion créée par ton propre esprit.

Elle cherche une idée pour renforcer son propos.

– Tiens, je vais te montrer comment on peut influencer une pensée qui se croit libre. Ferme les yeux.

Il obtempère.

– Imagine un citron qui est suspendu dans le ciel. Puis visualise une main qui se saisit d'un couteau, coupe le citron en deux, en presse une partie, faisant jaillir la pulpe. Maintenant, ouvre les yeux.

Il soulève ses paupières.

– Y a-t-il de la salive dans ta bouche ?

– Oui ! répond-il, surpris.

– Voilà, ce n'est pas plus compliqué que ça. Je t'ai soumis à une stimulation externe. En prononçant le mot « citron » et en te le faisant visualiser, j'ai envoyé à ton cerveau le signal citron, donc acidité, et tes glandes salivaires ont sécrété du liquide pour diluer l'acidité du jus à venir. Tu vois, il n'y a rien de magique là-dedans, simplement une manière d'influer sur ton esprit par des mots évocateurs. En fait, tu ne fais que répondre à des stimuli inconscients.

– Ok pour ton expérience du citron, mais quand même, autant de détails sur la guerre de 14-18 et sur les galères romaines, ce n'est pas elle qui me les a implantés ! Cette Opale ne maîtrise pas sont art à ce point.

— Ton imagination a été manipulée pour t'orienter dans une direction précise. Comme tu ne sembles toujours pas convaincu, pour enfoncer le clou je vais te soumettre à une seconde expérience. Tu verras, après tu me diras : « Bon sang, Élodie, comment ai-je pu être si naïf ? »

La jeune femme note quelque chose sur un papier, le plie et le glisse dans la main qu'il referme.

— Pense à un outil et une couleur.

— Ça y est.

— Dis-les-moi.

— Marteau et rouge.

Elle lui dit d'ouvrir la main et de lire le papier où elle a préalablement inscrit : « marteau », « rouge ».

— Comment as-tu fait ?

— Je n'ai rien fait du tout. C'est un test auquel déjà naturellement 80 % des gens répondent « marteau rouge ». Très peu vont dire « tournevis bleu », « vilebrequin blanc » ou « clef à molette orange ». Mais en plaçant dans mon discours introductif « enfoncer le clou » et « bon sang », je t'ai envoyé des messages subliminaux qui t'ont influencé et je passais ainsi à 90 % de chances que tu proposes le bon outil et la bonne couleur. Tu vois, je ne suis pas plus télépathe que l'hypnotiseuse de La boîte de Pandore n'a de pouvoir magique. Par contre, toi, tu peux être influencé sans même que tu en aies conscience et croire ensuite sincèrement que c'est ton propre choix.

René est intrigué, mais pas convaincu. La jeune femme insiste :

— Il faut que tu arrêtes de jouer à ça. Ça va t'abîmer la cervelle.

Il n'y a pas que ça, Élodie, il n'y a pas que ça. Si tu savais.

— Je te rappelle que c'est toi qui m'as dit d'y retourner. Je n'ai fait que suivre ton conseil.

— Eh bien je le regrette. Je croyais que cela allait te faire du bien, mais cela n'a fait qu'aggraver ton mal. Maintenant, voici mon nouveau conseil : coupe tout contact avec cette hypnotiseuse. Et puis ne joue pas trop avec ton esprit. Regarde ton père. Toi-même tu m'as déjà dit que c'était parce qu'il avait joué avec son cerveau qu'il avait soudain déclenché sa dépression, puis ses trous de mémoire.

Le professeur d'histoire se lève et rejoint la file du self-service.

— Je t'ai vexé ? demande-t-elle.

— Mon père a été traumatisé par la mort de ma mère.

— Mais tu m'as avoué qu'il fumait de la marijuana du matin jusqu'au soir.

— Il voulait oublier le décès et peut-être même l'existence de maman. Pour effacer sa douleur. Une fois qu'il a mis la machine à détruire les souvenirs en marche, elle ne s'est jamais arrêtée. Comme un virus dans un ordinateur.

Elle poursuit :

— On appelle cela PTS pour *post traumatic syndrom*. Les psychologues américains ont commencé à étudier le phénomène chez les rescapés des camps de concentration qui, pour oublier, mettaient eux aussi en marche leur machine à détruire les souvenirs, sans retour possible. C'est arrivé à ton père, mais fais attention, peut-être que ta visite dans l'enfer du chemin des Dames peut provoquer la même chose chez toi.

— Cela n'est pas comparable.

— Si. Par moments, une simple pensée, fût-elle purement fantasmatique, peut devenir aussi destructrice pour le cerveau que de l'acide chlorhydrique.

Une fois servis, ils s'installent à leur table et commencent à déjeuner. Après un temps, elle demande :

— Tu y crois vraiment, hein ?

— Tu n'as pas vécu ce que j'ai vécu, Élodie. Tu ne peux pas comprendre.

La jeune femme cherche un argument décisif.

— C'est toi qui ne veux pas comprendre, René ! C'est scientifique : on peut instiller une idée dans la pensée des gens sans qu'ils s'en aperçoivent.

— Désolé. Tu ne m'as pas convaincu avec ton jus de citron ou ton marteau rouge. Mais je voudrais bien savoir où tu as appris ces trucs.

— D'un ami. Il s'appelait Gauthier. On était à la fac ensemble et on faisait partie de la même bande. Il m'a longtemps tourné autour. Il aimait lui aussi la magie et les expériences de psychologie. Ce qui le passionnait, c'était l'art du mensonge et de la manipulation. Ça m'a plu et nous avons commencé à flirter, puis nous avons fait l'amour. C'était le premier. Je croyais que ce serait le dernier. Je me voyais mariée avec lui, avoir des enfants avec lui. Être heureuse avec lui.

Elle poursuit, le regard dans le vague.

— Toutes mes amies me disaient que c'était un dragueur invétéré, mais j'étais persuadée qu'en m'ayant rencontrée, il allait changer. Car, moi, il m'avait changée. Et puis peut-être que je me croyais capable de manipuler le manipulateur.

Elle attaque son hors-d'œuvre à grandes bouchées nerveuses.

— Mes amies avaient raison. Alors que je venais d'apprendre que j'étais enceinte et que je m'apprêtais à le lui révéler, ma meilleure amie m'a amenée dans une boîte de nuit. Là, j'ai vu Gauthier avec deux filles sur les genoux qu'il embrassait goulûment l'une après l'autre.

Elle lâche un soupir.

— J'ai avorté. Il a essayé de me voir après cela. On a eu une grande explication. Il m'a juré que ce n'était qu'un accident. Que, l'alcool aidant, il s'était laissé aller. Mais qu'il n'y avait rien avec ces deux filles qu'il ne connaissait même pas. Il m'a promis que cela ne se reproduirait plus jamais. Il s'est mis à genoux, il m'a suppliée de lui pardonner, mais non, c'était hors de question. À chaque fois que je faisais confiance à un homme, je perdais quelqu'un. Chob m'avait manipulée et mon oncle était mort. Gauthier m'avait manipulée et j'avais perdu mon embryon.

— Désolé, dit René, comme s'il voulait s'excuser pour tous les hommes.

— Après, le temps a passé et je lui ai pardonné. Nous sommes redevenus amis. Très amis même. Alors que je me préparais à devenir professeur de sciences, il est devenu journaliste à la télévision. Il est désormais chroniqueur scientifique sur la première chaîne, c'est une vedette, il s'est marié avec une actrice, avec qui il a eu deux enfants. On ne s'est jamais perdus de vue, mais je crois qu'il m'a irrémédiablement rendue méfiante.

— « Chat échaudé craint l'eau froide » ?

— Peut-être qu'après Chob et Gauthier, je n'ai plus voulu prendre de risques, alors j'ai préféré garder les hommes comme amis plutôt que comme amants. C'est aussi pour cela que nous deux nous ne sommes pas plus que des amis.

René n'ose plus rien dire.

— Tu sais la différence entre les amis et les amants ?

— Je t'écoute.

– Les amants, ça va et ça vient, les amis, ça reste. Et tu sais pourquoi ? Parce que aux amis tu peux tout dire et tu peux faire confiance, tandis que dès que la sexualité se met entre deux humains, il y aura toujours un gagnant et un perdant.

Elle lui prend la main.

– C'est aussi parce que tu es important pour moi que je ne veux pas que tu te fasses mener par le bout du nez par cette sorcière aux grands yeux verts qui visiblement te manipule comme un enfant.

Élodie se dit qu'elle doit parler son langage pour achever de le convaincre. Il aime la mythologie grecque, l'histoire, le passé :

– Tu sais, le fait que la péniche se nomme La boîte de Pandore devrait déjà te mettre la puce à l'oreille. Souviens-toi de cette légende, je crois qu'elle symbolise bien ce qu'il t'arrive.

Il s'en souvient.

23. MNEMOS. LA BOÎTE DE PANDORE.

Dans la mythologie grecque, Prométhée avait volé le feu à Héphaïstos, le dieu forgeron, pour l'offrir aux mortels. Le dieu des dieux, Zeus, piqua (comme à son habitude) une grande colère. Il considérait que les hommes étaient trop stupides pour mériter un cadeau aussi déterminant qui les ferait devenir trop puissants. Il ne pouvait pas reprendre le feu aux hommes mais il voulut punir Prométhée de son audace. Pour cela il échafauda un plan. Il demanda à Héphaïstos de concevoir une femme humaine pour servir de piège.

Héphaïstos conçut son corps à partir d'argile et d'eau, Athéna lui donna la vie, des vêtements et l'art de tisser, Aphrodite la beauté et la séduction, Apollon le don musical et Hermès la capacité de mentir, de manipuler les hommes. Pour cette raison, elle fut appelée Pandore, le don (*doron*) de tous (*pan*).

Pandore était, selon les critères de Zeus, la femme mortelle parfaite, aussi belle qu'une déesse. Elle était vierge, ravissante, intelligente, séductrice.

Pandore fut présentée par Hermès à Prométhée. Cependant, ce dernier (dont le nom signifie « celui qui réfléchit avant »), flairant le danger, refusa cette femme. Il avertit son frère Épiméthée de n'accepter aucun présent de Zeus.

Malgré cela, lorsque Épiméthée (dont le nom signifie « celui qui réfléchit après ») rencontra la jeune femme, il ne put résister à son charme et voulut aussitôt l'épouser. Ils se marièrent. Cependant, la mariée transportait une boîte mystérieuse que lui avait offerte Zeus mais qu'il lui avait interdit d'ouvrir. Cette boîte magique contenait tous les maux de l'humanité. Une fois installée dans la maison d'Épiméthée, Pandore ne cessait de tourner autour de la boîte (en fait une jarre en terre cuite), tenaillée par la curiosité que lui avait insufflée Hermès.

Un jour, n'y tenant plus, elle l'ouvrit pour découvrir ce que ce simple objet contenait de si terrible.

Que n'avait-elle fait ? Aussitôt, tous les maux de l'humanité furent libérés : la vieillesse, la maladie, la guerre, la famine, la misère, la folie, le vice, la tromperie.

Quand Pandore comprit son erreur, elle voulut refermer

l'objet magique, mais il était trop tard, tous ces malheurs s'étaient déjà répandus dans le monde. Seule l'espérance y resta enfermée. Depuis ce jour, ainsi que l'enseigne le mythe de la boîte de Pandore, les hommes souffrent et n'ont comme seul réconfort que l'espérance.

24.

Le tic à l'œil droit de René se manifeste de nouveau.

Dans la cour de récréation, la plupart des adolescents jouent à des jeux de ballon ou sont rivés à leur smartphone. Le professeur d'histoire remarque que certains élèves l'observent de loin. Le proviseur, quant à lui, surveille l'ensemble en picorant des chocolats. S'invite dans l'esprit de René l'image d'un maquignon qui jauge la valeur du troupeau.

D'abord ils seront tondus pour produire de la laine. Ensuite, quand ils ne seront plus assez rentables, ils seront envoyés à la boucherie pour finir sur des étals sous forme de gigots et de côtelettes.

Mais d'ici là, il faut garder le troupeau au calme, pour qu'il fournisse de la bonne viande tendre. Il faut qu'ils ne se doutent pas des enjeux qui les dépassent.

Toutes les révoltes, qu'elles soient punk, rock, gothique, anarchiste, communiste, skinhead, sont récupérées pour faire vendre des produits, musicaux ou vestimentaires.

Juste avant la reprise des cours, René fait un détour par le CDI et recherche quelle civilisation, susceptible de connaître l'astronomie, existait avant l'an 300 avant Jésus-Christ.

Il pense dans un premier temps aux Sumériens, mais le décor qu'il a pu observer ne correspond pas. Cette chaleur, ce sable fin et blanc, ces cocotiers, cette eau turquoise, ces dauphins, évoquent plutôt les Caraïbes, l'océan Indien ou le Pacifique.

Il cherche quelles sont les autres civilisations antiques suffisamment évoluées. Ni les Égyptiens ni les Hébreux n'avaient de telles plages. Et Geb était certes bronzé, mais il avait les yeux bleus, ce qui exclut qu'il puisse être africain, chinois, polynésien ou aborigène d'Australie. Il était indubitablement de type caucasien.

En plus, il avait parlé de « son île ». Or l'Égypte, Sumer, la Judée ou l'Inde étaient sur des continents.

Il repense à la discussion avec Élodie.

Si tu continues, tu risques de finir comme ton père.

Après les cours, il se décide à lui rendre visite. La maison de retraite dans laquelle vit son père est spécialisée dans les problèmes de mémoire, démence et sénilité. La devise de la clinique des Papillons, « Tout est mémoire », ajoutée à son logo qui représente un crâne fendillé d'où s'échappent des papillons, prend à ses yeux tout son sens. L'image lui paraît alors effrayante.

Là encore, l'endroit n'est le fruit d'aucune recherche architecturale : murs de béton, baies vitrées, linoléum. La réception, faute de personnel, est déserte. Il n'y a aucun contrôle des entrées et des sorties, et René peut se diriger vers la chambre de son père sans rencontrer qui que ce soit.

Il arrive dans un couloir avec des portes blanches, mais celles-ci ne sont pas numérotées. Elles indiquent des noms, dont celui de « Émile Toledano ».

Il frappe à la porte. Personne ne répond, alors il ouvre.

Son père est face à un écran de télévision en train de regarder un documentaire au sujet des grands complots internationaux sur une de ces chaînes qui diffusent des informations conspirationnistes en continu concernant ce que cacheraient aux citoyens Illuminati, francs-maçons, capitalistes, l'ordre de la Rose-Croix ou les extraterrestres. Émile semble passionné et René se dit qu'à force de remettre en question les vérités servies dans les médias officiels, son père est allé peut-être un peu trop loin dans son délire paranoïaque.

— Papa ?

Il ne se retourne même pas.

— Qui êtes-vous ? Pourquoi m'appelez-vous papa ?

— C'est moi, papa, ton fils, René.

À nouveau, René songe que ne pas savoir, ne pas se souvenir, ne pas reconnaître est peut-être aussi en partie un choix.

Un jeune médecin aux allures d'étudiant entre dans la chambre.

— Vous êtes son fils, je présume ? Enchanté. C'est moi qui m'occupe de lui, dit-il à René avec un air cordial.

Il lui serre la main. Il a beau connaître la réponse, René ne peut s'empêcher de lui demander :

— Sa maladie peut-elle être soignée ?

— Par la médecine actuelle, non.

— Et est-ce que son état peut s'arranger ?

— Vous savez comment fonctionne la mémoire ? On mémorise ce qui est lié à une émotion. Or votre père ne ressent plus d'émotions, pour lui tout est égal. Gris. Terne. Sans contraste. Son esprit circule dans un univers uniforme où tout est similaire. Ainsi, tout l'indiffère.

— Sauf peut-être ces émissions sur les complots ?

— En effet, on dirait qu'il trouve cela passionnant.

– Mon père était professeur d'histoire.

– Ah, je l'ignorais.

– Il paraît que, dans sa jeunesse, il était hippie, en révolte contre la société. Et sa révolte consistait majoritairement à consommer de la marijuana et écouter du rock, plutôt que de se battre dans la rue contre les CRS.

– Intéressant à savoir : la marijuana dégrade la mémoire.

– Un jour, à la mort de ma mère, il en a pris en grande quantité et il a fait un *bad trip* plus long et plus profond que d'habitude… Il délirait, c'était comme s'il avait basculé dans une autre dimension. Il était passé de l'autre côté du miroir. Après ça, il n'a plus jamais été le même. Il a dû se passer quelque chose dans son cerveau, comme un effondrement de falaise. Il ne reconnaissait plus les gens. Par chance, cela s'est produit alors qu'il était sur le point de prendre sa retraite. Il a terminé son année scolaire, difficilement couvert par ses collègues et sa hiérarchie, avant d'atterrir ici.

– Je vois. Cela arrive en effet que les drogues entraînent d'un coup l'effondrement de la mémoire.

René voit des pilules colorées posées à côté d'un verre sur sa table de chevet. Il les désigne au médecin.

– C'est quoi ça ?

– Un somnifère pour bien dormir.

– Lequel ?

– Ce sont des benzodiazépines, cela aide aussi à le détendre, il serait probablement beaucoup plus nerveux et agressif sans cela. Vous savez, parfois, lorsqu'il regarde ce type d'émissions, il pique des petites colères, contre les banques, les élus ou tout simplement contre la société de consommation et, pendant ces épisodes, il peut être dangereux, pour lui comme pour les autres.

René regrette de ne pas mieux s'y connaître en chimie pour comprendre comment les benzodiazépines peuvent transformer cet homme, jadis bélier combatif du réel, en mouton halluciné par des documentaires délirants. Il secoue la tête de dépit.

– Et donc, on peut faire quelque chose pour que cela s'arrange ?

– Il faudrait susciter en lui des émotions, mais nous ne savons pas comment faire.

René ne peut s'empêcher d'imaginer des solutions.

Il lui faudrait de l'aventure, du danger, du sexe et du rock'n roll. On ne prescrit pas ça dans cette clinique ?

– Venez le voir plus souvent. Vous savez, ici, Émile a peu d'amis. Si on lui rend service, il oublie aussitôt. Alors les gens se lassent de ce qu'ils voient comme de l'ingratitude et finissent par ne plus l'aider.

Déjà qu'il ne reconnaît même pas son unique enfant.

– Je suis désolé d'avoir à vous le dire, mais votre père énerve même les autres malades. Les personnes comme lui sont peu à peu isolées et si leur propre famille ne vient pas les voir, les choses ne font que s'aggraver. Votre père n'en est pas encore là, mais sans stimulus extérieur, je crains fort qu'il passe toutes ses journées à regarder en boucle ces documentaires complotistes. Pour l'instant, il s'arrête encore pour les repas, mais je redoute que cela ne se dégrade.

La télévision continue de diffuser le reportage devant son père, les yeux grands ouverts, la bouche légèrement pendante.

René se retourne pour cacher la larme qui coule sur sa joue.

25.

La pendule affiche 22 h 51.

Il a le trac. Que va-t-il se passer ce soir ? Sera-t-il capable de descendre tout seul, sans l'aide de l'hypnotiseuse, jusqu'aux étages les plus profonds de son inconscient, là où se trouve le couloir avec les portes et, surtout, là où se trouve la porte numéro 001, celle où s'est produite cette incroyable rencontre ?

« Geb » ? Drôle de nom.

René Toledano se prépare un dîner rapide composé d'aliments censés être bénéfiques pour la mémoire : un verre d'huile de foie de morue qu'il boit d'un trait ; une assiette de maquereau et de choux de Bruxelles. Puis des abricots, des raisins secs et des noix.

Il cherche pendant ce temps sur son ordinateur s'il y a du nouveau au sujet du SDF repêché dans la Seine.

Il repense à ses cours au lycée et à l'hostilité montante des élèves. La phrase de son père lui revient alors à l'esprit : pour celui qui est habitué aux mensonges, la vérité semble toujours suspecte.

René se souvient du roman d'anticipation de George Orwell, *1984*, où chaque matin l'histoire est réécrite par des propagandistes officiels afin de s'adapter aux exigences politiques du moment, sans risque de contradiction, puisque tout le monde est éduqué pour oublier.

Et le troupeau suit, sans même s'interroger sur les histoires qu'on lui raconte… Il ne cherche pas à vérifier. Il ne cherche pas à obtenir des preuves. Tous veulent adhérer au consensus pour bêler ensemble sur la même note.

René inspire profondément.

L'histoire devient de plus en plus un enjeu politique. Jules Michelet, en écrivant son Histoire de France, *a établi un récit de souvenirs officiels pour l'ensemble des Français des générations futures. C'est lui qui a sélectionné les vedettes qui avaient droit au souvenir : Vercingétorix, Louis XI, Jeanne d'Arc, Henri IV, François Ier, Louis XIV, Napoléon...*

Et les autres pays ont fait de même, instaurant la vérité officielle d'un passé officiel, légitimant systématiquement le gouvernement en place, comme s'il était le résultat d'une évolution darwinienne inéluctable.

Les faibles sont rayés de la carte. Seuls les forts survivent. Mais la nature ne fonctionne pas ainsi. Elle ajoute, elle n'élimine pas. C'est l'homme qui livre ensuite son interprétation selon ses intérêts.

Darwin lui-même voulait légitimer les systèmes politiques violents selon le principe de : « S'ils ont gagné c'est forcément qu'ils avaient raison. »

Penser à cela met René dans une colère sourde. Il serre le poing.

Si tout cela me touche, ce n'est pas un hasard. Au fond de moi, je sais que j'ai un combat personnel à mener. Un devoir de mémoire. La mémoire des vaincus. La mémoire des victimes insultées par leurs bourreaux parce qu'elles ne peuvent plus témoigner ou que leurs versions des faits ont été détruites.

Il se sert un café serré pour tenir aussi longtemps qu'il le faudra, puis il se prépare un coin spécialement dédié à la séance sur le canapé de son salon. Le coin « autohypnose ».

Il dispose des coussins en rond et un au centre. Il installe des bougies. Il est 23 h 06.

Les masques accrochés sur les murs de son salon semblent se moquer de lui. Sans cet « incident » avec le skinhead, il se sentirait privilégié, mais la mort de cet homme ne cesse de le hanter malgré le caractère apaisant de la rencontre avec Geb.

J'ai tué. Comme si c'était le prix à payer pour avoir ouvert la boîte de Pandore de mes vies antérieures.

Il se sent nerveux. Il allume toutes les bougies et éteint les lampes pour ne pas être gêné par la lumière artificielle. Il regarde sa montre : 23 h 22.

Plus que quelques secondes avant la séance. Je vais enfin savoir.

Il s'installe, se place en position du lotus, la colonne vertébrale bien droite, les épaules bien écartées, comme il a vu Geb le faire.

S'il adopte cette position, c'est que c'est la meilleure. En tout cas, c'est forcément mieux que d'être avachi dans un fauteuil, comme je l'ai fait jusqu'à maintenant.

Il inspire profondément et souffle longuement.

23 h 23.

Il baisse le rideau de ses paupières. Il ralentit sa respiration, diminue son rythme cardiaque et, enfin, convoque l'image de l'escalier.

Il descend lentement les dix marches. Première marche, deuxième, troisième. À la dixième, il se retrouve face à la porte blindée de l'inconscient. Il sort la clef, l'enfonce dans la serrure, tourne, ouvre l'épaisse porte, se retrouve dans le couloir à la moquette rouge avec ses portes numérotées.

Il marche d'un pas assuré en direction de la plus éloignée, la numéro 1.

Il a un moment d'appréhension, puis, d'un coup, saisit la poignée et ouvre la porte.

26.

Il fait jour, la plage est beaucoup moins tranquille que la première fois, un vent humide souffle, fait ployer les cocotiers et provoque de grandes vagues. Aucun dauphin ne se manifeste. Au loin, Geb est assis en tailleur exactement comme la veille, à ce détail près qu'il a déjà les yeux ouverts. Le professeur d'histoire prend place face à lui.

— Bonjour Geb. Comment s'est fini le tremblement de terre d'hier?

— Bonjour René. Merci de t'en inquiéter. Ce n'était pas grave. Ce n'était qu'un tout petit séisme. Comme je le pensais, quelques maisons ont vu leurs murs fendillés, mais rien de grave.

Les deux hommes s'observent à nouveau intensément.

— Il est quelle heure chez toi, René?

— C'est la nuit.

— Alors j'aurais plutôt dû te dire «bonsoir». Ce serait plus adéquat.

— Et chez vous?

— Ici c'est l'aurore.

Le vent redouble et les vagues affirment leur présence en se fracassant sur les rochers au loin.

— À propos, j'aimerais savoir à quelle époque vous vivez, Geb.

— Je vis en l'an 2020. Et toi René?

– Eh bien, à vrai dire… moi aussi, mais je pense que nous ne devons pas avoir le même calendrier.

– Je vis en 2020 après Atoum, le premier humain.

– Moi c'est en 2020 après Jésus-Christ, censé être le Messie.

– Donc c'est bien ce que tu disais, nous n'avons pas le même calendrier. Le seul moyen de connaître nos époques respectives est que tu me montres ton ciel. En tant qu'astronome, je peux déduire en quelle année nous sommes en fonction de l'emplacement des planètes et des étoiles.

– Mais comment vous montrer « mon » ciel ?

– Ouvre les yeux.

– Mais si je fais ça, je vais me déconnecter de vous.

– Tu sais, on peut tout faire si on décide que c'est possible. Tu peux ouvrir les yeux et me fournir l'image de ton monde, tout en continuant à me parler en esprit.

– Nous allons rompre la communication.

– Fais-moi confiance. Essaye, tu verras bien.

René ouvre lentement les yeux.

– Vous êtes encore là ?

– Bien sûr, je vois ce que tu vois. Et comme tu peux le constater, il nous est possible de continuer à discuter normalement. Maintenant peux-tu aller à ta fenêtre et regarder ton ciel ?

René, encore surpris de ne pas avoir perdu le contact avec Geb, se lève lentement en répétant régulièrement :

– Toujours là ?

Il ouvre la fenêtre de son salon. Par chance, il fait chaud et le ciel étoilé n'est voilé par aucun nuage.

Geb lui indique comment orienter sa tête : vers l'ouest, vers l'est, puis vers le point le plus élevé comme le plus bas.

– C'est bon, tu peux retourner à ta position de départ, je vais procéder aux calculs.

René se remet en position du lotus, ferme les yeux et, se projetant dans le monde de Geb, attend sur la plage.

– 12 000 ans nous séparent, déclare-t-il après un temps.

– Vous voulez dire 2 000 ans ?

– Non. 12 000 ans.

René sait pourtant bien que le monde civilisé est censé avoir commencé à apparaître en 5000 avant Jésus-Christ avec la première cité sumérienne, Eridu.

S'il prétend qu'il y a 12 000 ans entre nous, Geb est donc censé vivre bien avant la première civilisation officiellement connue. Il est censé vivre en 10 000 avant Jésus-Christ !

– C'est impossible, dit le professeur d'histoire. Vous avez dû faire une erreur, recommencez vos calculs.

– Et pourquoi ?

– Parce que, pour nous, il y a 12 000 ans, il n'y avait... (*que des hommes préhistoriques ?*)... pas d'astronome capable de fournir l'information que vous venez de me donner.

L'homme en jupe ne semble pas désarçonné par l'argument.

– Je pense que votre connaissance de l'histoire passée a quelques lacunes. Pourtant je te garantis qu'à mon époque il y a des astronomes et je ne suis d'ailleurs pas le seul à pratiquer ce noble art. Nous avons aussi des historiens qui essaient de connaître notre passé le plus lointain, mais ils semblent plus doués que ceux de ton époque !

René préfère ne pas s'attarder sur le sujet.

– Et où vivez-vous, monsieur l'astronome ?

– Ma cité se nomme Mem-set. C'est évidemment la capitale de l'île d'Ha-mem-ptah.

– Ces noms ne me disent rien.

– Je n'ai jamais quitté notre île, qui est au milieu de la mer qui est elle-même au milieu du monde.

Mais de quoi il me parle, « une île au milieu d'une mer au milieu du monde » ? Je ne comprends même pas dans quelle région de la planète il peut bien se trouver.

Cependant, il note que Geb a évoqué une cité, ce qui signifie qu'il vivait dans une civilisation qui existait avant les Sumériens.

Il demande :

– Si j'ouvre les yeux, vous gardez la connexion ?

– Bien sûr.

René ouvre les yeux, se lève et va chercher une mappemonde.

– Vous connaissez cet objet ?

– C'est une représentation de notre planète sur une sphère, je présume. Je te rappelle que c'est mon domaine.

– Alors dans ce cas vous connaissez l'emplacement des continents ?

– Pour tout te dire, je n'ai jamais quitté l'île, aucun d'entre nous d'ailleurs. Mais par le voyage astral mon esprit a pu survoler tous les territoires qu'il souhaitait visiter.

– Un voyage astral ? Vous n'avez pas de télescope ou de lunette, bref un outil quelconque pour observer les étoiles ?

– Le voyage astral permet à mon esprit d'explorer tous les lieux, toutes les planètes et toutes les étoiles que je souhaite. Pourquoi irais-je m'encombrer d'un outil quelconque ?

Devant cette réponse catégorique, René n'ose plus poser de questions.

– Toi, René, montre-moi où tu vis.

René pose son doigt sur la mappemonde.

– Ici. Ma cité se nomme Paris, dans un pays qui se nomme la France, sur un continent que nous nommons l'Europe.

– Ah ? J'ai déjà survolé cet endroit en voyage astral. On appelle ça « les territoires sauvages du nord-est » à mon époque. Pour tout t'avouer, je pensais qu'il n'y avait aucun humain dans ce coin.

– Et vous, montrez-moi où vous vivez, Geb. Où se situe votre île ?

Le professeur d'histoire fait glisser son doigt depuis Paris.

– Plus bas, plus à gauche, plus à gauche, plus bas, encore un peu à gauche. C'est là !

René regarde ce qu'il y a sous son index.

– Mais c'est au milieu de l'océan Atlantique !

– Ta carte, tout comme ta connaissance du passé, est incomplète.

René ne peut quitter des yeux l'endroit où Geb est censé vivre.

– Quand même, cela me surprend beaucoup que votre île d'Ha-mem-ptah ne soit pas indiquée sur ma mappemonde. Nos satellites ont détecté toutes les terres émergées. À moins que…

Non ce n'est pas possible.

– Quoi ?

Le professeur d'histoire cherche ses mots.

– Dans de très anciens textes, il est fait référence à une île qui existait dans cette région, il y a très longtemps. Elle s'appelait…

Il hésite à continuer, quand le nom franchit ses lèvres.

– … Atlantide.

– C'est quoi ?

– Une île mythique.

– Mythique ? Cela signifie quoi au juste ?

– Cela signifie que pour nous, de nos jours, l'existence même de votre île est une… légende.

René laisse passer un temps, puis précise :

– À vrai dire, la plupart des gens de mon époque pensent même que vous n'avez jamais existé. Que l'Atlantide est une sorte de conte pour enfants.

À nouveau, un long silence.

– Geb, vous êtes toujours là ?

René reprend sa position pour repartir là-bas. Geb semble perturbé par cette information.

– Je ne comprends pas comment cela se fait que notre île ne soit pour vous qu'une… « légende » !?

– Je suis désolé, Geb.

– La meilleure preuve de notre existence est que je te parle maintenant, il me semble ?

Le vent redouble, produisant un immense vacarme. Les vagues viennent lécher les rochers alentour.

– Certains d'entre nous croient en votre existence, d'autres non. Il faut nous comprendre, c'est si ancien et nous n'avons aucune trace de ruines, pas de vestiges, pas le moindre objet issu de votre civilisation qui ait été clairement identifié. Vous avez dit que 12 000 ans s'étaient écoulés entre vous et moi… Cela fait long ! Désolé, mais je crois que notre civilisation a oublié l'existence de la vôtre.

– Donc, selon toi, les gens de votre époque croient que nous n'avons même pas existé ?

– Je suis vraiment désolé. Je comprends votre désarroi. Mais je ne veux pas vous mentir : on vous a non seulement oubliés, mais la plupart d'entre nous doutent même que vous ayez réellement vécu.

– De mieux en mieux.

L'homme en jupe le fixe. Autour d'eux le vent se lève, les cocotiers ploient et quelques-unes de leurs noix tombent sur le sable. Geb reprend :

– D'ailleurs toi, tu penses quoi de tout ça, homme du futur ?

– Eh bien, bafouille René, évidemment votre monde a l'air réel, mais tout ça n'existe quand même, pour l'instant, que…

– Que… ?

– … dans mon esprit…

– Et… ?

– … Et je ne peux pas exclure que tout cela ne soit que le fruit de mon imagination. Peut-être que je suis dans un rêve. Un rêve où j'aurais construit un monde utopique, issu de tous mes fantasmes d'un monde ancien qui serait meilleur que celui dans lequel je vis. Mon inconscient m'aurait proposé ce songe où vous me parlez.

Geb le fixe avec dureté, puis tout d'un coup se lève et s'en va. René reste seul sur la plage, de plus en plus ventée. Les vagues produisent un bruit cinglant en se fracassant sur les rochers.

Il rejoint et franchit la porte avec le sentiment d'avoir commis une bévue. Il remonte le couloir, franchit la porte blindée de l'inconscient, monte les marches. Cette fois-ci il n'y a personne pour lui faire le décompte et l'accueillir à la sortie. Il ouvre les yeux.

Je l'ai vexé. Comme disait maman : il faut toujours que je gâche tout alors que tout va bien.

Il inspire profondément.

Se pourrait-il que cela soit vraiment l'ATLANTIDE ? Bon sang, quand même, si c'était vrai… Quelle découverte !

Il se lève et se replace face à la fenêtre, contemplant le ciel étoilé qu'a observé Geb. Il fixe ensuite la mappemonde et ce point qu'a désigné Geb, face au Mexique.

Au sentiment de culpabilité succède une sensation de fierté.

J'ai peut-être parlé à un Atlante !

Il prend son ordinateur, et note dans le détail tout ce qu'il s'est passé durant la séance. Puis il envoie un SMS :

> Bonsoir Opale,
> Comme promis, voici le résultat de mon expérience d'auto-hypnose régressive. J'en sais désormais davantage sur mon plus ancien moi-même qui est derrière la porte numérotée 1. À la question : quand vivait-il ? La réponse est : il y a 12 000 ans.
> Où vivait-il ? Il prétend vivre dans la cité de Mem-set sur l'île d'Ha-mem-ptah, qui se situe au milieu de l'Atlantique (il pourrait s'agir de la mythique Atlantide). Je ne vous cache pas qu'en tant qu'historien je trouve cette expérience fabuleuse. Merci de m'avoir fait découvrir cet outil si simple et si efficace d'exploration de l'inconscient. Même si tout cela n'était qu'une illusion, c'était une illusion passionnante.
> À bientôt. René Toledano, votre premier cobaye

27. MNEMOS. L'ATLANTIDE.

Le premier auteur connu à faire référence à l'existence de l'Atlantide est le philosophe et mathématicien Pythagore. Dans ses *Vers dorés*, il prétend avoir appris, lors de son initiation en Égypte en −547 au temple de Memphis, l'existence d'une civilisation de très haute spiritualité qui vivait sur une île au large des colonnes d'Hercule (c'est-à-dire l'actuel détroit de Gibraltar).

Il appelle cette île l'Atlantide.

Selon lui, cette civilisation n'aurait pas connu d'«enfance barbare» et, contrairement à toutes les autres, elle ne serait pas née dans la peur et dans la violence. Ignorante d'elles, elle n'aurait donc pas vu l'intérêt de les utiliser et *a fortiori* de les propager.

Pythagore note que les Atlantes croyaient à l'immortalité de l'âme. Pour eux, après la mort, l'esprit s'incarnait dans de nouveaux corps jusqu'à ce qu'il puisse se libérer de l'expérience de la chair et se fondre de nouveau dans l'énergie primordiale dont il était issu. Il nomme ce phénomène «métempsycose».

Pythagore note que les Atlantes possédaient des connaissances très avancées en astronomie. Ils pratiquaient plusieurs arts, comme la danse, la musique, le chant, la peinture, la poésie, mais s'intéressaient peu aux technologies et aux armes. Dans l'obscurité des pyramides, les jeunes Atlantes initiés apprenaient à renoncer à toute forme d'égoïsme au profit de la solidarité et de la connexion à tous leurs congénères, mais aussi à toutes les autres formes de vie, animale ou végétale.

Le deuxième auteur célèbre à avoir écrit sur ce sujet est Platon (lui-même élève d'un élève de Pythagore). Dans deux ouvrages, le *Critias* et le *Timée*, écrits entre −360 et −350 avant Jésus-Christ, il est question de l'Atlantide.

Pour Platon, cette île était plus grande que la Libye. Il note dans le *Critias* :

«L'Atlantide a été engloutie en une journée et une nuit lors d'un immense raz-de-marée associé à une série de tremblements de terre.»

Platon situe cette catastrophe 10 000 ans plus tôt. Le philosophe grec précise dans son ouvrage :

« Ce n'est pas une fiction mais une histoire véritable d'un intérêt capital. »

Ensuite, il faudra attendre 480 après Jésus-Christ pour que le Romain Proclus prétende avoir trouvé une inscription égyptienne qui évoquait l'existence et la disparition de l'Atlantide, ce qui corroborait les affirmations de Pythagore et de Platon.

Le thème ne sera ensuite repris que mille ans plus tard, à la Renaissance. L'auteur anglais Francis Bacon écrit *La Nouvelle Atlantide* vers 1624, ouvrage dans lequel, s'inspirant du *Critias* de Platon, il imagine une île où vivrait un peuple de sages.

Plus récemment, c'est le célèbre médium américain Edgar Cayce qui a évoqué ce sujet. Aux alentours de 1900, il écrivit que, durant ses transes, il aurait appris que jadis existait une île à l'ouest du Portugal dévastée par un cataclysme qui l'aurait entièrement submergée à une époque qu'il situe en 10 000 avant Jésus-Christ. Ensuite, les Atlantes auraient fui en Égypte et auraient transmis aux autochtones leurs connaissances en écriture, médecine, mathématiques, architecture. Selon Edgar Cayce, le monde risquait de connaître le même apogée et la même destruction soudaine que les Atlantes. D'où la nécessité, pour lui, de bien comprendre ce qui s'était passé il y a 12 000 ans en Atlantide.

Edgar Cayce allait jusqu'à avancer que la plupart des esprits les plus avancés de notre époque ne seraient en fait que des réincarnations d'âmes issues de l'antique civilisation atlante disparue.

28.

Ce mercredi matin, René Toledano a complètement changé de physionomie. Hier abattu, il semble désormais exalté. Il n'a plus son tic à l'œil droit et se retient presque de rire devant sa classe.

Son intonation est joyeuse, comme si on venait de lui annoncer une très bonne nouvelle. Sur l'écran, apparaît une sculpture représentant le philosophe grec Platon.

– Aujourd'hui, pour ce troisième cours, j'ai envie de vous parler de l'Atlantide. Alors, est-ce un mythe ou une réalité ?

René Toledano convoque des textes issus d'autres cultures, celte, chinoise, indienne, coréenne, japonaise ou maya. Selon lui, les récits de tous ces peuples s'accordent sur l'existence d'une grande civilisation disparue qui aurait jadis inspiré toutes les autres civilisations.

Au fond de la classe, un élève de grande taille à la large carrure, le visage grêlé d'acné, lève la main.

– Mais, monsieur, tout le monde sait que ce n'est qu'une légende. L'Atlantide n'a jamais existé.

René s'arrête et s'approche de l'adolescent.

– Vous savez, rien ne prouve que l'Atlantide a existé, mais rien ne prouve non plus le contraire.

L'autre rétorque :

– Tout le monde sait que…

Qu'est-ce qu'il a celui-là ? Il me cherche ?

– Personne n'est sûr de rien. Et je ne pense pas que vous ayez accès à une source d'information exclusive sur ce thème.

– Enfin les historiens sérieux disent que…

– Les historiens « sérieux » n'ont eux non plus pas la moindre information précise sur le sujet. Alors ils prennent des positions et s'y tiennent sans savoir, sans vérifier. En guise de sources, ils se cramponnent à leurs habitudes, elles-mêmes fondées sur les textes des historiens qui les ont précédés, qui eux-mêmes n'en savaient guère plus. Ce n'est pas comme cela que la pensée va évoluer !

Les bergers aveugles guident le troupeau vers les seuls sentiers qu'ils connaissent et les moutons considèrent que ces sentiers sont forcément les seuls bons.

L'élève ne renonce pas si facilement. Buté, il poursuit :

– Quand même... L'Atlantide ce n'est qu'une légende. Comme la petite souris, le père Noël, le diable, les sirènes... Personne n'a pu prouver que...

Qu'est-ce qu'il lui prend ? Il veut épater les filles ou quoi en m'affrontant sur un sujet sur lequel il se dit que je ne pourrai jamais être complètement affirmatif ?

– Levez-vous.

Comme il s'en doutait, l'adolescent s'avère mesurer plusieurs centimètres de plus que lui.

– Vous vous appelez comment ?

– Philippe.

Toute la classe est parfaitement attentive. L'élève s'enhardit :

– Mon père dit que ce que vous nous avez déjà raconté sur les Romains et sur les Grecs ne sont que des idioties. Vous abusez de votre position de professeur pour nous raconter des trucs qui ne sont pas au programme et qui ne sont même pas vrais.

Son tic reprend soudain René.

Ne pas s'emballer. Ne pas laisser l'Hippolyte qui est en moi s'exprimer. Ce n'est qu'un élève, il te provoque.

– Asseyez-vous, Philippe.

L'autre reste debout avec une moue dédaigneuse.

– Et si je refuse pour ne pas entendre plus de contrevérités ?
Nouveau tic.

D'un geste rapide, René saisit le poignet de l'élève, le lui tord
jusqu'à ce que l'autre grimace de douleur et soit forcé de
s'asseoir. Aussitôt la classe commence à réagir. René relâche
brusquement sa pression.

*Qu'est-ce qui m'a pris ? C'est Hippolyte. C'est l'Hippolyte qui est
en moi qui est ressorti d'un coup. Je n'ai pas pu le contrôler. Quand
j'ai peur, il me submerge. Si je le laisse s'exprimer, jusqu'où ira-t-il ?*

*Ne pas perdre pied. Vite, reprendre le contrôle avant que cela
dégénère.*

– Taisez-vous tous !

*Bon sang, je ne comprends pas ce qu'il se passe. Ce n'est quand
même pas l'Atlantide qui les rend aussi nerveux.*

L'élève continue de le toiser en se massant le poignet, à la fois
effaré et satisfait de l'avoir fait sortir de ses gonds.

*La seule manière de ne pas laisser Hippolyte s'exprimer, c'est de
laisser parler Geb. On ne peut pas enlever le monstre, mais on peut
le tempérer par le sage.*

Alors, le professeur d'histoire fait un geste inattendu : il pose
sa main sur le sternum de Philippe, sent son cœur. Il a l'impression de percevoir l'âme de cet élève.

En un flash, des informations affluent.

*J'ai déjà connu ce type dans une vie antérieure. Nous nous sommes
affrontés. Il aimerait que nous nous battions encore.*

Si je le frappe, je le vaincrai, mais je perdrai tout.

L'autre a un brusque mouvement de recul, comme s'il sentait
que le professeur, en lui touchant le cœur, était parvenu à le sonder.

– Qu'est-ce qui vous prend, monsieur, vous êtes gay, ou
quoi ?

René Toledano va se rasseoir tandis que la rumeur ne fait qu'enfler. « T'as vu ? Il lui a touché la poitrine ! »

– Bien, où en étions-nous déjà ? Ah oui, l'Atlantide a-t-elle ou n'a-t-elle pas existé ? Comme vous le voyez, c'est un sujet sensible.

Et il poursuit son cours comme si cet incident n'était pas arrivé. Philippe, ne sachant plus quoi faire, hausse les épaules et refuse ostensiblement de prendre des notes sur cette prétendue civilisation inconnue qui aurait existé avant toutes les autres.

29.

À l'heure du déjeuner, René Toledano est convoqué chez le proviseur Pinel.

Au-dessus de lui, des photos le montrent en train de serrer la main de plusieurs ministres de l'Éducation nationale ainsi que de divers autres hommes politiques.

Une photo un peu plus grande, dédicacée, le montre avec Johnny Hallyday en personne.

Le maître des lieux lui tend un chocolat.

– Tous les hommes sont fascinés par les civilisations disparues, mythiques. Tous les hommes sont de grands enfants qui aiment les contes. Et puis ils deviennent adultes et ils rêvent de redonner vie aux légendes. Alors ils deviennent archéologues, explorateurs, ethnologues. Ils partent sur le terrain brosser des cailloux. Mais très peu, vous m'entendez, Toledano, très peu se contentent de leur simple imagination. Très peu, sauf vous. Et non seulement vous êtes affirmatif, mais vous avez la prétention d'enseigner votre « intuition personnelle » comme une vérité historique. Sans la moindre preuve. C'est osé. Malheureusement pour vous, l'enseignement n'est pas un lieu qui récompense l'audace, a fortiori lorsqu'elle n'est basée sur rien. Ici, on privilégie la transmission des connaissances vérifiées et acceptées de tous. Rien d'autre. Pourtant, à en juger par ce qu'il s'est passé ce matin, cela ne vous suffit pas.

Le professeur d'histoire ne bronche pas.

— Cela ne peut pas se passer ici, dans cet établissement qui a une réputation de sérieux. Vous imaginez si on disait : « Au lycée Johnny-Hallyday, on apprend que l'Atlantide a existé » ?

Il consulte ses notes.

— Il paraît aussi que vous avez tordu le poignet d'un élève ?

— Il défiait mon autorité. Il est plus grand et plus costaud que moi. J'ai préféré agir avant que cela ne dégénère. J'ai juste voulu le forcer à s'asseoir.

— Et puis vous lui avez touché la poitrine ?

— J'ai posé ma main sur son cœur.

— On ne va pas jouer sur les mots. Il s'avère qu'il a déjà averti son père de l'incident, qui m'a appelé. Il m'a signalé l'altercation, mais aussi la nature « décalée » de vos cours. Il paraît que pas plus tard qu'hier vous avez présenté les Grecs comme les destructeurs de civilisations plus raffinées, comme celles des Crétois ou des Troyens. Est-ce vrai ?

— Absolument.

— Ce n'est pas le programme. Vos élèves sont là pour avoir le bac, pas pour se voir bourrer le crâne par des théories controversées sur ce qu'il s'est passé il y a 2 000 ans.

Le proviseur lui tend à nouveau un chocolat, qu'il décline.

— Ce n'est pas parce qu'ils sont nombreux à croire le même mensonge que cela devient une vérité.

– Vous voyez en tout cas que la pression des parents d'élèves suffit à faire changer les programmes. Pour l'instant, nous n'avons pas de tels cas en France, mais ça montre que la ligne qui sépare le vrai du faux est ténue et que les parents d'élèves sont avant tout des contribuables, donc nos employeurs. Il faut les satisfaire et cela ne se fait sûrement pas en leur parlant de l'Atlantide, en risquant de faire échouer leurs enfants au bac, en tordant les poignets ou en touchant la poitrine des élèves lorsqu'ils remettent en question vos théories fumeuses.

René, sachant que chaque phrase qu'il va prononcer risque de se retourner contre lui, préfère s'abstenir et se contente de hocher la tête.

Ne pas répondre. Retenir l'Hippolyte enfoui en moi, laisser émerger le Geb.

– Allons, soyons sérieux, Toledano, je vous ai convoqué parce que je vous estime et en souvenir de votre père qui était, enfin, excusez-moi, qui « est » toujours un ami. Je vais devoir signaler ce geste scandaleux et vous risquez une mise à pied.

– Je poursuivrai mon cours sur l'Atlantide tel que j'estime qu'il doit être fait.

Le proviseur Pinel lève son sourcil gauche.

– Pourquoi cette histoire d'Atlantide vous importe-t-elle tant?

– Cela m'importe.

– Vous faites quoi déjà comme métier, Toledano?

– Professeur d'histoire, pourquoi?

– Eh bien, faites votre métier, c'est tout ce qu'on vous demande.

30.

René retrouve Élodie à la cantine. Les autres professeurs l'observent de loin.

– Ils sont tous déjà au courant de ce qui est arrivé ce matin. Je suis désolée pour toi. Entre l'histoire du poignet et de la poitrine et les plaintes d'élèves qui racontent qu'on leur enseigne des légendes comme s'il s'agissait de la réalité... Il y en a qui ont enregistré ton cours avec leur smartphone. C'est déjà sur Internet et cela entraîne des moqueries et des blagues malveillantes.

René hoche la tête.

– J'ai vu Pinel.

– Comment ça s'est passé ?

– Mal.

– Mais tu es dingue, aussi ! Qu'est-ce qui t'a pris de toucher un élève ?

– Il me défiait.

– Quand bien même... Tu ne peux pas agir de la sorte. Et ce sujet hors programme ! Depuis quand on enseigne l'Atlantide en cours d'histoire ?

– Depuis Pythagore et Platon. Même si, à dire vrai, Platon lui-même était tourné en ridicule par les autres philosophes de son époque avec cette théorie.

– J'ignorais ce détail.

– On ricanait dans tout Athènes de sa « prétendue » civilisation de sages sur leur île au-delà des colonnes d'Hercule. Il était l'objet de quolibets, de moqueries, de caricatures.

– Alors tu savais bien ce qui t'attendait, René. Pourquoi persistes-tu dans ton délire ?

– J'ai découvert en séance d'hypnose que mon plus ancien moi se trouvait être atlante.

– Quoi ? Tu es retourné voir l'hypnotiseuse ? Tu ne m'as pas écoutée, tu continues de te faire manipuler par cette bonimenteuse !

– Non je l'ai fait tout seul, dans une séance d'autohypnose. Personne n'a pu m'influencer de l'extérieur cette fois. Et c'était encore plus extraordinaire que la fois précédente ! Je me suis retrouvé là-bas comme je suis ici à présent. Le plus étonnant, c'était la décontraction de Geb.

Élodie secoue la tête en signe d'exaspération.

– Je vais t'expliquer en termes scientifiques ce que tu as vécu. Ce n'était qu'un rêve. Tu as dormi et tu as rêvé, ensuite tu t'es persuadé que ce rêve était une séance d'hypnose. Cela n'a en soi rien de répréhensible. Par contre, si tu mélanges ton travail à tout ça, tu prends un risque professionnel démesuré.

– C'est exactement ce que m'a dit Pinel.

Ils se lèvent pour se servir. Devant la nourriture, René reprend :

– Donc, pour faire plaisir à l'ordre établi par la majorité des ignares, il faut taire les vérités et diffuser les mensonges ?

Elle se sert de couscous avec un gros morceau d'agneau cuit à la broche, lui prend des lentilles et du tofu.

Ils retournent s'asseoir à la table.

– Tu y crois donc vraiment ?

– Désormais, oui. Je te jure que cela ne peut pas être un délire ou un rêve. C'est vraiment trop précis. Et l'homme auquel je parle est doté d'une vraie personnalité, différente de la mienne. Il est tellement serein et moi tellement angoissé. Aucun stress, aucune peur, pas la moindre inquiétude. La plus grande sagesse des Atlantes se résume en une phrase : « Ce n'est pas grave. » Je crois même qu'en lui signalant que 12 000 ans plus tard ils ne seraient qu'une légende, je lui ai provoqué la première contrariété de sa vie.

Elle le regarde alors intensément.

– Tu sous-estimes le pouvoir de manipulation que s'octroient les gens quand ils ont atteint une fois ton inconscient. René, je te connais. Tu aimes tout ce qui est merveilleux parce que tu es encore un enfant assoiffé de jolies histoires. C'est cela qui fait ton charme, mais aussi ta faiblesse. N'importe quelle femme arrive à te manipuler, surtout si elle est hypnotiseuse. C'est en cela qu'on se ressemble, René. Toi et moi, nous nous faisons avoir parce que nous avons envie d'être épatés. Alors, toute personne qui nous fait un petit numéro de charme obtient n'importe quoi de nous. Moi je me fais avoir par les hommes, toi, par les femmes.

– Je ne vois pas le rapport.

– Si je ne m'abuse, toi et moi, nous sommes célibataires. Nos histoires sentimentales ont mal tourné. Nos partenaires ont abusé de notre candeur…

En guise de réponse, il se met à manger son plat. René se souvient de ses couples précédents et il doit reconnaître que, tout comme Élodie, il n'a pas rencontré jusqu'à ce jour la bonne personne. Tandis qu'il mastique, des souvenirs remontent.

Adolescent, il était timide et son désir se manifestait par des bégaiements ou des tremblements. Il avait eu son premier rapport sexuel à 23 ans.

Et puis, il avait rencontré Justine. Elle était étudiante en histoire, comme lui, très belle et délurée. Elle collectionnait les tenues très suggestives et tous les garçons essayaient de la séduire.

Un jour, lors d'une fête de la faculté, parce qu'il avait bu, il avait trouvé le courage d'aller vers elle et de l'embrasser.

Loin de le repousser, elle l'avait averti : « Je suis une destructrice d'hommes. Tous ceux qui t'ont précédé se sont suicidés ou se sont retrouvés en hôpital psychiatrique. Tu es sûr que c'est ce que tu veux ? »

Par bravade, il avait répondu : « Éros et Thanatos sont indissociables car ce sont les deux émotions les plus fortes : la pulsion de vie et la pulsion de mort. »

Elle l'avait embrassé à pleine bouche, entraîné dans les toilettes et là, elle l'avait enfourché, prenant toutes les initiatives.

Ils avaient alors démarré une relation. C'était étrange, elle arrivait toujours en retard, elle annulait les rendez-vous au dernier moment, mais les rares fois où elle acceptait de le voir, c'était grandiose.

Il était tombé amoureux et le mot « tombé » était le bon, car il percevait cette relation comme une sorte de déchéance. Il était fasciné, comme la mante religieuse mâle doit être fascinée de se voir progressivement dévorée par sa femelle.

Justine aimait faire l'amour dans les endroits les plus insolites : au début, les toilettes, les ascenseurs, les voitures, puis les armoires dans les magasins de meubles, les arrière-cours d'immeubles, les forêts et même, une fois, un rail de train en rase campagne sur une ligne en usage.

Éros et Thanatos.

Elle était la meilleure des professeurs de sexe. Elle aimait les jeux de rôle. Elle possédait une valise remplie de sextoys et de déguisements en tout genre. Chaque fois qu'il faisait l'amour avec Justine, il s'attendait à une surprise. Justine avait été une initiatrice. Et il voyait bien les regards envieux de ses amis qui ne comprenaient pas pourquoi elle l'avait choisi.

René avait appris qu'elle ne se contentait pas de lui, et couchait avec d'autres hommes, mais cela ne le gênait pas.

Toutefois, cette relation avait affecté ses études. Il avait raté tous ses examens. C'était le prix à payer. En fait, il était obsédé par Justine. C'était son principal sujet de conversation, ce qui occupait en permanence son esprit.

René pouvait donc dire qu'il avait connu une grande histoire d'amour, à ceci près que ce n'était pas réciproque ! Justine aimait être aimée, mais ne ressentait évidemment pas la même intensité de sentiment pour lui. Elle voulait savoir jusqu'à quel point elle pouvait rendre un homme fou d'elle, mais une fois qu'elle avait eu la preuve qu'elle voulait, elle se lassait, comme un enfant se désintéresse d'un jouet dont il a fait le tour.

Alors, un jour, sans raison, elle lui avait annoncé qu'elle ne souhaitait plus poursuivre leur histoire. Il avait espéré qu'elle change d'avis, mais le lendemain elle s'affichait officiellement avec un autre étudiant de la promotion. Il avait tout senti s'effondrer autour de lui.

Lorsqu'elle l'avait croisé, livide, le regard fixé sur elle, elle lui avait simplement rappelé : « Ne fais pas l'étonné, je t'avais averti dès le début. »

Il avait mis longtemps à s'en remettre.

Ensuite, il avait rencontré une autre jeune femme plus calme avec laquelle il avait l'impression de s'ennuyer. « Quand on a goûté au piment, tous les autres aliments ont l'air fade », disait son père.

Il avait encore enchaîné quelques relations jusqu'à ce qu'il rencontre Agrippine. Agrippine travaillait dans le cinéma en tant qu'infographiste des effets spéciaux. Agrippine était certes moins destructrice que Justine, mais elle avait un petit défaut : elle buvait. Et quand elle buvait, elle piquait des crises où elle perdait totalement le contrôle. Un jour, dans un accès de démence, elle lui avait planté une fourchette dans la main. Ce geste avait entraîné deux décisions chez René : quitter Agrippine et renoncer à bâtir un couple.

Il s'était alors consacré à sa passion pour l'histoire et avait trouvé dans cette activité intellectuelle des émotions, certes moins fortes que celles provoquées par l'union d'Éros et Thanatos, mais suffisantes pour lui donner l'impression que sa vie avait un sens. Il était devenu professeur de lycée et avait pu transmettre ses connaissances. Puis, il avait rencontré Élodie et il avait constaté qu'une relation homme-femme n'était pas forcément ou fade ou pimentée, ou amoureuse ou guerrière, qu'elle pouvait simplement être une alliance apaisante.

Ils avaient alors décidé d'être des complices unis par le désir de ne plus se prendre la tête avec le fantasme du couple idéal. Ils se voyaient tous les jours pour déjeuner et une fois par semaine pour dîner. «Tous les avantages d'être deux sans les inconvénients», selon Élodie.

Quant à la sexualité, René avait fini par s'apercevoir que moins on la pratiquait, moins elle semblait nécessaire. Dans son esprit, il avait remplacé le plaisir à court terme par le bonheur à long terme, ces deux notions lui semblant désormais antinomiques. Il avait remplacé l'amour par l'amitié.

Élodie, semblant lire dans ses pensées, l'observe avec bienveillance.

— Tu as fini de rêver ? Bon, je reprends. Mon dernier conseil, surtout ne revois plus cette hypnotiseuse. Si toutes les femmes sont des magiciennes, celle-ci semble plutôt relever de la magie noire que de la magie blanche.

À ce moment, il sent une vibration dans sa poche. C'est un SMS.

René,
Merci pour votre message qui m'a autant surprise que réjouie. L'Atlantide! Carrément. Il y a 12 000 ans... Vous m'intriguez. Je souhaiterais vous revoir. 16 h, 19 avenue Victoria, 75001, près de la place du Châtelet?
Opale

31.

Sur la devanture, en guise de logo, une pieuvre géante à un œil qui détruit des buildings en brandissant un verre à cocktail.

Le café où Opale a proposé de se retrouver se nomme Le dernier bar avant la fin du monde. C'est un repaire de geeks, de fans de science-fiction, d'adeptes de jeux de rôle et d'autres jeunes Parisiens.

Le décor est inspiré de l'univers de films comme *La Guerre des étoiles*, *Star Trek*, *Matrix*, *Blade Runner*, *Le Seigneur des anneaux* et *Game of Thrones*. Des serveurs déguisés servent des boissons fumantes aux couleurs fluorescentes, vertes, bleues, orange.

René n'est jamais venu dans cet endroit et il se demande si le seul fait de fixer un rendez-vous dans un lieu si exotique n'est pas déjà suspect.

Il s'assoit à une table sur une estrade ornée du portrait de H. P. Lovecraft, et d'une rosace de temple maya. Dans la salle, plusieurs clients déguisés sont absorbés par un jeu de plateau type *Donjons et dragons*.

Sur un écran est diffusé un film catastrophe où une cité entière est détruite par un astéroïde.

— Merci d'être venu, dit une voix derrière lui.

Il se retourne et reconnaît la jeune femme avec ses longs cheveux roux et ses grands yeux verts. Elle s'assoit face à lui.

Il l'observe plus attentivement et la trouve éblouissante. Elle prend la parole la première :

— Votre SMS m'a vraiment surprise, reconnaît-elle. Pourriez-vous me raconter en détail votre séance d'autohypnose ?

Il lui relate avec le maximum de précisions la première séance qu'il a effectuée seul. Elle l'écoute et le fixe avec un visage beaucoup plus bienveillant que les fois précédentes.

— Comme je vous envie. Donc vous êtes un « client satisfait ». Je vais être honnête avec vous : quand vous m'avez envoyé votre message, le mot « Atlante » m'a fait tressaillir. Je crois que moi aussi j'ai été atlante.

Elle a prononcé cette phrase sur le même ton désinvolte qu'elle aurait pris pour lui dire « moi aussi je suis gauchère » ou « moi aussi je mange des sushis ».

— Et les gens réagissent comment quand vous leur dites ça ?

— J'ai toujours été passionnée par ce sujet. Parfois, en songe, je vois des visages ou des événements dans des décors qui pourraient être ceux que j'imagine être là-bas.

Elle paraît exaltée tout à coup.

— Je veux que vous m'aidiez comme je vous ai aidé. Je veux que vous me guidiez pour aller là où vous êtes déjà allé.

Un serveur déguisé en Dark Vador s'approche pour prendre la commande. Opale inspecte rapidement la carte et prend un cocktail Pan Galactic Gargle blaster (composé de vodka, gin, sirop de pistache, Sprite et Dragibus) et elle lui conseille un Martian treatment (gin, sirop de pastèque, jus de litchi, jus de pomme, concombre et basilic).

– Vous savez, vous m'avez rencontrée dans des circonstances un peu particulières, mais je ne suis pas qu'hypnotiseuse, je suis aussi, à ma façon, scientifique. Et, pour moi, les scientifiques sont ceux qui sont à la pointe de l'exploration. Nous sommes là pour repousser les frontières du connu. Je veux savoir ce que les autres ignorent encore.

Elle poursuit, en désignant les clients qui jouent.

– Je crois que nous avons tous autant que nous sommes des dons particuliers. Nous sommes tous surdoués dans quelque chose et nuls ailleurs. Un peu comme dans un jeu de rôle, nous avons tiré nos talents et nos handicaps aux dés avant de naître.

Le serveur leur apporte un verre avec une mixture rouge fumante et un autre jaune fluo. René marque sa méfiance devant l'aspect étrange de la boisson.

– Merci, James, dit-elle.

La jeune femme s'approche de lui.

– Alors, vous acceptez de me guider sur le chemin de l'auto-hypnose ?

– Ne me dites quand même pas que vous ne l'avez jamais pratiquée vous-même.

– Je n'y suis jamais arrivée sur moi-même. J'offre aux autres ce que j'aimerais qu'on m'offre.

– Une hypnotiseuse spécialisée dans les régressions qui n'a jamais exploré ses vies antérieures, c'est un comble.

– C'est ma vie. Ce n'est qu'un paradoxe parmi d'autres : Beethoven était sourd, Nietzsche était fou, Monet vers la fin était aveugle, la Callas avait une maladie de gorge, mon boucher est végétarien et mon médecin est tout le temps malade. Comme dit le proverbe, « les cordonniers sont les plus mal chaussés ».

Il commence à se détendre.

– Eh bien, précisément, avant d'aller plus loin, je voudrais savoir qui vous êtes précisément, madame l'hypnotiseuse. Après tout, vous savez beaucoup de choses sur moi et je ne sais quasiment rien de vous.

– Je ne vous ai rien caché.

– Oui, mais vous ne m'avez pas raconté votre histoire.

– Que voulez-vous savoir ?

– Vous êtes hypnotiseuse et vous voulez être hypnotisée. Je suis professeur d'histoire, alors je veux écouter votre histoire.

– Mon histoire ?

– Nous sommes tous prisonniers de la légende que nous nous racontons sur nous-mêmes. Je veux savoir quelle est votre légende.

– Comme ça ? En direct ?

Elle prend un petit air mutin qu'il trouve charmant, et comprend que, comme tout le monde, elle aime l'idée de raconter sa vie, cela lui donne la sensation d'exister.

Le professeur goûte son cocktail, le trouve bizarre, puis écoute le récit de la vie de la jeune femme.

32.

Le père d'Opale Etchegoyen était magicien dans un cabaret. Alors qu'elle n'était qu'une enfant, il l'émerveillait avec ses tours de prestidigitation, faisant surgir des fleurs, des cartes ou des foulards de ses manches, des balles de ping-pong de sa bouche, des lapins de son haut-de-forme. La petite fille applaudissait et riait chaque fois, complètement sous le charme.

Son père lui avait appris que la magie fonctionnait ainsi : il fallait installer un suspense, entretenir une tension et, une fois la tension arrivée à son point culminant, surprendre par une révélation inattendue.

Il lui avait expliqué que chaque tour recélait un secret et que quand on connaissait ce secret, on avait l'impression de détenir un trésor que les autres ignoraient.

Au début, il lui avait appris des tours simples pour épater ses camarades de classe. Cela avait commencé par le pouce replié qui mime une amputation du doigt, la cuillère en équilibre sur le bout du nez, puis les balles en mousse rouges sous les gobelets. Elle avait enchaîné avec les tours de cartes. Elle avait vite compris qu'il fallait beaucoup pratiquer, sélectionner ses tours favoris et les travailler à fond.

Naturellement, elle avait fini par monter sur scène pour participer au spectacle de son père. Elle était la femme coupée en morceaux. Elle se rappelait l'énorme émotion ressentie lorsqu'elle avait été applaudie la première fois, dans son vêtement à paillettes, sa main dans celle de son père, si fier d'elle.

Sa mère était psychologue. Si son père lui avait appris la magie, sa mère lui avait rappelé que ce n'était qu'une activité de loisir et qu'il fallait trouver un métier sérieux pour gagner sa vie.

Alors Opale avait suivi le cursus de sa mère. Elle avait fait en parallèle des études de médecine et de psychologie, puis avait voulu devenir psychanalyste. Elle avait ouvert un cabinet. Cependant, la pratique de la psychanalyse l'avait déçue. Cela consistait à écouter des patients raconter leurs petites misères quotidiennes, réelles ou imaginaires. Son métier lui semblait n'être qu'une variante de celui des curés qui écoutaient les gens confesser leurs malheurs pour finir par conclure qu'une prière arrangerait tout cela, ou celui des coiffeurs qui eux aussi avaient droit à la vie privée des clients dont ils shampouinaient le cuir chevelu.

Ses patients venaient pour parler, sans être jugés ou sermonnés. Cependant, même lorsqu'on leur expliquait leurs erreurs et les conseillait pour ne plus les reproduire, très peu étaient prêts à changer leur comportement.

La psychanalyse lui avait appris que tous les gens avaient des blessures enfouies et que tant qu'elles n'étaient pas cicatrisées, ils ne pouvaient rien construire de solide. Selon elle, la psychana-lyse encourageait à entretenir ces blessures, mais n'apportait pas de solution réelle.

Opale s'était donc sentie frustrée de ne pouvoir agir que de manière superficielle. C'était finalement la partie méthode Coué de sa pratique (« Si vous payez et si vous venez régulièrement pendant dix ans, vous guérirez ») qui était la plus efficace.

Ses séances ne résolvaient rien d'autre que le paiement men-suel de son loyer.

Elle avait cherché la raison de son impuissance et avait fini par déduire que les patients évoquaient leurs blessures superficielles, mais pas les vraies, les profondes. Or, tant que l'on n'aurait pas soigné les premières, on ne risquait pas de guérir les secondes. Il fallait remonter le plus loin possible en arrière.

Opale avait donc exploré le passé plus lointain, la prime enfance, voire la période prénatale ou même la période fœtale.

Elle avait fini par comprendre qu'il fallait remonter encore plus tôt. Jusqu'à cette intuition : et pourquoi pas revenir à avant la conception ? Selon elle, les vrais obstacles psychologiques prenaient leur source dans la genèse de l'âme. Seule l'hypnose avait le pouvoir de franchir cette frontière de l'inconscient.

Elle avait donc abandonné sa carrière de psychanalyste et suivi une formation d'hypnose. Après tout, Sigmund Freud lui-même avait démarré comme élève du professeur Charcot et avait pratiqué le noble art de l'hypnose, avant d'y renoncer.

Opale avait découvert qu'il y avait deux sortes d'hypnose. L'hypnose thérapeutique (qui visait surtout à vaincre l'addiction au tabac, les insomnies et les phobies) et l'hypnose de spectacle qui avait pour seule ambition de distraire un public.

Elle avait étudié les deux en parallèle. La première pour être au fait des mécanismes du cerveau et la seconde pour expérimenter en direct. Elle avait travaillé la première dans les hôpitaux, proposant d'hypnotiser certains patients pour leur éviter une anesthésie. Elle s'était perfectionnée dans la deuxième en allant assister à des spectacles d'hypnose de cabaret. Elle se proposait spontanément comme cobaye pour voir de l'intérieur ce qu'elle ressentait.

Elle s'était ainsi aperçue qu'une façon simple d'accéder au cerveau était le principe du 3+1. On fait accepter trois propositions peu dérangeantes à une personne, ce qui la pousse naturellement à accepter la quatrième. Par exemple, vous faites accepter des suggestions simples comme « Vous fermez les yeux », « Vous respirez lentement », « Vous vous détendez » et vous pouvez alors en formuler une quatrième plus difficile à accepter, comme « Vous n'avez plus envie de fumer ». La personne aura envie d'accéder à votre requête parce qu'elle a déjà accepté les trois premières. Ensuite, la difficulté est d'inscrire la suggestion dans le temps. On peut y arriver en faisant visualiser au patient des images à forte charge émotionnelle, comme des poumons transformés en cendrier.

Cependant l'hypnose thérapeutique l'avait déçue. Comme

l'avait pressenti Freud, cela ne marchait vraiment que sur 20 % des sujets, déjà naturellement « influençables ». Pas davantage. L'hypnose de spectacle l'avait encore plus déçue. Beaucoup d'hypnotiseurs désireux de ne pas prendre de risques utilisaient des trucs de prestidigitation. Ou alors, ils avaient recours à des complices qui se faisaient passer pour des gens pris au hasard dans le public.

Elle en avait parlé à son père qui avait fait valoir que les hypnotiseurs, ne pouvant pas prendre le risque d'un échec devant le public, trichaient pour éviter d'être ridicules.

À l'issue de ces discussions, elle lui avait exposé son idée de monter son propre spectacle d'hypnose « 100 % honnête ». Et c'est lui qui avait trouvé la péniche-théâtre et l'avait aidée à mettre en place un décor et un début de mise en scène. Mais après les premiers essais, il lui avait dit : « Tout artiste doit trouver un tour particulier qui soit sa marque de fabrique. Trouve une expérience d'hypnose qui n'est pas pratiquée par tes concurrents, démarque-toi. » C'est alors qu'elle avait eu l'idée de l'hypnose régressive dans les vies antérieures. Elle y croyait beaucoup et se disait qu'en la pratiquant sur les autres elle allait finir par apprivoiser cette technique.

Et puis il y avait eu l'accident « Hippolyte Pélissier au chemin des Dames ».

33.

Autour d'eux, dans Le dernier bar avant la fin du monde, la musique est montée progressivement et, mécaniquement, tout le monde parle plus fort.

Les immenses yeux verts semblent aspirer René.

Je ne l'avais pas bien regardée. Je ne l'ai même pas vraiment observée. Je passe à côté des êtres humains sans les contempler, sans tenter de les comprendre.

C'est si déroutant. Une autre vie que la mienne, et quelle vie !

Elle fait virevolter gracieusement sa longue chevelure et pour la première fois, il s'imprègne de son parfum boisé.

Opale Etchegoyen, que venez-vous faire sur mon chemin de vie ?

Vous avez ouvert une porte dans mon esprit dont j'ignorais même l'existence. Et maintenant vous me demandez d'ouvrir la vôtre qui est bloquée...

Ces derniers jours m'ont permis de découvrir un peu mieux qui je suis vraiment et je comprends désormais que je devrais peut-être me demander qui sont les autres. Tous ces gens qui apparaissent dans mon existence, qui sont là pour me faire évoluer et que je peux faire évoluer en retour.

Elle boit son cocktail à petites gorgées. Elle recommence à parler avec enthousiasme.

— Votre réaction m'a fortement impressionnée. Elle m'a permis de comprendre que j'étais allée trop loin, trop vite, insuffisamment préparée en cas d'incident. Lorsque vous êtes revenu le lendemain, j'ai paniqué. Quand vous m'avez suivie à la sortie du théâtre, j'ai cru que vous vouliez vous venger. Et puis il y a eu cette série de régressions... Et là, je suis passée de la méfiance à la jalousie.

René la regarde différemment.

— Grâce à vous, j'ai vraiment pu entrevoir toutes les perspectives qu'offre l'accès aux mémoires de nos vies passées. À mon avis, cette méthode est plus apte que la psychanalyse à résoudre les traumatismes, car elle ne s'attaque pas seulement à ceux de l'enfance, mais aussi à ceux de toutes les vies antérieures.

Elle me plaît, mais jamais elle ne s'intéressera à un type comme moi. Je ne suis qu'un petit fonctionnaire de l'Éducation nationale.

Un assassin, qui plus est.

— Nous portons tous en nous des histoires d'amour, des crimes, des épreuves terribles, des moments héroïques qui influencent notre vie présente. Comme un bruit de fond, des petites musiques imperceptibles.

— Se les rappeler distinctement peut être traumatisant, croyez-moi.

— Mais cela peut aussi être très enrichissant. Je n'y suis pas arrivée, mais peut-être que je pourrais y parvenir avec vous. Comme vous commencez à avoir une grande expérience en la matière, je crois que vous pourriez me guider à votre tour. Rien de tel que d'apprendre à plonger avec ceux qui sont déjà allés au plus profond.

Le professeur d'histoire jauge la jeune femme, scrute les alentours, puis dit :

— Pourquoi je vous aiderais ?

— Pour me remercier, ne vous ai-je pas fait découvrir vos vies antérieures ?

— Et si je vous disais que je ne vous crois pas ? Si je vous disais que je pense que vous n'avez fait que me manipuler ?

— Dans ce cas, pourquoi je vous demanderais de faire pareil pour moi ? Je ne suis pas masochiste à ce point.

Il réfléchit.

— Soyez honnête, vous savez manipuler les esprits ?

— Oui.

— Et vous m'avez manipulé ?

— Pas vraiment.

— Vous avouez que vous m'avez manipulé !

– Je peux le faire, mais, dans votre cas, je vous jure qu'il n'y a pas eu de manipulation. Cela a vraiment marché.

– Très bien, montrez-moi comment vous savez manipuler les esprits.

Elle marque son étonnement.

– Je ne comprends pas votre requête.

– Faites-moi un tour de magie pour que je puisse mesurer la différence entre ce que je vis et une simple manipulation mentale.

– Donc, si je vous suis bien, vous voulez que je vous manipule pour que vous puissiez avoir la preuve que je ne vous manipule pas, c'est cela?

– Je veux vous voir tricher pour pouvoir comparer et m'assurer que vous ne trichez pas.

Elle hausse les épaules, puis fouille dans son sac.

– Très bien, puisque vous le souhaitez, je vais vous faire un tour de magie simple que m'a appris mon père. Il illustrera comment on peut, disons, rapidement et facilement, influer sur un esprit. C'est cela que vous souhaitez, n'est-ce pas?

Elle sort un jeu de cartes et le place à hauteur de ses yeux.

– Je vais faire défiler des cartes très vite et vous en choisirez une sans me le dire.

Tout en serrant le paquet dans sa main droite, elle utilise le pouce de sa main gauche pour tordre et libérer les cartes du jeu. En trois secondes, les cinquante-deux cartes ont défilé devant les yeux de René.

– Vous avez choisi une carte?

– Oui.

Elle ferme les yeux.

– Ne me dites rien, je pense pouvoir deviner laquelle c'est.

Elle l'observe au fond des yeux, puis déclare:

163

– Déjà je peux vous dire que c'est une rouge.

– Une chance sur deux, mais en effet, c'est bien une rouge.

– Cela a à voir avec les sentiments. C'est un cœur.

– Une chance sur quatre. Mais, en effet, il s'agit bien d'un cœur.

– Ce n'est pas un chiffre, c'est une figure.

– Pas mal.

Non, ce n'est pas possible, elle ne va quand même pas trouver.

– Je vois une femme avec une couronne. C'est la dame de cœur.

Bon sang.

– Mais oui. Comment avez-vous fait ?

– C'est un simple tour de magie.

– Expliquez-moi.

– Si je vous le dis, vous accepterez de diriger une séance de régression dans mes vies antérieures ?

Il termine son cocktail, qu'il ne trouve finalement pas si mauvais que ça, puis repose le verre.

– J'accepte.

– En fait, je suis entrée dans votre inconscient et j'y ai inscrit cette carte précisément. Vous avez cru choisir, mais vous n'avez pas choisi. C'est ce qu'on appelle en magie « un choix forcé ».

– Comment pouvez-vous me forcer à choisir une carte précise alors que vous en faites défiler en quelques secondes cinquante-deux différentes devant moi ?

– C'est le principe de la « persistance rétinienne », qui est à l'origine même du cinéma. On perçoit tout au plus vingt-quatre images par seconde. S'il y en a une vingt-cinquième, notre inconscient la verra, mais pas notre conscience. Dans le jeu de cinquante-deux cartes que j'ai fait défiler, il y avait en réalité trois dames de cœur. En produisant un effet de flip avec mon pouce, j'ai créé comme un petit film. Et comme vous avez vu trois fois la même image (une dame de cœur), celle-ci s'est un tout petit peu plus imprégnée dans votre rétine que les autres. Votre inconscient a donc cru la choisir librement. Mais c'était moi qui avais choisi ce que vous alliez dire avant même que le tour commence.

René observe le jeu de cartes et remarque qu'en effet il y a trois reines de cœur.

– Donc vous avez ce pouvoir. Vous pouvez décider que je pense à une carte et que je croie que cela vient de moi ?

– Comprenez bien que si je vous ai montré ce tour, c'est précisément pour vous prouver que je peux tricher ; mais en l'occurrence, je ne l'ai pas fait.

Il reste dubitatif, alors elle cherche un argument à même de le convaincre.

– Et puis vous avez réussi à faire seul une séance d'autohypnose régressive. Personne n'a pu vous mettre depuis l'extérieur en tête d'autres images que celles qui venaient de votre intérieur.

– Vous m'avez peut-être conditionné pour que je m'auto-influence.

Elle hausse les épaules.

– Je reconnais qu'en vous montrant ce tour j'ai pris un risque, mais c'est précisément pour vous prouver que moi je ne triche pas. Je sais comment opérer, mais je ne le fais pas. Je vous jure que, dans votre cas, cela a vraiment marché ! Bon sang, moi j'y crois à votre Atlante, René ! Sinon je ne serais pas là.

Le son de la musique de fond augmente encore et dans l'esprit de René plusieurs sentiments s'entrechoquent : l'attrait pour cette si belle femme, le sentiment de culpabilité pour la mort du skinhead, la peur d'aller en prison, l'émerveillement lié à la découverte de Geb, la lassitude de sa vie de professeur de lycée, l'envie de revenir en Atlantide.

– Et quand voudriez-vous faire cette séance de régression ?

Elle laisse s'épanouir sur son visage un sourire ravi.

– Demain après-midi, 18 heures chez moi. Ça vous va ? C'est au 7, rue des Orfèvres. Mon code d'entrée est 1936, facile à retenir, c'est l'année des congés payés. Troisième étage à droite. Vous ne pouvez pas savoir comme il me tarde de partager avec vous cette connaissance ! Franchir le mur de la conscience pour s'enfoncer dans ses mémoires antérieures les plus profondes, c'est l'expérience la plus grisante que je puisse imaginer.

Avant qu'il ait eu le temps de changer d'avis, elle se lève, récupère sa veste et franchit le seuil du Dernier bar avant la fin du monde.

René est envahi par une impression étrange.

Si je l'aide à ouvrir la porte de ses vies antérieures, va-t-elle elle aussi trouver une femme criminelle qui lui donnera envie de tuer à son tour ?

Il est amusé par cette perspective.

Dans ce cas nous deviendrions « complices »… Je me sentirais moins seul.

34.

La pendule indique enfin l'heure magique. 23 h 23. Le moment de baisser le rideau sur ce monde pour rejoindre l'autre.

Les dix marches de son escalier intérieur lui semblent désormais aussi familières que celles de son immeuble.

La porte de l'inconscient est déjà entrebâillée. Le couloir aux 111 portes le réconforte. Évidemment, il est tenté d'en ouvrir une au hasard, par simple curiosité. Mais il sait qu'il risque de tomber sur des vies à même de le traumatiser, lui qui a pourtant découvert sa vie la plus agréable et aussi la plus mystérieuse. L'Atlantide, comment pourrait-il visiter quelque chose de plus stimulant?

René arrive sur la plage de cocotiers. Le temps est redevenu clément, mais il ne distingue personne dans le coin. Seuls les dauphins semblent le narguer qui lâchent des petits cris en émergeant de la surface.

Geb n'est pas là. Peut-être l'Atlante a-t-il été choqué et vexé que l'on ose lui dire que sa civilisation avait été oubliée.

Viendra-t-il?

Il patiente ce qui lui semble presque une heure. Puis, déçu, il se dirige vers la porte posée sur la plage. Alors qu'il tourne la poignée, une voix le hèle.

– Attends!

Il se retourne.

– Bonjour Geb. Content de vous voir. J'avais peur que vous soyez fâché et que vous ne veniez pas à notre rendez-vous habituel.

Geb garde un visage fermé.

– Suis-moi, je vais te faire visiter ce que tu crois être une légende.

Alors René marche derrière celui qu'il fut 12 000 ans auparavant.

35.

Au bout du chemin, une jungle l'attend. En dehors des cocotiers de la plage, les arbres sont tous inconnus de René. Leurs feuilles, leur écorce, leur tronc ne ressemblent à rien que René côtoie.

Les deux hommes arrivent sur un chemin plus large menant au sommet d'une colline. De là, il peut enfin contempler « son » monde. Il reste un moment abasourdi par cette vision. L'émotion le saisit. Une sensation de « déjà-vu » se mêle à un sentiment de fascination.

Tout d'abord, en arrière-plan, un volcan triangulaire ressemble au mont Fuji, à ce détail près que son sommet enneigé libère une torsade de fumée nacrée.

Sur son versant coule une source qui de rivière devient torrent, puis fleuve, pour former un lac turquoise sur les berges duquel un petit village est posé à flanc de colline. Le fleuve serpente jusqu'à la capitale atlante.

Alors ce serait ça, Mem-set...

Le spectacle dépasse en effet tout ce que René avait pu imaginer jusque-là.

Mem-set...

La ville resplendit sous les rayons du soleil du matin. Le premier mot qui lui vient à l'esprit pour décrire ce qu'il ressent est « splendeur ». Jamais il n'a vu une cité aussi bien intégrée à la nature environnante. Une cité fleur.

Mem-set, posée au milieu de la jungle, fait l'effet d'une large fleur de tournesol rose aux pétales étincelants.

Contrairement aux cités antiques, elle est dépourvue de murailles de protection, de champs cultivés, de pâturages, mais si on observe bien, on distingue des taches qui sont autant de petits lacs.

Le second mot qui lui vient est « harmonie ».

Au centre de la ville circulaire, une large place avec, en son centre, une pyramide bleue. De là partent six larges avenues. Les maisons ne dépassent pas deux étages et elles ont toutes des terrasses.

René et Geb marchent le long de la route et descendent lentement la colline qui surplombe la ville.

Au fur et à mesure que les deux hommes se rapprochent, des détails se révèlent. Les façades sont couvertes de plantes. Les terrasses, de fleurs et d'arbres fruitiers. Elles attirent des nuées de papillons et d'oiseaux multicolores eux aussi différents de tous ceux que connaît René.

À l'intérieur même de la cité, pas le moindre cheval, ni char ni charrette, pas d'âne ou de chien.

Au centre de chacune des six grandes avenues, un ruisseau alimente les maisons et sert de système d'évacuation des déchets.

Les berges sont bordées de vieux arbres tordus, similaires à des oliviers, mais qui, eux, produisent des fruits rouges.

Les habitants se promènent tranquillement, sans se hâter. Ils s'arrêtent parfois pour discuter paisiblement entre eux. René est étonné de ne voir ni enfant ni femme enceinte. Les hommes et les femmes portent des vêtements de la même couleur beige que la jupe de Geb avec des ornements souvent couleur lapis-lazuli. Les femmes ont des coiffures aux tresses complexes dont les extrémités sont teintes en bleu. Certaines ont des bustiers troués au niveau de la poitrine qui révèlent entièrement leurs seins, un peu à la manière des gravures crétoises.

Ce qui surprend René est la sérénité profonde qui émane de

cette population. Personne ne se bouscule, personne n'est pressé, personne ne court, tous semblent bienveillants les uns envers les autres. Beaucoup saluent Geb en souriant et ce dernier leur répond par un signe amical de la main.

— Ils me voient ? demande le professeur d'histoire.

— Il n'y a que moi qui perçoive ta présence. À mon tour d'être « désolé », tu ne pourras pas t'adresser à d'autres Atlantes que moi.

— La pyramide bleue au centre de votre cité, elle sert à quoi ?

— Aux voyages astraux à longue distance. C'est là que je vais effectuer mes observations astronomiques ; j'utilise mon corps éthérique pour circuler dans l'univers et examiner les planètes et les étoiles.

René songe qu'on a toujours imaginé l'Atlantide comme une île recelant une civilisation techniquement avancée, mais c'est plutôt au plan de la maîtrise de l'esprit qu'ils semblent le plus performants.

— Vous n'avez pas de charrettes ? demande René.

— Une charrette ?

— Eh bien, un moyen de se déplacer à l'aide de roues.

— C'est quoi des roues ?

René prend conscience que le fossé technique de l'île est peut-être plus important qu'il ne le pensait.

— Comment transportez-vous les récoltes ?

— Les quoi ?

— Ne me dites pas que vous n'avez pas d'agriculture ? Comment faites-vous pour vous nourrir si vous n'avez pas de champs ?

— Nous avons tous notre potager et notre verger personnels.

C'est comme cela que nous nous nourrissons. Dans chaque maison, nous sommes autonomes.

René distingue en effet au bas des maisons de petits jardins.

– Et pour l'élevage ?

– L'éle… quoi ?

– Eh bien, pour pouvoir les manger, il faut bien que vous mettiez des animaux dans des enclos, des vaches, des moutons, des poules, des lapins ?

Geb s'arrête, l'air outré.

– Vous mangez des animaux dans ton monde ?

– Pas vous ?

– C'est dégoûtant. Ne me dites pas que vous mangerez dans 12 000 ans des animaux morts que vous avez élevés rien que pour les tuer !

– Cela a bon goût, et c'est une source de protéines, enfin d'énergie quoi, vous devriez essayer…, tente René.

– Nous ne sommes pas des charognards, pas question de manger des cadavres ! Donc pour répondre à tes questions : nous n'avons pas de « roue », pas de « chevaux », pas de « télescope », pas d'animaux que nous enfermons pour les manger plus tard et pas de « champs ».

– Mais alors, comment faites-vous pour faire du commerce ?

– Que signifie ce mot ?

– Eh bien, c'est le moyen d'échanger des biens contre de l'argent.

– L'argent ?

– C'est ce qui nous permet de vendre ce que nous ne consommons pas nous-mêmes.

– Nous n'avons pas d'excédents, donc pas d'« argent ».

– Mais alors comment vous faites pour obtenir ce qui vous manque ?

– Mais il ne nous manque rien.

– Il doit bien y avoir des choses nécessaires que vous ne pouvez avoir que difficilement.

– Quand j'ai besoin d'un fruit qui n'est pas dans mon verger, je le réclame à celui qui en a. Et quand c'est le contraire, je le lui donne.

– Ce n'est même pas du troc ?

– Ça non plus je ne connais pas. Nous donnons à celui qui demande sans rien attendre en retour. C'est juste naturel.

– Mais vous avez un travail, vous m'aviez dit que vous êtes astronome.

– Quand quelqu'un veut savoir où se trouve une étoile ou une planète, il me le demande et je le lui dis. Chacun fait ce qui lui plaît quand cela lui plaît. Personne n'oserait dire à un autre ce qu'il doit faire. Et je ne sais pas ce que signifie le mot « travail ».

– Donc pas de travail, pas d'argent, pas de commerce. Et si quelqu'un veut ne rien faire ?

– Eh bien c'est dommage pour lui. Il a de fortes chances de s'ennuyer. Mais je te rassure tout de suite, tout le monde a une activité qui le passionne et qui l'amuse, dès l'enfance.

René commence à comprendre pourquoi la population atlante est aussi décontractée.

– Et les maisons, comment vous construisez les maisons ? C'est forcément un travail pénible.

– Quand quelqu'un veut un logis, il réunit quelques amis proches et ils le bâtissent ensemble. Et celui qui en a bénéficié fera de même pour les autres.

– Et le médecin, quand vous êtes malade, vous allez forcément voir un thérapeute ? Vous devez payer les soins.

– Nous sommes rarement malades, mais il y a en effet des hommes de santé qui soignent ceux qui en ont besoin. Ils le font parce qu'ils savent le faire.

– Donc pas de chevaux, pas d'élevage, pas d'agriculture, pas d'argent, pas de travail, comment la ville est-elle gouvernée ?

– Là encore je ne sais pas de quoi tu parles.

– Comment sont prises les décisions collectives ?

– Il existe une assemblée de soixante-quatre sages. Ces sages sont les plus âgés donc les plus expérimentés d'entre nous. Mais ils ne font que donner des conseils. Et en général ils sont écoutés.

– Pas de pouvoir exécutif ? Mais alors il n'y a pas de police, pas d'armée ?

– Ces notions me sont inconnues.

– Il faut forcément assurer la défense, comment faites-vous si des envahisseurs surgissent ? Enfin, des non-Atlantes qui vous voudraient du mal ?

– Nous sommes sur une île isolée en pleine mer, et il n'y a que nous sur cette île. Nous nous connaissons tous et nous nous entendons plutôt bien.

– Et la religion ? Il n'y a pas de prêtre ? Vous vénérez bien un ou des dieux ?

– De quoi me parles-tu encore ?

– Vous n'avez aucun culte ? Il y a forcément une force magique invisible qui vous inspire.

– Peut-être fais-tu référence à l'énergie de vie qui circule dans les arbres, les fleurs, les animaux, la planète, nous-mêmes. Nous nommons cette énergie « rouar ». C'est le souffle de vie éternel qui nous parcourt et qui te parcourt aussi, René. C'est aussi pour

173

cela qu'il ne nous viendrait pas à l'idée de tuer des animaux ou de forcer des plantes à se serrer les unes contre les autres. Cela empêcherait la « rouar » de circuler.

Geb s'exprime comme si tout cela était une évidence, et René prend soudain conscience de la bizarrerie de sa propre société dans laquelle tous ces principes pourtant naturels semblent avoir été oubliés ou remplacés pour renforcer des pouvoirs individuels.

— Pas d'agriculture, pas d'élevage, pas de travail, pas de gouvernement exécutif, pas d'armée, pas de police, mais alors il n'y a pas d'ambition personnelle ? Des hommes qui veulent dominer les autres ?

— Nous souhaitons tous que l'ensemble de la communauté vive en harmonie. Nous voulons l'épanouissement des autres et nous nous réalisons donc dans le bonheur collectif. Comme les cités de fourmis, de termites ou d'abeilles qui étaient là plusieurs dizaines de millions d'années avant nous.

— Mais vous êtes combien sur cette île ?

— En tout ? 800 000. Mem-set étant la ville la plus peuplée, elle contient plus de la moitié de la population totale, soit 500 000 habitants. Les autres cités sont beaucoup moins peuplées. Et chez vous dans le futur ?

— Paris a cinq millions d'habitants, mais la population globale de l'humanité s'élève à près de huit milliards d'individus.

— Huit milliards ! Je comprends que vous ayez besoin de systèmes infantilisants (du peu que j'en ai compris) pour tenir une telle masse d'individus !

René repère des groupes de chats en liberté qui marchent dans la rue en se dandinant tranquillement, la queue dressée. En levant les yeux, il en aperçoit d'autres qui sautent de toit en toit.

– Vous mangez des chats aussi à votre époque ? demande Geb qui a remarqué que son futur lui-même observe les félins.

– Non, mais nos chats ne sont pas en liberté, ou en tout cas pas de manière aussi visible, reconnaît René.

Tout émerveille René : l'esthétisme de cette cité colorée, l'imposante pyramide bleue qui lui sert d'axe, mais surtout la tranquillité de cette population.

L'île des gens heureux ?

– Alors tu crois toujours que cette cité devant toi n'est que le fruit de ton imagination ? Un rêve, un « fantasme » ?

René essaie de bien comprendre ce mode de vie exotique. Il se répète la formule qui leur permet d'être aussi « cool » : ni argent, ni travail, ni hiérarchie, ni gouvernement, ni police, ni armée, ni religion.

Cela n'a jamais été envisagé chez nous. Même les sociétés primitives tribales qui nous ont précédés avaient des armes, des chefs, des formes de troc ou de monnaie d'échange. Cela perturbe mes habitudes mentales.

– Alors tu en penses quoi, René, de ta légende ? demande Geb pour le sortir de sa rêverie.

– C'est… c'est vraiment surprenant. Je ne savais pas qu'on pouvait vivre comme ça, reconnaît-il.

Ils sont arrivés à trouver une manière de vivre ensemble qui fonctionne. Ils sont unis entre eux et à la nature. C'est pour cela que Geb est aussi décontracté.

L'Atlante sourit enfin.

– Maintenant, tu ne pourras plus dire que cela n'est pas possible.

René prend conscience qu'il a toujours pressenti qu'une telle société pouvait exister. Il prend conscience que ce qu'il voit n'est pas seulement une découverte, mais un souvenir enfoui très profondément dans son esprit. Un souvenir qui a été effacé par les couches superposées de ses 111 autres vies qui ont fini par le persuader qu'on ne pouvait vivre que dans la frustration et la peur, englués dans des mensonges au nom de prétextes nationaux ou religieux.

Geb invite son futur lui-même à s'asseoir sur une sorte de banc de pierre. Ils observent tous les deux les Atlantes qui se promènent, les chats qui déambulent, le volcan au loin.

– Maintenant, je suis prêt à mon tour à contempler le monde du futur, ton monde, René. Je veux savoir comment vous en êtes arrivés, au bout de 12 000 ans d'évolution, à manger des cadavres d'animaux et à vivre de manière si agitée.

René hésite. Il se dit que Geb risque d'être choqué de voir les immeubles gris de plus de six étages, les embouteillages, les gens habillés en noir ou en gris, la pollution formant un brouillard épais à l'horizon, les étals des charcuteries aux têtes de porc exhibées une tomate dans la bouche, les crottes de chien fumantes, les poubelles dégorgeant de nourriture gaspillée et d'emballages plastiques. En guise d'oiseaux multicolores, des pigeons gris, en guise d'insectes, non des papillons mais des moustiques. Un monde sans fleurs, sans arbres fruitiers, sans piétons souriants qui se saluent. Son futur risque de bien le décevoir.

– Plus tard…, élude le professeur d'histoire. Il y a quelque chose dont il faut que je vous parle. En fait, si vous avez été oubliés, si l'existence de votre civilisation a été remise en cause, il y a une raison.

Geb fronce les sourcils.

Bon, il faut que je lui dise. Le plus vite sera le mieux.

– Les quelques textes qui évoquent votre monde signalent aussi les raisons de votre disparition, qui explique que vous ayez été transformés en légende. Et cette raison est...

Il faut que je prononce le mot.

– ... le Déluge.

– De quoi tu parles ?

– Une catastrophe naturelle terrible, un tremblement de terre, suivi d'une vague qui a entièrement englouti votre île.

Geb l'observe, hoche la tête.

– Toute l'île ou juste sa capitale ?

– Toute l'île, avec sa capitale, toutes ses cités, tous ses habitants.

Geb semble sceptique.

– Tu en es sûr ?

– Je suis affirmatif, vous allez être submergés par l'océan.

René serre les mâchoires, regrettant que lui incombe d'annoncer les mauvaises nouvelles.

– Je ne te crois pas.

– C'est pourtant ainsi que l'on relate votre disparition.

Les deux hommes regardent les passants. Un homme qui ressemble à Geb le salue amicalement. Autour d'eux les feuilles des arbres bruissent. Un papillon aux longues ailes rouge, jaune et noir vient se poser sur la main de l'Atlante. Celui-ci l'élève à hauteur de sa bouche et souffle pour inciter le lépidoptère à s'envoler.

– Alors, selon toi, nous serions condamnés à tous disparaître comme ça, d'un coup, à la suite d'une simple catastrophe naturelle...

René cherche une formule acceptable.

– Enfin peut-être pas tous, car une autre légende s'ajoute à la première.

– Je t'écoute.

– C'est celle d'un homme qui, averti de cette catastrophe, a pris l'initiative de construire un grand bateau, sur lequel il a réuni quelques personnes et quelques animaux. Et c'est là où je vais peut-être pouvoir vous aider, Geb. Il faut maintenant que vous fassiez tout pour construire ce bateau qui permettra à votre civilisation et à un maximum de ses membres de survivre au Déluge.

– Ainsi, nous pourrions être engloutis, puis oubliés, répète Geb, incrédule.

Il n'arrive pas à intégrer cette information parce qu'elle est trop choquante pour lui.

– Cela peut advenir d'une minute à l'autre. Il ne faut pas perdre de temps.

Geb semble submergé de pensées.

– Vous ne me croyez pas?

L'Atlante se lève, et regarde la pyramide bleue.

– Retrouvons-nous demain ici à la même heure et nous allons mettre au point, toi et moi, un moyen de sauver ce qui pourra être sauvé grâce à ta connaissance de ce qu'il va nous arriver. Va-t'en maintenant, il faut que je réfléchisse à tout cela.

René est tiraillé entre l'émerveillement de ce qu'il vient de voir et la culpabilité d'avoir à nouveau contrarié son ancien lui-même. Cependant, il se dit qu'il a accompli son devoir. Au moins, il leur offre la possibilité de ne pas tous disparaître.

Il se retourne, et quitte à regret la vision de cette cité-fleur si splendide... qui doit pourtant être détruite.

36.

Quand il rouvre les yeux, il est 3 h 20.

Je suis resté pratiquement trois heures en Atlantide.

Il ouvre son ordinateur et vite, de peur d'oublier tout ce qu'il a vu, il note chaque détail sur son fichier Mnemos : la cité de Mem-set, sa population, ses avenues, sa rivière, sa pyramide bleue, ses jardins, ses parcs, ses étangs, ses femmes aux seins dévoilés, ses hommes torse nu en jupe, ses chats, ses papillons, ses oiseaux. Il note aussi que c'est là un monde qui, n'ayant nul besoin de ce qui nous semble indispensable, ignore l'anxiété.

Après avoir assassiné des soldats allemands durant la Première Guerre mondiale et un SDF à son époque, il lui est offert de sauver une civilisation complète.

Ainsi, on ne peut pas fabriquer de machine à remonter le temps, mais on peut influer suffisamment sur l'esprit d'un être du passé pour qu'il prenne des petites décisions susceptibles d'être déterminantes pour ses contemporains.

Nous sommes encore des primates naturellement agressifs. Nous n'avons pas sublimé notre part animale, alors nous vivons dans la peur, guidés par le sens du territoire et de la possession, désireux de posséder toujours plus de biens et d'objets dont nous n'avons même pas de réel besoin.

Le skinhead voulait mon argent. Mon élève, Philippe, voulait montrer que, bien qu'adolescent, il était capable de défier un adulte censé représenter l'autorité. Pinel voulait me rappeler que je n'étais qu'un de ses subalternes. Comme chez les primates.

René se lave les dents en écoutant la radio.

Le présentateur annonce qu'aucun accord n'a pu être trouvé à l'ONU pour proscrire l'utilisation de pesticides qui déciment les abeilles. Le lobby de l'agro-chimie a scellé le sort de ces insectes.

Nouvel attentat-suicide en Espagne, dans une gare en pleine heure de pointe. Là encore, malgré le cri prononcé juste avant la déflagration par la jeune kamikaze, la police penche plutôt pour l'acte isolé perpétré par un individu souffrant de troubles psychiatriques.

Le présentateur évoque ensuite un emballement des systèmes d'intelligence artificielle à la Bourse ayant engendré une chute brusque des cours.

C'est l'enjeu de notre génération : nous sommes coincés entre les dangers de l'intelligence artificielle et ceux de la bêtise naturelle.

Puis le présentateur signale une nouvelle grève, non plus des trains, mais des avions, le démantèlement d'un réseau de traite des Blanches et d'esclaves en Libye, la naissance d'un nouvel enfant royal à la cour d'Angleterre, le retour de l'épidémie de peste et de choléra au Soudan, un typhon sur les Caraïbes, le test par l'Iran d'un nouveau missile potentiellement porteur d'une charge nucléaire.

Enfin, il conclut sur l'évocation d'une étude effectuée par deux scientifiques norvégiens, portant sur l'évolution du quotient intellectuel dans le monde. Le QI moyen est passé de 102 pour les gens nés en 1975 à 99 pour ceux nés en 1991. L'explication, selon ces deux chercheurs, serait à chercher dans plusieurs directions : la pollution, mais aussi la dégradation de la qualité de la nourriture, de l'éducation, et l'exposition passive et prolongée aux écrans.

La chronique météo annonce plusieurs jours de beau temps avec un risque de canicule.

René écoute les actualités jusqu'au bout, et est rassuré qu'il ne soit fait aucune nouvelle référence au corps du SDF repêché dans la Seine.

Il repense à l'étude norvégienne sur le QI. Ces deux scientifiques ont beau démontrer que l'humanité dans son ensemble devient de plus en plus stupide, personne ne semble s'en formaliser.

Il songe à son dernier voyage en Atlantide.

Si notre monde se reprend et s'améliore, il redeviendra comme il y a 12 000 ans. Peuplé de gens tellement subtils qu'ils n'auront besoin ni de religion, ni d'argent, ni de guerre.

Il prend la résolution de ne plus manger de viande.

Il décide aussi de s'habiller avec des vêtements colorés, jaunes, bleus, rouges ou verts, le noir et le gris envoyant selon lui des vibrations trop négatives.

À partir de maintenant, il sait que chaque seconde est importante. Le compte à rebours a démarré.

Comme pour souligner cette pensée, un énorme éclair illumine la pièce d'un flash argenté et des gouttes se mettent à consteller la fenêtre.

Il a un frisson, puis s'endort avec des bribes de souvenirs de ce qu'il vient de découvrir. Il se dit qu'il a enfin trouvé le sens de sa vie.

Je dois sauver les Atlantes.

37. MNEMOS. MÉMOIRE COLLECTIVE.

De même qu'il y a une mémoire individuelle, il existe une mémoire collective qui, elle aussi, se forge et se renforce au fur et à mesure qu'elle est utilisée. Cette mémoire est transmise aux nouvelles générations par couches.

Première couche, l'éducation des parents. Seconde couche,

l'éducation transmise par l'école. Troisième couche, les médias, qui affinent et consolident en permanence cette mémoire collective. Enfin, la dernière couche, celle de l'expérience personnelle qui vient préciser les couches de mémoire précédentes.

Toutefois, là où la mémoire personnelle disparaît avec l'individu, la mémoire collective, elle, est immortelle et continue à se diffuser. C'est une mémoire vivante.

Ainsi, tout comme la mémoire individuelle, la mémoire collective efface avec le temps les éléments considérés comme insignifiants et ne retient que les moments associés à des émotions fortes.

ACTE II

Sauver l'Atlantide

38.

– Et alors une gigantesque vague surgit de l'horizon, elle était si haute qu'elle cachait le soleil. Elle engloutit tout, submergea maisons et corps. Ce fut un instant horrible. Tous moururent noyés. Quant aux cités et à la civilisation, elles furent englouties sous les flots. Jamais plus personne ne put en découvrir l'emplacement.

Au moment où René prononce ces paroles, un nouvel éclair illumine la salle. Le professeur d'histoire s'arrête et observe les élèves face à lui. Philippe est absent. Pour faire suite à son cours de la veille sur l'Atlantide, il a choisi d'évoquer le Déluge. Les lycéens sont surpris de voir leur professeur persévérer sur ces sujets controversés. Ils ont compris que c'était là une lubie qui plaçait désormais leur enseignant en marge du système scolaire.

– Chez les Hébreux dans le texte de la Genèse, rédigé en 1600 avant Jésus-Christ, en 7, 1-12, est évoquée l'histoire de Noé. Dieu lui dit : « Entre dans l'arche, toi et toute ta maison.

[…] Je ferai pleuvoir […] jusqu'à ce que soient exterminés de la face de la terre tous les êtres humains. »

René lance une nouvelle image.

– Dans l'hindouisme, Manu, le premier avatar de Vishnou, échappe au Déluge en construisant un bateau. C'est ainsi qu'il sauve animaux, plantes et êtres humains.

Une nouvelle illustration asiatique apparaît.

– Chez les Chinois dans le *Huainanzi*, la voûte céleste se fissure et libère la pluie, si bien que les eaux inondent le monde et noient tous les hommes. Et c'est la déesse Nuwa qui colmate le ciel et sauve un couple.

Apparaît ensuite une illustration d'un profil de tête d'Indien.

– Dans le *Popol Vuh*, le texte sacré des Mayas, l'humanité ayant péché, les hommes sont frappés d'une pluie ténébreuse et seuls les hommes de maïs survivent.

– Mais, monsieur, demande un élève au premier rang, est-ce que scientifiquement on a des traces d'un vrai déluge?

Un ami de Philippe?

– Bonne question.

À nouveau, la foudre qui s'est rapprochée lance un coup de tonnerre grave.

– Pour l'instant, la seule information scientifique incontestable est que pratiquement tous les peuples évoquent un épisode de déluge dans leur cosmogonie.

René s'aperçoit qu'il intéresse enfin les élèves et se dit que cette catastrophe doit être inscrite dans l'inconscient collectif et que sa simple évocation réveille des mémoires enfouies. Mais il se dit également qu'il faut vraiment forcer de tout son poids cette porte de préjugés et de doutes.

– Monsieur, si vous remettez en question toute l'histoire en nous disant hier que l'Atlantide a existé, aujourd'hui qu'un déluge a ravagé les premières civilisations, on a quand même un problème. On a un programme à suivre, et le bac à la fin de l'année. Je ne vois pas comment on pourra évoquer ces sujets le jour de l'examen.

L'élève ayant dit tout haut ce que tous pensent tout bas, une rumeur d'approbation se propage.

— Alors peut-être qu'il est temps de poser la question fondamentale. Qu'est-ce qui vous importe le plus : connaître la vérité ou répéter comme des perroquets le programme officiel ?

Les élèves se regardent entre eux, ne sachant comment répondre. L'un d'eux, plus hardi, prend la parole :

— Euh... nous avons quand même envie d'avoir le bac à la fin de l'année.

— Et de rester ignorants ? Vous préférez avoir la tête farcie de mensonges pour être comme les autres plutôt que de connaître, grâce à votre curiosité, la réalité telle qu'elle s'est réellement passée ?

La classe semble complètement désorientée.

— Tenez, je vais illustrer votre problème avec l'expérience de Asch.

Il inscrit sur le tableau « Expérience de Asch ».

— Le psychologue Solomon Asch, au XXe siècle, a invité un groupe de dix étudiants entre 17 et 25 ans à participer à une prétendue expérience pour tester leur vision. On leur présentait trois lignes de trois tailles différentes et il leur suffisait d'indiquer laquelle était la plus petite. Sur les dix étudiants, il y avait en réalité neuf complices et un seul sujet cobaye. Ce dernier avait connaissance des choix des autres avant de répondre lui-même, il s'exprimait même en dernier. Solomon Asch avait au préalable demandé à ses étudiants complices d'indiquer unanimement une fausse réponse et de désigner la ligne la plus grande. Le cobaye, voyant tous les autres répondre de la même manière, finissait par répondre lui aussi que la ligne la plus grande était la plus petite.

Beaucoup d'élèves semblent amusés.

Ils aiment les anecdotes. Je peux les convaincre comme ça.

– Voilà le pouvoir du conformisme. Voilà le pouvoir que peut avoir le groupe, alors même qu'il est dans l'erreur, sur la pensée de l'individu qui réfléchit par lui-même. Mais vous savez le plus surprenant ? Solomon Asch a fait cette expérience à plusieurs reprises. Chaque fois, lorsqu'il révélait aux sujets de ses expériences que les autres étudiants étaient des complices qui avaient pour ordre d'indiquer le mauvais segment, eh bien, 60 % des testés continuaient encore à prétendre que la ligne la plus grande était la plus petite.

« Cela s'appelle du panurgisme. C'est une référence aux moutons de Panurge, évoqués par l'écrivain Rabelais dans le *Quart Livre*. Comme ils ne savaient quelle direction prendre, ils suivaient sans réfléchir le groupe. C'est ce besoin qui est pernicieux : faire pareil que les autres pour être intégré. Mais ce n'est pas comme ça qu'on est heureux. Tout ce que cela apporte, c'est d'être inséré dans un système qui ne vise qu'à nous transformer en électeurs consommateurs grégaires. Je veux vous rendre intelligents, bon sang, c'est si difficile que ça à comprendre ? C'est ma fonction de professeur. Vous élever. Dans le sens où je veux augmenter votre niveau de conscience, pas vous faire avoir des diplômes qui ne vous serviront qu'à devenir des esclaves.

Cette fois, le regard des élèves a complètement changé et René se dit qu'il est peut-être enfin sur la bonne voie.

Dans un monde où les gens sont habitués à entendre des mensonges, la vérité a l'air suspecte. Mais à force d'insister, ils peuvent finir par avoir envie de réfléchir. Je veux leur apprendre à ne pas être des fainéants de la pensée. Qu'ils parviennent à se faire une opinion par eux-mêmes.

Les élèves sont plus attentifs et il a l'impression d'avoir accompli un infime progrès. Changer les mentalités de ses contemporains réclame du temps et de la patience.

Il reproduit ce cours avec trois autres classes, jusqu'à l'heure du déjeuner. Alors qu'il s'apprête à rejoindre Élodie à la cantine, le proviseur Pinel, depuis son bureau, lui fait signe de le rejoindre.

39.

La plus haute autorité du lycée Johnny-Hallyday le fixe d'un air dépité.

– Les Grecs seraient des envahisseurs qui détruisent les civilisations voisines pacifiques et avancées ? Un élève remet en question vos cours, donc vous lui tordez le poignet ? Et maintenant, l'Atlantide et le Déluge présentés comme une information historique ? Vous n'avez pas tenu compte de mes avertissements, Toledano. Je peux encore vous excuser en prétextant que vous êtes surmené, voire un peu dépressif, mais je ne pourrai pas vous couvrir longtemps. Je vais finir par devoir signaler votre comportement en haut lieu. Je vous en prie, reprenez-vous.

– Et si je refuse ?

– Je ferai en sorte que vous soyez mis à pied. Ce serait vraiment stupide d'en arriver à cette extrémité.

Ai-je déjà connu ce type dans une de mes vies précédentes ?

– De toute façon, vous n'avez pas le choix.

– On a toujours le choix.

Joignant le geste à la parole, René saisit une feuille de papier d'un tas posé sur le bureau du proviseur. Il sort un stylo, rédige un texte puis retourne la page.

– Je ne suis pas un élève, je ne suis pas un enfant. On n'a pas à me dire comment je dois faire mon métier. Voilà ma lettre de démission. Vous pourrez enseigner à vos moutons la gloire des assassins, continuer à leur bourrer le crâne avec des sujets qui font consensus, ce qui ravira leurs parents incultes et fiers de l'être.

Puis le professeur d'histoire claque la porte pour aller s'enfermer dans les toilettes.

C'est complet. J'ai tué, j'ai démissionné. Tout ce qui me rattachait au monde « normal » s'effrite. Pourtant, je ne me suis jamais senti aussi en phase avec ce que je suis vraiment. C'est le prix à payer pour divulguer la vérité à ceux qui ne veulent pas l'entendre.

À l'extérieur, la foudre résonne et illumine la petite fenêtre des toilettes.

Ça ne pouvait pas se passer autrement. C'est comme si j'avais toujours su que j'allais en arriver à ce point de rupture.

190

40.

René Toledano apparaît enfin dans le réfectoire. Tous les autres professeurs le regardent par en dessous. Certains chuchotent.

Élodie fait déjà la queue au self-service quand il la rejoint.

– Tu ne m'as pas attendu ?

Elle avance.

– Il paraît que tu as encore fait des tiennes en cours. Hier l'Atlantide, aujourd'hui le Déluge. Et demain, tu parleras de quoi ?

– Il n'y aura pas de « demain ». J'ai donné ma démission. Ceci est mon dernier déjeuner dans cette cantine. Nous pourrons désormais nous retrouver dehors si tu acceptes de fréquenter un chômeur.

– Non, tu n'as pas fait ça ?

Il sourit en guise d'acquiescement.

– Tu es fou ! Comment tu vas gagner ta vie maintenant ?

– Le poisson Tiktaalik est bien sorti de l'eau pour se hisser sur la terre ferme en utilisant ses nageoires. Il n'y a pas été encouragé par ses congénères. Il a dû souffrir, et pourtant il l'a fait. Il devait y avoir aussi un proviseur Pinel sous l'eau qui lui a inspiré l'envie de sortir du système pour tenter de vivre autrement. Et grâce à cela, la vie a pu évoluer sur ce nouveau terrain qui était la terre ferme.

– Arrête ton cinéma. Tu sais bien que sans boulot tu es fichu.

Elle saisit un ravier contenant de la tête de veau vinaigrette. Pour la première fois, il ressent un énorme dégoût face à cet aliment, comme s'il venait de prendre conscience de ce dont il s'agissait. Il a un haut-le-cœur, puis se reprend.

– Hier je suis allé là-bas. J'ai pu voir leur cité.

– Leur cité ?

– Mem-set, la capitale de l'Atlantide. C'est tout simplement fabuleux. Ils ont créé une sorte de monde idéal où tout est esthétique, calme et harmonieux.

Élodie lève les sourcils.

– Voilà autre chose…

Il prend du vin. Elle pousse le plateau jusqu'à la zone où on sert la choucroute garnie de grosses saucisses bien juteuses. Là encore, René ne peut oublier qu'il s'agit de fesses de porc coupées en morceaux replacés dans les tubes de leurs propres intestins. Il prend une assiette de brocolis vapeur.

– Tu ne prends pas de viande ?

– Je vais profiter de mon nouvel état de chômeur pour commencer un régime végétarien, élude-t-il.

Ils saisissent les desserts. Des fruits pour lui, un gâteau à la crème au beurre pour elle.

– Tu ne me demandes pas plus de détails sur l'Atlantide ?

Elle lâche un soupir d'exaspération.

– Non.

– Dommage. Je vais quand même t'en parler. C'est un endroit extraordinaire. Un monde idéal. Sans gouvernement, sans armée, sans travail, sans argent. Pas d'agriculture, pas d'élevage, ni de chevaux, de métaux, ou de roue… En revanche, ils ont développé des capacités psychiques dont nous avons à peine l'idée. Ils savent sortir de leur corps avec leur esprit pour visiter l'univers. Ils sont capables de se connecter à l'énergie vitale des autres humains ou des autres animaux. Ils la nomment la

192

« rouar ». Ils se soignent en gérant les énergies sans médicaments. Et, comme je te l'ai dit, ils sont étonnamment décontractés. Pour eux, rien n'est vraiment grave, ils acceptent le monde et vivent en harmonie avec la nature. Même un tremblement de terre ne les inquiète pas. Leur mantra est « Ce n'est pas grave ». Pourtant, il y a en permanence un volcan qui fume en arrière-plan. Peux-tu imaginer un monde dans lequel tous les gens sont calmes et ne veulent rien prendre aux autres, tout en se réalisant dans la réussite collective ?

Elle secoue la tête.

– Ça y est, soit tu as été embrigadé dans une secte qui t'a fait un lavage de cerveau, soit tu as pris de la drogue, ou alors tu es devenu complètement débile. Tu as perdu ton travail, René ! Réveille-toi !

– J'ai vu des gens qui avaient l'air plus heureux que nous et qui non seulement n'avaient pas de métier, mais pas d'argent, ni de hiérarchie non plus.

Ils s'assoient à leur table habituelle. Il enchaîne.

– Tu méprises ce que tu ne connais pas.

– Mon pauvre René. Mais quelle idée j'ai eue de t'amener à La boîte de Pandore ! Tu as vu comme ta vie s'est compliquée depuis dimanche ? Tu as frappé un élève, tu leur racontes des niaiseries et tu viens de perdre ton travail ! Rien que ça.

Et encore, ma chère Élodie, tu ne sais pas tout. J'ai aussi tué un homme dont j'ai précipité le corps dans le fleuve.

Ils mangent tous les deux leur hors-d'œuvre. Les rumeurs et les regards de ses collègues se font de plus en plus réprobateurs, mais René s'efforce de ne pas y faire attention.

– Qu'est-ce qui m'a pris de t'amener voir ce spectacle ! Je crois vraiment qu'Opale est ta Pandore. Elle a ouvert la plus dangereuse des boîtes, celle de l'inconscient, et elle a libéré en toi des monstres qui te rongent jour après jour. Désormais, je ne vois qu'une solution. Il faut que tu consultes un psy pour refermer ce qui n'aurait jamais dû être ouvert. Et ensuite, il te faudra te livrer à un gros travail d'oubli pour que tu ne sois plus tenté d'y revenir.

– Et si cela me plaît de vivre avec une boîte de Pandore ouverte qui me donne accès à la mémoire de mes 111 vies précédentes ? J'ai découvert qu'il y a plusieurs personnes en moi.

– Il y a trois personnes en chacun d'entre nous. L'enfant, l'adulte, le parent. C'est la théorie de l'analyse transactionnelle d'Éric Berne. Et là tu viens d'opérer une régression qui t'a amené à redevenir un enfant. C'est l'unique régression que tu as accomplie, René.

– Dans ce cas, je te citerai les travaux d'Hal Stone sur la psychologie des subpersonnalités. Si tu te souviens bien, il pense que dans notre inconscient sont cachées des personnalités auxquelles nous faisons appel ou qui se révèlent quand des circonstances particulières nous y obligent. Il donne comme exemple le fait que nous changeons de voix, vers l'aigu ou vers le grave, selon la personne qui est en face de nous, modulation qui se fait sans même que nous y pensions…

Elle ne s'attendait pas à cette référence qu'elle ignore. Dépitée, elle secoue la tête avec agacement.

– Peut-être après tout que cette hypnotiseuse Opale est une vraie sorcière. Peut-être qu'elle t'a envoûté. Dans ce cas, c'est plus grave. Il ne faut pas voir un psy, il faut voir un exorciste.

Il a un petit rire moqueur.

– C'est toi, la cartésienne professeure de sciences, qui me parles d'exorcisme ?

– Je ne sais pas. Il faut faire quelque chose. Soigner le mal par le mal. Soigner l'irrationnel par l'irrationnel. Regarde comme tu as déjà changé… Tu es pâle. On dirait que tu n'as ni dormi ni mangé depuis des jours. Et quand tu parles, tu sembles exalté en permanence, comme si tu étais sous l'effet d'une substance chimique.

Elle mange vite. Lui prend son temps, semblant se délecter de chaque bouchée.

– Je ne te dirai jamais assez merci, Élodie, de m'avoir emmené à La boîte de Pandore.

– Si tu savais comme je regrette.

– Je ne t'ai pas tout dit, non seulement j'ai visité l'Atlantide telle qu'elle était il y a 12 000 ans, mais j'ai pu avertir Geb du Déluge et lui suggérer de construire un bateau pour sauver ce qui peut être sauvé.

Il affiche un air triomphal, s'attendant à ce que sa collègue le félicite. Elle pose son couteau et sa fourchette.

– Ok, c'est donc encore plus grave que je ne le pensais. Écoute-moi, René, tu vas dire que tu as bu, que tu as pris de la drogue, que tu es dépressif ou que tu as des accès de délire.

– C'est le conseil que m'a donné Pinel.

– J'ai des amis médecins qui te feront un certificat. Après, tu prendras un congé maladie et tu partiras te reposer un peu. Loin. Juste pour calmer le jeu. On dira aux élèves que tu as eu un coup de surchauffe. Cela expliquera tes « cours » délirants et tes accès de violence sur les élèves. Ensuite, quand tu reviendras, les tensions seront retombées, tu t'excuseras et tout rentrera dans l'ordre. Ok ?

Il déguste ses brocolis.

– Je suis ton amie, René, je ne te laisserai pas tomber, surtout dans la mesure où je me sens responsable de ce qu'il t'arrive.

– Tu ne comprends pas, Élodie, je connais enfin le sens de mon existence. Cela fait 12 000 ans que mon âme est sur terre, 12 000 ans que je reviens vie après vie pour apprendre et m'améliorer. Je l'ai toujours senti, maintenant j'ai enfin l'impression de comprendre les vrais enjeux.

La professeure de sciences est exaspérée. Elle se retient de répondre et le laisse poursuivre.

– Nous ne sommes là que pour nous rappeler qui nous sommes, dit-il.

– Qu'est-ce que tu racontes encore comme bêtise ?

– Et puis, maintenant, j'ai des objectifs dans la vie. Le premier est de sauver Geb avant que sa civilisation ne soit entièrement engloutie. Le second est de tout faire pour que notre civilisation actuelle retrouve ce niveau d'épanouissement spirituel qu'elle a jadis connu et qu'elle a oublié.

– Un monde sans armée, sans police, sans gouvernement ? ironise-t-elle.

– Sans argent, sans travail, sans possession.

– On appelle ça l'anarchie et on a déjà vu où cela menait.

– « Nos » anarchistes historiques se sont trompés. Ils pensaient plus à détruire l'ancien système qu'à en construire un nouveau. C'est pour ça que cela a échoué. Ils ont oublié leur objectif de bonheur collectif.

– Le « bonheur collectif » ? Cela aussi a été expérimenté. Ça s'appelle le communisme. Et on a aussi vu où ça menait : à la dictature d'un moustachu ou d'un obèse, lui-même servi par un groupe de copains corrompus qui, grâce à la terreur, transformaient les individus en esclaves.

– Les quelques expériences de communisme que l'humanité a connues n'ont jamais appliqué les préceptes de Karl Marx. D'ailleurs, ce dernier a toujours dit que le vrai communisme ne pourrait émerger qu'en Allemagne et en Angleterre, deux pays où il y avait des classes ouvrière et étudiante suffisamment éduquées. Il a désavoué les bolcheviques en affirmant que le degré d'évolution moyenâgeux du pays l'empêchait d'accéder à un système aussi évolué.

– Je te rappelle que tu m'as également dit que ta société atlante ne connaissait ni agriculture ni élevage. Comment comptes-tu nourrir les gens ?

– Ils se nourriront eux-mêmes. Tous seront autonomes avec leur petit potager. Autonomes. Sans travail. Sans argent.

– Sans argent ?

– J'ai vu cela en Israël avec les kibboutzim, ça fonctionne, il n'y a pas d'argent et tout le monde fait ce qui va être utile au groupe.

– Cela ne concerne qu'une poignée d'individus. Si je me souviens bien, ils ne sont que quelques centaines par kibboutz. Et regarde les communautés hippies des années 1960, elles ont pour la plupart éclaté sous la pression des dissensions internes.

– Je suis certain qu'on peut inspirer aux gens de bonne volonté d'oublier leurs intérêts personnels pour servir un projet plus ambitieux qui dépasse leur individualité.

– C'est le retour à la préhistoire. D'ailleurs, c'est peut-être cela que tu as découvert : une société archaïque de type tribal. Tu m'as dit qu'ils n'avaient ni roue, ni métaux, ni chevaux. C'est juste qu'ils ne les ont pas encore inventés. Tu fais du retour à l'état de chasseur-cueilleur une forme d'évolution ! Avec toi, le primitivisme devient la forme la plus avancée de civilisation. La boucle est bouclée. Dire que tu es professeur d'histoire ! Tu n'as rien compris à la notion de progrès. Tu en viens même à admirer une tribu d'hommes préhistoriques parce qu'ils mangent des racines et qu'ils ne sont pas organisés par un gouvernement !

— Ils ne vivent pas en tribu, mais dans une grande cité avec une architecture aboutie et des monuments impressionnants. S'ils n'ont pas la roue, les métaux, les chevaux, c'est parce qu'ils n'en ont pas besoin.

Il se lève pour aller chercher des cafés et, en chemin, réfléchit à la meilleure façon de la convaincre. Revenu à table, il reprend.

— Ce que tu ne prends pas en compte, c'est la manière dont ils ont développé leurs facultés psychiques.

Elle déguste son café très sucré. À l'extérieur, la foudre produit un effet de stroboscope. Elle relève sa mèche blonde.

— Ok, ils pratiquent le chamanisme. Désolée, je ne suis pas impressionnée. Cela reste une caractéristique propre aux peuples primitifs.

— Il faut changer complètement de paradigme. Je te parle d'un saut de conscience qui aboutit à un état de bien-être supérieur.

— Sans argent, sans travail, sans roue… ?

— Avec d'autres gains qui me semblent bien plus intéressants : la santé, le bien-être, la tranquillité d'esprit, la joie d'être ensemble, l'harmonie avec la nature.

— Utopie…

— Je l'ai vue.

— Avec les yeux de ton esprit en régression ?

— Je suis certain que l'on peut contribuer à ce que cela existe un jour. Notre système arrive à un stade d'épuisement. Il faudra bien trouver autre chose. Regarde les gens autour de nous : ils sont tous stressés, malades, frustrés. Ils sont insatisfaits dans leur travail, insatisfaits dans leur couple, insatisfaits dans leur corps. Ils se rassurent en se bourrant de tranquillisants, de somnifères, d'anti-dépresseurs, et ils passent de plus en plus de temps hypnotisés par leurs écrans qui leur livrent les quatre mêmes informations : « Consommez », « Votez », puis « Vieillissez » et « Mourez ». Si on ne fait rien pour empêcher l'histoire de se poursuivre dans la mauvaise direction, les gens vont devenir de plus en plus… cons.

Elle regarde autour d'eux et prend conscience que certains de leurs collègues les écoutent. Elle parle donc plus doucement.

– René ! Toi qui es tellement attaché à la vérité, là, tu es tombé amoureux d'une illusion. Je préfère notre monde avec ses défauts que ce monde atlante idyllique qui n'est pas réel. Ce n'est qu'un rêve d'enfant. Allez, reprends-toi. L'Atlantide n'est pas la vérité, c'est une fantasmagorie qui t'a fasciné comme un papillon est attiré par la flamme qui pourrait bien lui brûler les ailes.

– Je n'ai pas pu inventer ce que j'ai vu. Cela provient forcément de quelque part.

– De ton inconscient. C'est ta vision à toi du meilleur des mondes. Le problème, c'est que maintenant tu veux l'assener comme une vérité à tes élèves.

– Cela a existé. Je le sais.

– Tu n'as pas la moindre preuve.

– J'en aurai.

C'est alors qu'ils entendent du remue-ménage dans le fond du réfectoire. Deux individus en veste en cuir sont entrés et questionnent les gens attablés qui finissent par désigner le professeur d'histoire.

Les deux hommes se dirigent vers sa table. Le plus grand dégaine une carte tricolore sur laquelle est inscrit le mot « Police ».

– Monsieur Toledano ? Veuillez nous suivre, s'il vous plaît.

Et voilà, c'est fini. J'ai espéré que cela me serait épargné, mais ce n'était qu'une question de temps.

Élodie s'interpose.

– Qu'est-ce qui vous prend ? On ne peut pas arrêter quelqu'un ici, c'est un sanctuaire.

– Monsieur Toledano sait certainement pourquoi nous sommes là.

– En effet, laisse, Élodie. Tu te rappelles ce que tu me disais sur La boîte de Pandore ? Eh bien tu avais raison, il y a parfois des monstres qui sortent de la boîte et qu'on n'arrive plus à faire rentrer... Je t'ai parlé des subpersonnalités. Ce n'est pas un hasard : je ne suis pas seulement le type sympa que tu crois connaître. Je suis aussi... d'autres personnes.

Il se laisse emmener sans se défendre, sous le regard médusé des autres professeurs.

41.

– Il se nommait Helmut Krantz.

René reconnaît le skinhead. Le policier avance vers lui une photo du corps gonflé et du visage blanc boursouflé de l'individu qui a agressé René quelques jours auparavant.

– Il paraît que c'était un chic type. Un type généreux qui avait de l'humour. Il a été retrouvé par un pêcheur qui l'a accroché avec sa ligne. À l'autopsie, on a découvert une blessure par arme blanche, de type poignard. C'est cela qui l'a tué et non la noyade.

Face à lui, un homme à l'allure sympathique, mais déterminé. Il a une fine moustache assez similaire à celle des soldats de 14-18 qui accompagnaient Hippolyte.

– Lieutenant Raziel, police criminelle. On vous a identifié grâce à la diffusion de sa photo. Un autre SDF, planqué un peu plus loin, a été témoin de la scène, et il a vu un homme s'enfuir en voiture. Il a mis du temps à venir nous voir mais il a fini par se décider. Il nous a indiqué l'heure à laquelle la scène s'est déroulée et la description du véhicule de l'agresseur. Grâce aux caméras de surveillance, nous avons pu identifier la plaque et découvert qu'il s'agissait de la vôtre. Donnez-nous votre version des faits : qu'est-ce qu'il s'est passé exactement ?

– Il m'a menacé avec une arme, il voulait de l'argent. Nous nous sommes battus et il a chuté sur son propre poignard.

Le policier le fixe longuement.

– C'est tout ?

– C'est la vérité. La vérité c'est toujours court.

Le lieutenant Raziel relit le dossier en lissant sa fine moustache.

– En tout cas « votre vérité » ne me convainc guère. Le SDF qui a observé la scène de loin dit que c'est vous qui l'avez agressé et que vous semblez y avoir pris du plaisir. Ce sera sa parole contre la vôtre.

– Bien sûr.

– Ne croyez pas qu'on vous écoutera plus parce que vous avez une allure d'intellectuel.

– Je n'ai jamais prétendu cela.

Le lieutenant Raziel se fait plus insistant.

– Vous croyez quoi, monsieur Toledano ? Qu'en France, de

nos jours, on peut se défouler sur un pauvre type juste parce que c'est un clochard ?

— J'étais en état de légitime défense, c'était un skinhead, avec des insignes nazis.

— C'était un homme qui avait probablement une vie plus difficile que la vôtre, monsieur Toledano.

— Je vous ai dit que c'était de la légitime défense.

— L'enquête va se poursuivre, mais pour l'instant vous allez rester en garde à vue. Nous cherchons d'autres témoins ou d'autres preuves. Je vous trouve quand même particulièrement froid et indifférent pour quelqu'un qui a assassiné une autre personne. J'espère que vous êtes conscient que le fait de l'avoir jeté dans le fleuve ne joue pas en votre faveur. Vous avez quand même délibérément essayé de vous débarrasser du corps, n'est-ce pas ?

Cette formule « n'est-ce pas ? » lui fait penser à l'hypnotiseuse. C'est une formule qui oblige l'autre à l'adhésion. Une formule de manipulation. Il se dit que lui aussi peut tenter de manipuler son interlocuteur.

Et si je tentais la technique du 3 + 1 ?

— Vous êtes d'accord que parfois les skinheads peuvent se montrer agressifs ?

— Oui.

— Vous êtes d'accord qu'ils sont souvent armés ?

— En effet.

— Vous reconnaissez qu'il arrive qu'ils menacent avec leurs armes des passants pour leur soutirer de l'argent ?

— Oui mais...

— Donc, si vous êtes attaqué par un skinhead avec un couteau, vous êtes obligé de...

– ... me défendre, certainement, le tuer si je n'ai aucun autre choix, mais cacher le corps, en aucun cas !

Zut, le 3 + 1 ne marche pas à tous les coups. Tentons autre chose : la visualisation.

– Imaginez qu'un individu surgisse avec un couteau, vous menace et vous demande de l'argent. Avant que vous ayez eu le temps de répondre, il fait mine de vouloir vous enfoncer le couteau dans le corps, vous feriez quoi ?

– Je prendrais la fuite.

– Je ne pouvais pas, il y avait le fleuve derrière moi.

– Je crierais.

– Nous étions seuls. Et comme vous maîtrisez certainement le combat au corps à corps, je crois plutôt que, tout comme moi, vous essaieriez de le neutraliser.

– Je ne le tuerais pas.

– Maintenant, imaginez qu'il sorte un deuxième couteau, plus gros cette fois, et qu'il vous fonce dessus. Vous feriez quoi ?

– J'esquiverais.

– Et si vous échouiez, vous seriez bien obligé de vous battre. Et imaginez que pendant le combat il s'enfonce lui-même l'arme dans son propre corps.

– J'appellerais les secours.

– Dans l'affolement qui suit un combat au corps à corps, vous auriez la présence d'esprit d'appeler des secours ?

– Évidemment.

– Peut-être parce que vous êtes policier et que vous avez du sang-froid. Mais moi j'ai paniqué et j'ai pensé que...

– ... il valait mieux se débarrasser du corps en le balançant dans le fleuve, en espérant que personne ne le trouve, n'est-ce pas ?

203

– C'est une réaction normale.

Le lieutenant consulte son dossier.

– Donc vous vous considérez comme quelqu'un de « normal », monsieur Toledano ?

– Absolument.

– Permettez-moi d'en douter. De nos jours avec Internet, tout va plus vite, et on sait beaucoup de choses en peu de temps sur tout le monde. Or circule sur Internet cette vidéo où vous essayez visiblement de faire croire à vos élèves que l'Atlantide puis le Déluge ont existé. Est-ce que cela vous semble un comportement normal d'un professeur d'histoire sain d'esprit chargé d'instruire des jeunes ?

– Quel rapport avec l'enquête sur « votre » noyé ?

– Je crois que vous avez une pathologie : les personnalités multiples. Cela a été évoqué par un certain Stevenson dans *L'Étrange Cas du Dr Jekyll et de Mr Hyde*. Dans la journée, vous êtes un professeur d'histoire, la nuit vous vous transformez en tueur de SDF. Peut-être qu'en enquêtant nous découvrirons que ce n'est même pas votre premier forfait.

Un prévenu se met à hurler et renverse un bureau voisin avant que des policiers ne se mettent à plusieurs pour le maîtriser.

Ici, ils sont habitués à gérer les brebis galeuses qui ne marchent pas droit avec le reste du troupeau.

– Que va-t-il m'arriver ?

– Pour ce genre de délit, c'est entre sept et vingt ans de réclusion ferme. Cela dépend beaucoup du degré d'encombrement des prisons, pas mal de l'humeur des juges et un peu du talent de votre avocat.

Le tic à l'œil reprend.

204

Eh bien voilà, ça y est, on y est. Ma liberté s'arrête, je vais expier pour la mort que j'ai causée. Au moins c'en est fini de la culpabilité ou de la peur d'être arrêté. Tout rentre dans l'ordre. J'ai tué, je paye.

— Vous avez l'air de prendre la situation avec beaucoup de détachement, monsieur Toledano.

René se dit qu'il a appris avec Geb à ne plus être angoissé par des événements sur lesquels il n'a pas de prise. Il a senti que l'acceptation était une forme de libération.

Il hausse les épaules.

— Cela changerait quoi, que je m'énerve ?

Le policier se lisse la moustache.

— En général, les gens dans votre situation crient leur innocence, leur colère, leur sentiment d'injustice. Il y en a même qui se battent ou m'en veulent personnellement. C'est souvent le signe de leur innocence. Les coupables sont plus calmes.

Le professeur d'histoire sourit tristement.

— Pourquoi vous en voudrais-je ? Vous n'y êtes pour rien, vous faites votre travail. Et moi je ne fais que suivre mon destin.

— On peut dire que vous êtes fataliste. Je n'ai jamais rencontré un type auquel on annonce qu'il va aller en prison probablement pour plusieurs années qui le prenne aussi bien.

Il faut aussi dire que j'ai l'esprit occupé par la sauvegarde de 800 000 personnes.

Le lieutenant lui tend la main, mettant un terme à l'entretien. Puis il fait signe à deux policiers de l'emmener en cellule. À l'intérieur, un ivrogne qui dort en ronflant fort, une prostituée qui a l'air absorbée par la tâche de bien mâcher son chewing-gum, et un jeune type pâle aux yeux cernés qui tremble. Sur les vitres, des marques de sang.

– Bonjour, dit-il à la cantonnade.

Les deux derniers le regardent sans aménité, mais ne lui répondent pas. Il s'assoit et attend.

Soudain, l'ivrogne se réveille, a un hoquet et vomit une giclée jaune et rouge nauséabonde. La prostituée appelle pour qu'on vienne nettoyer cette déjection. Le type pâle ricane.

Par la fenêtre, René voit les nuages qui n'en finissent pas de laisser couler leurs sombres ruisseaux.

Ici tout est gris. Ici il n'y a pas d'oiseaux, pas de papillons, ni de fleurs multicolores.

Il a la nostlagie de ce qu'il a entrevu en Atlantide.

42.

La cellule s'ouvre. On leur sert des sandwichs. Le type pâle claque des dents, puis, tout d'un coup, se lève et se tape la tête avec violence contre la vitre plastique en laissant une marque.

– Je n'ai pas faim. Filez-moi une dose ! Je ne tiendrai pas longtemps !

Comme personne ne réagit, il tape sa tête de plus en plus fort contre la vitre jusqu'à la couvrir d'une large tache rouge. L'ivrogne lâche un rot et la prostituée a un éclat de rire.

Je suis avec les rebuts de la société.

Les prisons pour ceux qui sont considérés comme des parias. Les hospices pour les trop usés.

À nouveau, il se rappelle que la société atlante a réussi à garder l'unité de la communauté humaine, que personne n'est rejeté : pas d'exclus, pas d'envahisseurs et pas de révolte.

Le coup de tête régulier du drogué sur la paroi transparente mime le tic-tac d'une pendule. Un policier entre et lui demande d'arrêter de taper, ce à quoi le jeune homme répond de nouveau :

– J'ai besoin d'une dose !

Le policier hausse les épaules et préfère partir. L'autre continue son manège.

Conscient. Inconscient. Subconscient. Une fois franchie la barrière de l'inconscient, on se heurte au subconscient où sont cachées les subpersonnalités.

Derrière cet ivrogne, cette prostituée et ce drogué se trouvent des ressorts élaborés dans les vies précédentes.

La prostituée devait être une bonne sœur qui s'ennuyait. L'ivrogne était peut-être privé d'alcool. Le drogué... je ne sais pas. Quelqu'un qui voulait s'évader d'un monde trop cartésien pour lui ?

René Toledano n'attend qu'une chose : 23 h 23, l'heure magique pour retrouver Geb. Plus que de le retrouver, il ressent le besoin de se connecter à ce monde d'harmonie. Il veut revoir la ville-fleur de Mem-set posée sous son volcan. Il veut retrouver le sourire serein de Geb.

À 23 h 15, il décide de se lever et d'appeler le garde.

– Pardon, puis-je aller aux toilettes ?

Un garde l'accompagne aux toilettes. René constate qu'il n'y a pas de loquet.

Finalement, les WC, il n'y a que là qu'on est tranquille.

Léontine l'avait déjà pressenti. Cela peut facilement devenir ma cabine de voyage dans mes vies antérieures. Et ce qui est pratique, c'est qu'il y en a partout et que je n'ai besoin d'aucun équipement.

À 23 h 21, sans prendre garde aux inscriptions et souillures du lieu, il est déjà assis en tailleur, le dos droit, en position du lotus, les yeux clos. Il visualise l'escalier, et descend les marches avec un sentiment de soulagement. Il ouvre la porte 1, mais ne se retrouve pas cette fois-ci sur la plage aux cocotiers.

43.

Un chat le fixe, à quelques centimètres de son visage. Il comprend qu'il est à l'intérieur même du lieu dans lequel vit Geb. La pièce est de couleur ocre, avec une grande ouverture par laquelle on distingue une foison de plantes et encore derrière la pyramide bleue. Pas de vitres, pas de portes. Un lit de forme ronde se trouve au centre, entouré de fleurs, de coussins jaunes, roses, rouges. Ici il n'y a pas d'angles, rien que des lignes fluides. Tout est ouvert. Aux murs et au plafond courbes sont accrochées des cartes du ciel sur des supports en parchemins végétaux. Des points représentent l'emplacement d'étoiles et de planètes.

L'Atlante est assis sur un siège en pierre.

– Je sais que tu es là. Bonjour, René. Je me suis dit que pour cette nouvelle séance, plutôt que de nous retrouver sur la plage, ce serait plus intime d'aller directement chez moi.

– Merci, j'apprécie.

L'Atlante se lève et l'invite sur sa terrasse où se trouvent des arbres fruitiers et des arbustes porteurs de légumes. Plusieurs chats y ont élu domicile, mais ne semblent pas troublés par leur présence. De là, le Parisien peut contempler la splendeur de la cité de Mem-set.

Autant il fait frais dans l'appartement, autant l'extérieur s'avère déjà chaud à cette heure matinale.

René ne peut quitter des yeux la cité aux mille terrasses et jardins. Il regarde les six avenues avec leurs rivières centrales.

Au sentiment premier d'admiration succède une angoisse à l'idée que cette cité est condamnée. L'espace d'un instant, il est traversé par un désir. Rester là avec eux pour les aider à gérer le Déluge.

– Il faudra quand même un jour que tu me fasses visiter ta cité de Paris, lui dit Geb. J'ai aussi envie de voir le monde de l'avenir.

Le plus tard possible.

– Bien sûr.

Geb désigne depuis l'extrémité de sa terrasse un bâtiment parfaitement sphérique de taille beaucoup plus réduite que la pyramide bleue.

– C'est là que se trouve le conseil des soixante-quatre sages. Hier soir, je suis allé les voir pour leur parler de toi.

– De moi ?

Un chat monte sur la rambarde et l'arpente en équilibre. René comprend que si les autres Atlantes ne peuvent le voir, les chats semblent le discerner parfaitement.

– Je leur ai raconté qu'un déluge allait submerger notre île au point de tout noyer et de tout faire disparaître. Je leur ai dit que, dans le futur, nous ne serions plus qu'une légende et que la majorité des gens penseraient que nous n'avons même pas existé.

– Comment ont-ils pris la nouvelle ?

– Après avoir longuement discuté, ils ont fini par conclure qu'il ne fallait pas s'inquiéter.

— Pardon ?

— Rappelle-toi que si tu nous trouves si sereins, c'est parce que nous sommes animés par des idées comme : « Rien n'est grave. » « La peur est la seule source du danger. » « Tout ce qui nous arrive est pour notre bien. »

René observe de haut deux femmes qui se sont arrêtées pour s'asseoir sur un banc et s'embrasser.

— Donc les soixante-quatre sages vous ont écouté, ils vous ont cru et ils ont néanmoins décidé de ne pas s'inquiéter ?

— Le plus âgé des sages se nomme Shou. Il a dit que si cela arrive, c'est que cela devait arriver et qu'il ne sert à rien de vouloir se rebeller contre la nature. Il faut accepter l'évolution du monde. Comme il l'a dit : « Tout ce qui naît meurt et tout ce qui meurt renaît. » Et aussi : « Les arbres perdent leurs feuilles en hiver pour pouvoir laisser apparaître au printemps de nouveaux bourgeons. »

— Mais quand même, cette destruction risque d'être plus brutale et plus ravageuse qu'un simple hiver ! Quant aux bourgeons, si vraiment tout est submergé, je ne suis pas sûr qu'ils arrivent à pousser.

— Je sais, je leur ai tenu des propos similaires. Malgré tout, cela fait partie pour eux des risques acceptables.

— Même l'inondation et la noyade ?

— Shou a répondu que parfois la nature qui se manifeste nous ramène à notre statut d'êtres éphémères. Il a même plaisanté sur le fait qu'en cas d'engloutissement, nous pourrions approfondir notre relation avec les dauphins.

René entend des gens qui chantent en chœur dans une maison voisine.

— Et vous, vous en pensez quoi, Geb ?

– Autant j'accepte sans difficulté l'idée de ma propre mort, autant je suis inquiet sur ce que tu as évoqué, la destruction collective et, surtout, ce qui me semble le pire : l'oubli de notre civilisation et de sa spiritualité. Je crois que, s'il y a une possibilité de sauver la mémoire de notre peuple, il faut le faire.

– Vous n'acceptez donc pas l'avis de Shou et de l'assemblée des soixante-quatre sages ?

– Je crois que le système « rien n'est grave » trouve sa limite précisément dans ma rencontre avec toi. Tu viens de m'informer que quelque chose de terrible va nous arriver. Désormais, il nous est nécessaire de nous inquiéter.

– Qu'est-ce que ça change concrètement que vos soixante-quatre sages vous croient, mais ne veuillent rien faire ?

– Quand ils donnent un conseil, du fait de leur expérience et de leur sagesse, ils sont écoutés. Donc s'ils refusent de tenir compte de ton avertissement, il y a peu de chances que qui que ce soit m'aide à construire le bateau censé nous sauver.

Pour la première fois, René repère un groupe d'enfants qui semblent avoir tout au plus une dizaine d'années. Ils jouent ensemble à des jeux d'adresse et jonglent sans le moindre adulte pour les surveiller.

– Il vous faut vite construire ce bateau. Le Déluge peut arriver n'importe quand.

– Par moments, la peur est nécessaire. Ce qui a toujours été une force pour nous devient dans ce cas précis une faiblesse.

– Il est peut-être temps d'en revenir aux réflexes primitifs de frayeur.

– On ne peut pas changer les mentalités de tout un peuple aussi vite. Pour avoir peur de la nature, il faut considérer qu'elle peut être une ennemie. Or, pour nous, l'océan, la terre, les animaux, les plantes sont des éléments forcément bénéfiques.

Le chat s'approche de Geb qui le caresse. René reprend :

– Pourtant, il va falloir faire quelque chose. Si je suis là, ce n'est peut-être pas un hasard.

– Je suis d'accord avec ça, René.

– Je suis intimement convaincu qu'un homme seul peut changer le cours de l'histoire. En l'occurrence vous, conseillé par moi. N'oubliez pas que vous m'avez choisi parce que vous vouliez connaître l'individu, parmi vos réincarnations futures, qui influerait le plus sur l'histoire de ses contemporains.

– J'y ai pensé aussi. Si tu m'as suggéré un moyen de sauver la mémoire de ma civilisation, c'est que, peut-être, je dois t'écouter. Après tout, en désirant rencontrer ma réincarnation la plus influente, j'ai désiré apprendre d'elle comment agir sur mon époque.

Le professeur d'histoire reste fasciné par le spectacle de cette cité pré-antique. Il ne peut s'empêcher d'admirer les vêtements et les tresses complexes des femmes. Ce qui l'impressionne, c'est cette distinction naturelle qui rehausse leurs visages sereins.

Tous ces gens ont l'air si tranquilles et si heureux. Un monde sans la moindre peur. On dirait que toute leur attention est tournée vers la délicatesse et l'appréciation des plaisirs.

– Ton idée qu'il faut construire un grand bateau m'a convaincu, René. Alors je suis allé voir la personne qui s'y connaît le mieux en embarcations maritimes.

– Un architecte en construction navale ?

– C'est une femme, elle se nomme Nout. Je lui ai demandé comment faire un grand navire pour essayer d'y installer un maximum de gens. Elle m'a dit que, pour l'instant, rien n'était capable d'emporter plus de deux personnes et que, qui plus est, on ne pouvait pas aller très loin.

– Comment sont vos embarcations ?

– Ce sont des barques rondes à fond plat en bois.

– Des barques ? Rondes ? Plates ? Mais comment sont-elles propulsées ?

– Elles sont tirées par des dauphins. Quand quelqu'un veut se déplacer sur l'océan, il prend une barque, comme tu dis. Puis, il appelle par télépathie les dauphins, il jette les cordages à la mer, les dauphins les prennent dans leur bec et les tractent. Mais les dauphins ne sont pas à notre service, cela les distrait occasionnellement, sinon ils ont leur propre vie. De même, si un dauphin nous demandait de le promener sur la terre ferme, cela nous amuserait quelques minutes, mais nous serions vite lassés.

– Vous n'utilisez pas de voiles ?

– Je ne sais même pas de quoi tu parles.

– Comment pouvez-vous aller loin en mer ?

– Aller loin ? Quel intérêt ? En plus ce serait dangereux. Quand il y a de grosses vagues, nos embarcations sont systématiquement renversées. Après, pour rentrer à la nage, si aucun dauphin ne se prête au jeu, cela peut s'avérer compliqué.

– Incroyable : avoir à ce point développé les arts de l'esprit et si peu la technologie. Donc pas de quille, de gouvernail, pas de rames non plus ?

L'Atlante secoue la tête en signe de dénégation.

C'est parce qu'ils ne mangent pas de poisson : ils n'ont pas développé la pêche. Et comme ils n'ont pas besoin de quitter leur île pour découvrir les autres îles ou continents, ils n'ont aucune raison d'améliorer leurs petites barques.

– Bon, si vous voulez survivre au Déluge, il va falloir progresser rapidement dans l'art de la navigation. L'objectif serait de construire le plus vite possible un grand navire, de forme allongée, avec une quille en contrepoids pour maintenir le bateau droit malgré les vagues, un mât orné d'une voile pour le propulser loin des côtes et un gouvernail pour le diriger. Par chance, j'ai navigué sur des bateaux vers 200 avant Jésus-Christ, et dans ma vie actuelle j'ai construit, enfant, des maquettes de bateaux, puis, adulte, j'ai pratiqué la voile sur des petits voiliers.

– Je n'ai rien compris à tout ton vocabulaire, mais je serai ton élève attentif, René. Et je crois que Nout sera ravie de découvrir les techniques navales du futur. Tu sais, elle est très curieuse de tout ce qui est nouveau, et quand je lui ai parlé de toi, elle m'a dit qu'elle aurait adoré te connaître.

– Elle t'a cru pour le Déluge ?

– Elle fait des rêves prémonitoires. Et cette information corroborait l'un de ses songes récurrents. Tu sais, elle est jeune, mais elle a beaucoup d'intuition.

– Elle a quel âge ?

– 245 ans.

– Pardon ?

– Oui, je sais à quoi tu penses : tu te demandes si elle ne pourrait pas être la femme de la grande histoire d'amour que je suis censé vivre.

– Non, je ne pensais pas à ça, mais ôtez-moi d'un doute, Geb, vous, vous avez quel âge ?

– 821 ans.

Un long silence suit.

Ai-je bien entendu ?

– Vous plaisantez ?

– Non, tu as quel âge, toi ?

– 32 ans.

– Ah ? Mais tu es un bébé.

René observe le visage de Geb qui est à peine ridé, et son corps qui semble celui d'un homme âgé tout au plus de 40 ans.

– Comment est-il possible que vous viviez aussi longtemps ?

– Chez nous on vit en moyenne 900 ans. Et vous ?

– … 90 ans.

Les deux hommes sont aussi surpris l'un que l'autre par ces réponses.

– Et vos soixante-quatre sages, ils ont quel âge ?

– Shou a 1 031 ans. Les autres ont tous plus de 1 000 ans.

René digère l'information.

Bon sang, dans la Bible, les personnages avaient des longévités similaires. Adam était censé avoir vécu 930 ans, Mathusalem 969 ans, Noé 950 ans. Cela correspondrait. Peut-être que la sagesse et la sérénité des Atlantes sont liées précisément à leur durée de vie. Forcément, au-delà de 200 ans, on relativise tout, on considère que rien n'est grave, on prend tout à la légère. Même un déluge.

Il voit que Geb le fixe avec une curiosité identique.

Il doit penser que si je suis aussi nerveux et aussi peu sage, c'est parce que je suis un enfant qui n'a encore rien compris au monde. Il me prend pour un être immature, ou alors il pense que dans le futur, comme tous les humains vivront un laps de vie extrêmement réduit selon ses critères, ils seront tous des « bébés ». Un futur constitué d'hommes-bébés.

– Quand même, 821 ans…, répète René, incrédule.

– Et toi, tu as réellement 32 ans seulement ? reprend l'Atlante.

René, en observant les passants, comprend que c'est pour cela qu'il a vu si peu d'enfants. Il y a tellement de « vieux » que, proportionnellement, les très jeunes sont rarissimes.

Ce qui trouble le jeu, c'est que non seulement ils sont vieux, mais ils sont superbement bien conservés, ils ont même tous l'air en pleine forme pour des gens aussi âgés.

Que ferais-je s'il me restait 789 années à vivre ? Une fois que j'aurais vu tous les films, que j'aurais lu tous les livres, écouté toutes les musiques, fait l'amour avec des centaines de femmes, voyagé dans tous les pays ?

— Je crois que nous avons encore beaucoup de choses à découvrir l'un sur l'autre, signale Geb avec humilité. En tout cas, pour l'instant Nout et moi avons besoin de tes connaissances sur la manière de construire des gros bateaux pour sauver ce qui peut être sauvé de notre monde.

— Vous pouvez compter sur moi. Je vous apprendrai tout ce que je sais sur la navigation. Et de manière générale sur les technologies qui pourraient vous aider à survivre à cette catastrophe.

— Et, en retour, je pourrai t'enseigner comment utiliser ton esprit de manière plus large pour surmonter tes peurs, te soigner, voyager dans l'espace ou communiquer avec d'autres formes de vie animale ou végétale par la seule force de ton esprit. Je comprends maintenant qu'en si peu de temps d'existence vous n'ayez pas les moyens de développer la maîtrise de votre cerveau.

René contemple la cité et ses habitants, et les trouve d'autant plus admirables qu'il sait maintenant que ce sont pour la plupart des gens de plus de 500 ans.

— Et cette Nout, elle vous plaît ?

– Elle est vraiment spéciale, oui.

– Vous êtes amoureux ?

– Bien sûr. Et toi, René, tu en es où de ta vie ?

– Eh bien là, dans l'immédiat, je suis dans une prison, accusé de meurtre, mais en dehors de ce petit détail, ça va.

– Une prison ?

– C'est là où l'on met les gens qui doivent être punis parce qu'ils ont commis des crimes ou des vols.

– Un crime ?

– C'est par exemple quand quelqu'un tue une autre personne.

– Quel drôle d'idée, pourquoi faire cela ?

– Pour lui prendre son argent par exemple. Ah oui, j'oubliais que vous n'avez pas d'argent. Alors, pour lui prendre ce qu'il possède.

– Nous ne possédons rien.

– Je vois bien que je suis empêtré dans les vieux réflexes de mon époque où tout est punition, récompense, argent, et où l'on vit dans l'envie d'avoir ce qu'on n'a pas et la peur de perdre ce qu'on a.

– La possession, à ce que tu en dis, me semble être une notion d'enfant peureux qui craint de manquer de sécurité, de reconnaissance ou d'affection. Une vision de gens qui ne vivent « que » 90 ans. Si tu commences à le comprendre, tu es sur la bonne voie.

– Je dois vous avouer que je suis surpris de ne pas être plus désespéré, compte tenu de la situation plutôt inconfortable dans laquelle je me trouve actuellement.

René enseigne alors à Geb les rudiments de la navigation à voile, comment construire une coque allongée, une quille, un gouvernail, un mât, une voile, comment utiliser des cordages, et suivre le vent.

Il guide la main de Geb qui dessine le plan du bateau idéal pour contenir le maximum de personnes. Ils travaillent longtemps, lorsque soudain une voix résonne.

« ... Ça va ? »

René s'engouffre dans la porte derrière lui, remonte l'escalier précipitamment et...

44.

... soulève le rideau de ses paupières alors qu'il réinvestit son espace-temps. Quelqu'un s'adresse à lui de l'autre côté de la porte des toilettes. Il tire précipitamment la chasse.

— Excusez-moi, dit René au garde, je m'étais endormi sur le siège.

René se frotte les yeux et bâille.

— Quelle heure est-il ?

— Il est minuit et demi. On est en effectif réduit. C'est la fille dans ta cellule qui a signalé que ça faisait longtemps que tu étais parti aux toilettes.

Il revient dans la pièce et adresse un signe de remerciement à la prostituée.

— Vous étiez tombé dans le trou ? questionne-t-elle.

— Je m'étais endormi sur la cuvette, répète-t-il.

— Au fait, avec votre tête d'intello, vous êtes là pour quoi ? Drogue ?

— Meurtre.

— Vous n'avez pas une gueule d'assassin, dit-elle.

– Merci. Sinon je suis prof d'histoire, et vous ?

– Moi j'ai raté le bac, élude-t-elle. Mais pas à cause de l'histoire, à cause de la philosophie. Le sujet était : « Est-ce que l'homme peut être heureux ? » J'ai répondu quelque chose du genre « Cela dépend de sa femme ». L'humour n'est pas considéré comme une forme de philosophie. Je trouve ça dommage. En tout cas, cela m'a indiqué ma vocation : désormais, même sans diplôme, je rends précisément les hommes heureux, et eux, contrairement à mes correcteurs du bac, ils me disent merci et me félicitent. J'ai d'ailleurs eu des professeurs de philosophie comme clients et ils avaient l'air de me trouver bonne élève.

Elle éclate de rire à sa propre blague, avant de reprendre.

– Le problème des hommes, c'est qu'ils ne savent pas vraiment ce qu'ils veulent. Dès qu'ils ont quelque chose, une épouse par exemple, ils en veulent une autre qui soit exactement le contraire.

Cela rappelle à René le discours d'Opale sur son métier de psychanalyste.

– Finalement, vous savez, la plupart de mes clients ne veulent même pas de sexe. Ce qu'ils veulent, c'est me parler.

Elle rit.

– Et ce qu'ils attendent de moi, c'est que je sois simplement une femme qui les écoute et qui ne leur fasse pas de reproches comme leur mère ou leur épouse. Il m'arrive parfois de rester une heure avec un client qui me parle d'une fessée de sa maman qui l'a traumatisé alors qu'il avait 5 ans ! Je suis moins chère qu'une psy.

– Pourquoi vous ne dormez pas ?

– Je suis insomniaque. Peut-être à force de travailler la nuit, mon système de veille et de sommeil est détraqué.

Elle reprend un chewing-gum qu'elle mâche fort. Il s'étend pour se reposer. La prostituée s'approche.

— Vous avez vu ces épaves? Moi ça me ferait vraiment mal aux seins d'être ivrogne ou droguée. Ces gens n'ont aucun respect pour eux-mêmes.

René lui fait signe qu'il veut dormir.

— Pourquoi avez-vous tué quelqu'un?

— Légitime défense, répond-il évasivement.

— Parfois, moi aussi j'ai eu envie de tuer, et moi aussi j'ai été en légitime défense, mais je ne suis jamais passée à l'acte. Il y a toujours quelque chose qui m'arrête.

Elle va m'empêcher de dormir.

Elle mastique plus fort.

— Et donc vous, monsieur le professeur d'histoire, rien ne vous a arrêté?

— C'était un skinhead qui en voulait à mon argent. Il a essayé de me poignarder. Mais tout cela n'a plus d'importance. J'accepterai la sentence des juges. Tout ce qui nous arrive est pour notre bïen. Nous avons tous la vie que nous avons choisie. À nous de jouer la partie avec les cartes à notre disposition.

— Moi, il y a un truc qui ne va pas dans ma vie. Le sommeil. Je voudrais tant arriver à dormir. Vous ne pourriez pas m'aider?

Et si j'essayais de lui faire une séance d'hypnose?

— Je peux tenter. Je vais essayer de vous hypnotiser, si vous l'acceptez.

— Je suis prête.

Il faut que j'offre ce qu'on m'a offert.

Il décide d'appliquer à nouveau la technique du 3 + 1 dont il se rend compte qu'elle est celle des vendeurs au porte-à-porte pour empêcher leur client potentiel de les mettre dehors.

– Fermez les yeux.

La jeune femme baisse un temps les paupières, puis tout d'un coup les relève.

– Au fait, vous ne me l'avez pas demandé, mais je m'appelle Cécilia.

Elle se replace en position couchée.

– Maintenant, je vous écoute.

– Fermez les yeux, respirez lentement.

Elle s'exécute.

– Bien, maintenant, détendez-vous. À chaque respiration vous vous sentez de plus en plus détendue.

Les mouvements de la poitrine de la femme ralentissent.

Trois suggestions acceptées. C'est au tour de la quatrième.

– Préparez-vous à dormir. Votre sommeil va être long et réparateur. Un sommeil parfait rempli d'agréables rêves. Visualisez un endroit où vous vous sentez bien et qui vous donne envie de dormir. Choisissez votre décor préféré. Une plage. La montagne. Un jardin.

Elle fait une moue, puis ouvre les yeux d'un coup.

– Ça ne marche pas, j'ai vu apparaître le visage de mon ex. Il me battait, vous savez.

– Désolé.

– Tant pis. Merci quand même. Reposez-vous bien. Bonne nuit, je ne vous dérangerai plus.

Au moins, j'aurai essayé. Force est de constater que l'hypnose n'est pas une science universelle.

45. MNEMOS. HISTOIRE DE L'HYPNOSE.

Les plus anciennes traces d'utilisation de l'hypnose ont été trouvées dans la civilisation sumérienne, il y a plus de 3 500 ans.

Les Sumériens désignaient cette pratique comme une « guérison par les mots ». Ils évoquaient trois niveaux d'état de conscience de plus en plus profond dans lesquels on peut plonger le malade pour le détendre, puis le guérir.

Chez les Égyptiens, il existait des « temples du sommeil » où des prêtres chuchotaient des suggestions à l'oreille de patients endormis.

Plus tard, Socrate, qui s'était lui-même baptisé « accoucheur des âmes », accompagnait ses disciples par la parole pour les faire descendre dans les couches les plus profondes de leur propre esprit.

À l'époque de Louis XVI, à Paris, le docteur Franz-Anton Mesmer, médecin autrichien, soignait ses patients lors de séances collectives qui avaient beaucoup de succès dans les salons parisiens. Il croyait en un fluide universel animal qui créait une interaction des humains entre eux, mais aussi des humains avec le reste du monde vivant. Et, selon lui, la maladie était causée par une mauvaise circulation de ce fluide. Il soigna ainsi les musiciens Mozart, Haydn, Gluck et le marquis de Lafayette. En 1784, Louis XVI nomma deux commissions issues de l'Académie royale des sciences pour étudier le travail de Mesmer. Toutes deux conclurent qu'il s'agissait d'un charlatan qui abusait de la naïveté de ses patients.

Il faudra attendre 1870 pour voir le docteur Jean-Martin

Charcot, chef de service à l'hôpital de la Salpêtrière, utiliser cette technique dans une optique scientifique, notamment pour tenter de soigner les épileptiques et les hystériques. Les travaux de Charcot étaient très décriés par ses collègues. Il compta parmi ses élèves Sigmund Freud qui comprit que, même si cette technique ne guérissait pas à coup sûr, l'hypnose pouvait être utilisée comme un moyen d'investigation.

En 1890, le Russe Ivan Pavlov découvrit le principe de réflexe conditionnel qui associe un stimulus extérieur à une action organique.

L'expérience la plus connue est celle menée sur des chiens, qui salivent lorsqu'ils entendent une sonnerie, parce qu'ils l'associent à de la nourriture : c'est le fameux réflexe de Pavlov.

Aux États-Unis, vingt ans plus tard, Milton Erickson va proposer une forme d'hypnose plus douce et miser sur un travail d'autohypnose du patient. Avec Erickson, le patient est invité à se soigner lui-même. Dès lors, la personne agissante devient l'hypnotisé, et l'hypnotiseur n'est qu'un guide chargé d'accompagner le patient.

46.

La première nuit en garde à vue dans le commissariat se passe mieux que René ne l'aurait imaginé. Quand il se réveille, Cécilia ronfle aussi fort que l'ivrogne. Le garde ouvre la porte de la cellule.

– René Toledano ? Visite pour vous.

Il se lève et suit l'homme en uniforme qui le guide vers le bureau du lieutenant Raziel. Une femme est assise.

— Élodie ! Qu'est-ce que tu fais là ?

Tous deux s'étreignent.

— Je te l'ai dit, je suis ton amie, je ne te laisserai jamais tomber, René.

— Tu es venue pour me libérer ?

— Non, pour te transférer dans un hôpital psychiatrique. J'ai accompli toutes les démarches nécessaires et j'y suis arrivée.

Il marque son incompréhension. D'un geste, elle lui indique qu'elle contrôle la situation et qu'il doit lui faire confiance. Ils sortent, escortés de policiers. Ils se retrouvent dans l'entrée à attendre le véhicule qui transférera René.

Élodie s'explique.

— J'ai une amie d'enfance qui est avocate. Je l'ai appelée. Je lui ai expliqué la situation : que tu n'étais pas « responsable » car tu avais été traumatisé à la suite d'une expérience d'hypnose qui avait mal tourné. Nous avons cherché ensemble une solution. Elle a discuté avec la juge qui a accepté d'entendre ses arguments. Plutôt que la prison, elle a proposé que tu sois mis en observation dans un milieu hospitalier.

— Et la juge a accepté ?

— Elle m'a interrogée au préalable. Je lui ai expliqué dans le détail comment cela s'était passé à La boîte de Pandore. Elle a demandé un supplément d'enquête. Mais l'avocate lui a déjà fourni des éléments, les images d'une caméra-vidéo du théâtre qui a filmé la scène de ton hypnose. On t'y voit complètement hystérique, en train de hurler et de bondir pour quitter la péniche-théâtre. Elle a donc considéré que tu étais « sous influence ». L'hypothèse du choc psychique a été prise en compte. Il y aura un

224

procès, mais évidemment il sera facile de plaider l'irresponsabilité. Voilà pourquoi tu vas pouvoir poursuivre ta détention jusqu'au procès dans un vrai hôpital psychiatrique qui va tout faire pour te soigner.

– Quel hôpital ? Sainte-Anne ?

– Marcel-Proust, le nouvel hôpital ultramoderne spécialisé dans les problèmes de mémoire. Tu seras en secteur fermé évidemment, mais j'ai un autre ami en interne qui devrait te faire bénéficier d'un traitement de faveur.

– Et là-bas, ils vont me faire quoi ? Des tests psychologiques pour savoir si je suis responsable de mes actes ?

Élodie adopte son ton le plus rassurant :

– Là-bas, on va réparer l'accident provoqué sur ton esprit. On va t'enlever ce « faux souvenir de guerre » qui t'a bouleversé, ainsi que les autres délires qui se sont ensuivis. Et après, tu seras comme avant. Tu seras « guéri ».

L'idée ne le séduit pas autant qu'elle l'espérait. Cependant, il approuve son amie et se laisse emmener par le policier dans une voiture, où se trouvent déjà deux autres hommes en uniforme. Le véhicule déclenche sa sirène au milieu des embouteillages parisiens.

Autour d'eux, la pluie force les piétons à marcher lentement, leurs parapluies déployés comme des fleurs noires dans ce décor gris.

Quelle était la formule de Geb déjà ? Ah oui, « Tout ce qui nous arrive est pour notre bien ». Cela reste à vérifier.

47.

– Je vais vous raconter une bonne blague.

Le genre de phrase qui laisse attendre le pire.

– Je suis sûr qu'elle va vous plaire.

J'en doute.

– C'est l'histoire d'un type qui, un soir, sur ordre de sa femme, descend les poubelles. Arrivé au rez-de-chaussée, il repère sa très belle voisine dans l'entrebâillement de la porte, pieds nus en peignoir. Elle le hèle : « J'ai un problème avec l'ampoule de ma salle de bains, vous pourriez m'aider ? » Il la suit et change l'ampoule. Pour le remercier, elle lui offre un verre, puis, soudain, elle laisse tomber son peignoir et se révèle entièrement nue. Elle l'invite alors à la suivre dans sa chambre et, là, lui saute dessus. Ils font l'amour plusieurs fois, jusqu'à l'épuisement, et il s'endort. Quand il se réveille, deux heures ont passé. Alors, affolé, il demande à sa voisine si elle a de l'ombre à paupières bleue. Elle lui en donne et il en badigeonne ses doigts. Quand il remonte, sa femme l'attend devant la porte : « Tu te moques de moi ! Deux heures pour descendre les poubelles ? Tu as fait quoi pendant tout ce temps ! » L'homme répond : « Eh bien, quand je suis descendu la voisine du dessous était en peignoir, elle m'a demandé de l'aider à changer son ampoule, on a bu un verre, elle a fait tomber son peignoir et nous avons fait l'amour plusieurs fois, elle m'a épuisé, moyennant quoi je me suis endormi. » Alors la femme se saisit de sa main et s'écrie : « Tu veux me faire croire ça ? Si tu crois que je n'ai rien vu ! Tu as les doigts couverts de craie bleue. Tu es encore allé faire un billard avec tes copains ! »

L'homme en blouse blanche s'esclaffe à sa propre blague.

Les règles d'or de l'humour : 1) Ne pas annoncer qu'on va rire 2) Ne pas rire à la fin, et 3) Ne pas signaler que c'était drôle. Ce psy manque de psychologie.

René n'arrive pas à détacher ses yeux du nom étiqueté sur la blouse blanche : « Docteur Maximilien Chob ».

J'ai déjà entendu ce nom quelque part.

Sur des étagères derrière le médecin, René distingue des bocaux remplis de cervelles humaines flottant dans un liquide jaunâtre. Alors qu'au commissariat, même dans la cellule de garde à vue, il n'y avait pas de barreaux aux fenêtres, ici, elles sont munies de grillages épais.

– Cette blague pour vous dire que le problème de la vérité, c'est qu'elle n'est souvent pas crédible et que ceux qui la profèrent passent la plupart du temps pour des menteurs.

À qui le dites-vous...

– Je suis sûr par exemple que lorsque vous avez donné votre « vraie » version des événements à la police, ils ne vous ont pas cru. Parce que la réalité est si dingue qu'elle n'est pas crédible. Dans la réalité, tout est paradoxal : les parents n'aiment pas leurs enfants, les soldats n'aiment pas la guerre, les policiers sont des gangsters, les professeurs sont ignares, les politiciens ne pensent qu'à s'enrichir, les psychanalystes sont névrosés et les psychiatres sont fous ! Et si on le dit, personne ne le croit.

Et les hypnotiseuses régressives n'ont jamais réussi à visiter une seule de leurs vies antérieures, songe René pour compléter cette liste d'oxymores.

– Alors pour nous, les psychiatres « sérieux », l'enjeu est le suivant : fouiller dans la jungle d'un esprit humain pour y distinguer vérité et mensonge. Croyez-moi, j'assiste souvent la police lors d'interrogatoires. Le plus étonnant, c'est que parfois les incriminés arrivent tellement à se persuader de leurs propres mensonges que les détecteurs de mensonge ne fonctionnent même plus.

René remarque des étiquettes sur les bocaux remplis de cerveaux. Elles portent des noms, des dates, dont certaines sont récentes.

– Alors comment trouver la vérité ? Comment savoir qui ment ? Eh bien, sans me vanter, j'ai l'impression que j'y parviens plutôt pas trop mal. Mon taux de réussite est de 80 %. Et vous savez pourquoi ? Parce que je me tiens au courant de toutes les découvertes faites sur le cerveau et plus spécialement la mémoire. Tout ça pour vous dire que vous êtes entre de bonnes mains et que je ferai tout pour vous soigner. Et que vous le vouliez ou non, croyez-moi, grâce à moi vous irez mieux.

L'homme en blouse blanche arbore un visage avenant et rassurant.

Simple effet d'annonce. Il veut me convaincre de la victoire avant la bataille. Je n'aime pas ce type.

– Élodie m'a dit que votre problème découlait d'une implantation de type hypnotique qui vous a dans un premier temps traumatisé, puis fait délirer au point de tuer un homme. Un SDF, je crois. Puis, vous avez agressé un élève. Tout ça à cause d'une pensée parasite. Un faux souvenir – et c'est là où elle m'a intéressé – le resurgissement d'une… « vie antérieure » !

Il a prononcé l'expression avec gourmandise.

– J'adore. Vous avez de la chance, vous êtes bien tombé, je suis non seulement un spécialiste des souvenirs, mais aussi capable d'effacer les faux souvenirs. Croyez-moi, ici on fait des miracles.

Un éclair de foudre éclaire la pièce et les bocaux remplis de cerveaux. Le vacarme provoqué par l'orage est suivi de l'énorme fou rire d'un pensionnaire délirant au loin. René a un frisson irrépressible.

Et dire qu'aux actualités ils annonçaient du beau temps...

Il se souvient maintenant d'où il a entendu le nom de Maximilien Chob.

C'est le psychiatre d'Élodie, celui qui l'avait soignée de son anorexie en implantant un souvenir d'attouchements imaginaires.

Il s'enfonce un peu plus dans son siège. Maximilien Chob saisit le dossier indiquant « TOLEDANO, RENÉ ». Il le lit en hochant la tête avec un air inspiré.

– Si vous comptez implanter des mensonges dans mon esprit pour me soigner, sachez que je suis au courant de vos méthodes.

– Par Élodie ?

Le docteur Chob ne se départ pas de sa bonne humeur et croise ses longs doigts.

– C'est vrai, nous avons traversé, mademoiselle Tesquet et moi, une période que je qualifierais de « découverte réciproque ». Cependant, croyez-moi, je l'ai guérie. Si je n'étais pas intervenu, elle serait probablement six pieds sous terre à l'heure qu'il est. Savez-vous qu'elle avait déjà fait trois tentatives de suicide avant de venir me voir ? Ses parents étaient désespérés. Le sacrifice de son vieil oncle était le prix à payer pour sauver sa jeune vie. Et de mon côté, je ne me sens pas responsable, dans la mesure où l'on ne m'avait pas averti que l'homme incriminé avait un antécédent maniaco-dépressif. Je ne peux pas soigner tout le monde simultanément.

À nouveau, il s'esclaffe.

Le professeur d'histoire se lève et se dirige vers la porte de sortie, mais, lorsqu'il l'ouvre, un infirmier aux allures de catcheur, placé juste à l'entrée, l'oblige à se rasseoir.

— Je veux voir mon avocat, dit René.

— Je comprends vos doutes, monsieur Toledano, les malades ont toujours peur d'être guéris parce qu'ils finissent par aimer leur maladie. Comme certains s'habituent à boiter et ne veulent plus marcher normalement. Et après tout, je vous comprends : le jaillissement d'une histoire censée être une vie antérieure doit être assez excitant.

« Excitant » n'est pas le terme approprié.

À nouveau, l'énorme rire de l'aliéné résonne dans le couloir, vite recouvert par le vacarme de l'orage. Alors Maximilien Chob rit encore plus fort.

— Qui ne s'est pas imaginé avoir des vies antérieures ? Moi, par exemple, tel que vous me voyez, je crois que dans mes vies antérieures, je devais être un grand sportif. Un tennisman probablement. Et puis peut-être aussi un guerrier. Ou un explorateur.

Il devait être clown.

— Je ne veux pas rester ici, déclare René.

— Vous préférez la prison ? Allons, monsieur Toledano, croyez-moi, après mon intervention tout ira mieux.

Méthode Coué pour les nuls. Après le tic d'Opale, « n'est-ce pas ? », voilà le sien, « croyez-moi ! ». Ces formules ont pour dessein de forcer inconsciemment l'adhésion. Comme la dame de cœur déposée trois fois dans le jeu de cartes, cela finit par influencer l'esprit.

— J'espère même que vous sortirez plus frais de nos séances, ce qui vous permettra de surmonter un mal de vivre souvent associé à votre activité de professeur. Croyez-moi, des gens qui font votre métier, j'en vois de plus en plus. Les pauvres, ils ont l'air de beaucoup souffrir. Il faut dire que ce n'est pas une profession très épanouissante. On peut même la qualifier d'ingrate. Supporter des enfants, cela doit être épuisant. Personnellement, je n'en ai pas et je n'en veux pas.

J'adore mon métier, et je n'aime vraiment pas ce bonhomme.

– Considérez que nous allons œuvrer ensemble dans votre intérêt pour fournir des arguments à votre avocat qui ensuite vous aidera à retrouver votre liberté.

René a un air fermé.

– Je perçois encore une forme de réticence dans votre attitude, monsieur Toledano, je me trompe ?

Le docteur Chob se lève et déambule dans la pièce, puis il lisse la longue mèche blonde qui lui tombe sur le front.

– Je pense que vous avez droit à des explications. Les voulez-vous ?

– Ai-je le choix ?

C'est bien ma chance d'être tombé sur un bavard en manque d'auditoire...

L'homme en blouse blanche sort de son tiroir un cerveau en résine de la taille d'une grosse pastèque.

– Je vais vous expliquer comment marche la mémoire.

Il caresse la surface rose.

– Nos sens – vue, ouïe, toucher, odorat, goût – fournissent des informations à notre cerveau sous forme de mini-impulsions électriques.

Avant de poursuivre, il s'assure que son interlocuteur est suffisamment attentif.

– Les stimuli sont ensuite redistribués. Les images vont dans le lobe occipital à l'arrière du cerveau, les sons et le langage sont traités dans le lobe temporal qui, comme son nom l'indique, est

231

situé au niveau des tempes, les mouvements et le toucher sont traités par le lobe frontal situé au niveau du front.

René commence à être intéressé presque malgré lui. Chob perçoit ce changement d'état d'esprit et se sent encouragé.

– Avant, on pensait qu'il y avait une sorte de région spéciale du cerveau où ces informations étaient réunies. Une sorte de disque dur où étaient enregistrées les données à mémoriser. Aujourd'hui, nous savons que l'information est diffusée et stockée un peu partout et que, lorsqu'une zone du cerveau est abîmée, une autre prend le relais.

René remarque un détail qu'il n'avait pas noté jusque-là : de grosses boules noirâtres posées sur l'étagère qui s'avèrent être des têtes réduites jivaro.

L'homme est affable et semble prendre du plaisir à expliquer son métier.

– À quoi pourrait-on comparer cela ? Notre esprit est comme une forêt. Quand nous y ajoutons une information, nous plantons un arbre qui pousse et accroît la masse de végétaux. Ces arbres sont des neurones imprégnés d'informations. Par exemple, l'association entre le nom d'Élodie, son visage et son numéro de téléphone, c'est un arbre. Mais il y a plusieurs chemins pour le rejoindre, l'un d'entre eux peut être son parfum, sa voix, ou même un paysage.

Cela pourrait me faire un Mnemos.

– C'est donc la qualité des chemins qui vont faire que vous avez accès aux arbres-neurones ou non… Ce sont ces chemins plus ou moins profonds, plus ou moins larges dans la forêt qui vont faire que vous pouvez retrouver l'information. Quand l'information n'est pas indispensable, le chemin à peine tracé disparaît, l'arbre ne pousse pas et finit par dépérir. On ne fixe pas le souvenir.

Il passe sa main sur le cerveau en plastique comme si c'était une planète recouverte de mousse.

— Croyez-moi, aucune information de notre cerveau ne disparaît complètement. Certaines graines plantées ne poussent pas, certains arbres ne grandissent plus, mais tout reste. Simplement, le chemin qui y mène, s'il n'est pas utilisé, devient de plus en plus difficile à emprunter.

Il passe son ongle dans les rainures désordonnées des hémisphères.

— Et puis, il y a la mémoire à long terme. Les grosses avenues qui mènent à des arbres hauts au tronc large, bien enracinés. Ce qui détermine la taille du chemin et la solidité de l'arbre, c'est un élément simple.

— L'émotion ? demande René.

L'homme hoche la tête, étonné et admiratif.

— Exactement ! L'émotion, associée à un chemin ou à un arbre, lui donne une importance différente. Si cet hôpital s'appelle Marcel-Proust, c'est parce que c'est cet écrivain qui a le mieux illustré cette idée scientifique : la mémoire est de l'émotion. L'émotion provoquée par l'ingestion de la madeleine chez Proust fait remonter des images, des sons, des odeurs et des goûts.

Bon, cela commence à être long. J'ai compris.

René lâche un soupir pour montrer qu'il en a assez de cette leçon qu'il n'a pas réclamée.

— Ce que je vais vous proposer comme traitement, c'est de nettoyer la forêt de votre esprit des mauvaises herbes, ronces, orties qui encombrent les chemins qui mènent aux arbres. Je vais mettre du désherbant pour que votre forêt se transforme en jardin, avec des avenues claires, des arbres hauts qui s'épanouissent, de grands et solides neurones qui vous fournissent un accès rapide à toutes les informations reçues. Si mon traitement réussit, vous oublierez tous les mensonges et délires sur vos vies antérieures.

Ce n'est pas mon souhait. Loin de là.

– Par contre, vous vivrez à fond dans le présent. Tout ce que vous planterez poussera mieux. Vous aurez une superbe mémoire. Vous vous souviendrez des moindres plaisirs de l'existence, des visages de tous les gens que vous croiserez, des parfums et des saveurs du monde, des voix et des musiques, des textes que vous lirez, des films que vous verrez et même des numéros de téléphone d'une cinquantaine de vos amis.

En fait, ce qu'il me propose, c'est de reformater mon cerveau comme un disque dur pour y installer de nouveaux programmes. Je l'ai déjà fait pour mon ordinateur, mais je ne souhaite pas le faire pour mon esprit. Il y a certains vieux fichiers auxquels je tiens trop.

René ne l'écoute plus.

Plus il parle, plus je me dis que personne ne sait où est réellement stockée l'information. En fait, on ignore pourquoi elle reste ou disparaît. Et toutes ces théories sur l'hippocampe, l'émotion, les zones temporales ne sont que des balivernes pour impressionner les ignorants. Comme pour l'histoire, il y a des scientifiques officiels qui en imposent parce qu'ils semblent sûrs d'eux. Il y a des « docteur Chob » qui veulent à tout prix fasciner les curieux. Mais l'esprit humain est plus complexe qu'il veut bien le dire. S'il est comme une forêt, c'est qu'il y a des raisons. La forêt fait interagir toutes les plantes, alors que le jardin les sépare. La clarté et la propreté ne sont pas des choix que fait la Nature. Quant à mon expérience d'hypnose, elle prouve bien qu'il y a une couche en dessous, une forêt, que dis-je plusieurs forêts, sous la surface. Je suis une « lasagne de 111 mémoires ».

René Toledano regarde le docteur Chob et, comme il ne l'écoute pas, il perçoit juste ses mimiques et ses regards sans avoir le son.

Nous avons tous un secret. Quel est ton secret, docteur Chob ? C'est quoi ton morceau de fromage pourri caché dans la cave ? Ça y est, le seul fait de poser la question me donne la réponse. Tu es de petite taille, c'est pour cela que tu veux contrôler ceux qui sont plus grands que toi. Voilà ton secret. Tu es un enfant qui a dû être ridiculisé à l'école par ses camarades plus grands et qui s'est dit : « Un jour, je me vengerai. » Tu es devenu psychiatre pour te retrouver en contact avec des êtres fragiles donc faciles à manipuler, a fortiori quand c'étaient des femmes anorexiques ou boulimiques. Cela compense ton complexe d'infériorité. Tu travailles dans cet hôpital pour contrôler des « plus grands que toi » au nom de la science.

Le regard de René Toledano s'aventure derrière l'épaule du médecin, au-delà du grillage de protection.

Dehors, la pluie n'en finit pas de tomber.

Quelle chance d'avoir pu accéder aux couches de forêt sous la surface.

Il baisse les paupières et, alors que la voix du scientifique monopolise l'espace sonore, il entrevoit Mem-set, la cité-fleur rose. Mem-set aux six grandes avenues où circulent des femmes tranquilles, belles, souriantes, placides et des chats gracieux. Il revoit la cité merveilleuse aux jardins suspendus, aux maisons à larges terrasses, remplies de fleurs, de fruits, de papillons et d'oiseaux. Il revoit le visage de Geb qui lui répète : « Rien n'est grave » et « Tout ce qui nous arrive est pour notre bien ». Il revoit sa main qui, sous ses indications, trace le plan de l'arche qui pourra les sauver du Déluge.

– … vous m'écoutez, monsieur Toledano ? Vous semblez ailleurs.

Il inspire et se rebranche sur les informations visuelles et auditives qui lui arrivent en direct.

– Donc, comme je vous le disais, nous avons ici, par chance, mis au point un nouveau traitement qui devrait faire des merveilles et vous enlever les pensées parasites, les ronces et les orties qui poussent sur les chemins de forêt de votre crâne. Si vous voulez, nous allons commencer le traitement dès ce soir. Après, croyez-moi, tout ira mieux, et vous me remercierez.

Ça, je ne crois pas.

– Élodie m'a dit que vous vous preniez pour un Atlante. Cela tombe bien, vous avez de la chance, il y en a d'autres dans cet établissement. Vous pourrez dîner avec eux ce soir. Je vais demander à ce que tous les Atlantes soient à la même table. Comme cela vous pourrez manger ensemble du… poisson !

Il rit à sa propre blague.

Je ne le sens pas du tout.

– En tout cas, sachez qu'en tant qu'ami de mon amie Élodie, vous aurez droit à un traitement VIP, une chambre de luxe uniquement pour vous et, bien sûr, vous bénéficierez de mes soins. Ensuite, lorsque tout sera désherbé, votre esprit deviendra plus clair.

48.

L'hôpital Marcel-Proust ressemble au lycée Johnny-Hallyday. Des murs de béton, du lino, de grandes et épaisses baies vitrées, des graffitis appelant au viol, au meurtre, à la destruction de la société. Tous les gens qui y circulent fument des cigarettes, y compris les infirmiers, comme si l'interdiction de fumer dans les lieux publics n'avait pas cours ici.

La différence avec le lycée tient peut-être à la statue de l'entrée. À la place du rockeur avec sa guitare électrique est représenté l'écrivain à fine moustache recourbée, tenant dans sa main une madeleine. Et, sur le socle, au lieu des paroles de la chanson « Je lis », une citation de l'écrivain : « Nous sommes tous obligés, pour rendre la réalité supportable, d'entretenir en nous quelques petites folies. »

René pénètre dans la cantine, orange et blanche. Après s'être trompé et assis à la table des patients qui se prennent pour Napoléon, puis de ceux qui se prennent pour Jésus-Christ, René tente de s'installer sur une table isolée, loin des autres malades, mais un infirmier vient vers lui :

– Vous êtes à la table des adorateurs de Satan qui vont bientôt arriver. En phase de pleine lune, ils peuvent avoir des comportements agressifs envers ceux qui n'ont pas fait allégeance officiellement au Diable. Je subodore que ce n'est pas votre cas, donc je vous déconseille de rester.

L'ancien professeur d'histoire reprend son plateau.

– Alors je me mets où ?

– Votre nom ?

– Toledano. Je crois que le docteur Chob m'a déjà inscrit à une table.

L'infirmier cherche sur la liste.

– Ah! Vous êtes atlante. Pourquoi ne me l'avez-vous pas signalé plus tôt? Venez, l'Atlantide c'est par là. C'est normal que vous ne les ayez pas trouvés, ils se tiennent à l'écart.

Il y a là trois autres personnes, deux hommes et une femme. René s'assoit après les avoir discrètement salués.

– Vous êtes de quelle ville d'Atlantide? demande aussitôt la femme un peu grosse.

Ça m'étonnerait qu'ils connaissent Mem-set.

Il préfère s'abstenir de répondre. Alors l'homme aux longs cheveux blancs prend le relais de sa compatriote :

– S'ils vous ont dit de vous asseoir avec nous, c'est que vous êtes forcément vous aussi un Atlante, dit-il.

Le troisième, très maigre, lui sert à boire.

– Ne soyez pas timide, ici c'est peut-être le seul endroit où l'on peut assumer son « atlantitude » sans complexe.

René mange en silence.

– Vous ne nous avez toujours pas répondu. Quelle cité?

– La capitale, annonce-t-il de guerre lasse.

– Atlantis?

– La capitale ne s'appelle pas Atlantis, consent enfin à dire René, mais Mem-set.

– Ah? Et qu'est-ce que vous en savez, monsieur Je-sais-tout?

Je m'y trouvais pas plus tard qu'hier soir.

– Le mot Atlantide a été forgé par Pythagore et a ensuite été repris par son élève Critias qui, lui-même, l'a transmis à Platon. C'est un mot grec. Or, il n'y a aucune raison que les gens de cette île parlent grec. Ils avaient forcément leur propre langue.

La femme vient mettre son grain de sel.

– Moi, je sais le vrai nom de la capitale de l'Atlantide, c'est Crabougnak. Même qu'il y avait Crabougnak ville et Crabougnak plage. On passait de l'un à l'autre par la route, qui était souvent encombrée.

René lâche un soupir et mange en silence.

– Et toi, le nouveau, quand tu étais Atlante, tu faisais quoi ? demande la femme.

Il continue de déguster son plat. L'homme aux longs cheveux blancs répond à sa place.

– Moi, j'étais responsable des voyages : on voyageait juste comme ça, en claquant des doigts, et on se retrouvait là où on voulait, par téléportation. J'organisais des voyages pour les enfants. Fallait faire bien attention à les recompter avant et après la téléportation. S'il y en avait un qui manquait, je me faisais engueuler.

– Moi, j'arrivais à soigner les gens avec un bâton, un vrill. Je les touchais avec et ils étaient guéris.

– Moi, je m'occupais du rayon laser. Il y avait une tour avec un énorme rayon laser, c'est avec cela qu'on se protégeait des attaques de nos ennemis.

Suis-je fou ? Cette hypothèse doit désormais être envisagée. À force d'avoir appris à m'aimer, je suis peut-être devenu un peu trop conciliant avec mes « bizarreries ».

Il ferme les yeux et revoit la terrasse où s'est tenue sa dernière conversation avec Geb. Les images de la cité le hantent.

En imaginant que tout cela ne soit que le fruit de mon imagination, où suis-je allé chercher des visions aussi nettes de l'Atlantide et des Atlantes ? Comment puis-je connaître des détails, comme leur nourriture, leurs vêtements, leur mode de vie, leur espérance de vie, la date où ils ont vécu ?

La personnalité de Geb n'est pas la mienne. Il est tellement « mieux » que moi. Aucun recoin de mon passé ne recèle autant de sagesse.

– Non. Il n'y avait ni guerre ni ennemis, déclare René.

Les trois autres malades se crispent.

– Et qu'est-ce que vous en savez, vous ? demande le plus maigre, soudain saisi d'un tic à la bouche.

– Il n'y avait pas de guerre car l'île était complètement isolée.

Bon sang, j'essaie de raisonner des fous dans un asile psychiatrique. Qu'est-ce qu'il me prend ?

– Et il n'y avait pas non plus de rayon laser, car les Atlantes n'avaient pas du tout besoin de techniques avancées. Quant aux soins médicaux, nul bâton magique, car leur nourriture et leur mode de vie étaient suffisamment sains pour qu'ils soient pratiquement toujours en bonne santé.

– Je pense que nous n'avons pas habité les mêmes villes, dit la femme, en spécialiste.

– La capitale s'appelle Mem-set et l'île est nommée par ses habitants Ha-mem-ptah.

– Pour qui il se prend celui-là ? s'exclame la femme.

Pour quelqu'un qui a vraiment été là-bas, qui discute avec des fous qui croient y avoir été.

Soudain un grand cri retentit. René se retourne, mais déjà l'Atlante à sa droite lui chuchote à l'oreille :

– C'est Jeanne d'Arc, elle fait ça tous les soirs. Elle se brûle avec la soupe et après elle accuse les autres.

Alors, sans attendre d'avoir fini son dîner, le professeur d'histoire se lève, salue poliment les autres Atlantes et rejoint sa chambre où, il ne l'avait pas remarqué, se trouve affichée une autre citation de Marcel Proust : « L'homme est l'être qui ne peut sortir de soi, qui ne connaît les autres qu'en soi, et, en disant le contraire, ment. »

49.

Surtout, ne rien oublier.
Sans son smartphone à portée de la main, René Toledano utilise une feuille et un crayon. Il rédige avec le maximum de détails les souvenirs de sa visite de Mem-set ainsi que ses conversations avec Geb.
Écrire pour consolider ma mémoire et ne pas la laisser être altérée par les délires de mes compagnons d'hôpital. Écrire pour ne pas devenir complètement fou.
Il est 20 h 20 ; plus que trois heures avant son rendez-vous avec Geb.
Il se prépare pour sa séance. Dans sa spacieuse chambre d'hôpital psychiatrique, il allume la télévision. La présentatrice annonce que, la pluie n'ayant pas cessé de tomber, le niveau de la Seine monte de manière inquiétante. Elle évoque l'année précédente, où la crue du fleuve avait recouvert les pieds de la statue du zouave du pont de l'Alma. Elle signale que ce seuil est déjà atteint : les berges sont inondées et impraticables sur plusieurs kilomètres, et plusieurs agglomérations longeant le fleuve ont déjà les pieds dans l'eau. Elle conclut : « Cette année sera-t-elle l'année du déluge ? »
Il éteint le téléviseur, de plus en plus préoccupé. Soudain,

il entend un cri qui n'est pas un cri de délire, mais celui, terrifiant, de quelqu'un qui manifeste une douleur aiguë. La porte de sa chambre n'est pas fermée. Il passe la tête par l'entrebâillement et entend un second hurlement tout aussi horrifiant, qui se distingue des beuglements des autres patients.

Je ne sais comment, mais je sais discerner les différents types de gémissements. Et là, c'est une vraie souffrance humaine.

Alors, profitant de ce que tout le monde est encore en train de dîner, il avance dans le couloir, remonte précautionneusement jusqu'à l'origine des hurlements qui deviennent de plus en plus réguliers. Il arrive en haut d'un escalier qui mène au sous-sol. Au fond d'un énorme couloir souterrain, une porte laisse filtrer un rayon de lumière jaune. À mesure qu'il s'approche, l'intensité des cris ne cesse d'augmenter.

Il entrouvre la porte et un spectacle s'offre à sa vue : sur la droite, le docteur Maximilien Chob, juché sur une chaise haute, fait face à une femme qui porte une blouse de patiente avec le logo « hôpital Marcel-Proust ». Sanglée au niveau des poignets et des chevilles, elle est assise sur un fauteuil similaire à celui d'un dentiste. À gauche, l'infirmier aux larges épaules effectue des réglages sur des caméras en suivant les indications précises du médecin.

C'est le docteur Chob en personne qui tient une poire terminée par un bouton rouge qui envoie les chocs électriques. Chaque fois qu'il appuie, la femme a un sursaut, se tord de douleur dans ses entraves et hurle.

Non, ce n'est pas possible.

René reste un moment à fixer la scène, mais doit se rendre à l'évidence : il assiste à une séance de torture initiée par le psychiatre sur une de ses patientes. La séance est même filmée, retransmise et observée par d'autres hommes en blouse blanche qui apparaissent sur un grand écran.

Chob enseigne à distance à des étudiants à faire comme lui ?

René observe, sidéré, la femme qui se débat dans ses lanières.

Ou alors ce sont des voyeuristes qui paient pour assister à la souffrance d'une patiente ?

Il regarde plus attentivement le psychiatre.

Il prend du plaisir à torturer les gens.

Mais entre deux hurlements, la porte qu'il retient de son pied grince. Le psychiatre et l'infirmier se tournent aussitôt dans sa direction.

Oh non !

Le professeur d'histoire court à toutes jambes, remonte l'escalier et slalome entre les malades et les infirmiers. Il est arrêté à l'entrée par une porte vitrée très épaisse. Son ouverture et sa fermeture sont contrôlées par une vieille dame qui tricote tout en regardant une série. Celle-ci lui jette un regard désabusé et lâche un soupir dédaigneux. Il frappe du poing contre la vitre.

Trop tard, déjà plusieurs infirmiers ont jailli. Ils le saisissent fermement. Ils l'emmènent dans le couloir souterrain. Ils le jettent sans ménagement dans une cellule capitonnée plus étroite, où il n'y a qu'un lit et des sanitaires.

Il n'a pas à attendre longtemps. Maximilien Chob apparaît en se tamponnant le front pour éponger sa sueur. Il est accompagné de son infirmier aux allures de colosse.

– C'est dommage, dit-il. J'espérais que nous deviendrions amis, mais j'ai le pressentiment que cela va être difficile. L'avantage, c'est que ce que vous avez vu ne fait que hâter le moment où je vais vous faire bénéficier de mon traitement particulier. Cela s'appelle de l'électrothérapie. Je l'utilise pour agir sur l'hippocampe, qui est, vous le savez, le siège de la mémoire à long terme. Jusqu'au XVIIe siècle, on a cru que le siège de la mémoire se situait dans le cœur, précisément parce que c'est là qu'on ressent les émotions. Mais non, c'est dans ces deux petites demi-boucles au centre de notre cerveau que tout se passe. Et c'est là que je vais intervenir pour vous soigner.

— Finalement, j'ai réfléchi, je préfère aller en prison.

Le psychiatre éclate de rire.

— Ah je vois que vous aussi vous êtes blagueur. Mais cela ne change rien, mon devoir est de vous soigner et je compte bien le faire, même si c'est malgré vous. Si on devait comparer mon traitement à une action plus banale, ce serait le « *reboot* ». Vous savez ? quand on éteint une machine et qu'on la rallume pour que tout se remette en place. Comme le dit si bien l'informaticien du service technique : « Quand il y a doute, on reboote. »

50. MNEMOS. HIPPOCAMPE.

Nous avons deux hippocampes situés au centre de chaque hémisphère cérébral.

On peut les comparer à un disque dur d'ordinateur : ils stockent les données sur le long terme.

Ensuite, ce sont les neurones du cortex qui permettent d'accéder aux informations qu'ils recèlent.

Les amnésies passagères sont dues à des problèmes d'accès aux informations contenues par l'hippocampe. L'informa-

tion y est bien, mais le cerveau ne sait plus comment les faire remonter.

Le stress et les traumatismes détruisent les cellules de l'hippocampe, au point qu'y apparaissent de petites perforations.

En résumé, plus on est nerveux, plus on abîme son hippocampe et moins on est capable de se souvenir. Les chances s'accroissent alors de développer des amnésies temporaires ou la maladie d'Alzheimer.

51.

Il se débat dans ses sangles de cuir qui le serrent aux poignets et aux chevilles.

– Comme vous m'êtes sympathique, monsieur Toledano, je vais ouvrir cette première séance par une petite blague. Si vous vous attendez à une histoire de fous, vous avez tout faux : je vais vous raconter une blague de psy. C'est plus original, cela devrait vous plaire, croyez-moi.

Ai-je vraiment le choix ?

– Ce sont deux psys qui discutent sur la manière d'influencer les esprits fragiles. L'un des deux dit à l'autre : « Tu sais, tu te crois fort, mais moi je peux te manipuler facilement. Par exemple, je prends le pari que je peux te faire prononcer le mot "rouge". — Je relève le défi, dit l'autre. — Très bien, de quelle couleur est le ciel ? — Eh bien, bleu. — Parfait, j'ai réussi à te faire dire "bleu". — Mais je croyais que le mot à dire était "rouge". — Eh bien voilà, tu as prononcé le mot "rouge". »

À nouveau, il glousse à sa propre plaisanterie.

Au secours !

– J'ai un doute. Je me demande si vous aimez mon humour. Écoutez, malgré le contexte thérapeutique de cette conversation, je voudrais, dans la mesure où nous serons amenés à nous revoir, que vous soyez toujours sincère avec moi. Dans cette optique, signalez-moi les blagues qui ne vous font pas rire. Je ne me vexerai pas.

En tirant plus fort sur les sangles, je devrais pouvoir obtenir suffisamment de jeu pour dégager mon poignet gauche.

Le psychiatre enchaîne :

– L'humour est tellement subjectif. Quelque chose qui fait rire l'un ne fait pas forcément rire l'autre. C'est un sacré challenge de trouver la blague universelle, croyez-moi. Et pour un psy, c'est un défi.

Il sort son appareil avec la poire et le bouton rouge.

– Tenez, pour faire une transition comique, je parie que… vous ne direz jamais le mot « rouge ».

Il éclate de rire, encouragé par son infirmier.

– Bon, après ce petit intermède de détente, passons à des choses plus sérieuses. Tout d'abord, le diagnostic. Je suis désolé de vous l'apprendre, mais vous êtes schizophrène. C'est-à-dire que votre esprit est « coupé » du réel. Par intermittence, certes, mais suffisamment pour être dangereux pour le reste de la société. Il faut vous soigner. Pour protéger les autres mais aussi pour vous protéger de vous-même. Vous avez de la chance : 95 % des schizophrènes que j'ai traités ont été complètement guéris.

Qu'est-ce qu'il attend que je dise ? « Chouette. Me voilà rassuré » ?

Seul l'infirmier affiche une mine admirative, comme s'il découvrait ce chiffre impressionnant.

– Je vous sens sceptique. Alors je vais vous apporter une information supplémentaire. Vous savez, vos sensations d'avoir vécu en Atlantide ? Vous avez l'impression que c'est vrai, et vous avez dû avoir l'impression que les autres Atlantes avec lesquels vous avez dîné étaient fous, je me trompe ?

Vous ne vous trompez pas.

– Ce phénomène est connu sous le nom de « paramnésie ». Ce qui signifie « mémoire à côté du réel ». Il s'accompagne d'un sentiment de dépersonnalisation. On a l'impression d'avoir la capacité de se transporter en dehors de son corps pour être quelqu'un d'autre ailleurs. C'est ce que vous ressentez, avouez.

Où va-t-il, comme ça ?

– Cela s'accompagne de « déréalisation » : vous vous demandez si ce que vous vivez existe vraiment. Le doute ne porte plus sur votre identité, comme dans la dépersonnalisation, mais sur le monde qui vous entoure. Vous avez déjà dû vous poser la question : qu'est-ce qui me prouve que tout ce qu'il y a autour de moi n'est pas qu'une illusion ? Est-ce que je ne suis pas dans un jeu vidéo où l'on peut revenir en arrière, recommencer, changer le décor ou les personnages ?

Il a raison, c'est exactement ce que je ressens. Comme c'est agaçant de voir le type le plus antipathique du monde vous apprendre des choses passionnantes au pire moment.

– Et enfin, la question : de quoi suis-je vraiment sûr ?

Je suis sûr que tu es un salopard.

– Philip K. Dick, l'écrivain de science-fiction, disait : « La réalité c'est ce qui continue d'exister lorsqu'on cesse d'y croire. » Cela signifie que nous ne faisons que vivre dans un monde où nous croyons exister, en interprétant un personnage que nous croyons être, entouré de gens auxquels nous croyons parler. Notre identité n'est qu'une suite de souvenirs qu'on peut modifier. Et savez-vous que, plus vous faites remonter souvent un souvenir, plus vous le déformez ?

Non, je l'ignorais.

– Les souvenirs s'usent comme des vinyles de plus en plus rayés. Alors je vous pose la question : qu'est-ce qui vous prouve qu'à cet instant ma présence, la douleur que je vais vous infliger, etc., ne sont pas que de simples croyances ?

Ton odeur de sueur aigre. Ta tête de fouine. Les sangles qui serrent mes poignets et dont j'espère me libérer. Ma peur.

– Philip K. Dick a été diagnostiqué schizophrène. Comme vous. Il vivait avec la possibilité de basculer à tout moment dans des réalités parallèles. Le fait qu'il prenait du LSD mélangé à des amphétamines ne faisait qu'augmenter ce risque. Philip K. Dick est probablement mort d'une overdose. On ne l'a pas sauvé à temps. Mais vous, je vais vous sauver, que vous le vouliez ou non.

René inspire et souffle de plus en plus amplement.

– C'est vraiment dommage que vous n'appréciiez pas cet instant. Croyez-moi, beaucoup de schizophrènes rêveraient d'être à votre place pour qu'enfin la paix s'installe dans leur crâne.

René lui crache au visage, mais l'autre retire tranquillement le crachat avec le même mouchoir qui lui sert à éponger sa sueur.

– Je sais, vous vous demandez comment l'électrothérapie peut atteindre ce niveau de réussite.

La question me brûle les lèvres…

– Allez, je ne vais pas faire durer plus longtemps le suspense, je vais vous le dire.

Il désigne les différents appareils posés sur le chariot.

– Comme je vous l'ai indiqué précédemment, on pourrait comparer votre cerveau à une forêt. Les neurones en sont les arbres.

L'infirmier enduit deux électrodes d'un gel conducteur bleu, puis les place au niveau de ses tempes.

– On va, grâce à un courant électrique intense, brûler les buissons de ronces qui encombrent les sentiers et déforment les arbres. Mais ce n'est pas tout : nous allons, dans le cadre de ce nettoyage forestier, essayer de détruire les zones responsables de vos délires atlantes. Les « mauvaises herbes » qui sont devenues si grandes, si fortes, si hautes qu'on pourrait les confondre avec de vrais arbustes.

Il joue avec la poire au bouton rouge.

Ne touche pas à ça.

– Pour que l'électrothérapie soit vraiment active, je la pratique sans anesthésie. C'est douloureux mais beaucoup plus efficace. En fait, c'est précisément parce que c'est douloureux que c'est efficace. Croyez-moi, il faut que cela soit intense.

Son pouce effleure le bouton rouge.

N'APPUIE PAS !!!

– Ensuite vous ne délirerez plus. Vous ne percevrez plus le monde de manière déformée, vous profiterez du confort d'un jardin proprement « nettoyé » de toutes ses mauvaises herbes et de ses arbres tordus.

Ok, il faut que je trouve un moyen de m'enfuir. Et vite !

Le professeur d'histoire se débat encore dans ses sangles, mais elles sont solides.

– Il vous faut un choc plus puissant que vos délires. C'est aussi le secret de ma méthode. On ne retient que ce qui est émotionnellement fort. Donc il faut provoquer une émotion forte pour détruire les émotions parasites.

Il demande à l'infirmier de mettre en place le matériel.

— Or la peur, la colère et la douleur sont des émotions fortes. Ce sont même les trois plus fortes. Quand on souffre, on franchit la limite du domaine de l'intellect pour entrer dans celui de la sensation. Je crois aux vertus de la douleur comme moyen d'agir sur l'esprit.

L'infirmier serre un peu plus ses entraves.

— Ouvrez la bouche, s'il vous plaît. Rappelez-vous que c'est pour votre bien. Et qu'un jour vous me direz merci.

Ça m'étonnerait.

L'infirmier, de ses grosses mains velues, le force à ouvrir les mâchoires en lui pinçant le nez. Il y introduit un bâillon en plastique.

— Comme les hurlements de la personne qui était là avant vous vous ont alerté, je préfère prendre mes précautions. J'oublie par moments qu'il y a des gens qui écoutent. En fait, j'aurais préféré que vous n'assistiez pas à cela. Maintenant, je vais tout faire pour vous le faire oublier.

L'infirmier effectue des réglages sur différents appareils.

— Pour tout vous avouer, mon grand plaisir dans la vie est de « nettoyer » les mémoires. Par chance, cet hôpital est un lieu ultramoderne, idéal pour ce genre d'activité. Ici on fait avancer la science. Après notre traitement, les malades guéris sont encore plus ancrés dans le présent.

Parce que vous avez détruit leur passé ?

— Le passé est source de regrets, le futur, source d'angoisse. Je rêve d'inventer l'homme qui serait, comme les animaux, juste dans l'instant immédiat.

L'infirmier prévient que tout est prêt.

– Je parie que vous allez penser au mot « rouge », dit-il avec un petit sourire.

Et il presse le bouton. René est parcouru par une décharge électrique qui le fait bondir dans ses sangles. Tout son corps s'arc-boute. Il a l'impression qu'on lui injecte de la foudre directement à l'intérieur du cerveau. Son crâne est sur le point d'exploser.

Avant la deuxième décharge, René a le réflexe de descendre quatre à quatre les marches de l'escalier de son esprit, d'ouvrir la porte blindée de son inconscient. Il fonce dans le couloir aux 111 portes et rejoint la première porte qu'il ouvre à la volée.

Il arrive directement au-dessus du lit de Geb.

52.

L'Atlante est nu, couché sur le dos, mais il ne dort pas.

Une femme est assise à califourchon sur son bassin.

Elle est de petite taille, brune avec des longs cheveux tressés terminés par des pierres bleues et noires incrustées. Elle aussi est complètement nue.

Elle secoue la tête, et ses tresses plombées virevoltent en produisant un bruit de grelots. Elle ondule des hanches par saccades.

Geb lui caresse les cuisses comme pour ralentir ses mouvements. Celle-ci ne se laisse pas influencer et semble s'amuser, comme une cavalière qui voudrait dompter sa monture. Elle fait voler ses longs cheveux qui fouettent l'air. Ses petits seins montent et descendent en rythme. Ils sont tous les deux en sueur

251

dans la chaleur de la pièce et leurs respirations se synchronisent avec les mouvements de leur corps.

Soudain, la jeune femme s'arrête et reprend les mêmes mouvements mais au ralenti, ce qui semble surprendre son partenaire puis faire monter son plaisir. Leur respiration reste égale, mais leurs corps deviennent bouillants. Elle l'observe, comme si elle attendait qu'il ait atteint un certain degré pour changer à nouveau de cadence.

Au moment où René connaît la pire douleur, Geb semble connaître le plus grand plaisir. Le contraste entre les deux situations est d'autant plus saisissant que l'homme du futur comprend bien qu'il dérange l'homme du passé, qui ne tarde pas à l'apercevoir.

— Qu'est-ce que tu fais là, René ? Ce n'est vraiment pas le moment, je suis occupé, au cas où tu ne le verrais pas.

— J'ai besoin de vous, Geb.

— Précisément, à cette seconde ? Cela ne peut pas attendre notre heure habituelle de rendez-vous ?

La jeune femme sent qu'il est déconcentré.

— Tu n'es plus là, Geb ? Que se passe-t-il ?

— Ce n'est rien.

— Tu as l'air de penser à autre chose. Tout va bien ?

Alors, après une hésitation, l'Atlante fait signe à la femme qu'ils doivent se désunir. Elle reprend, préoccupée :

— Tu as un problème ?

— Non, pas moi, mais mon futur moi.

La jeune femme manifestant son incompréhension, il précise :

— Tu sais, l'homme de dans 12 000 ans qui m'a averti qu'un jour notre île allait être engloutie sous les flots ?

– Le petit jeune de 32 ans ? Ne me dis pas qu'il tient à discuter avec toi maintenant ! Juste à la seconde où nous faisons pour la première fois l'amour ?

Elle est déçue et s'éloigne pour tenter de se détendre. L'Atlante en profite pour se reconnecter à son futur lui-même.

– Qu'est-ce qui te prend de me déranger, René ? Ce n'est pas notre heure.

– Désolé. Je suis en train de me faire torturer.

– « Torturer », je ne connais pas ce mot. Cela veut dire quoi ?

– Disons que des gens me font souffrir volontairement pour détruire mon cerveau. Leur but est que mon esprit soit « lisse » et que je ne puisse plus dialoguer avec vous. S'ils réussissent, nous perdrons le contact. J'ai besoin de votre aide tout de suite. Dites-moi comment je peux maîtriser mon esprit pour supporter cela.

– À mon tour d'être désolé, René. Je ne crois pas pouvoir satisfaire ta demande car je n'ai aucune connaissance concrète de ton problème. Je n'ai jamais souffert, je n'arrive pas à imaginer ce qu'est la torture, donc je ne peux pas t'aider.

– En 821 ans vous n'avez jamais souffert ?

– Jamais.

– Pas de crise d'appendicite ? Pas d'ulcère à l'estomac ? Pas de colique néphrétique ? Pas de carie dentaire ?

– Notre santé est plutôt solide. Bref, n'ayant connu aucune souffrance, je ne sais pas comment on peut réagir.

– Alors je fais quoi, moi ?

– Eh bien, sur les 111 portes, tu trouveras peut-être une autre réincarnation qui connaît la douleur et les moyens de la contrôler. Après tout, il n'y a pas que moi dans tes vies passées…

Un instant, René se dit que son ami atlante ne l'aime pas

autant qu'il le pensait et qu'il ne cherche qu'à se débarrasser de lui pour poursuivre sa séance avec la jeune femme.

Alors, sans perdre plus de temps en tergiversations, sans même saluer ou fixer un autre rendez-vous à Geb, René reprend la porte qui lui permet de revenir dans le couloir.

Il n'approche surtout pas de la porte 112, qui risquerait de le renvoyer dans la pièce d'électrothérapie de l'hôpital. Il reste à errer dans le couloir de ses 111 vies précédentes et formule rapidement son vœu, en essayant d'être le plus précis possible : « Je veux visiter ma vie où j'ai le mieux su résister psychologiquement à la torture par l'électricité. »

Une lampe rouge s'éclaire au-dessus d'une porte.

La numéro 111. Sa vie précédente, donc, celle juste avant d'être René.

53.

La peau de ses mains est lisse et de couleur cuivrée. Dans le prolongement, ses avant-bras sont nus, imberbes, couverts de tatouages représentant un tigre entouré de symboles. Il porte une robe couleur safran.

Le décor qui l'entoure lui rappelle les salles de classe de son lycée. Aux murs, des cartes du monde et des portraits de politiciens ou d'officiers en tenue militaire légendés dans une langue qui n'est pas européenne.

À côté de lui, est menotté à un lit un homme immobile, la bouche ouverte crispée dans un rictus de douleur. Un personnage au gros ventre et aux yeux bridés, vêtu d'un costume chic et fumant un gros cigare, se balance dans un fauteuil à bascule.

Près de lui, deux soldats et un officier haut gradé. Ce dernier porte des insignes rouges avec des étoiles à cinq branches blanches.

– Nous sommes très honorés d'avoir avec nous un avocat français et un grand intellectuel révolutionnaire, maître, dit l'officier bardé de médailles. Je crois que nous partageons tous les deux une passion pour la poésie de Rimbaud. Mais le travail d'abord. Faites avancer le nouveau.

Un militaire détache l'homme enchaîné et, après avoir vérifié qu'il ne respire plus, il l'attrape par les cheveux et traîne son corps hors de la pièce. L'homme dans lequel se trouve l'esprit de René porte uniquement un caleçon. Il est menotté exactement au même endroit que l'homme qui a été évacué. Il remarque un seau d'eau froide et des fils électriques terminés par de grosses pinces électrodes.

– Quel est votre nom ?

Il serre la mâchoire.

– Vous ne voulez pas répondre ? Ça commence mal. Mais heureusement pour vous, nous le savons déjà.

L'officier lit une feuille.

– Vous vous appelez Phirun. Vous étiez médecin du gouvernement corrompu sous l'occupation américaine. Et vous êtes devenu moine bouddhiste au monastère Tram-Kak, rempli de vermines réactionnaires, pour vous cacher. Mais nous vous avons délogé comme le sale rat capitaliste soutien de l'ignoble dictateur Lon Nol – que son nom maudit soit recouvert de mille crachats !

Il fait un signe à un militaire qui place des pinces sur les poignets dudit Phirun.

– Vous êtes ici dans le bureau de sécurité du camp S21, dit l'officier.

À l'énoncé du nom du lieu, le moine ne peut réprimer un frisson de terreur.

– Je crois qu'il a compris où il était, déclare l'avocat français avec une pointe d'ironie.

René se souvient maintenant que cet officier poète est Douch, le sinistre officier khmer créateur et responsable du camp de rééducation S21. Il sait que plus de 15 000 personnes ont été torturées dans cet ancien lycée au cœur même de la ville de Phnom Penh.

Quant à l'avocat français, René Toledano croit se rappeler de qui il pourrait s'agir. Il y avait eu un doute sur l'implication de cet intellectuel de gauche, autoproclamé défenseur des peuples opprimés, dans les atrocités commises par les Khmers rouges. Il sait maintenant ce qu'il en est.

Douch parle avec une voix suave.

– On va te torturer, tous les jours, longtemps. Mais on ne va pas faire que ça. On va faire pire pour toi, Phirun. Si tu ne nous livres pas les noms des autres moines antirévolutionnaires qui ont fui avant que nous entrions dans le temple, on effacera ton existence sur terre. Tu sais comment on va y parvenir ? Nous allons détruire ton identité, chaque document te concernant, détruire chacune des photos où tu apparais, chacun des lieux dans lesquels tu as vécu, puis nous tuerons tous les gens de ta famille, tous ceux qui t'ont connu, jusqu'au moment où il n'y aura plus la moindre trace de toi, ni la moindre possibilité que qui que ce soit témoigne qu'un jour tu es né et que tu as vécu.

– Tu sais quelle est l'expression latine pour décrire ce processus ? *Damnatio memoriae*, énonce l'avocat français doctement.

Phirun avale sa salive. René se dit que ce moine, le dernier homme qu'il a été avant d'être celui qu'il est aujourd'hui, est vraiment celui qui semble avoir la plus grande expérience de la manière de gérer ce genre d'épreuve extrême.

– Commençons, dit le militaire.

Il appuie sur le bouton déclenchant l'électrochoc, mais déjà le moine a fermé les yeux. Son esprit est sorti de son corps avant que la décharge ne produise son effet.

L'esprit de Phirun distingue alors celui de René.

– Que faites-vous là ? s'étonne le bonze.

– Désolé de vous déranger dans un instant aussi délicat, ose René.

Se souvenant de sa première séance, il essaie de gagner du temps pour aller à l'essentiel.

– Je suis votre prochaine réincarnation, je m'appelle René. Et j'ai le même problème que vous, je me fais torturer. Je voulais savoir si vous aviez une méthode pour supporter ce supplice.

L'esprit du moine cambodgien le fixe, dubitatif.

– Je ne comprends pas votre question. Vous semblez avoir déjà trouvé la réponse : pour s'en tirer, il suffit de quitter son corps.

Je dois trouver les bons mots pour le convaincre de m'aider.

– Certes, mais je sens que je ne vais pas pouvoir tenir longtemps.

– Vous n'êtes pas familier de ces techniques ?

– Je ne suis pas mystique. Je ne suis même pas croyant. Je suis un simple professeur d'histoire. Je n'ai découvert l'hypnose que depuis quelques jours. Tout cela est très nouveau pour moi. Là, pour l'épreuve que j'endure, j'ai besoin d'une connaissance réelle et pratique de la maîtrise du corps et de l'esprit.

– Donc vous arrivez à faire une incursion dans votre vie antérieure, mais vous ne savez y demeurer si on meurtrit votre chair, c'est cela ?

– Exactement, à cette minute même où je vous parle, la douleur dans mon crâne commence à m'empêcher de maintenir mon esprit avec vous. À chaque choc électrique, je suis attiré par mon corps.

– Je vois. Je vais vous apprendre la technique que nous, les moines de Tram-Kak, avons mise au point pour nous sortir des situations inconfortables. Tout d'abord, si vous deviez visualisez votre cerveau, vous utiliseriez quelle image ?

– Eh bien, là, comme cela, maintenant, je dirais une forêt.

– Et si vous deviez visualiser votre douleur, vous la verriez comment ?

– Sous la forme de la foudre qui frappe et enflamme les buissons, mais aussi les racines des arbres.

– Dans ce cas, vous aller imaginer qu'une caverne surgit au milieu de votre forêt. Vous y arrivez ?

René fait surgir au milieu d'une clairière une grosse verrue rocheuse, un dôme de pierre avec une entrée.

– Les arbres peuvent être brûlés par la foudre, mais pas les parois minérales, vous êtes d'accord ? Eh bien, entrez dans votre caverne, vous serez protégé de la foudre et du feu.

– Je peux faire cela tout en discutant avec vous ?

– Essayez, vous verrez bien.

René se réfugie dans sa caverne au milieu de la forêt.

– Vous voyez que cette zone de votre esprit est comme isolée de tous les stimuli extérieurs ? Les éclairs et le vacarme de l'orage sont moins perceptibles, vous le sentez ? Alors, faites rouler un gros rocher pour boucher l'entrée.

René suit ces indications, puis se place au centre de la caverne en tailleur.

– Je vous rejoins, dit le Cambodgien.

L'esprit du moine bouddhiste Phirun apparaît devant lui. Il tient une grosse bougie qu'il pose pour éclairer l'intérieur de la grotte.

– Nous n'avons plus qu'à attendre soit que nos bourreaux respectifs se lassent, soit que nous nous évanouissions, soit que nous devenions fous, soit que nous mourions. Le tout dans une totale acceptation de notre sort.

– Ah ? Il n'y a pas d'autre option ?

– Si vous avez d'autres idées, n'hésitez pas à me les exposer.

– Hum… Non, désolé.

– Alors, comme nous avons un peu de temps à « tuer », j'aimerais converser avec vous… René. Ce que vous m'avez dit sur les vies antérieures m'intéresse. Pour commencer, comment êtes-vous venu ici, « futur moi-même » ?

– J'ai utilisé une technique d'autohypnose régressive. Je visualise un couloir avec des portes numérotées correspondant chacune à une vie passée.

– Passionnant ! J'ignorais que l'on pouvait pratiquer ce genre d'exercice, reconnaît le moine cambodgien.

– Il suffit d'y croire, plaisante le professeur d'histoire.

– Vous voyez, c'est vous qui m'apprenez des techniques spirituelles. Comment savez-vous ce qu'il y a derrière les portes ?

– Je ne le sais pas. Avant la plongée, j'émets un vœu le plus clairement et le plus précisément possible. Par exemple, pour venir vous voir, j'ai demandé à accéder à ma vie où j'avais su le mieux gérer la torture, et votre porte, la 111, s'est éclairée. Je suis convaincu que nous, enfin toutes les réincarnations passées de mon esprit, pouvons nous entraider en nous transmettant le savoir-faire qui nous est propre.

— J'ignorais cette méthode et cette visualisation. À quel numéro de porte vivez-vous et à quelle époque correspondez-vous et dans quel pays ?

— Je suis la porte 112. Je vis en France, en 2020, plus précisément à Paris. Sinon, quand je ne suis pas torturé dans un asile psychiatrique, je suis un type plutôt banal.

— Et nous sommes donc 111 avant vous ?

— Avec mes 111 vies précédentes, c'est comme si j'avais accès à 111 alliés pour résoudre mes problèmes ou me tranquilliser l'esprit.

— Dans le bouddhisme que je pratique, le Theravada Hinayana, donc de la branche « petit véhicule », nous sommes au fait des réincarnations qui se succèdent dans un cycle répétitif de naissance et de mort, que nous nommons Samsara. Selon notre comportement, bon ou mauvais, dans notre karma actuel, nous descendons ou montons dans le karma suivant. Cependant nous n'apprenons pas à aller visiter nos vies anciennes aussi méthodiquement et encore moins à dialoguer avec nos vies futures.

— Je pense que, pour les vies futures, il faut attendre d'être visité. Dans mon couloir, je n'ai pas vu de porte 113.

— À moins que vous ne soyez parvenu à vous approcher de la perfection. Dans ce cas, vous seriez proche du Nirvana.

— C'est quoi déjà le Nirvana ?

— La libération définitive de l'âme, où le karma sort du cycle des réincarnations et où l'être atteint la suprême vacuité. Vous n'avez plus la nécessité de renaître dans un corps, vous devenez pur esprit indépendant de la matière. Vous rejoignez alors l'origine même de l'univers dans son essence la plus pure, pour devenir lumière et énergie. Peut-être qu'en tant que dernière représentation de moi et de tous les autres avant vous, vous allez…

Phirun s'arrête soudain, impressionné par ce qu'il avance.

– … réussir à vous extraire du devoir de renaître dans la chair. Et donc de souffrir.

– Ça m'étonnerait fortement. Je suis loin d'être parfait. J'ai même causé la mort de quelqu'un. Pour le saint, on repassera.

Le moine a une moue déçue.

– Ah, dans ce cas en effet cela m'étonnerait que vous puissiez être libéré du devoir de renaître. Dommage. Donc, il risque d'y avoir une 113ᵉ porte dans votre couloir après votre décès.

Phirun change de physionomie. Il fronce les sourcils, inquiet.

– Quelque chose ne va pas ? demande René, anxieux. Vous êtes mort ?

– Le cerveau dans mon corps vient de disjoncter. Je me suis évanoui.

– Ils vont probablement vous réveiller avec des gifles ou des jets d'eau glacée, non ?

– Cette fois je me suis évanoui profondément, peut-être même que je suis tombé dans le coma. Désolé.

Tiens, il a les mêmes expressions que moi.

– Je ne vais pas pouvoir continuer cette passionnante conversation, René. Il faut que je rentre, sinon je risque de ne plus pouvoir du tout réintégrer mon corps.

– Je comprends. En tout cas je vous remercie pour la caverne protectrice dans la forêt de mon esprit.

– Et d'ailleurs, de votre côté, cela se passe comment ?

– C'est peut-être moins douloureux que pour vous, finalement, car ce que je subis est censé être thérapeutique. Le but affiché est de détruire ma mémoire, pas de faire souffrir.

– Vous avez de la chance.

– Comme les décharges que je reçois sont moins fortes que les vôtres, ça peut durer longtemps. Dans le doute, je vais rester encore un peu là, planqué, à attendre que cela s'arrête. Je ne sais comment vous remercier pour ce stratagème.

– La meilleure manière que vous aurez de me remercier, c'est de tout faire pour qu'on se rappelle que j'ai existé. Afin que, si Douch met sa menace à exécution, la *damnatio memoriae*, vous puissiez témoigner de qui j'étais, de ce que j'ai vécu et de qui sont vraiment les Khmers rouges.

– Vous pouvez compter sur moi.

– Si vous le pouvez, racontez en détail ce qu'il se passe ici. Racontez ce qu'ont vécu les autres moines de mon monastère, pour que les générations futures sachent. Dites-leur que le totalitarisme peut prendre tous les aspects pourvu qu'il soit attrayant : le fascisme noir, le communisme rouge, le fanatisme religieux vert. Mais ce sont finalement exactement les mêmes. Des mafieux cyniques qui, sous couvert de défendre des principes censément généreux et altruistes, ne pensent qu'à s'enrichir. Une lutte globale oppose les esclavagistes et les libérateurs ; ils se déguisent dans leur discours ou leur costume, et il faut les juger non pas sur ce qu'ils disent mais sur ce qu'ils font. Et là, en l'occurrence, dans mon pays, les esclavagistes se font passer pour des libérateurs du peuple. Et le pire c'est qu'ils se sont convaincus qu'ils font tout cela pour le bien-être de l'humanité !

– Et comment peut-on lutter contre eux ?

Le moine sourit, puis utilise la formule qui lui semble le mieux à même de décrire sa pensée.

– « Pour faire peur aux monstres on place devant eux un miroir. »

René apprécie la puissance de cette phrase. Phirun précise.

– Je n'ai pas de haine pour eux. Ils me permettent de mieux connaître mes capacités de résistance et de mieux me connaître tout court. Et puis c'est grâce à cette séance que j'ai pu te rencontrer. Avant, pour moi, la réincarnation était un concept flou, maintenant je sais que c'est toi qui me succéderas.

– Mais vous risquez de mourir !

Il cherche encore une formule qui puisse exprimer ce qu'il ressent puis annonce :

– « Ce qui est considéré comme une fin pour une chenille n'est en réalité qu'un début pour un papillon. »

J'adore les formules de ce moine. Quel dommage qu'il n'ait pas écrit de livre pour que ces deux phrases puissent être lues et connues ! Si on l'oublie, si je n'arrive pas à transmettre sa pensée, il les aura trouvées pour rien. En tout cas, il est peut-être la chenille et je suis peut-être le papillon. J'ai alors le devoir de m'envoler.

Il ne sait comment exprimer plus qu'il ne le fait déjà son soutien à son ancien lui-même. C'est Phirun qui met fin à la conversation.

– Bonne fin de torture, René, dit le moine comme il aurait dit « Bonne fin de soirée ».

– Bonne fin de torture, Phirun. Et merci pour votre aide.

René Toledano attend en fixant la bougie que le moine a laissée. Dehors, l'orage gronde par intermittence. Lorsqu'il ne perçoit plus aucune vibration derrière la paroi de la caverne, il fait rouler le rocher qui obstrue l'entrée.

Apparaît devant lui un paysage nouveau. La forêt est en flammes. Des arbres continuent de brûler, certains sont réduits à des tas de cendre.

Maximilien Chob ne s'est pas contenté de détruire les mauvaises herbes qui encombraient les chemins. Il a détruit sans le moindre discernement beaucoup de mes arbres les plus importants, de mes meilleurs souvenirs.

René Toledano reprend la porte, revient prudemment dans le couloir aux 111 portes, s'avance vers la 112e. Il passe le seuil de l'inconscient et voit l'escalier. Il ferme les yeux et remonte lentement, marche à marche.

10e, 9e, 8e marches… Il approche de la surface, mais n'ose pas rouvrir les yeux.

7e, 6e, 5e marches.

Je n'entends rien, la voie doit être libre.

3e, 2e, 1re.

Il rétablit le contact avec le présent. Son sens du toucher réagit, mais pas sa vision.

Il sent qu'on le détache et qu'on l'amène sur une civière. Il est ensuite déposé sur un lit.

Ça suffira comme émotions pour la journée. Le docteur Chob a peut-être raison finalement : « Quand on doute, on reboot. »

Plutôt que de rouvrir les yeux, il décide de basculer directement dans le sommeil.

54. MNEMOS. DAMNATIO MEMORIAE.

L'expression *damnatio memoriae* remonte à la Rome antique et signifie : « la condamnation de la mémoire », ou plus simplement le fait d'être condamné à l'oubli, et désigne une punition, pour haute trahison, à un oubli post mortem.

Ce châtiment était considéré comme la pire chose qui pouvait arriver à un être humain puisqu'elle le poursuivait au-delà de la mort. C'était l'exact contraire de la *consecratio*, ou consécration, qui, rendant la personne sacrée, la sauvait à jamais de l'oubli.

La menace de *damnatio memoriae* était brandie par les Romains pour inciter les empereurs à ne pas commettre d'actes odieux. Et certains d'entre eux furent considérés dignes d'un tel châtiment.

Parmi ceux qui furent condamnés à la *damnatio memoriae*, on peut citer Marc Antoine (l'allié de César et amant de Cléopâtre, qui s'était opposé au premier empereur, Octave Auguste), Caligula, Néron et Commode (ces trois derniers étaient devenus fous, violents et sadiques) et un certain empereur Geta (dont on sait, et pour cause, très peu de choses, si ce n'est qu'il fut assassiné par son frère Caracalla pour que ce dernier puisse gouverner).

En cas de *damnatio memoriae*, leurs sculptures étaient détruites, leurs noms étaient effacés des inscriptions, les pièces à leur effigie étaient fondues et il était interdit, sous peine de mort, de prononcer leur nom.

Si l'existence de ces hommes nous est quand même connue, c'est grâce à des documents qui ont été préservés malgré tout, parce qu'ils étaient conservés dans des provinces éloignées où l'ordre de les oublier n'était pas encore parvenu.

Déjà, avant les Romains, les Égyptiens pratiquaient un châtiment similaire : le pharaon Akhenaton a ainsi été condamné à être oublié. Il était considéré comme hérétique parce qu'il avait voulu réformer et moderniser son pays avant d'être renversé par un complot de prêtres.

Le pharaon Ramsès II a été particulièrement actif dans ce travail d'effacement de la mémoire, puisqu'il a rayé plusieurs de ses prédécesseurs qu'il n'aimait pas. Il a ainsi éliminé toutes les cartouches faisant référence aux pharaons entre Amenhotep III et Horemheb (là encore, on a retrouvé des traces de leur existence grâce à des textes de provinces éloignées).

Chez les Grecs, Érostrate fut frappé de la même condamnation pour avoir mis le feu au temple d'Artémis. Ironie de l'histoire, il avoua avoir accompli ce geste précisément pour devenir célèbre...

Les nazis appliquèrent cette condamnation au père Alois Grimm, un jésuite qui avait osé s'opposer à Hitler. De même, Staline recourut à cette technique pour faire oublier tous les anciens révolutionnaires historiques, et tout particulièrement les compagnons de Lénine (notamment Léon Trotski, fondateur de l'Armée rouge). Ils furent systématiquement effacés des photos, et il était même interdit de prononcer leur nom.

Mais ce fut le dictateur communiste cambodgien Pol Pot qui, de 1975 à 1979, établit le plus grand système d'effacement de l'existence d'un humain conçu jusque-là, allant jusqu'à tuer toutes les personnes de sa famille, ses amis ou ses voisins – bref, tous ceux susceptibles de témoigner de son passage sur terre. Furent ainsi tués et officiellement oubliés 1,7 million de personnes, soit 20 % de la population cambodgienne de l'époque.

55.

Quand il se réveille, il ne sait plus précisément où il se trouve, ni qui il est.

Un homme en blouse blanche est assis face à lui, un sourire aux lèvres. Il a l'air sympathique.

– Ça va mieux?

René se redresse sur un coude, l'esprit dans le brouillard. L'homme est de petite taille avec une longue mèche blonde sur le front.

Je le connais, mais d'où? Et moi, comment je m'appelle déjà?

Bon sang, qui suis-je? Mon prénom, il faut que je me rappelle mon propre prénom.

Cela commence par un R. Renaud? Romuald? Non, plus court. Raoul? Cela a un rapport avec les grenouilles. Les reinettes. Ça y est. J'ai trouvé. René.

René comment? Cela va revenir.

Et ce type si aimable en face, c'est qui? Je le connais, j'en suis certain. Ce doit être un copain. Ou, à en juger par sa blouse blanche, quelqu'un qui me soigne. Mais il me soigne pour quoi déjà?

– Je crois que votre état s'améliore. J'ai l'impression que vous vous sentez mieux dans votre nouvelle chambre sécurisée.

Il croit?

René examine la cellule blanche capitonnée. Et puis, tout lui revient.

Je suis dans un hôpital psychiatrique. Lui c'est Chob. Le docteur Maximilien Chob. C'est lui qui fabrique des « faux souvenirs ».

Il m'a fait quelque chose au cerveau pour abîmer mon esprit. Il a mis le feu aux arbres-neurones de la forêt de mon esprit. Des souches et des tas de cendre. Voilà ce qu'est devenue la forêt incendiée de ma pensée.

Je me suis protégé dans une grotte. Avec un Cambodgien. Qui avait fini par détester Rimbaud.

Ma mémoire revient par vagues.

J'ai une mission importante à accomplir pour sauver des gens. Je ne me rappelle plus qui.

— Croyez-moi, vous allez désormais vous sentir de mieux en mieux, monsieur Toledano.

C'est ça, je m'appelais, non je m'appelle René... Toledano.

Se reprendre. Tenir. Faire revivre les arbres-neurones brûlés.

Il n'est plus aussi sympathique que je le pensais tout à l'heure, ce type. Son sourire me fait peur.

— Vous n'avez pas le droit de me faire subir ce que vous me faites subir. Je veux parler à un avocat.

— Vous ne subissez pas, vous guérissez. Il n'y a pas d'avocat pour aider les gens malades. À la limite, votre meilleur avocat, c'est moi. Et ce n'est que grâce aux efforts d'Élodie Tesquet que nous avons pu vous faire transférer ici. Souvenez-vous de ça : je suis celui qui vous soigne.

À nouveau un rire tonitruant, poussé par un malade dans une chambre voisine, semble répondre à distance à cette dernière phrase.

— Je veux rentrer chez moi.

— Votre cas m'intéresse. Je crois que vous allez rester très longtemps dans cet hôpital, et vous me remercierez car je vous ai sauvé de la prison et que, maintenant, je vais nettoyer votre esprit.

— Je veux rentrer chez moi.

Il faut que je retrouve Mnemos, le fichier dans lequel j'ai noté tout ce que je suis pour ne pas l'oublier. Mais Mnemos est chez moi.

C'est où déjà, chez moi ? Il faut que je m'en souvienne et, dès que j'aurai trouvé Mnemos, je me rappellerai tout à fait qui je suis malgré ce qu'il m'arrive actuellement.

– Vous voyez, c'est un des problèmes de la perte de mémoire : le manque de vocabulaire. On finit par répéter les mêmes mots.

René tente de se redresser un peu plus, mais il ressent un vertige et une effroyable migraine.

L'incendie n'est pas encore complètement éteint dans ma tête.

Il entend la pluie qui tombe à l'extérieur et imagine que toutes ces gouttes argentées éteignent les flammes qui continuent d'embraser ses neurones.

– On vous a donné un sédatif et vous avez beaucoup dormi. Il est 11 heures du matin. Vous avez raté le petit déjeuner, mais on va vous apporter bientôt le déjeuner. Vous avez besoin de forces. Je crois qu'aujourd'hui au menu, il y a de la cervelle de mouton. C'est rempli de phosphore. C'est bon pour la mémoire. Vous verrez, ici la nourriture est très bonne. On a un chef qui aime travailler les abats. Ce n'est pas si fréquent. Dommage. Pour la petite histoire, je ne sais pas si vous vous intéressez à la nourriture, mais ma grand-mère disait que manger des rognons est bon pour les reins, du ris de veau pour la thyroïde et le système immunitaire, des tripes pour la digestion. Donc, forcément, le cerveau doit être bon pour retrouver sa santé mentale, vous ne croyez pas ?

Le psychiatre relève sa mèche blonde.

– Il faut vous reconstruire, monsieur Toledano, car vous avez une deuxième séance de « nettoyage de l'hippocampe » programmée à 16 heures aujourd'hui même. À mon avis, d'ici un mois, à raison d'une séance d'électrothérapie par jour, vous devriez avoir transformé votre jungle interne en jardin à la française.

Le feu se consume encore dans ma tête. Ce ne sont plus que des braises, mais elles sont chaudes et elles continuent de grésiller.

Chob le laisse seul dans sa cellule aux murs blancs.

Il faut que je me rappelle autre chose d'important, mais quoi ? Quelque chose qui a à voir avec une plage de sable blanc, un cocotier et un type en jupe.

Il se mord la langue.

Quelle plage ? Quel homme en jupe ? Un Écossais en vacances ? Pourquoi c'est si important que je m'en souvienne ?

Il se pince, se tape la tête contre le mur pour essayer de provoquer un choc qui pourrait réveiller sa mémoire. Mais un infirmier entre et l'en empêche.

– On vous surveille par l'œilleton. Si vous continuez à vous faire du mal, on vous passera la camisole de force !

René consent à s'asseoir sur le lit.

– Juste, est-ce que vous pouvez me rappeler pourquoi je suis ici ?

L'infirmier regarde la fiche sur la porte.

– Vous avez tué quelqu'un, dit-il en haussant les épaules. Avec un poignard. Et puis vous délirez sur l'Atlantide.

Il a dit cela du même ton que s'il avait dit : « Vous avez l'appendicite et une petite tumeur cancéreuse. » L'infirmier essuie le sang qui tache la zone sur laquelle René s'est frappé le crâne, puis s'en va, verrouillant la cellule de l'extérieur.

René se retrouve seul.

L'Atlantide ? Bon sang, ça y est...

Il secoue la tête et une autre image lui revient : un collier avec un dauphin bleu. Et, au-dessus, un cou et un visage de femme rousse aux yeux verts. Derrière elle, un énorme œil.

Opale. Elle se nommait Opale. La boîte de Pandore.

Elle m'a hypnotisé et il s'est passé quelque chose. Un choc. J'ai voulu me rappeler quand j'avais été héroïque. La guerre de 14-18. Hippolyte.

La pluie qui tombe au moment où le sergent siffle. Le tunnel par lequel les Allemands débouchent derrière nos lignes.

Enfin, sa mémoire se reconstitue progressivement.

J'ai eu d'autres vies avant cette vie.

Celle dans laquelle j'ai souhaité mourir âgé, entouré de ma famille. La comtesse Léontine.

Celle du plus grand plaisir. Le galérien Zeno.

Ma vie la plus sereine : celle avec l'homme en jupe.

Il faut que je me rappelle ce dernier nom. C'est un nom court. Mel. Bel. Reb. La fin est bonne mais cela commence par une autre lettre. Beb. Deb. Feb... Geb ! Il s'appelle Geb et il vit en Atlantide.

L'orage gronde derrière le mur. Aussitôt un autre souvenir lui revient.

Le Déluge !

Il est en danger. Il faut que j'aide Geb à survivre à cette catastrophe naturelle.

Il pose son oreille contre le mur capitonné et regrette de ne pas percevoir mieux le monde extérieur.

Le docteur Chob a dit qu'il allait nettoyer ma mémoire, il risque de me faire oublier Geb et alors je ne pourrai plus l'aider. Le pauvre, il ne sait pas construire des bateaux : les Atlantes ont développé leur

271

talent spirituel mais pas technique. Leurs bateaux sont plats et ronds, et tirés par des dauphins. Ils ne connaissent pas la roue, ni la voile, la quille, le gouvernail.

Les Atlantes ont besoin de moi. Je suis le seul à pouvoir les sauver.

Il faut à tout prix que je sorte d'ici. Je dois m'évader de cet asile. Mais comment faire ?

La réponse arrive enfin.

Hippolyte. Il faisait partie des troupes d'élite, il sait se battre et comment s'infiltrer dans une zone ennemie.

Alors, avec difficulté, il s'installe en tailleur, tente d'adopter la position du lotus, sans y parvenir, renonce, ferme les yeux et essaie de se souvenir du protocole d'autohypnose.

Je crois qu'il y a une histoire d'escalator, non, d'ascenseur, non, de simple escalier.

Au moment où il y pense, il le visualise. Il descend les marches en comptant.

Il se retrouve face à la porte de l'inconscient. La porte est épaisse, blindée, soutenue par une grosse armature métallique semblable à une porte de coffre-fort de banque.

Je ne me rappelais pas que la porte était si épaisse.

Il tourne la poignée et a beaucoup de difficultés à l'ouvrir. Cela grince, c'est lourd, mais il y parvient.

Derrière, le couloir avec les enfilades de portes en bois. Les numéros sur les plaques commencent à disparaître sous des traces de suie.

Les conséquences de l'électrothérapie vont jusqu'à mon couloir.

Il frotte la suie pour voir les nombres sur les plaques.

C'est laquelle déjà qui mène à la Première Guerre mondiale ? La 105, la 106, la 107 ?

Son nom évoque la couleur rouge luisante. Sang neuf. La 109 !

Il approche la main de la porte après la 108. Il essuie les marques noires pour faire apparaître le nombre 109. Il repère des vapeurs sous le bois noirci. Il se souvient que, la dernière fois, il était tombé juste avant l'offensive du chemin des Dames.

Ce n'est pas le moment de refaire la bataille.

Alors il se concentre et formule précisément son souhait.

Je veux arriver la veille de l'offensive.

Il ouvre la porte. Il retrouve Hippolyte en plein sommeil. Il cherche comment procéder. Contrairement à la première fois, René choisit clairement de ne pas voir à travers ses yeux. Utilisant la technique de Geb, il place son esprit à l'extérieur de son incarnation. Ainsi il peut apparaître et parler à son ancien lui-même comme s'ils étaient deux personnes distinctes.

– Hippolyte ?

Le soldat se réveille en sursaut, affolé.

– Qui êtes-vous ?

René perçoit dans la voix du jeune homme une forte inquiétude. Il décide de jouer sur la confusion que crée le sommeil pour que la rencontre se passe plus facilement.

– Je suis… un personnage de ton rêve. Mais pas n'importe lequel. Considère-moi comme une sorte d'ami qui a besoin de tes talents.

Il sent que l'esprit du soldat prend conscience de sa présence sans arriver à l'identifier clairement.

– Un personnage de mon rêve ? Et qu'attendez-vous de moi ?

– Je sais que cela peut paraître un peu surprenant, mais il faudrait que vous entriez en moi et que vous me pilotiez de l'intérieur.

– C'est possible, ça ?

– Dans le monde des rêves, tout est possible. Ce n'est qu'un jeu de l'esprit.

– Et qui êtes-vous pour sembler me connaître ?

– Votre réincarnation future.

– Donc, je délire dans mon rêve ?

– Exactement, mais j'ai besoin que vous me donniez dans ce rêve votre accord de principe pour poursuivre cette expérience.

– Quel est votre nom ?

– René Toledano.

– Et vous disiez que vous veniez de mon avenir ?

– Je naîtrai dans une cinquantaine d'années.

Entre nous deux, il y a un moine cambodgien, mais cela n'est vraiment pas le moment de compliquer les choses.

– Et là que faites-vous, René ?

– Je suis en l'an 2020, enfermé dans un asile psychiatrique. Précisément parce qu'on pense que je suis fou.

– Ah oui, d'accord. Je suppose que j'ai dû boire trop de vin avant de m'endormir.

– Je vous demande juste de me faire confiance. Sentez-moi, percevez-moi et ensuite pilotez-moi de l'intérieur. C'est vraiment important. J'ai besoin de vous pour me sauver. Il en va de la sauvegarde de mon… enfin, de « notre » esprit.

Hippolyte semble se désintéresser de son interlocuteur.

– De toute façon vous n'êtes qu'un personnage de rêve. Pourquoi devrais-je vous accorder le moindre crédit ?

Comment le convaincre ? Tiens, la technique du 3 + 1 !

– Répondez-moi juste par oui ou par non, Hippolyte. Vous êtes d'accord pour reconnaître que, si tout cela se produit dans un rêve, quels que soient vos choix, il ne peut y avoir la moindre conséquence ?

– Oui.

– Que si vous refusez de m'aider, votre rêve sera habité par un personnage déçu ?

– Admettons.

– Par contre, si vous acceptez de m'aider, le personnage de votre rêve sera épanoui ?

– Oui.

– Donc vous avez intérêt à ce que le personnage de votre rêve soit un personnage réjoui, plutôt que frustré. Surtout puisque cela ne vous coûte rien et ne vous fait rien perdre. Alors, vous acceptez Hippolyte ?

– Euh… Bon, de toute façon je n'ai rien d'autre à faire… Pourquoi pas, monsieur Toledano.

– Appelez-moi René.

– D'accord, René.

Eh bien, cela n'aura pas été facile de convaincre cette subperson-nalité.

– Comment voulez-vous procéder, René ? demande le soldat.

– Entrez en moi. Prenez mes mains, saisissez-vous de mon esprit et agissez avec vos réflexes, votre rapidité, votre talent d'homme qui sait gérer l'action et la violence. Il faut juste me sortir vite de là. Sinon mon esprit risque d'être définitivement détérioré et nous ne pourrons plus communiquer.

Alors, Hippolyte Pélissier, croyant rêver depuis sa tranchée de la Première Guerre mondiale, passe à l'action dans un monde inconnu, où il se prend pour un homme du futur enfermé dans un asile.

275

56.

Quand l'infirmier apporte le plateau du déjeuner, il est saisi à la gorge, déséquilibré et, avant de pouvoir réagir, plaqué au sol et assommé d'un coup précis derrière la nuque donné du tranchant de la main. René-Hippolyte a analysé la situation, il ligote l'homme au sol, puis se précipite dans le couloir.

Dans ce secteur, toutes les issues sont dans le champ de caméras de surveillance. Il rase les murs. Il atteint une porte fermée par un sas. Il comprend qu'il doit trouver un autre passage.

Il évolue dans des couloirs sombres et déserts qui débouchent sur d'autres couloirs similaires. Ce monde labyrinthique rappelle à René-Hippolyte celui des tunnels qu'il a parcourus lors de ses missions d'infiltration derrière les lignes allemandes.

René a l'impression que son corps est un véhicule dont il a prêté le volant à un étranger.

Je vis une expérience de schizophrénie, deux esprits dans le même corps. C'est le seul moyen d'empêcher Chob de détruire complètement mon cerveau.

Si Phirun sait gérer la douleur, Hippolyte sait gérer le combat.

Le soldat de la Première Guerre mondiale est très rapide et très efficace. Il sait marcher en silence, évaluer les dangers du terrain, progresser rapidement en analysant le décor, du plancher au plafond. René entend des hurlements.

Le bourreau est déjà au travail.

Il s'avance vers la zone d'où proviennent les cris. Il voit à travers le hublot d'une porte une femme qui, comme lui la veille, est attachée à un fauteuil par des sangles et à laquelle on inflige l'électrothérapie.

La femme manifeste tous les signes de la douleur. Sur le côté, le docteur Chob est installé près des écrans, accompagné de deux infirmiers. Tout en donnant à ses subalternes des indications techniques, il caresse les cheveux, le visage, puis la poitrine de sa patiente. Celle-ci se tord de douleur à chaque décharge et Chob l'observe comme on observerait un animal souffrir. Les caméras transmettent les images à d'autres collègues tout aussi sadiques.

– Qu'est-ce qu'ils font ceux-là ? questionne Hippolyte.

René n'a pas le temps d'expliquer.

– Agissons, propose l'esprit du professeur d'histoire à l'esprit du soldat.

Alors René-Hippolyte entrouvre la porte, passe une main dans l'entrebâillement et éteint la lumière. Aussitôt, un infirmier fonce sur lui, mais il esquive la charge et n'a guère de difficulté à le mettre à terre. Profitant de la pénombre et de l'effet de surprise, René-Hippolyte a l'avantage.

Un second infirmier tente de le ceinturer, mais déjà l'intrus le frappe du coude en visant le foie, forçant son adversaire à se plier dans une grimace.

Mais à peine a-t-il échappé à ces deux infirmiers qu'il ressent une douleur fulgurante près du nombril. Il comprend trop tard : le docteur Chob, arrivant par-derrière, lui a enfoncé un bistouri dans le ventre. C'est douloureux, mais il sent instantanément que seuls le gras et les muscles ont été touchés.

René-Hippolyte arrache la lame et se retourne. Il s'en saisit à son tour et la darde en avant. Chob recule, et déclenche d'un geste une sirène assourdissante. La pièce sombre est soudain éclairée par la lueur rouge intermittente de la lampe d'alerte.

Le psychiatre à la mèche blonde veut profiter de cette diversion pour s'échapper mais, son assaillant l'empêchant de passer, il saisit un second bistouri et le tend en avant, menaçant. Les deux hommes se font face, prêts à se livrer un duel armés de leurs minuscules épées.

Normalement, étant donné la différence de taille, le combat devrait tourner à l'avantage du plus grand, mais l'un des infirmiers estourbis a repris connaissance et vient prêter main-forte à son patron. Le nombre joue cette fois en la défaveur de René. D'un geste, René-Hippolyte tranche les sangles de cuir et libère la jeune femme attachée au fauteuil. Celle-ci recrache son bâillon et se jette aussitôt sur le docteur Chob en poussant un grand cri de rage. Diversion réussie.

L'infirmier charge. René-Hippolyte se baisse, attrape sa jambe droite, enfonce sa tête dans son torse et le renverse. Il le frappe à la gorge. Il sait qu'il doit faire vite car déjà le second infirmier se relève et lui saute dessus.

Ils se retrouvent dans un corps à corps similaire à celui que René a vécu lors de sa toute première régression avec le soldat allemand au chemin des Dames. L'infirmier plus costaud est assis sur lui et tient son bistouri près de son visage. Hippolyte lui bloque la main d'une main et tente de l'étrangler de l'autre, mais son cou est trop large et il n'arrive pas à presser suffisamment fort pour l'étourdir. Alors, se rappelant précisément le combat du chemin des Dames, René reprend le contrôle pour tenter une autre stratégie.

L'intelligence, c'est de ne pas refaire deux fois les mêmes erreurs.

Il donne un violent coup de genou dans le bas-ventre de

l'infirmier. Aussitôt, celui-ci relâche sa pression. Cela lui permet de lui assener un uppercut au menton.

Rappelle-toi ça au chemin des Dames, Hippolyte, ça pourra te servir.

Dans la pièce d'électrothérapie, l'obscurité hachée par les flashes de lumière rouge et le vacarme de la sirène participent au chaos. La patiente libérée est arrivée à coincer Maximilien Chob et, ayant récupéré les fils électriques, elle lui lâche une décharge dans l'oreille qui le fait hurler.

Et en plus, c'est un douillet!

La patiente éructe de joie et lui administre une seconde décharge dans la bouche qui le fait grimacer et bondir.

René-Hippolyte n'a plus de temps à perdre. Il doit déguerpir avant que n'arrivent les autres infirmiers. Alors, il enlève la blouse blanche de l'un des hommes à terre, puis profite que Chob est aux prises avec sa patiente pour lui prendre sa carte magnétique.

Surmontant la douleur que lui a infligée le coup de bistouri au ventre, il court dans le labyrinthe des couloirs du premier sous-sol. Arrivé devant une pièce du laboratoire, il entreprend de créer une fausse piste pour faire diversion. Il saisit alors un bec Bunsen et provoque un incendie dans la pièce qui aussitôt dégage beaucoup de fumée. Des volutes grises et opaques se répandent dans les couloirs. René-Hippolyte mouille un tissu pour se faire un masque, une technique qu'il a déjà testée contre le gaz moutarde. À travers l'écran de fumée, il discerne des silhouettes d'infirmiers.

Rajouter de la confusion à la confusion.

Il passe le premier sas, remonte l'escalier, arrive à la porte principale et utilise la carte magnétique de Chob pour

279

déclencher l'ouverture de la vitre coulissante. Sa tenue d'infirmier lui permet de franchir sans difficulté la cour. Dans le parking, il se met au volant d'une ambulance dont les clefs sont sur le tableau de bord. Il démarre, enclenche la sirène du véhicule dont le bruit assourdissant se mêle au vacarme général. La barrière se soulève pour le laisser passer.

Il surveille le rétroviseur. Personne ne le suit. Il s'arrête un peu plus loin dans une rue déserte. Il ferme les yeux et le dialogue reprend avec son ancien lui-même :

– Maintenant il vaut mieux nous séparer, Hippolyte. Vous allez terminer ce rêve et vous vous réveillerez tranquillement demain pour vivre d'autres aventures.

– Dites-moi, René, vous êtes un personnage de rêve qui est censé vivre dans mon futur, n'est-ce pas ?

– Oui, je suis un personnage de rêve. Donc ce que je pourrais vous dire n'est qu'un élément de cet instant onirique.

– Alors vous pourriez me faire faire un rêve prémonitoire ?

– C'est-à-dire que…

– Je ne vous ai pas laissé tomber, alors ne tentez pas de vous débiner.

Zut, je n'avais pas prévu ça.

– Si je vous ai bien suivi, mon présent est pour vous du… passé. Alors dites-moi ce qu'il va m'arriver. Ici, au front, c'est terrible. Est-ce que je vais m'en sortir ?

– Vous devez vivre votre vie, je ne veux pas interférer, je ne sais pas quelles conséquences cela pourrait avoir de vous annoncer ce qui va se passer pour vous.

– Je veux savoir.

– De toute façon, ce n'est qu'un rêve.

– Alors dans ce cas cela ne change rien de me dire ce que

vous savez de mon futur, René. Si ça se trouve demain au réveil j'aurai tout oublié.

Il est malin, il me coince.

– Ou peut-être que vous vous en souviendrez. Dans ce cas, ce que je vous dirais risquerait d'influer sur le cours de l'histoire. Quoi qu'il en soit, votre aide a été déterminante pour mon présent, Hippolyte. Merci. Et je regrette de ne pas pouvoir vous aider plus.

– Non, ne partez pas déjà.

– Si, il le faut.

– Vous reviendrez ?

Zut. Je ne sais pas quoi répondre.

– Je… oui… j'essaierai.

Ayant peur de s'emmêler davantage les idées, René préfère couper court à la conversation. Les deux esprits se séparent avec le sentiment d'avoir vécu une expérience importante.

René redémarre et roule à toute vitesse dans la circulation, profitant de la sirène pour prendre les voies de bus.

Je crois que mon cas s'aggrave. Hier encore, je n'avais fait que tuer un homme, aujourd'hui j'ai en plus blessé des infirmiers et mis le feu à un hôpital.

Enfin seul dans son esprit, René Toledano roule sans quitter des yeux son rétroviseur. Il est partagé entre l'inquiétude que suscite en lui ce qu'il s'est passé dans l'hôpital, la satisfaction d'être libre, celle de savoir désormais qu'il peut compter sur l'aide de ses anciens lui-même pour gérer les crises et la culpabilité de ne pas avoir davantage aidé Hippolyte.

Je laisse dans l'univers une trace de sang et de cendres. Là où je passe, le chaos et la destruction augmentent.

Tout ça parce que cette hypnothérapeute a ouvert la boîte de

281

Pandore de mon esprit pour laisser ressortir les démons de mes sub-personnalités. La chenille ne s'est pas transformée en papillon ; elle s'est transformée en guêpe. J'ai tué. J'ai brûlé. J'ai blessé. J'ai abandonné Hippolyte à son sort.

Cette pensée l'obsède. Il grille un feu rouge.

Je sais que je vais payer pour ça. Je l'accepte, mais il faut que je sois suffisamment serein et dans un endroit calme pour aider Geb à survivre au Déluge.

À un feu rouge, une voiture de police se range à côté de lui. L'un des agents le fixe.

Sauver les apparences. J'ai un véhicule et une blouse d'infirmier, cela doit influer sur l'inconscient, comme la dame de cœur. Rien qu'avec ces éléments l'esprit du policier se dit : « C'est un homme qui sauve des vies, il ne faut pas le déranger. »

Échange de regards.

Sourire pour paraître décontracté. Comme le disait papa : « Quand tu ne sais pas quoi faire, souris, les gens auront l'impression que tu as compris quelque chose qu'ils ignorent. »

La voiture de police poursuit sa trajectoire sans lui prêter plus d'attention. Le fugitif se dit qu'il est temps de récupérer ses affaires et tout particulièrement son ordinateur pour noter tout ce qu'il s'est passé dans Mnemos.

Comme dit Phirun : « La pire chose qui puisse arriver est que personne ne se souvienne qu'on a existé. »

Je ne dois surtout pas oublier les moindres détails de ce qu'il s'est passé.

57.

René gare l'ambulance, puis se débarrasse de sa blouse dans les poubelles avant de rentrer chez lui.

Impossible de me rappeler le code d'entrée de l'immeuble. Si, c'est la date de mon anniversaire, le concierge l'avait mis pour me faire plaisir quand je lui ai dit que je risquais un jour d'avoir les mêmes problèmes de maladie d'Alzheimer que mon père... Il reste une petite question : quel jour je suis né déjà ? Chob a dû abîmer des zones de mon hippocampe.

Il tente plusieurs dates, puis enfin se souvient. Son anniversaire correspond aux beaux jours. Donc l'été. Juin.

Il y a donc un 06. Et le nombre juste avant... Comme les heures. 24.

Il tape 2406. La porte de l'immeuble s'ouvre. Il se précipite et arrive à son étage.

La clef ? Je l'ai cachée où déjà ? Quelque part près de la porte. Sous le paillasson.

Il entre et referme derrière lui les verrous à double tour.

Tous les masques semblent contents de le retrouver. Seuls les masques japonais l'accueillent par des grimaces effrayantes.

Il prend une douche brûlante, désinfecte sa blessure, heureusement superficielle. Toujours en peignoir, il saisit son ordinateur et note à toute vitesse dans Mnemos tout ce qu'il vient de lui arriver et les réflexions que cela lui inspire.

Ce qui est extraordinaire, c'est que même si j'ai encore du mal à accéder à mon passé récent, je peux rejoindre plusieurs passés qui sont des vies entières dans des lieux, des époques, des situations bien différentes. Mes subpersonnalités.

Je suis désormais bien plus que « René Toledano, fils d'Émile Toledano, professeur d'histoire célibataire de 32 ans au lycée Johnny-Hallyday ».

111 vies. Mais les plus intéressantes sont sans conteste la première et la dernière.

Quand j'étais Hippolyte, quand j'étais Léontine, quand j'étais Zeno ou Phirun, j'avais finalement non seulement une vie éprouvante, mais également peu épanouissante.

Cette constatation lui semble une dure révélation.

En dehors de Geb, nos ancêtres avaient des vies pitoyables.

Les 110 vies entre Geb et moi étaient visiblement aussi limitées qu'inconfortables. C'est finalement ma vie de René Toledano qui a le plus de potentiel.

D'autant que, maintenant que je suis capable de percevoir mes vies passées, j'ai franchi un nouveau cap. Désormais, je connais une partie du secret tapi au fond de mon esprit. Il y a des trésors et des pièges.

Il allume la télévision pour voir s'il est question de lui.

Le journal s'ouvre en évoquant la pluie qui tombe sans discontinuer. Toutes les voies sur berges, inondées, ont été fermées. L'eau de la Seine arrive désormais au bas du pantalon de la statue du zouave de l'Alma, soit à 5,20 mètres. Une telle hauteur n'avait été atteinte que lors des crues de l'an 2001.

Cela rappelle à René qu'il doit trouver un moyen de sauver l'Atlantide du déluge qui l'attend et qui risque d'être moins progressif. Toutefois, par crainte de déranger son partenaire en train de faire l'amour, il attend patiemment 23 h 23.

Soudain, on sonne à sa porte. À travers l'œilleton, il reconnaît Chob et deux autres infirmiers.

Bon sang, j'ai garé l'ambulance devant la maison. Elle doit avoir une balise électronique. Quel crétin je fais! Il va falloir que j'apprenne à être un fugitif plus attentif.

La sonnerie retentit de nouveau. Un des infirmiers tente de défoncer la porte avec son épaule.

Le professeur d'histoire saisit un sac à dos, y jette son ordinateur, des vêtements de rechange, son nécessaire de toilette, récupère quelques billets qui traînent sur son bureau, puis passe par le balcon pour rejoindre celui de l'immeuble mitoyen. De là, il gagne l'appartement voisin. Par chance, avec cette chaleur, la fenêtre est ouverte, mais il tombe nez à nez avec un homme qui s'écrie aussitôt :

– Mais que faites-vous chez moi! Qui êtes-vous?

– Je suis le voisin d'à côté. J'ai perdu mes clefs et je suis obligé de passer par là, improvise-t-il.

L'homme ne comprend pas bien le lien entre les deux éléments, mais le ton de René est suffisamment assuré pour qu'il ne se mette ni à crier ni à vouloir se battre. Tout en traversant la pièce, René tente un 3 + 1.

– Vous vous rappelez le ravalement de la façade il y a quelques mois?

– Euh... oui.

– Vous vous rappelez qu'avec les échafaudages il y avait de la poussière partout?

– En effet.

– Vous vous rappelez qu'on devait être constamment vigilants face aux risques de cambriolage?

– Euh...

– Eh bien voilà pourquoi je suis là, maintenant, conclut-il comme s'il s'agissait d'une évidence.

L'homme réfléchit pour trouver le rapport entre les trois

assertions. N'en trouvant aucun, il finit par se dire que c'est certainement lui qui n'est pas suffisamment intelligent pour comprendre. Alors, il laisse René traverser son grand appartement et ressortir par la porte de service sans réagir. Il descend le petit escalier.

Arrivé en bas, René franchit le seuil de l'immeuble. Il est tenté de prendre sa voiture.

Si Chob a averti la police, ils n'auront guère de difficulté à retrouver ma plaque d'immatriculation.

Par prudence, il hèle donc un taxi.

– Où voulez-vous aller, monsieur ?

– Le plus loin possible, droit devant.

Le chauffeur, un peu surpris, obtempère quand même.

Dans combien de mes vies précédentes ai-je trouvé le salut en m'enfuyant précipitamment ? Et dans combien de mes vies précédentes ai-je trouvé un refuge ou un allié qui m'a sauvé ?

Il se demande qui peut le sauver. Pas sa famille.

Maman est morte, papa n'a plus toute sa tête.

Il utilise son ordinateur portable, le branche sur le wifi du taxi et peut ainsi composer un numéro.

– Élodie ? C'est moi… J'ai besoin de toi. Je ne peux plus retourner chez moi. Peux-tu m'héberger, s'il te plaît ?

– René ! Qu'as-tu fait ? J'ai appris que tu t'étais évadé de l'hôpital psychiatrique.

– Je n'aimais pas le menu du soir, plaisante-t-il pour se rassurer.

– Il faut que tu te rendes !

– Peux-tu me cacher juste une journée ?

– Ce ne serait pas te rendre service. Tu es malade, René, il faut que tu te soignes. Ce qui t'a fait détruire l'hôpital, ce sont encore ces personnalités multiples enfouies en toi qui ressurgissent sans que tu puisses les contrôler.

– Détruire l'hôpital ? De quoi tu parles ?

– De l'incendie que tu as provoqué ! Chob m'a appelée pour me raconter que tu étais devenu fou furieux parce que tu ne supportais pas ton traitement.

– Aide-moi, Élodie, s'il te plaît. Je n'ai que toi.

– Tu ne peux plus fuir, René. Rends-toi au commissariat le plus proche. Je dis ça pour ton bien. Tout peut encore s'arranger. Si tu continues, ta maladie mentale ne va aller qu'en s'amplifiant. Ton délire atlante va te hanter au point de devenir réellement incontrôlable. L'intégrité de notre mémoire et l'étanchéité aux mondes illusoires sont ce qui nous maintient dans la raison, René. Toi, tu es malade.

– J'ai eu accès à d'autres mémoires cachées en moi, cela n'a rien d'une maladie.

– Si, c'est de la schizophrénie.

– Je crois qu'il s'agit plutôt d'un élargissement de la conscience. J'ai ouvert une nouvelle porte de la perception, comme celles qu'évoquait Aldous Huxley et qui ont inspiré au groupe de Jim Morrison son nom The Doors.

– Tu plaisantes ? Ton expérience de La boîte de Pandore serait l'ouverture d'une porte de la perception ? Ça t'a fait perdre pied.

– J'ai compris qui j'étais avant d'être moi.

– Oui, des subpersonnalités perverses qu'il faut museler. On est faits pour n'avoir qu'une vie, une seule mémoire, un seul esprit complet et efficient dans un seul espace-temps tangible et vérifiable. VIS DANS LE RÉEL, RENÉ ! ARRÊTE TES DÉLIRES ! TU ES RENÉ TOLEDANO ET TU N'ES « QUE » ÇA !

Elle ne peut pas comprendre. Je ne peux pas la convaincre par la raison. Essayons avec les sentiments.

– J'ai besoin de toi, Élodie. S'il te plaît. Aide-moi au lieu de me juger.

– La meilleure manière de t'aider est de te persuader de te faire traiter.

– Réponds juste à cette question : est-ce que je peux venir chez toi, là, tout de suite ?

Au lieu de répondre, elle poursuit sur sa lancée.

– Je témoignerai que tu as été traumatisé par une séance d'hypnose ratée. Je dirai que tout cela est ma faute car c'est moi qui t'ai entraîné dans cette péniche-théâtre sans penser que ça pourrait mal tourner.

– Ne peux-tu pas simplement me faire confiance ?

– Tu as tué quelqu'un, tu as mis le feu à un hôpital. Il aurait pu y avoir encore des blessés. Cela se plaide, mon amie avocate va t'aider, mais je t'en prie, rends-toi. Ta fuite ne fait que t'accuser.

René hésite un instant.

Il y a toujours cette voie de la résignation qui reste possible. Renoncer. Abandonner. Baisser les bras. Arrêter de se battre. Cette voie aussi, dans beaucoup de mes vies, je l'ai choisie et le résultat ne m'a pas semblé convaincant.

– Donc, toi que je croyais une amie, tu refuses de m'aider ?

– Oui, précisément par amitié pour toi.

Il raccroche, puis indique au taxi l'adresse de la clinique des Papillons.

58.

« TOUT EST MÉMOIRE ».

Aux alentours de 22 heures, il arrive devant le centre de soins. Il franchit l'entrée et accède aux appartements sans que qui que ce soit ne le contrôle. Quelques personnes égarées dans les couloirs lui demandent son aide pour retrouver leur chambre, mais il ne ralentit pas.

Au moment où il ouvre la porte, son père regarde encore la télévision, un programme sur les théories complotistes. Un documentaire qui prétend que l'homme n'a jamais marché sur la Lune. Des arguments sont avancés : l'ombre du drapeau ne correspondrait pas à celle de l'astronaute ; des témoignages de proches de Stanley Kubrick, autant d'éléments utilisés pour remettre en question l'alunissage de 1969.

D'un côté, les petites fake news *des politiques et, de l'autre, les grosses* fake news *créées de toutes pièces par des individus qui cherchent eux aussi à manipuler les foules.*

Émile ne l'a pas entendu entrer.

– Bonsoir.

– C'est l'heure de manger ? demande le vieil homme sans se retourner.

– C'est moi, répond René.

Il ferme la porte de la chambre.

– Vous ? Vous êtes qui ? On se connaît ? questionne le vieil homme, méfiant.

René sent qu'il doit trouver très vite une idée. Il se souvient que le médecin lui a dit que, pour agir sur la mémoire, il fallait susciter des émotions.

*Quelle est l'émotion la plus forte que peut éprouver mon père,
sachant qu'il a tout oublié?*

– Je suis là pour le complot, improvise-t-il.

Cette fois-ci, son père se retourne et l'observe.

– Qui êtes-vous?

– Je suis un agent secret. Je fais partie du contre-espionnage
français, nous avons repéré qu'il y avait, cachés dans la clinique
des Papillons, des espions étrangers venus pour...

Bon, il faut trouver rapidement quelque chose de sensé.

– ... pour répandre dans l'eau municipale un élixir d'oubli.
Du GHB, acide gamma-hydroxybutyrique.

Émile fronce les sourcils.

– Montrez-moi votre carte!

*Allez, essayons encore la technique du 3 + 1 qui pour l'instant
m'a plutôt réussi.*

– Vous êtes d'accord que les agents secrets n'ont pas intérêt à
avoir de papier officiel sur eux, au cas où ils se feraient capturer?

– Euh, en effet.

– Vous êtes d'accord qu'ils ont même intérêt à passer le plus
inaperçus possible?

– Oui.

– Vous êtes d'accord que si le complot dont je viens de vous
parler était bien réel, personne ne serait au courant?

– Certes.

– Et que personne ne s'attendrait à ce que le cœur du complot
se situe dans une clinique comme celle-ci?

– Ah! Ça, personne ne s'en douterait, c'est vraiment le lieu
par excellence que personne ne suspecte, reconnaît-il.

Émile Toledano change soudain de physionomie et serre la
main de son fils.

– Je le savais ! J'ai moi-même par moments l'impression d'avoir des trous de mémoire, cela doit être à cause de l'eau du robinet ! Elle contient de l'élixir d'oubli, du GBH.

– GHB, rectifie René.

– Et les criminels sont de quel pays ?

– Ils sont…

Vite, trouver des coupables.

– … de Turquie !

– Les Ottomans !

– Ils sont là, dehors. Ils veulent nous tuer car nous essayons de les empêcher de répandre leur GHB dans toutes les citernes d'eau municipales, pour rendre amnésiques un plus grand nombre de gens.

– Le GHB ! Bien sûr, hum… c'est quoi déjà ?

– L'élixir d'oubli.

– Ah oui !

– Vous savez pourquoi ils font ça ?

Il se penche et murmure à son oreille :

– Pour qu'on oublie le génocide arménien.

– Bien sûr. C'est évident.

– La France a toujours soutenu la mémoire de ce génocide. Les Turcs nous en veulent pour ça, dit René.

– Oui, c'est bien cela.

– Et maintenant, ils veulent répandre le GHB, mais nous n'allons pas oublier. Comme nous n'oublierons pas la Shoah, le massacre des Tutsis au Rwanda, celui des Héréros au Burundi.

– Ils ont déjà commencé à répandre ce maudit poison amnésiant. J'ai l'impression que j'oublie parfois des choses. Je ne me rappelle plus si je vous l'ai déjà dit ?

René interrompt son père :

– Ce n'est que le début, mais nous pouvons les contrer. Nous avons besoin de vous, monsieur Toledano, et pour l'occasion, je vais vous révéler votre pseudonyme d'agent secret.

– Ah ? Comment dois-je m'appeler ? Des lettres ? Un chiffre ? Un pseudonyme en référence à un personnage historique ?

– « Papa ».

Il répète l'appellation pour bien s'imprégner du nom.

– Cela semble enfantin, mais peut précisément induire en erreur nos adversaires s'ils interceptent nos messages. Ils penseront que je suis votre père. Et vous, vous êtes ?

– Moi ? « Fiston ».

– Évidemment. Astucieux. Cela sonne bien. Alors, comment puis-je être utile à la lutte contre nos ennemis, agent Fiston ?

– Pour l'instant, agent Papa, je vais vous demander de me cacher. Depuis que j'ai découvert leur complot, ils me poursuivent pour me faire taire. Ils peuvent prendre toutes sortes d'apparences, ils peuvent même se déguiser en policiers ou en infirmiers.

– Ah, ils sont sournois…

– Vous n'imaginez pas ! Je compte sur vous, agent Papa.

– Vous comptez sur moi pour faire quoi déjà ?

Oh non pas ça. Il ne fixe pas les informations.

– Me cacher.

– Où ?

– Ici…, agent Papa.

– D'accord. Et au fait, vous êtes qui ?

René comprend la limite de son stratagème.

L'émotion n'est pas suffisamment forte pour avoir un impact sur son cerveau.

Il renonce et s'apprête à quitter la pièce.

– Agent Fiston…

Il stoppe net, dans un regain d'espoir.

– Agent Fiston, je ne me rappelle plus qui vous êtes, mais je voudrais vous demander quelque chose, je peux ?

– Absolument.

– Dites… enfin, dites au médecin que je ne sais plus où j'ai entendu cela, mais il paraît que l'eau du robinet pourrait avoir des effets sur l'esprit… Je ne me rappelle plus lesquels, mais c'est important. Je crois même que c'est grave. Il faut l'avertir. Cela a un rapport avec les lettres G et B.

Un instant, René visualise l'esprit de son père comme une plaine sans arbres, couverte ici et là de sphères de broussailles qui roulent, poussées par le vent.

– Je ne manquerai pas de le lui dire.

Son père s'est déjà replacé devant l'écran. Il y est révélé en vrac que Lady Di aurait été assassinée par ordre de la reine Élisabeth d'Angleterre, qu'Elton John serait hétérosexuel, que Marilyn Monroe aurait eu un enfant caché avec Robert Kennedy ; que l'attentat du 11 Septembre aurait été commandité par les services secrets américains pour légitimer la guerre d'Irak ; qu'il y aurait un repaire d'extraterrestres sous la Maison-Blanche ; que les Illuminati contrôleraient le monde ; que la Terre serait plate.

Toutes ces dés-informations semblent passionner Émile.

René repart discrètement de la clinique des Papillons et essuie, comme chaque fois, une irrépressible larme.

Au moins, j'aurai essayé.

Il ne sait s'il pleure de pitié pour son père ou sur lui-même qui, en raison du caractère héréditaire de la maladie, risque de connaître un sort semblable.

Le temps avance, et il sait qu'il ne doit surtout pas rater son rendez-vous de 23 h 23, mais pour cela il doit être dans un sanctuaire où personne ne viendra le déranger.

Si je ne peux plus retourner chez moi, si la police me recherche, si Élodie ne veut pas m'aider, si mon père ne peut pas m'aider, où puis-je aller ?

Comme toujours, le seul fait de formuler clairement sa question fait surgir une réponse.

59.

Il est accueilli par Dracula qui lui indique une table libre.

Dans Le dernier bar avant la fin du monde est organisée une fête de vampires auxquels se sont joints quelques loups-garous qui jouent à un jeu de rôle. Ils semblent vivre complètement l'histoire à travers leurs personnages imaginaires.

Dracula, qui supporte mal ses longues dents, lui demande si c'est pour manger ou boire. Il lui conseille le cocktail du jour : un bloody mary servi avec, en guise de décoration, non pas une rondelle de citron mais un morceau de steak saignant. René en commande un distraitement.

Les gens ont besoin de masque.

René consomme la boisson sans prendre de plaisir après avoir enlevé le morceau de cadavre de bœuf qui y flotte. Comme il n'a plus la carte de visite qu'Opale lui a donnée, il pense pouvoir la retrouver ici. Il tente de reconnaître le serveur qui s'était occupé d'eux la fois précédente. Il l'identifie malgré son déguisement de Jack l'Éventreur.

– Je ne sais pas si vous vous rappelez, je suis venu avec Opale Etchegoyen ici.

– Bien sûr, Opale, c'est une amie !

René désigne son sac à dos.

– Elle a oublié son sac chez moi, vous pourriez me donner son adresse, s'il vous plaît, pour le lui ramener ?

– Vous pouvez le laisser ici. Je lui donnerai quand elle repassera.

– C'est-à-dire qu'il contient des affaires de valeur, notamment un ordinateur. C'est urgent.

Il montre l'appareil et Jack l'Éventreur consent à lui donner l'adresse, mais annonce qu'il ne connaît pas l'étage. À ce moment-là, René distingue derrière le serveur l'écran qui affiche son visage surligné de l'inscription :

« RECHERCHÉ POUR MEURTRE »

Puis apparaissent la photo du skinhead et une vidéo qui montre des pompiers à l'hôpital Marcel-Proust.

Le professeur d'histoire paye sa boisson, récupère discrètement un masque, celui d'Alice au pays des merveilles qui traîne par là, et sort.

Heureusement le bar est à cette heure-ci suffisamment rempli de gens masqués pour qu'il passe inaperçu. Il se rend à l'adresse de l'hypnotiseuse. 7, rue des Orfèvres.

À nouveau, il doit franchir les filtres.

Le premier est le digicode.

C'était une date facile à se rappeler. Une date historique commençant par 1900. Mais laquelle ?

Il teste 1914, 1918, 1969, l'année des premiers pas sur la Lune.

Et puis, enfin, cela lui revient.

Les congés payés. 1936.

Il pénètre dans l'immeuble.

Quel étage ?

Il croise un voisin qui semble à peine surpris de le voir avec son masque, puis il prend l'escalier.

Elle me l'a dit, donc l'information est forcément stockée dans un petit arbre quelque part dans la forêt de mon esprit. Pourvu qu'il n'ait pas été brûlé par Chob.

Il ferme les yeux et visualise sa forêt intérieure.

Quel arbre cela pourrait-il être ?

Il voit certes des arbustes épargnés par le feu, mais ne sait vers lequel se diriger. Ils sont trop nombreux, alors il monte dans les étages et, par chance, aperçoit le nom d'Opale sur une plaque cuivrée au 3e étage.

Il sonne, mais personne ne répond. Comme il se sent soudain épuisé par toutes ses aventures, il décide d'attendre là le retour de l'hypnotiseuse. Le sommeil le gagne, et il s'assoupit sur le paillasson, le masque d'Alice sur le visage. Dans le rêve qu'il fait, il revit sa journée et celle-ci lui semble irréelle. Il dort un temps indéfini, jusqu'à être réveillé par une main qui soulève son masque.

Il y a deux grands yeux verts au-dessus de lui.

– Vous êtes en retard de quarante-huit heures, monsieur Toledano.

Il se relève, enlève le masque et se frotte les paupières. Elle poursuit.

– Normalement je devrais être vexée. Vous venez de battre le record de manque de ponctualité. J'espère que vous n'arrivez pas autant en retard à vos cours.

– Désolé, dit-il, j'ai eu quelques impondérables qui me sont tombés dessus.

– Qu'est-ce que vous faites là, à une heure aussi inhabituelle ?

– J'ai besoin que vous m'accueilliez, est-ce possible ?

Elle consent à le laisser entrer avec elle dans son appartement. Il pose son sac à dos.

– Dans l'ordre, pourquoi n'êtes-vous pas venu hier ?

« La police est venue m'arrêter parce que j'ai tué un SDF » ? Cela ne marchera pas. C'est comme la blague de Chob sur le type qui descend les poubelles et croise sa voisine : la réalité n'est pas crédible. Il vaut parfois mieux servir un mensonge pour espérer être cru. Ou bien rester évasif.

– J'ai eu un empêchement de dernière minute.

– Pourquoi ne pas m'avoir avertie ? C'est ce qu'on fait d'habitude quand on est un minimum éduqué.

Il examine le lieu dans lequel vit Opale. C'est un petit appartement au plafond haut et aux poutres apparentes. Dans l'entrée, il distingue l'affiche du spectacle d'hypnose de La boîte de Pandore, et des photos encadrées où elle est enfant, en vacances avec ses parents.

Tant pis, je tente de lui dire la vérité, on verra bien sa réaction. Après tout, elle est sûrement déjà au courant.

– Je suis recherché par la police. Ils en ont parlé à la télévision.

– Ah ? Je n'ai pas la télévision, je l'ignorais.

Elle ferme la porte derrière lui et l'invite à s'asseoir sur un fauteuil du salon. Là, encore des photos de son enfance : elle à son anniversaire, en vacances, à des mariages. Au centre de la pièce, un divan rouge surmonté d'un grand œil vert rappelle le décor de la péniche. Sans qu'elle l'y autorise, il s'assoit sur le divan, enlève sa veste.

Il faut que je parle comme elle.

– Il n'y a que vous qui puissiez me comprendre, n'est-ce pas ?

J'ai besoin d'un sanctuaire pour aider mon Atlante à échapper au Déluge qui paraît imminent.

– Si la vague arrive avec autant de retard que vous, il n'y a rien à redouter.

Il ne relève pas.

– Je ne vous aiderai que si vous me dites la vérité. C'est une condition *sine qua non*.

Cette fois-ci, il sent qu'il ne va pas pouvoir faire diversion. Décidant de lui faire confiance, René lui raconte en détail tout ce qu'il a vécu depuis leur dernière entrevue.

– C'est pour cela que je n'ai pas pu honorer notre rendez-vous, conclut-il.

– Il est tard, cela vous dirait de dîner ? lui demande-t-elle pour seule réponse.

Elle lui sert une pizza qu'elle décongèle au micro-ondes, et du vin. Il s'aperçoit qu'il a très faim et que c'est exactement ce qu'il souhaitait ingurgiter à cet instant.

Il sent monter en lui une bouffée de reconnaissance pour cette femme qu'il connaît à peine, mais qui l'accueille au moment où celle qui est censée être sa meilleure amie l'a laissé tomber et où le dernier représentant de sa famille s'est avéré incapable de le soutenir.

– Je ne vous ai pas tout dit sur moi la dernière fois, annonce-t-elle avec mystère.

Il boit le vin à petites gorgées.

– Si vous vous inquiétez de perdre la mémoire, je souffre du problème exactement inverse. Ma maladie s'appelle l'hypermnésie : je me souviens de tout dans les moindres détails.

– Peut-être que c'est parce que vous avez eu une enfance formidable, dit-il la bouche pleine.

– Vous avez raison. Comme, dans ma jeunesse, il ne se produisait que des événements agréables, j'ai pris l'habitude de tous les mémoriser. Ensuite, j'ai peut-être gardé une sorte d'habitude de tout prendre et de tout garder.

– Jusqu'à quel point êtes-vous hypermnésique ?

À son tour, elle se sert une part de pizza qu'elle mange à toutes petites bouchées.

– Je retiens par cœur tous les numéros de téléphone et les dates de naissance de mes amis. Je me souviens de tous les visages que je croise. Je peux même reconnaître des visages que j'ai juste entraperçus au milieu d'un groupe de personnes.

– Ça a dû faciliter votre scolarité. Retenir toutes les récitations par cœur, c'est un avantage certain.

– Chanter des chansons autour du feu en se rappelant les paroles de chaque couplet, c'est pratique aussi. Et puis, il y a certains jeux comme le bridge où j'excelle parce que je retiens toutes les cartes qui sont tombées.

Elle lui ressert un verre de vin rouge.

– Comme je vous envie, soupire-t-il.

– Vous avez tort. Il y a des avantages et des inconvénients. En fait, il y a plus d'inconvénients que d'avantages. Par exemple, mon ex-mari à une soirée s'est extasié devant une omelette aux truffes et il a dit que c'était la première fois qu'il en mangeait et qu'il trouvait ça vraiment délicieux. Cela m'a rendue triste, car je l'avais séduit en lui préparant précisément ce plat. De manière plus large, il oubliait nos bons moments et nos mauvais, il vivait dans la réaction immédiate aux stimuli extérieurs. Il ne se souvenait ni de ce qu'on avait mangé le jour de notre rencontre, ni de ce qu'on avait mangé la veille. Moi, je pouvais citer non seulement tous les plats, mais tous les dialogues que nous avions eus au cours de nos repas.

– C'était un type normal, quoi.

– Un peu trop pour moi. Même si je l'aimais bien, j'avais l'impression de vivre avec un esprit semblable à un gruyère rempli de trous : il oubliait tout. Et je devais lui pardonner ses négligences. Même quand il me mentait, il ne se souvenait pas de ses mensonges, or s'il y a bien quelque chose d'indispensable pour tous les menteurs, c'est d'avoir de la mémoire. Cela m'a suffisamment perturbée pour que je divorce et que je n'aie plus envie de me remarier.

– Je pense que vous auriez encore plus de difficulté à me supporter puisque je ne me souviens parfois même pas de mes débuts de phrase. J'en viens de plus en plus souvent à demander : «Je parlais de quoi déjà?» D'ailleurs… on parlait de quoi déjà?

Elle éclate de rire et semble se détendre.

– Mais vous au moins, c'est assumé, et vous faites des efforts pour ne pas finir comme votre père. Mon mari, lui, quand il oubliait la date de mon anniversaire et accessoirement celle de notre mariage, considérait que c'était normal et que c'était moi qui étais trop tatillonne.

Elle laisse échapper un soupir.

– De toute façon, il n'y avait pas que cela comme problème. Croyez-moi, je pourrais vous énoncer une par une toutes les vexations et les maladresses qu'il a enchaînées depuis notre fougueux premier baiser qu'il a aussi dû oublier. Voilà un inconvénient de la mémoire absolue, n'est-ce pas? On est obligé de pardonner à ceux qui ne l'ont pas.

Tous deux mangent et boivent en s'observant.

– Je me souviens de tous ceux qui m'ont fait du bien dans mon enfance, mais aussi de ceux qui m'ont fait du mal. Mon esprit est comme un gigantesque sac à dos élastique dans lequel tout s'ajoute. Rien ne disparaît.

– C'est pratique.

– C'est lourd.

Il lui sert du vin.

– Nous sommes complémentaires…

– Vous ne pouvez pas savoir à quel point. Vous avez accès à votre mémoire derrière votre inconscient, ce qui fait donc un deuxième voire un troisième sac de mémoire, alors que moi je ne fais que constamment augmenter mon unique mémoire de cette vie-ci.

– Et si c'était le prix à payer ? Si j'arrive à accéder à la mémoire de mes vies antérieures, c'est peut-être précisément parce que ma mémoire à court terme se détériore.

– Toujours est-il qu'à cause de vous, je suis de plus en plus impatiente d'accéder à mes autres « mémoires ».

Elle le fixe de ses grands yeux verts et il se demande s'il s'agit d'une invitation. Il n'arrive pas à soutenir son regard, alors il se concentre sur son assiette et ingurgite un peu de pizza et de vin.

– Je veux bien vous héberger le temps que vous retrouviez vos forces et que vous sauviez l'Atlantide, mais à une seule condition.

– Laquelle ?

– Vous le savez déjà. Que vous m'aidiez à remonter dans mes vies antérieures.

Elle lui sert un café, puis elle va dans sa salle de bains.

– Attendez dans le salon, je reviens.

Sur un mur, il repère un tableau de Dalí titré *La Persistance de la mémoire*. Sur cette œuvre apparaissent une montre molle, une plage avec une falaise au loin, un ciel crépusculaire, une autre montre comme dégoulinante, des fourmis qui mangent une troisième montre, cette fois-ci rigide. Au milieu, un œil fermé avec de longs cils, lui-même recouvert d'une quatrième montre molle.

Opale apparaît dans une tenue de sport.

— Ah, ce tableau vous intéresse ? Dalí en a eu l'idée en voyant un camembert qui fondait au soleil. Ça l'a amené à réfléchir sur le temps qui passe, à l'image de ces quatre montres dont chacune est à un degré différent de détérioration : rigide, un peu mou, très mou et coulant. Il l'a intitulé *La Persistance de la mémoire*, car il estimait que les souvenirs sont ainsi : durs, souples, mous ou coulants. La montre rigide attaquée par les fourmis pourrait être la métaphore du cadavre dont le souvenir est grignoté par le temps.

Opale Etchegoyen allume des bougies, éteint la lumière, puis s'allonge sur le divan.

— Vous vous souvenez de la manière de procéder, n'est-ce pas ?

Alors, spontanément, elle ferme les yeux, défait sa ceinture et le premier bouton de son pantalon, et se met à respirer par saccades comme si elle s'apprêtait à accoucher. Son souffle ralentit, devient plus ample et elle lui fait signe qu'elle est prête. Il commence, vaguement impressionné :

— Est-ce que vous arrivez à visualiser l'escalier ?

Elle hoche la tête.

— Bien, alors descendez les marches. La première, la deuxième, la troisième, jusqu'à la dixième. C'est fait ?

— Oui.

– Vous devez voir la porte de l'inconscient. La voyez-vous ?
L'hypnotiseuse a un infime mouvement du menton.

– Bien. Maintenant je vous tends une grande clef en or et vous
l'enfoncez dans la serrure. Vous tournez la clef et vous entendez
un grand déclic, puis vous tirez la poignée.

L'hypnotiseuse est prise de petits spasmes. Elle fronce les sourcils, puis la bouche et dit, les yeux toujours clos :

– Ça résiste.

– Essayez encore, tirez plus fort.

Ses yeux s'agitent sous ses paupières, de plus en plus vite.

– Ça ne veut pas bouger. C'est coincé.

*Pourquoi ça ne marche pas ? Elle doit voir la même chose que
moi.*

– Essayez peut-être de pousser au lieu de tirer ?

– Je pousse, ça ne vient pas.

– Dans ce cas, essayez de la faire coulisser sur le côté, propose-t-il.

Après avoir tenté toutes les manœuvres possibles sur cette
porte de l'inconscient qui n'est pas la sienne, René renonce et lui
propose de remonter. Il commence le décompte, claque sèche-
ment des doigts.

Elle ouvre les yeux.

– C'est complètement verrouillé. Je le savais.

– Peut-être qu'il y a là quelque chose d'effrayant auquel votre
esprit refuse de donner accès.

Au moment où il prononce ces mots, il remarque qu'elle gratte
une plaque rose sur son poignet.

– Je pense en effet qu'il y a une raison pour que cela soit à ce
point inaccessible, mais je me sens prête à tout voir, tout
entendre. Le pire est de ne pas savoir. Forcément, j'imagine mille
secrets enfouis dérangeants.

Elle soulève un peu plus sa manche et René Toledano aperçoit des plaques roses sur son avant-bras qu'elle ne peut s'empêcher de gratter avec les ongles.

– Je ne veux pas rester sur cet échec. Je voudrais que nous recommencions, tout de suite, lui intime-t-elle, tout en continuant à frotter les plaques roses de son bras ainsi que la base de sa nuque.

Elle a des plaques de psoriasis.

Dans son souvenir, sa mère aussi en avait et elle lui avait dit que c'était une maladie psychosomatique pour laquelle il n'y avait aucun traitement. Les plaques roses devenues rouges sont maintenant bien visibles.

La séance de régression lui a provoqué une crise.

– Allons-y, recommençons ! insiste-t-elle avec une nervosité mal contenue.

– Je suis désolé. Je suis trop fatigué.

Elle hésite sur l'attitude à avoir, puis elle soupire :

– Très bien, vous n'aurez qu'à dormir sur le canapé. On reprendra demain.

60.

La sonnette retentit, au moment où ils prennent leur petit déjeuner.

– Vous attendez quelqu'un ?

– Non.

– Police ! Ouvrez !

Il reconnaît, à travers le judas, le visage du lieutenant Raziel.

– Je sais que vous êtes là, monsieur Toledano ! Ouvrez ou nous défonçons la porte.

– Comment savent-ils que vous êtes ici ? demande la jeune femme.

En un instant, René passe en revue toutes les raisons qui pourraient l'expliquer.

– Jack l'Éventreur !

– Pardon ?

– Le serveur qui nous a servis la dernière fois, je l'ai utilisé pour retrouver votre adresse que j'avais oubliée. Il était déguisé en Jack l'Éventreur, il a dû reconnaître mon visage qui passait à la télévision.

– OUVREZ TOUT DE SUITE ! crie le lieutenant Raziel. OU NOUS ALLONS DÉFONCER LA PORTE !

– Ne vous inquiétez pas, il y a un escalier de service. Nous allons partir par là.

– « Nous » ?

– Vous ne croyez quand même pas que je vais renoncer aussi vite à franchir la porte de mon inconscient ?

Après avoir rempli rapidement un sac de voyage, elle lui montre l'escalier de service qui se trouve dans la cuisine.

Ils s'y précipitent, alors que les policiers commencent à percuter la serrure avec un bélier.

Opale et René dévalent les marches et débouchent directement dans la rue. Ils courent.

– Mon portrait est à la télévision, je risque de me faire repérer.

– Dans ce cas, j'ai peut-être une solution.

L'hypnotiseuse le guide vers un magasin qui propose des burqas, des tchadors, des voiles et des burkinis. Ils choisissent rapidement le modèle de burqa noire le plus occultant, ne laissant entrevoir que la fente pour les yeux. Le tissu ample leur permet même de dissimuler leur sac sur leur ventre et de passer pour des femmes enceintes.

Désormais, les deux fugitifs ne craignent plus le moindre contrôle, ils savent que si la police tente de les stopper, cela peut dégénérer en émeute de rue. Tels deux fantômes, ils rejoignent la plus proche bouche de métro, celle de Châtelet.

Pour brouiller encore mieux les pistes, ils se mêlent à un autre groupe de femmes en burqa noire qui s'engouffrent dans une rame.

— Vous pouvez rentrer chez vous maintenant, dit René.

— Non, je reste avec vous.

— C'est stupide. Je suis pourchassé par la police, vous n'avez rien à tirer de bon de cette situation. Vous ne me devez rien. Je cherchais juste un abri temporaire pour me reposer en venant vous voir, rien de plus. J'espère que ce n'est pas la culpabilité de votre première séance qui vous motive.

— Je vous l'ai dit, j'ai besoin de vous pour réussir une régression. Comme une amatrice de plongée avec un champion d'apnée.

— Je ne suis pas le seul à pouvoir vous faire faire des séances de régression.

— J'ai trouvé mon guide. J'ai confiance en vous. Je ne laisserai pas n'importe qui jouer avec mon esprit.

— Nous avons déjà échoué.

— Toutefois, je sens intuitivement que vous allez me permettre de réussir.

Quelle mouche la pique ?

– Mais enfin, vous ne vous rendez pas compte de la situation. On pourrait penser que je vous ai prise en otage.

– Je vous l'ai dit, vous êtes un virtuose des descentes dans l'inconscient. Je crois que vous seul pouvez me « débloquer ».

Quand elle parle, le tissu devant sa bouche bouge et il s'aperçoit que la burqa l'empêche de voir les expressions faciales de la jeune femme. Il ne voit que ses grands yeux verts sous le tissu noir. Ses battements de cils deviennent une forme de communication à laquelle il accorde une attention nouvelle.

Cela ne sert à rien d'insister. Elle est têtue.

Il observe à travers la fente de son vêtement les publicités de médicaments qui prétendent agir sur la mémoire pour aider les bacheliers à se concentrer et réussir leurs examens.

– Allons, soyez raisonnable, Opale. Rentrez chez vous. Sinon la police va vous créer des ennuis à vous aussi.

Il se retourne et voit qu'il s'est trompé de personne. Dans une secousse du métro, les femmes se sont un peu déplacées et au milieu de tous ces yeux qui dépassent des fentes noires, il s'est adressé à des yeux noisette au lieu d'yeux verts.

– Excusez-moi, madame. Non, je ne m'adressais pas à vous.

Les yeux noisette battent vite des paupières.

Il cherche et finit par reconnaître la bonne paire de pupilles vertes.

– Rentrez chez vous, Opale, répète-t-il.

– J'ai compris, vous voulez garder l'Atlantide pour vous tout seul. En fait, vous êtes comme tous les hommes : un grand égoïste qui ne pense qu'à son plaisir et se fiche bien de celui des femmes.

Comme le vacarme du métro s'est arrêté, les autres passagers présents ont entendu la dernière phrase. Il répond en chuchotant.

– C'est trop dangereux. Allons, rentrez chez vous.

– Pas tant que vous ne m'aurez pas fait régresser.

– Si vous restez avec moi, les policiers risquent de vous prendre pour ma complice.

– Je veux bien être votre complice si vous me faites franchir la porte. Et puis, moi, je crois à vos histoires. Sauver l'Atlantide, ça mérite bien une petite prise de risque. C'est mon choix, j'ai le droit de préférer être en cavale avec vous plutôt que d'avoir une vie plus raisonnable et donc forcément plus banale. Disons que c'est l'appel de l'aventure, n'est-ce pas ?

Les autres yeux derrière les burqas les regardent avec suspicion. René se rappelle l'origine même de cette tenue. L'historien et géographe grec Hérodote (considéré comme le premier historien) rapporte que ce vêtement couvrant était lié au culte d'Ishtar en Mésopotamie en 2000 avant Jésus-Christ. À l'époque, les membres de ce culte, pour honorer cette déesse de l'amour qui s'était unie physiquement avec un berger mortel, devaient se prostituer une fois par an dans la forêt derrière le temple de Mylitta. Pour ne pas être reconnues, les femmes avaient d'elles-mêmes pris l'habitude de se dissimuler derrière des voiles les recouvrant entièrement. Cette pratique a été reprise 4 000 ans plus tard par les Afghans, puis les salafistes afin de protéger les femmes du désir des hommes et ainsi s'opposer à ce qu'ils considèrent comme l'exhibition obscène du corps et du visage des femmes dans la société occidentale décadente.

– Vous m'avez fait comprendre quelque chose, René, dit Opale. Nous ne sommes pas uniquement là pour parcourir la vie comme un enfant monte dans un wagon de fête foraine, en attendant passivement que tout se passe. Nous avons chacun des talents particuliers qui nous poussent à faire des choix, agir et être responsables de nos actes. Votre capacité à accéder à vos mémoires antérieures est un don qui ne vous est probablement pas tombé dessus par hasard. Vous avez une mission : sauver ce qui peut être sauvé de l'Atlantide. Je vous envie, mais mon talent à moi est autre et je n'ai pas encore trouvé ma mission.

– Votre talent a été de révéler mon talent.

– Je ne veux pas mourir sans avoir trouvé la mission de ma vie.

– Si nous allons tous les deux en prison, nous aurons tous les deux tout raté. Et je m'en voudrais de vous faire avoir des ennuis au nom d'une lubie. Je vous en prie, Opale, rentrez chez vous.

– Je ne sais pas comment je dois prendre cette phrase. Vous êtes le premier homme à me l'adresser. Vous ne vous débarrasserez pas de moi aussi facilement.

Les autres femmes en burqas rient derrière leur tissu noir. René repère une autre publicité sur le mur du métro. Un couple de jeunes gens en maillot de bain est sur le pont d'un voilier, un coucher de soleil et des pyramides en arrière-plan.

« ET SI VOUS PRENIEZ DES VACANCES AVEC ELLE DANS UN PAYS AU PASSÉ MILLÉNAIRE ? »

C'est une publicité pour une agence de tourisme en Égypte, mais il considère que c'est un message personnel qui lui est adressé.

– Vous voulez vraiment rester avec moi ? Vous croyez réellement que je suis le seul à pouvoir vous aider à ouvrir la porte de votre inconscient ?

– Je n'imagine personne d'autre.

– Alors j'ai peut-être une proposition à vous faire. Cela vous dirait d'aller vérifier si mes régressions sont réelles ou non ?

61. MNEMOS. SOPHISME.

Un sophisme est un raisonnement à la logique fallacieuse, c'est-à-dire qui a les apparences de la logique, mais qui n'est pas valide. Il a pour intention de tromper son auditoire.

On peut l'illustrer avec une blague : un homme croise un ami dans la rue.

– Salut, qu'est-ce que tu deviens ?

– Je suis prof de maths et toi ?

– Oh, moi je suis prof de logique.

– C'est quoi la logique ?

– Tu as un aquarium ?

– Oui.

– Donc tu aimes les poissons.

– Oui.

– Donc tu aimes tout ce qui est beau.

– Oui.

– Donc tu aimes les femmes.

– Oui.

– Voilà, c'est ça la logique.

Le prof de maths repart et croise un autre ami d'enfance. Il évoque sa rencontre précédente avec le professeur de logique. L'autre lui demande :

– Tu peux m'expliquer ce qu'il fait exactement, ton ami, en tant que professeur de logique ?

– Bien sûr. Tu as un aquarium ?

– Non.

– Alors c'est que tu es homosexuel.

62.

Le château de Villambreuse est un pur joyau architectural du XVIIIe siècle. Derrière la grille, se déploie un grand parc à la pelouse impeccable. Une allée bordée d'une double rangée de cyprès mène à une bâtisse blanche flanquée de deux tours aux toits d'ardoise.

René Toledano et Opale Etchegoyen l'observent de l'extérieur. Après être sortis du métro, les deux fugitifs ont abandonné leurs burqas et loué une voiture au nom de la jeune femme. Puis, ils sont allés acheter du matériel dans un magasin de bricolage (pelle, pioche, corde, pinces, lampe électrique, gants) et ont rejoint le domicile de Léontine de Villambreuse.

Ils profitent de la pénombre pour se jucher sur le toit de la voiture et scruter le château par-dessus le haut mur d'enceinte en pierre. Toutes les fenêtres de la bâtisse sont éclairées.

Je connais cet endroit. C'était chez moi.

— Il y a des gens qui y vivent, prononce-t-il sur le même ton qu'il aurait utilisé pour dire : « Il y a des squatteurs. »

— Vous ne pensiez quand même pas que, depuis votre Léontine qui, si je me souviens bien, vivait en 1780, ce château serait resté inhabité, n'est-ce pas ?

— J'espérais tout au moins que les occupants seraient absents. Il va falloir être discrets.

Opale désigne la pancarte à côté du portail en bois massif.

ATTENTION CHIENS MÉCHANTS.

SI VOUS VOULEZ SAVOIR S'IL Y A UNE VIE APRÈS LA MORT,

N'HÉSITEZ PAS À FRANCHIR CE MUR.

Au-dessus, le mur est recouvert d'un barbelé.

– Les propriétaires actuels ont l'air d'avoir de l'humour, reconnaît l'hypnotiseuse.

– J'aurais dû prendre une arme. Au moins un couteau.

– Et vous auriez fait quoi ? Vous vous seriez battu avec les chiens ? Ils doivent être à l'intérieur avec leurs maîtres. Le parc a l'air désert.

René se souvient de toutes les épreuves qu'il a déjà surmontées. Il hausse les épaules et accepte la courte échelle que lui propose la jeune femme avec ses mains entrecroisées.

– Restez ici à m'attendre, j'y vais seul, dit-il.

Arrivé en haut du mur, il utilise les pinces pour couper les barbelés.

Comme au chemin des Dames.

Il saute sur la pelouse dans un atterrissage parfait.

Il analyse le décor. Guidé par la seule lumière de la lune, il avance.

En chemin, il tente de se souvenir de l'emplacement auquel avait pensé Léontine.

Un arbre. Une zone.

Pourvu que Chob ne m'ait pas aussi abîmé le neurone qui correspond à ce souvenir.

Il se concentre. Il visualise son esprit comme une forêt et se retrouve à fureter à la recherche de cet indispensable arbre-souvenir. Il avance au milieu des buissons de ronces qui déjà ont repoussé et encombrent les chemins qui mènent aux précieux arbres-souvenirs.

Esprit de Léontine, je n'ai pas le temps de faire une séance de régression, mais tu es forcément quelque part en moi, aide-moi si tu le peux.

Alors, il lui semble se souvenir de ce qu'avait pensé la vieille comtesse avant de décéder.

Sous le grand chêne tout au fond à gauche du parc.

Il marche vers la gauche, avant de se faire la réflexion qu'elle devait parler de la gauche par rapport à l'entrée du château, donc de sa droite. Il éclaire les arbres et cherche à reconnaître un chêne. À l'école, il était bon en histoire, mais malheureusement pas très doué en sciences de la vie et de la terre.

C'est comment un chêne déjà ?

Finalement il se dirige vers l'arbre qui a le plus gros tronc et qui semble le plus âgé. Il creuse au pied du tronc. Il finit par trouver une malle en bois énorme qu'il commence à dégager de sa gangue de terre.

Je ne pourrai jamais porter un tel fardeau et escalader le mur. Demander à Opale de m'aider ? Non, je dois y arriver seul.

Il essaie de tirer le coffre, parvenant à peine à le faire bouger. Alors il décide de s'y prendre autrement.

Renonçant à le déplacer, il examine le gros cadenas qui ferme le coffre. Il utilise la pioche qu'il passe dans la boucle de métal et, appuyant de tout son poids, il parvient à faire levier et arracher le cadenas de son support en bois.

À l'intérieur, il découvre les lingots. La lune se reflète sur les métaux précieux proprement rangés.

Merci, Léontine.

Il en prend cinq et regagne le mur. Il siffle en imitant un cri d'oiseau et l'hypnotiseuse lui répond par un sifflement similaire.

– Ce ne sont pas des pièces, mais des lingots, chuchote-t-il, je vous les lance. Prête à la réception ?

Alors, il jette de toutes ses forces un lingot auquel répond un bruit métallique qui lui indique qu'Opale n'était pas à la réception. Le second lancer aboutit à un petit cri signifiant qu'elle a dû le recevoir sur l'épaule, mais au moins il se dit qu'elle est dans la bonne zone. Il refait ainsi plusieurs fois le trajet du chêne au mur sans encombre. Il lance les lingots et Opale les ramasse.

Lorsqu'il en arrive aux derniers, un grognement derrière lui le fait tressaillir. Un mécanisme datant de l'homme préhistorique se met en marche dans son cerveau. Les amygdales, petites amandes placées dans le centre des hémisphères cérébraux, se déclenchent. De l'adrénaline est envoyée dans son sang. Son cœur accélère pour le préparer au combat ou à la fuite. Sa température augmente pour rendre ses muscles plus efficaces. Son poil se dresse, héritage des primates qui voulaient paraître plus gros pour intimider. Du cortisol, la cortisone naturelle produite par le cerveau, est relâché pour permettre de ne pas souffrir. Enfin son cortex, qui sert à réfléchir, s'éteint.

Il y a des moments où la réflexion inhibe l'action. D'abord agir ; ensuite seulement, quand tout sera passé, je me demanderai si j'ai fait les bons choix.

Alors René Toledano renonce à prendre les trois derniers lingots et galope, poursuivi par deux bergers allemands enragés qui bavent et aboient de plus en plus fort.

René court vite, mais les chiens gagnent du terrain. Il se retourne tout en cavalant et lance dans la direction du plus proche un lingot, en visant bien son museau. Il parvient ainsi à stopper net le molosse. Le second, inquiet, ralentit. Cela suffit à lui offrir un répit.

Pas de temps à perdre. Ce n'est pas le moment de réfléchir.

Profitant de l'élan de sa course, il saute sur le mur et, s'accrochant aux plantes grimpantes, parvient à se tenir hors de portée des crocs du second. Déjà le couple des propriétaires dirige des torches vers les aboiements.

L'adrénaline aidant, René parvient à se soulever encore un peu plus et se hisse par la force des bras jusqu'au sommet du mur. Puis il bascule de l'autre côté.

Alors que des voix en provenance de la maison commencent à lancer : « Un cambrioleur ! Vite, Fabienne, appelle la police ! », derrière le mur, Opale a précautionneusement empilé les lingots dans le coffre de la voiture de location.

René se précipite sur le siège passager et Opale démarre. Une fois qu'ils sont suffisamment éloignés, il reprend enfin son souffle. Les deux hippocampes, qui n'agissent pas seulement sur la mémoire mais aussi sur les émotions, calment les amygdales. L'adrénaline cesse d'être injectée dans le sang. Le cœur ralentit. La température baisse. Le poil retombe.

– J'ai failli y laisser mon fond de culotte, dit-il en s'essuyant le front.

– Vous avez été héroïque.

Comme Hippolyte ?

– En tout cas, c'est une preuve incontestable que l'hypnose régressive fonctionne. Je n'aurais jamais pu trouver le nom du château de Villambreuse et l'emplacement précis du coffre si je n'avais pas eu accès aux informations exclusives d'une personne qui vivait il y a plus de 200 ans.

– Vous doutiez encore ?

– Mon métier consiste à toujours me méfier de toute information, a fortiori historique. Comme disait mon père : « Il y a trois visions de toutes les histoires : la mienne, la tienne et la vérité. » Maintenant, je sais que mon histoire et la vérité, dans ce cas précis, se superposent.

– Il vous en a fallu du temps ! Vous les hommes, vous êtes toujours un peu longs à la détente.

– Dommage qu'on ne puisse pas divulguer ces informations au grand public.

– Qu'est-ce qui vous en empêche ?

– Actuellement, mon niveau de crédibilité est proche de zéro.

– Moi je suis fière de vous, cher premier cobaye.

Elle lui fait un clin d'œil complice et, pour la première fois, il sent une réelle estime de la part de cette jeune femme. Il a envie de la prendre dans ses bras, mais il se retient et s'enfonce dans son siège. Épuisé, il s'endort.

Opale allume la radio.

Elle met une station de rock qui diffuse « Fool's overture », « L'ouverture de l'imbécile », du groupe Supertramp des années 1980.

Ils roulent longtemps. Lorsque Opale estime qu'elle est trop fatiguée pour continuer de conduire avec sérénité, elle se gare dans le parking d'un petit hôtel situé au bord de l'autoroute.

Elle dispose une couverture sur les lingots dans le coffre, puis réveille René. Ce dernier, somnolent, la suit. Elle prend toutes les initiatives. Elle réserve une chambre avec deux lits. Elle installe René dans l'un d'eux. Il se rendort aussitôt. Elle l'observe dormir en ronflant, et lui chuchote à l'oreille :

– Dommage que vous soyez hors service, j'aurais bien fait encore une petite séance de régression avant de me coucher.

Puis elle le borde avec un geste maternel, qui la surprend elle-même.

Après toutes ces émotions et une grande fatigue oculaire, elle se rafraîchit, se déshabille, puis se couche, gratte encore un peu les plaques de psoriasis les plus irritantes et s'endort à son tour.

316

63.

Un rayon de soleil éclaire la chambre. René se réveille en premier.

Ok. Je suis vivant ici et maintenant.

Il cligne des yeux, fait passer sa langue à l'intérieur de sa bouche.

C'est lequel de mes corps déjà? Le soldat, l'aristocrate, le galérien, le moine bouddhiste?

Il observe ses mains, ses avant-bras, ses vêtements.

Je suis le professeur d'histoire fugitif qui a tué le skinhead et qui a actuellement un trésor en lingots d'or dans le coffre de sa voiture.

Il a un sentiment d'étrangeté.

Il écrit mentalement son nom.

René Toledano.

Au moment où il l'inscrit, il a l'impression d'être complètement extérieur et de voir ces deux mots pour la première fois.

Il se passe la main sur le visage, sent son menton, ses lèvres, son nez, ses pommettes, son front, et essaie de se rappeler la forme précise de son visage. Il renifle ses propres aisselles.

Et ça, c'est l'odeur de ce corps.

Il se lève et ouvre la fenêtre pour profiter de la lumière et de l'air frais. Il ne pleut plus et le ciel est dégagé. Il se place près du lit d'Opale et l'observe dormir.

Elle, c'est Opale. Opale Etchegoyen.

J'ai l'impression que je la connais depuis longtemps. D'où vient ce sentiment de déjà-vu? Je n'ai jamais eu l'occasion de la rencontrer auparavant. Je l'ai peut-être connue dans une vie antérieure.

Serait-il possible que l'on puisse aussi se souvenir des visages connus d'«avant», comme avec cet élève qui me narguait? Dans ce cas, cela signifierait qu'on arrive à reconnaître un esprit réincarné dans un autre corps?

La question lui semble déterminante, à cet instant précis, mais ce dont il a le plus envie, c'est d'un bon petit déjeuner. Pour digérer toutes les émotions de la veille et reprendre des forces pour les combats à venir.

Il se place devant un miroir.

Chaque vie résulte d'un vœu formulé en réaction à l'expérience négative précédente. On compense et on tente d'améliorer sa trajectoire.

C'est comme à ce jeu, le Mastermind, où il faut deviner une combinaison de pions de couleur : pour chaque nouvelle existence, on déduit ce qu'il faut faire de ce qu'on a raté dans la précédente. Et il arrive que ce soient les mêmes pions qu'on doive placer différemment.

Il se dit que dans la 110e vie qu'il a vécue, celle juste avant d'être Phirun au Cambodge, il avait dû se dire que la spiritualité mystique des moines était le choix de vie qui lui offrirait le plus de chances d'évoluer. Dans sa 108e vie, avant d'être Hippolyte le soldat, il devait penser qu'être beau et courageux était ce qu'il y avait de plus souhaitable.

Avant d'être la comtesse Léontine, il pensait probablement que naître femme, noble avec un château et une grande famille, était le moyen d'être heureux.

Avant d'être Zeno, il s'était peut-être dit que vivre au grand air au bord de la mer était la solution.

Chaque fois, il a souhaité sortir gagnant avec une combinaison de talents particuliers. Ce n'est qu'en vivant qu'il a découvert, par l'expérience directe, les limites de ces souhaits.

Et bien sûr, avant qu'il naisse, lui, en tant que René dans sa 112e vie, Phirun, le 111e, a dû vouloir maîtriser l'histoire pour glaner la vérité derrière les versions officielles et les légendes. Il a souhaité une vie de « démystificateur », naître dans un pays démocratique, en temps de paix pour ne plus vivre de scènes similaires à celles auxquelles il venait d'assister au Cambodge.

Quant à la capacité de revenir dans ses vies antérieures...

Peut-être que Phirun l'avait aussi formulée dans sa liste de vœux pour sa vie suivante. Pour restaurer sa propre mémoire en cas de damnatio memoriae... *Oui, quelque chose avait dû le pousser à lutter contre l'oubli de la vérité. Ainsi la boucle a été bouclée : Phirun a sauvé sa mémoire en me dotant d'une curiosité pour l'histoire et d'une capacité à revenir dans mes vies antérieures.*

René Toledano appelle la réception et commande le petit déjeuner le plus copieux possible. Avec des œufs brouillés, du jus d'oranges, des viennoiseries, du beurre, de la confiture, des crêpes, des gaufres et même du bacon frit.

Zut, avec tout ça j'ai raté le rendez de 23 h 23 d'hier soir.

Il inspire.

De toute façon, Geb doit être en pleine construction du bateau ou en train de faire l'amour avec Nout. C'est peut-être mieux que je le laisse tranquille pour un soir.

Opale fait un mouvement sous les draps avant de rabattre le tissu, dévoilant qu'elle porte uniquement une culotte et un tee-shirt. Il ne peut s'empêcher de l'observer. Sans son maquillage et sans ses vêtements, sa peau blanche piquetée de taches de rousseur est bien visible.

Plus je la connais, plus je la trouve fabuleuse, cette femme-là. Elle a toutes les qualités : elle est intelligente, volontaire, indépendante, et si belle. Elle a fait des choix rapides et déterminants. Arrêter ses études, monter sur scène toute seule et maintenant tout abandonner pour me suivre. Assurément, c'est cela qui définit le héros d'une histoire : il est celui qui fait des choix. Moi, finalement, je n'ai pas choisi de monter sur scène, j'ai été désigné ; je n'ai pas choisi de me battre avec le skinhead, je me suis seulement défendu contre son attaque ; je n'ai pas choisi d'aller dans un asile psychiatrique ; d'être poursuivi par la police. Je suis comme un passager dans un wagon de grand huit : je pousse des cris, je transpire, j'ai peur, mais je n'ai pas de volant pour diriger le wagon.

À l'émotion qu'a provoquée en lui l'admiration qu'il ressent pour Opale succède une seconde pensée.

Jamais une personne aussi formidable ne s'intéressera à un type comme moi.

À ce moment, elle se met à ronfler, et même ce son lui semble mélodieux. Alors, il reste à la regarder, impressionné et, en même temps, envahi de la certitude qu'elle fait partie de sa famille d'âmes. Il se souvient d'un discours de son père.

« Notre manière d'être en contact avec les autres est illustrée par les chakras, issus de la culture bouddhiste.

« Nous avons sept chakras.

« Le chakra n° 1, situé sous le corps, celui du rapport à la planète. Le chakra n° 2, situé au niveau du sexe, est celui du rapport au plaisir charnel et à la reproduction. Le chakra n° 3, situé au niveau du nombril, est celui du rapport à la famille et aux objets. Le chakra n° 4, situé au niveau du cœur, est celui des émotions et des sentiments. Le chakra n° 5, situé au niveau du cou, est celui du rapport à la communication avec les autres. Le chakra n° 6, entre les deux yeux, aussi appelé troisième œil, est celui du rapport à la culture et à la beauté. Le chakra n° 7, situé au sommet du crâne, est celui du rapport à la spiritualité et à sa propre place dans l'univers et dans son époque. »

Son père avait précisé : « Quand tu penses à quelqu'un et que le chakra n° 4 palpite, c'est que tu perçois cette personne comme faisant partie de ta famille d'âmes. »

Maintenant, il s'en souvenait : dès qu'il avait vu Opale apparaître au début de son spectacle, il avait ressenti une pression au niveau du thorax. Il n'y avait pas fait attention sur le coup, attribuant sa réaction à l'apparition soudaine de l'artiste au milieu d'un nuage de fumée et de flashes de lumière. Quand il était monté sur scène et que tous deux s'étaient regardés dans les yeux, son cœur battait fort et son chakra n° 4 frissonnait comme une boule de lave. Il avait pris cela pour du trac…

Mais non, c'était autre chose : il avait en fait le sentiment de retrouver quelqu'un qu'il connaissait depuis longtemps déjà.

Il s'approche d'Opale pour s'enivrer de son parfum, mais elle ouvre d'un coup ses grands yeux verts. Elle bat des paupières, comprend qu'il l'observe, bâille, se détend et, utilisant son drap comme une toge, elle rejoint la salle de bains.

À ce moment quelqu'un frappe à la porte.

– Room service.

René en profite pour disposer la table du petit déjeuner près de la fenêtre ensoleillée. Lorsqu'elle sort de la douche en peignoir, une serviette enroulée autour de la tête, il cherche une phrase pour amorcer la conversation.

– La pluie s'est enfin arrêtée.

Elle l'observe amusée et s'assoit face à lui.

– Bonjour. Bonne idée d'avoir commandé ce petit déjeuner, j'ai très faim.

Elle se sert une tasse de café.

– Hier était, comment dire... « plein de péripéties », n'est-ce pas ?

Elle prend un croissant qu'elle tartine de beurre et de marmelade d'orange, avant de mordre à belles dents dans la viennoiserie.

– Vous avez préféré quel moment ?

Elle est surprise par sa question. Elle répond en riant :

– J'ai bien aimé quand vous me catapultiez les lingots par-dessus le mur d'enceinte. Ça m'a rappelé quand je jouais enfant avec mon père.

Elle se lève et va vérifier que la voiture est toujours en place.

– Dire que le coffre est rempli d'or et que seule une banale serrure de voiture protège notre trésor.

Elle l'observe en souriant.

– C'est quoi le programme du jour ?

– Récapitulons, nous avons un peu de répit dans cet hôtel situé... où déjà ? questionne René.

– À Lyon. J'ai roulé toute la nuit sur l'autoroute.

– Bien. Donc nous sommes a priori recherchés par la police...

– On a tous ses petits soucis, sinon la vie serait trop facile et on s'ennuierait, ironise-t-elle.

– Je ne pense pas que les propriétaires du château de Villambreuse nous recherchent. Après tout, ils vont pouvoir récupérer le lingot que j'ai jeté dans la gueule de leur berger allemand. C'est comme si je leur avais offert un cadeau, finalement. Je ne crois d'ailleurs pas avoir blessé l'animal.

– Il faudra trouver un acheteur d'or qui transforme nos lingots en billets de banque.

– Le contraire d'un alchimiste, en somme.

– Et ensuite, vous voulez qu'on s'y prenne comment ?

– Eh bien, mon idée serait de rejoindre la Côte d'Azur et d'acheter un voilier, puis de traverser la Méditerranée.

– De quitter la France ?

– Mon père disait qu'on peut tout résoudre par un déplacement géographique.

– Mais pour aller où ?

Il ménage ses effets, puis déclare :

– L'Égypte.

Elle se sert des œufs brouillés qu'elle recouvre de beaucoup de poivre, et qu'elle mange avec délectation.

– Pourquoi l'Égypte ?

– Parce que je pense que c'est là que les Atlantes ont fui dans le passé.

– Donc vous voulez reproduire une action qui s'est déjà produite, n'est-ce pas ?

– C'est la clef de tout : est-ce que je suis en train, par mon libre arbitre, de réécrire l'histoire ou est-ce que je ne fais que la reproduire telle qu'elle s'est déjà produite ? Comme nous ne savons pratiquement rien sur cette période, je ne pourrai répondre à cette question qu'en agissant. C'est toute la question : avons-nous le choix ou ne faisons-nous que nous intégrer à une sorte de scénario préétabli immuable ?

Elle réfléchit.

– Dans ce cas, le sort de l'Atlantide et de votre Geb serait déjà scellé, n'est-ce pas ?

– J'aimerais tant connaître la réponse à cette question.

Un petit sourire illumine son visage.

– J'ai peut-être en réserve un tour de magie qui va répondre à votre « question ».

Elle appelle la réception de l'hôtel.

– Pourriez-vous me monter un jeu de 52 cartes, s'il vous plaît ?

Il fronce les sourcils. Elle lui fait signe de lui faire confiance. Quelques instants après, un groom lui amène le jeu demandé.

– Comme vous le voyez, il est tout neuf, il n'est donc pas truqué. Il est peu probable que hier soir, vu mon niveau d'épuisement, j'aie décidé de monter un coup avec un complice de l'hôtel…

Elle lui tend le jeu :

– Mon père appelait ce tour le « Malgré moi ». Vous allez voir, c'est assez troublant.

Compte tenu de la situation, il trouve bizarre de participer à un tour de magie, mais il fait confiance à la jeune femme qui semble y accorder une grande importance.

– Regardez bien. C'est tout simple. Je place ici une carte rouge et là une carte noire.

Elle dépose à quelques centimètres de distance deux cartes face retournée.

– Vous allez déposer, en colonne, les cartes que vous pressentez rouges sous la rouge et les cartes que vous pressentez noires sous la noire. Face cachée.

– C'est tout ?

– Moi, je reste à distance, je ne touche à rien. Vous disposez les cartes selon votre inspiration, comme vous les sentez.

René se prête au jeu.

À la fin, il a formé deux colonnes de cartes.

– Avez-vous des remords ? demande Opale.

Il hésite puis déclare :

– Oui.

– Alors, allez-y, vous pouvez encore les changer de colonne selon votre inspiration.

Le professeur d'histoire prend deux cartes situées sous la carte rouge et les place dans la colonne sous la carte noire. Il fait de même avec quatre cartes noires qu'il place dans la colonne des rouges.

– Encore des remords ?

Il inverse trois cartes supplémentaires.

– Fini ?

– C'est bon. Je n'ai plus rien à changer.

– Selon vous, combien de cartes sont de la bonne couleur ?

– Eh bien, selon les probabilités, la moitié. 50 % justes, 50 % fausses.

Elle prend un air mystérieux.

– Moi, je pense que vous avez fait mieux que cela, lui dit-elle avec un clin d'œil.

– Tant que nous n'aurons pas retourné les cartes, ce sera comme le chat de Schrödinger : tout est possible. Il y a autant de chances que j'aie tort que raison.

– Allez-y, René, retournez la première carte de la colonne des noires.

Il la retourne et celle-ci est bien noire.

— Une chance sur deux, pour celle-là c'est bien tombé, marmonne-t-il.

— Suivante.

La suivante est noire aussi.

— Toujours un coup de chance ?

Non, ce n'est pas possible.

Il les retourne les unes après les autres, de plus en plus troublé. Sous la carte noire, elles sont toutes noires. Il n'y a pas une seule erreur.

Il examine ensuite l'autre colonne et constate que, là, elles sont toutes rouges.

Comment a-t-elle pu faire en sorte que je réussisse quels que soient mes choix ?

— C'est quoi le truc ?

— Vous avez eu les bonnes intuitions, élude-t-elle, mutine.

— Même mes regrets étaient justes, c'est impossible !

— Vous avez réussi, c'est tout ce qui importe.

— Vous m'avez dit qu'il s'agissait d'un tour de magie, donc cela n'a rien à voir avec mon talent.

— Vous commencez à comprendre où je veux en venir. C'est pour cela que mon père a intitulé ce tour « Malgré moi ». Il permet de questionner sur ce que vous évoquiez : est-ce que nous choisissons ou est-ce que nous sommes les pions intégrés dans une sorte de plan global qui fait que quels que soient nos choix, nous aboutirons au même résultat ?

Il n'arrive pas à détacher son regard des deux colonnes parfaitement monochromes.

— Vous pouvez me le refaire ?

— Une seule fois, la magie. Ou du moins une seule fois par jour.

– Mais comment avez-vous fait ? Vous n'avez pas pu influencer mon esprit comme pour le tour avec la dame de cœur, ni faire un tour de passe-passe, puisque vous étiez loin du paquet.

– En tout cas, cela a le mérite de nous montrer que l'alternative est bien réelle : nous croyons choisir, mais quelqu'un ou quelque chose peut se débrouiller pour que nous fassions les bons choix... « malgré nous ». Donc, peut-être que votre idée d'aller en Égypte et de conseiller les Atlantes fait partie d'un scénario déjà écrit.

Il se met à son tour à dévorer des œufs brouillés.

– Comme si nous étions dans un film dont la fin a déjà été définie ?

– Comme si nous étions des personnages de roman. Nous croyons que nous agissons en notre âme et conscience, en faisant des choix à chaque seconde, guidés par notre libre arbitre, et pourtant...

– ... il y aurait un auteur au-dessus de nous qui décide ce que nous accomplissons malgré nous.

Le professeur d'histoire essaie de comprendre toutes les implications de cette phrase.

– Sinon, il y a un tour de magie que vous savez faire, alors que moi, non, reprend-elle. La régression. Et là, c'est à vous d'éclairer ma lanterne.

– Vous me direz un jour le truc du « Malgré moi » ?

– Peut-être, si vous réussissez à me faire franchir la porte de l'inconscient. Cela vous servira de motivation.

Opale va fermer la porte de la chambre à double tour, après avoir accroché à la poignée le panneau « Ne pas déranger ». Ils tirent les rideaux pour créer une zone de pénombre et Opale s'étend de tout son long sur son lit. René s'assoit à côté d'elle.

– Fermez les yeux, et visualisez un escalier. Chaque fois que vous descendez une marche, vous vous enfoncez un peu plus profondément vers votre inconscient. Jusqu'à la porte. Voyez-vous la porte ?

– Oui.

– Comment est-elle ?

– Blindée avec une grosse serrure.

– Prenez la clef et introduisez-la dans la serrure.

– C'est fait.

– Tournez-la.

– C'est fait.

– Maintenant, actionnez la poignée.

Elle fronce les sourcils, grimace.

– Cela résiste.

– Essayez encore.

À la grimace succède un cri de douleur.

Elle ouvre les yeux. Elle se tient la main.

– Du feu ! Il y a du feu derrière cette porte ! Je me suis réellement brûlée !

Elle montre sa main sur laquelle des cloques sont en train de se former.

– C'est le pouvoir de la pensée sur le corps.

D'abord les plaques roses de psoriasis, ensuite de vraies cloques !

Elle va passer sa main sous l'eau froide.

– J'ai... j'ai insisté et la poignée a commencé à devenir chaude. Je suis restée malgré tout. Et là, j'ai vu des flammes sortir par les interstices de la porte. La poignée a changé de couleur. Elle est devenue jaune, puis orange, puis rouge. La température a continué à monter, mais je ne voulais pas lâcher. J'ai donc tenu jusqu'à ce que la douleur devienne insupportable.

328

– Il y a quelque chose de caché derrière votre inconscient qui vous empêche d'y accéder. Quelque chose que vous ne voulez pas voir ou, tout du moins, qu'une partie de votre esprit connaît et ne veut surtout pas retrouver.

– Ça me donne encore plus envie d'y retourner.

– Comment disiez-vous déjà ? Ah oui : « Une seule fois, la magie. » En tout cas, une seule séance de régression par jour, cela me semble plus prudent, sinon ce serait du masochisme.

Elle serre son poignet et approuve. Ils quittent ensuite l'hôtel et reprennent leur voiture au coffre rempli de lingots d'or.

Ils roulent jusqu'au centre-ville de Lyon, et finissent par trouver un acheteur d'or, pas trop regardant sur l'absence de certificat d'origine des lingots et qui se dit capable de répondre à leur demande contre une forte commission. De fait, au bout d'une heure d'attente, il revient avec deux mallettes contenant l'équivalent de cinq millions d'euros en grosses et moyennes coupures.

– Merci, Léontine, murmure René en direction des nuages.

Puis ils prennent la route du sud. Après plusieurs heures de voyage, ils arrivent enfin face à la mer, à Hyères.

Étrange coïncidence phonétique : de ce qu'il va se passer à Hyères dépend ce qu'il va se produire demain.

Ils décident de consulter une agence de location de bateaux. Sur les conseils de René, qui ne peut se rendre lui-même sur place, au risque d'être reconnu, Opale visite un voilier de dix-huit mètres, baptisé le *Poisson volant*. C'est un monocoque récent à la coque noire et luisante, doté d'un équipement mécanique et électronique dernier cri. Sa voile est blanche et arbore, en son centre, un motif de poisson volant bleu.

Séduite, Opale remplit à son nom les papiers administratifs. René, en montant plus tard sur le pont du voilier, ressent automatiquement une sensation agréable.

Que penserait Zeno s'il voyait comment ont évolué les voiliers ?

Le professeur d'histoire est tout excité en touchant les boiseries, les chromes, le mât. Ce bateau lui semble à la fois un sanctuaire et un outil de liberté.

Combien de fois, au cours de mon existence, ai-je été obligé de fuir sur un bateau ?

– Ça va, René ?

– J'ai l'impression d'enfin reprendre le contrôle de ma vie, et de faire les bons choix, dit-il.

– Étrangement je partage ce sentiment, lui répond-elle, tout en se grattant la nuque irritée par sa plaque de psoriasis.

En fin de journée ils achètent un coffre-fort qu'ils installent sur le *Poisson volant*, et y déposent les deux mallettes de billets. En référence à celle qui leur a fourni ce trésor de guerre, ils choisissent pour code « Marsout », le dernier mot qu'elle a prononcé avant de mourir.

Alors qu'ils sont occupés chacun à des tâches pratiques, René et Opale échangent de temps à autre un regard complice.

J'ai l'impression que nous sommes enfin en train d'accomplir ce pour quoi nous sommes nés. Ce sentiment est vraiment délicieux.

Les choses se déroulent de manière rapide et méthodique. Ils achètent des stocks de boisson et de nourriture pour être autonomes le temps de la traversée. Au moment où ils rendent la voiture et s'installent sur le navire, ils ont l'impression que désormais plus rien ne pourra les arrêter.

L'hypnotiseuse se dirige vers la poupe, et se place dans la zone du cockpit. Elle caresse la roue qui sert de barre.

– Vous vous y connaissez un peu en voile ? demande René.

– J'en faisais avec mon père durant les vacances. Et vous ?

– Moi aussi. J'ai même participé à des régates et remporté des trophées. Autant j'ai une aversion pour tout ce qui ressemble à la rame, autant tout ce qui a trait à la voile m'est familier.

– Vous oubliez que je sais pour Zeno…

– Désolé, c'est vrai, c'est encore mes maudits trous de mémoire. Bien sûr, il n'y a que vous qui savez pourquoi…

– Dans ce cas, nous pourrons nous relayer à la barre ?

– Sinon le pilote automatique est de dernière génération ; il semble particulièrement performant.

Elle marche sur la coursive en s'accrochant à la filière, passe le pont et rejoint le balcon avant au niveau de la proue.

– Vous voulez vraiment aller en Égypte ?

– Normalement la traversée devrait prendre dix jours. Quinze si on manque de vent. Le plan que j'ai en tête est désormais parfaitement clair. Je le finaliserai quand je reprendrai contact avec Geb.

Ils prennent le temps de visiter les trois cabines, le carré qui jouxte une petite cuisine et où une table est installée entre des banquettes, puis ils ressortent pour se positionner à l'avant du *Poisson volant.*

– Je viens soudain d'avoir une idée. Geb m'a dit que l'esprit pouvait faire beaucoup de choses si on le lui demande. Jusqu'à présent, mes rapports avec Geb s'inscrivaient toujours dans une chronologie similaire à la nôtre.

– Un jour ici correspondait à un jour là-bas, n'est-ce pas ?

– Absolument. Nous vivions dans des espaces-temps éloignés de 12 000 ans, mais avec le même déroulé quotidien. Cependant, votre tour m'a donné à réfléchir. Puisque ce qui s'est passé là-bas s'est déjà passé, autant le temps devant moi est inconnu, autant celui qui est devant lui est…

– ... inconnu aussi ?

– Inconnu certes, mais déjà figé quelque part.

Au large du port de Hyères, un gros paquebot passe en sifflant de toutes ses sirènes. Des milliers de passagers aux cheveux blancs, clients des croisières pour retraités, les saluent de loin.

Opale reprend :

– Néanmoins, on ne sait pas ce qui est arrivé en Atlantide ou aux Atlantes.

– C'est déjà écrit. Forcément. Or, en émettant un souhait précis, je sais que je peux décider d'aller dans mes vies précédentes à un instant que j'ai choisi. Alors pourquoi ne pas utiliser mes souhaits pour faire des sauts à des instants plus précis dans le monde de Geb ?

– Vous ne voulez plus suivre la chronologie de manière synchrone entre ici et là-bas ?

– Pourquoi m'en tenir au temps de départ de ma première visite ? J'ai voulu arriver avant l'histoire d'amour et c'est ce qui s'est passé : j'ai rencontré Geb avant qu'il ne rencontre Nout. Maintenant, je ne suis pas obligé de poursuivre en parallèle.

– Mais à quel autre moment voudriez-vous aller précisément ?

– Je souhaite rejoindre directement un instant décisif de la vie de Geb.

Elle comprend où il veut en venir.

– Vous voudriez aller...

– Quelques minutes avant le Déluge.

Au-dessus d'eux, le ciel se couvre d'un grand nuage sombre. René Toledano observe cette menace et déclare :

– Et aider Geb à gérer cette crise.

– Vous êtes conscient que si vous échouez, vous vous sentirez responsable, n'est-ce pas ?

– Si je ne fais rien, les chances d'échec sont sûres. Geb n'a jamais navigué, or il est censé sauver son peuple et traverser l'océan. Même s'il est très âgé et très serein, je pense qu'il manque d'expérience pour ce genre d'épreuve.

Autour d'eux, la lumière baisse d'un coup.

– Je crois qu'il va à nouveau pleuvoir. Dire qu'ils prévoyaient la canicule…

– Il faut pourtant quitter au plus vite le port de Hyères. À 23 h 23, je replongerai et je ferai le souhait de me projeter directement un quart d'heure avant le Déluge. On verra bien ce qu'il se passe.

Elle ne cesse d'observer le ciel anthracite qu'un éclair de foudre argenté vient de traverser dans un grondement.

– Qu'est-ce qui vous contrarie, Opale ? C'est la météo qui vous inquiète ? Je suis sûr que dans quelques minutes cela sera passé.

– Il y a un drame caché dans ma mémoire profonde. Je l'ai volontairement oublié et toutes mes tentatives de régression sont bloquées par cet événement.

Elle touche la cloque sur sa main droite et a un frisson.

64. MNEMOS. CES MOMENTS QU'ON A PRÉFÉRÉ OUBLIER.

L'histoire de France est remplie de trous : une multitude d'instants qu'on survole dans les manuels d'histoire ou qui sont même parfois complètement passés sous silence.
Citons-en deux :
Azincourt, 1415. Nous sommes pendant la guerre de Cent

Ans. Henri V, roi d'Angleterre, débarque en Normandie et remonte vers le nord, pour revendiquer le trône. Le roi de France, à cette époque Charles VI, étant atteint d'une maladie mentale, c'est son ministre qui va mener la bataille. Elle se déroule dans la clairière du bois d'Azincourt. Vingt mille soldats français contre dix mille soldats anglais.

Les Français ont tout misé sur la cavalerie, les Anglais ont plutôt privilégié les archers. Or le terrain est mouillé et les flèches des Anglais tombent comme de la pluie sur les Français, stoppant ainsi les cavaliers. Les Français se retrouvent alors empêtrés dans la boue au milieu des cadavres. Bilan : 6 000 morts et 2 000 prisonniers côté français contre 600 morts côté anglais.

Le pire est que cette configuration avait déjà eu lieu à l'identique soixante ans plus tôt, lors de la bataille de Poitiers en 1356, qui confronte le roi français Jean II (dit Jean le Bon) à Édouard de Woodstock (dit le Prince Noir). Chaque fois que les chevaliers français, supérieurs en nombre, fonçaient de manière héroïque contre les Anglais, ils étaient arrêtés par une pluie de flèches lancées par les arcs à longue portée des archers anglais. Cette bataille aboutit ainsi à la capture de Jean le Bon et au paiement d'une rançon énorme au Prince Noir.

Pourtant, les livres d'histoire ne retiennent de la guerre de Cent Ans que le personnage de... Jeanne d'Arc, mise en vedette autour de 1870 pour signifier que si on a pu repousser les Anglais, on peut repousser les Allemands.

On pourrait également citer la Commune en 1871. À la suite de la défaite de Sedan contre l'Allemagne, la France doit payer des réparations. Les Parisiens s'insurgent contre le gouvernement d'Adolphe Thiers qui voulait, pour contenter les Allemands, désarmer la Garde nationale. Les Parisiens créent un gouvernement autonome : la Commune de Paris. Les Allemands demandent alors au gouvernement de Thiers, installé à Versailles, de « nettoyer Paris ». Une première armée est envoyée, mais refuse de tirer sur des concitoyens. Elle pactise ainsi avec ceux-là mêmes qu'elle devait combattre, avant de rejoindre les insurgés. Une seconde armée dépêchée fait de même. Thiers comprend qu'il faut trouver une autre stratégie : il recrute des troupes venant de provinces plus éloignées de Paris. Les guerres de Vendée, la croisade des Albigeois, etc., toutes les humiliations qu'elles ont subies sont ravivées afin de motiver les troupes. Et, de fait, c'est une sorte de guerre civile des provinciaux contre les Parisiens qui se met en marche, une guerre de Français contre Français pour satisfaire les Allemands qui surveillent la situation de loin. Les communards élèvent des barricades, et des affrontements se déroulent dans les rues. Au bout de deux mois de guérilla qui débouchent sur une semaine de massacres et de fusillades systématiques, les Versaillais finissent par reprendre la ville. S'ensuivent des procès éclair, des exécutions sommaires et la déportation des communards en Nouvelle-Calédonie. Le nombre de morts se situe entre 20 000 et 30 000.

Ces événements ont été sinon oubliés, disons peu développés par les livres d'histoire officiels.

65.

Les vagues sont comme d'immenses mains pointues dont les ongles sont formés d'écume nacrée. Il fait nuit et ils sont sous la pluie, l'orage et la tempête. La houle les secoue et le vent gonfle la grand-voile et le foc. Debout à la barre, René se sent étonnamment bien. La pluie et le vent, loin de l'inquiéter, le rassurent.

Je quitte l'ancien monde où je n'ai plus ma place.

Une vague particulièrement forte le gifle et le fait chuter. Il se relève et, brandissant le poing vers le ciel, hurle :

– MÊME PAS PEUR! IL EN FAUDRA PLUS POUR M'ARRÊTER!

À nouveau l'orage gronde.

J'irai chercher mon destin. Car c'est cela que j'ai toujours voulu.

Trouver ma vraie route. Changer ce qui peut être changé. Exprimer qui je suis vraiment par-delà le regard et le jugement des autres. Je suis enfin à ma place et j'adore ça.

Opale crie pour couvrir le bruit des bourrasques :

– Nous devrions peut-être tenter de rejoindre la côte italienne. À la radio, ils annoncent que le vent devrait augmenter. Ils ont évoqué des vents de force 7.

– Non, ça va aller, il faut juste garder le cap. Vous vous sentez bien? Pas de mal de mer?

Bien que livide, elle hoche la tête.

– Ça ira.

– Dès que la météo se calmera un peu, je vous laisserai la barre et j'irai rejoindre Geb, ok?

Elle approuve.

Cependant, la bourrasque ne fait qu'augmenter, les vagues se font plus grandes et le *Poisson volant* est secoué dans tous les sens. Malgré l'obscurité de la nuit, la pluie, René ne quitte pas l'heure des yeux. À 23 h 10, il fait signe qu'il va s'isoler dans sa cabine.

— Ne me dérangez sous aucun prétexte.

— Donc vous allez…

Le brouhaha couvre la suite de sa phrase.

— Je pars empêcher le déluge qui a détruit l'Atlantide. Je pense que l'ambiance sera encore plus mouvementée qu'ici.

— Bon courage. Je suis sûre que vous arriverez à les sauver.

— Dans les films, quand un personnage prononce cette phrase, en général cela échoue.

— Vous n'êtes quand même pas superstitieux, n'est-ce pas ?

— Vu les circonstances, je vous avouerai que je commence à le devenir un tout petit peu.

Elle lui fait un clin d'œil complice, auquel il répond par son tic involontaire de l'œil droit, indiquant qu'il est entré dans une phase de stress. Il part s'installer sur sa couche. Il préfère finalement installer un hamac dans la coursive centrale, pour compenser le roulis.

Balancé dans ce lit suspendu, il ferme les yeux. Il visualise l'escalier. Il ouvre la porte de l'inconscient. Il marche dans le couloir aux 111 portes, remonte jusqu'à la première et, avant de tourner la poignée de la porte 1, il pense :

Je veux retourner dans la vie de Geb, juste avant qu'il n'ait à affronter le Déluge.

66.

Sous le soleil radieux de midi, tout le monde se promène avec insouciance dans la ville fleurie de Mem-set. Geb et Nout, debout sur leur terrasse au milieu des arbres fruitiers, s'apprêtent à déjeuner.

Nout crie en frappant dans ses mains :

– Osiris ! Isis ! Seth ! Nephtys ! Allez les enfants ! À table ! Tout est prêt.

Aussitôt deux garçons et deux filles vêtus de souples tuniques beiges apparaissent. Tous s'installent autour d'une table ronde tandis que Geb sert à chacun un repas composé de ce qui semble être une salade de racines, d'herbes et de champignons. Ils mangent. Plusieurs chats déambulent autour d'eux.

René reste à distance, observant cette scène.

Les chats viennent vers lui. À nouveau, l'impression d'harmonie et de beauté liée à ce lieu et à ces gens le touche. Soudain, les chats dressent simultanément leurs oreilles et courent se cacher.

Dans les secondes qui suivent, le sol se met d'un coup à vibrer.

Voilà venu l'instant que j'attendais. Je vais enfin voir ce qu'il s'est vraiment passé.

Le volcan émet un hoquet de fumée grise puis entre en éruption. Il projette une lave orange qui monte haut dans le ciel, tel un geyser, avant de retomber comme une gelée orange fluorescente sur les flancs de la montagne et de dégouliner jusqu'aux forêts proches qu'il enflamme aussitôt.

Le sol tremble une seconde fois, beaucoup plus fort, et les habitations à proximité s'effondrent au ralenti. La terrasse de Geb s'ouvre comme une bouche dans un fracas. Le plancher, les murs et les arbres s'entremêlent et s'écroulent lentement sans que personne ait le réflexe ni le temps de fuir. L'Atlante et sa famille chutent au milieu des poussières et des gravats de leur propre maison. Heureusement, il n'y a pas de blessés.

Autour d'eux, tout continue à se disloquer, les bâtiments, les arbres, le sol des routes se fendille et se craquelle avant de s'ouvrir pour révéler des gouffres aux profondeurs rougeâtres. On entend des cris tandis que la trompette ne cesse de faire retentir l'alerte.

René décide que c'est le moment de prendre contact avec son ancien lui-même.

– Geb ! Je suis là.

– René !

– Vous avez terminé de construire le bateau ?

– Oui.

– Alors foncez le rejoindre.

Geb entraîne sa compagne et leurs quatre enfants, dont l'aîné est âgé d'à peine une dizaine d'années, vers la plage où René l'a rencontré la première fois.

Autour d'eux, les cocotiers s'effondrent. L'océan a changé. Des vagues violentes frappent la côte. Geb, Nout et leurs enfants, suivis d'une cinquantaine d'autres personnes, rejoignent le chantier. Autour d'eux, les Atlantes sont dans un état de panique absolue, telle une fourmilière que le bâton d'un enfant cruel viendrait désorganiser. Le sable s'envole en bourrasques.

– Il faut vite mettre le bateau à l'eau ! déclare l'homme du XXIe siècle.

– C'est lourd ! Je ne crois pas que nous parviendrons à lui faire rejoindre la mer à temps !

– As-tu fabriqué le chariot de transport comme je te l'avais indiqué ?

Geb soulève une bâche et dévoile le véhicule.

Ils l'ont fait. Ils ont réussi à construire l'arche ! On dirait que Geb a suivi tous les conseils que je lui ai donnés.

Alors, sous les encouragements du professeur d'histoire, le bateau installé sur l'énorme chariot est poussé par Geb et un groupe d'Atlantes. René analyse rapidement la situation, et conclut en s'adressant à Geb :

– Pour aller plus vite, je te propose de laisser mon esprit entrer dans ton corps. Je vais piloter tes mains et tes jambes directement depuis l'intérieur. Ainsi, nous pourrons surmonter cette épreuve au mieux.

– Je te fais confiance, René. Entre en moi et sauve-nous.

Le professeur d'histoire prend alors possession du corps de l'astronome atlante de moins 10 000 avant Jésus-Christ. Il se met aussitôt au travail.

Le chariot s'embourbe dans le sable et, même s'ils sont nombreux à pousser et tirer, celui-ci ne progresse que très lentement. René, dans le corps de Geb, monte alors sur le pont, déploie la voile et tend les cordages. Le vent s'engouffre aussitôt dans la toile, si bien que le chariot commence à avancer plus vite. Le navire progresse lentement vers l'eau. Avant que le vaisseau ne soit entièrement immergé, Nout lance des cordages pour permettre à ceux qui poussaient de monter in extremis sur le pont arrière.

Malgré la bousculade, une centaine de personnes parviennent à grimper à bord tandis que le bateau continue à s'enfoncer inexorablement dans la mer.

Via la bouche de Geb, René indique à Nout qu'il faut relâcher un peu la tension de la voile pour laisser encore monter quelques personnes qui tentent de les rejoindre à la nage. Mais la force d'inertie du gros bateau est telle qu'il poursuit sur sa lancée. René fait signe qu'il faut encastrer la barre qui va servir de gouvernail. Il se place à la poupe et saisit aussitôt la grande barre de bois qui permet de diriger le navire. En se retournant, il distingue alors au loin la gigantesque vague, plus grande que toutes celles qu'il a déjà vues, qui avance au ralenti, mur vert foncé d'une cinquantaine de mètres de hauteur dont le sommet est une frise d'écume argentée.

Réfléchir. Ne pas se laisser envahir par ses émotions. Ce n'est pas le moment d'être submergé par la peur. Aller chercher le courage d'Hippolyte, la sérénité dans l'adversité de Phirun.

Il sait que lorsque ce monstre va s'abattre sur l'île, tout risque d'être englouti dans le courant aspirant. Plus question d'attendre ceux qui poursuivent le bateau à la nage. René doit renoncer à sauver tout le monde. La priorité est désormais d'éloigner le bateau de la côte.

Le volcan rugit de nouveau alors que la surface des flots, secouée par le mouvement des plaques sous-marines, se hérisse de crêtes menaçantes. La voile est désormais tendue et l'embarcation prend de la vitesse.

Rester calme. Ne pas laisser la peur m'envahir.

De là où il est placé, René voit les derniers Atlantes accrochés aux cordes qui parviennent à se hisser jusqu'au pont.

Ils sont en train de découvrir après des centaines d'années de tranquillité la peur, l'angoisse et la crainte de mort en même temps. Ils sont en train de découvrir que si ces sentiments existent, ce n'est pas uniquement pour rendre les gens malheureux, mais que, au contraire,

341

dans certaines circonstances, cela peut les sauver. Le stress n'est pas apparu par hasard. Il assure une fonction de survie.

Nout installe ses quatre enfants près du mât. Le bateau secoué par les vagues a du mal à garder sa gîte.

– Enfoncez la quille ! hurle René-Geb.

Déjà un groupe procède à la manœuvre et arrive à enfoncer la longue quille lestée dans le puits en bois construit à cet effet. Malgré les vagues, le bateau réduit son roulis et prend encore un peu plus de vitesse pour s'éloigner de la vague scélérate qui se rapproche dangereusement.

Alors que le volcan explose en gerbes rouges, dispersant une pluie de boulets fumants et sifflants, les falaises s'effritent. La vague vert foncé de cinquante mètres de haut a atteint l'île et avance lentement, comme une langue qui dévore tout sur son passage. Les Atlantes restés sur la plage sont happés par la montagne liquide qui les engloutit. La cité-fleur est bientôt touchée elle aussi. Les maisons qui ne s'étaient pas effondrées sous les secousses des tremblements de terre sont recouvertes par l'eau de mer. La pyramide bleue est escaladée par une vague que rien ne semble pouvoir ralentir ou arrêter.

René-Geb, crispé sur le gouvernail, maintient le cap pour s'éloigner du danger. Le bateau file tandis que tous les passagers contemplent, sidérés, la destruction de tout ce qui leur est cher.

La cité de Mem-set n'est plus du tout visible.

Le volcan n'en finit pas de cracher ces boulets rouges qui maintenant s'abattent autour d'eux en sifflant. L'un d'entre eux troue la grand-voile qui est sur le point de s'enflammer, mais Nout a instantanément perçu la menace. Elle a le réflexe de lancer un seau d'eau qui parvient à empêcher l'embrasement.

La sombre vague verte poursuit son avancée, remontant la pente de la forêt pour escalader le volcan. Lorsque l'eau recouvre tout, l'île semble se briser en deux comme une plaque d'argile friable.

René fait signe de ne pas relâcher l'effort car il redoute une autre menace. Il sait que l'île, en s'enfonçant dans l'océan, va produire un vortex aspirant.

Il faut sortir de la zone dans laquelle l'attraction centripète va se produire.

Avant d'être submergé, le volcan lâche un nouveau nuage de fumée noire, et René perçoit que la progression du bateau vers le large est ralentie par des courants de plus en plus puissants.

– Tendez encore plus les cordages, il faut que la voile prenne un maximum de vent.

La menace d'être aspiré se précise à chaque instant. Il faut vite réagir.

– Soulevez la quille ! Tant pis on va gîter, mais cela devrait nous fournir un peu plus de vitesse, lance René-Geb.

Alors, sous ses directives, la quille rétractable est soulevée et le bateau se penche sur le flanc droit. Tout le navire émet des craquements sous les tensions conjuguées du vent, du courant, des vagues, de la voile et du gouvernail. Les passagers, obéissant aux indications de Nout, se placent du côté opposé pour compenser la gîte.

Ensuite, tout se passe au ralenti. Le bateau est pratiquement immobilisé, partagé entre la puissance aspirante du vortex et la puissance libératrice du vent dans les voiles.

La force de l'air contre la force de l'eau.

Les planches qui forment la coque sont soumises à une telle pression qu'elles émettent des bruits sinistres.

Nout ferme les yeux. Osiris lance des cordages à l'avant du navire. Ils sont attrapés par des formes encore indistinctes. Seule une nageoire supérieure dépasse de la surface.

Les dauphins nous viennent en aide !

L'Atlantide n'en finit pas de disparaître sous l'eau et seules les bulles de fumée noire issues du volcan permettent d'identifier son ancien emplacement.

Les cordes à l'avant, tendues à l'extrême, permettent d'imaginer l'effort des dauphins qui tirent de toute la vigueur de leur nageoire sur les lassos.

Nout se tient à côté de René-Geb. Tous les passagers se serrent les uns contre les autres.

Suspense.

Tremblements. Claquements de dents. Pupilles dilatées. Gerbes de feu. Cordes tendues. Nuages noirs. Vent. Cris. Éclairs. Vagues déferlantes sur la coque. Nageoires de dauphins par dizaines. Les cœurs accélèrent. La nature semble en colère. Le ciel rugit. L'eau bouillonne.

Pourvu que cela marche.

Des mouettes tournoient en poussant des glapissements, comme si elles se moquaient de ceux qui dépendent de la terre et de l'eau alors qu'elles sont en sécurité dans l'air.

Les visages expriment l'inquiétude. Autour d'eux, ce n'est que furie, mort, vacarme, éclairs, secousses, écume et lave.

Les secondes s'écoulent lentement alors que la fureur de la nature ne semble pas vouloir s'apaiser.

Il faut que cela marche.

La scène apocalyptique leur paraît durer une éternité.

Et puis les dauphins tirant les cordes à la proue du bateau réussissent à battre en puissance le courant aspirant.

Il doit vraiment y avoir énormément de dauphins qui nous sont venus en aide.

Le bateau se libère enfin de l'attraction qui le tirait en arrière. Il prend un peu de vitesse et se met à avancer doucement.

Nous avons réussi ?

Les survivants se regardent, stupéfaits d'être encore en vie. Le vent continue de mugir dans les voiles et tandis que le ciel ne cesse de s'assombrir, le bateau continue d'accélérer.

– Combien sommes-nous ? demande René-Geb.

– J'ai compté, outre nous deux et nos quatre enfants, il y a cent soixante-huit personnes. Cela fait donc cent soixante-quatorze survivants, répond Nout.

Cent soixante-quatorze. J'ai sauvé cent soixante-quatorze Atlantes sur huit cent mille !

– On va où maintenant ? demande la jeune femme de 245 ans avec un sanglot mal contenu dans la voix.

Cette fois-ci, c'est l'esprit de René qui, utilisant la bouche de Geb, répond :

– Vers l'est. Il faut poursuivre dans cette direction. Nous serons bientôt près d'une côte que nous longerons quelque temps avant d'arriver sur une terre, qui se nommera un jour l'Égypte.

Le regard des passagers de fortune se pose alors vers l'arrière. Il ne reste de l'Atlantide qu'un nuage de vapeur au-dessus de la surface de l'océan.

Nout vient se blottir dans les bras de Geb qui n'a pas lâché le gouvernail. Elle se laisse enfin aller à pleurer. L'Atlante s'aperçoit que son corps est envahi par une énorme émotion qu'il ne peut maîtriser, mais que l'esprit de René identifie sans peine.

Une tristesse infinie.

Tous sont partagés entre le désespoir face à la destruction de tout ce qui leur est le plus cher et le soulagement d'avoir réussi à s'échapper.

La tristesse et l'espoir.

Le bateau contenant les cent soixante-quatorze derniers Atlantes, hagards et tremblants, prend de la vitesse pour se diriger vers l'est. L'esprit du professeur d'histoire se détache du corps de l'astronome pour observer la scène avec recul.

Eh bien voilà, ce n'est plus du futur, ou du présent, c'est du passé. J'ai vécu le Déluge et l'engloutissement de la civilisation atlante.

Désormais, ce moment historique unique est à ranger dans mes souvenirs.

67.

Quand René Toledano revient de sa régression, le *Poisson volant* est toujours dans la tempête. Même si elle est beaucoup moins intense que celle qu'il vient de surmonter, elle rend le voyage très inconfortable.

Le professeur d'histoire s'aperçoit qu'il a passé plus de trois heures à aider les Atlantes à survivre à leur Déluge.

Il va boire une tasse de café, enfile un ciré et retrouve Opale, toujours cramponnée au gouvernail, alors que le voilier est pris dans les montagnes russes de la Méditerranée en furie.

– Cent soixante-quatorze, annonce-t-il. C'est le nombre de survivants au Déluge.

Elle le félicite d'un geste.

– Alors vous avez peut-être changé le cours de l'histoire d'une manière déterminante, crie-t-elle pour couvrir le bruit du vent.

– On sera rassurés quand les survivants auront réussi à faire renaître leur civilisation. Nous avons maintenant rendez-vous là où Geb, Nout, leurs enfants et les autres Atlantes sont censés arriver. Cap sur l'Égypte.

Le voilier file au-dessus des flots. La coque se soulève de la surface de la mer alors que l'appellation de « poisson volant » prend tout son sens.

Le premier jour de navigation, Opale et René doivent encore affronter un vent de force 6 mais leur voilier a trouvé sa position, son allure, sa manière de gérer les vagues et il fend la mer en direction du sud-est.

Le soir, comme le vent a enfin baissé d'intensité et qu'ils sont épuisés, ils décident de laisser le pilote automatique en marche.

Ils dînent dans l'habitacle.

– Racontez-moi le Déluge, demande Opale.

– C'était si injuste. Tant de beauté et d'harmonie réduites à néant seulement parce que quelque chose ou quelqu'un ne voulait plus qu'ils existent. J'avais l'impression de lutter contre l'ire de Poséidon.

– Sans vous, il n'y aurait peut-être eu aucun survivant.

– Pourtant, c'est là un fait inscrit dans toutes les mythologies évoquant le Déluge.

– On en revient à notre problématique : est-ce que ce que vous avez accompli était déjà écrit ?

– Absolument. Est-ce que ce sont mes choix qui ont décidé de ce qu'il s'est passé?

– Votre sentiment?

Il reste dubitatif. Il change de sujet.

– Maintenant, je sais au moins que je peux aller dans le passé n'importe quand.

– Dans ce cas, vous pouvez allez à la fin du livre et lire la chute. Vous pouvez savoir comment cela va se terminer!

– Non. Il y a quelque chose qui ne me convient pas dans cette option. Je continue de penser qu'il vaut mieux avancer pas à pas et faire des choix au fur et à mesure que les situations se présentent. Je reste persuadé que le libre arbitre est plus fort que la fatalité. Je vais suivre épisode par épisode l'évolution des aventures de Geb. Comme pour un roman, cela perd tout intérêt d'aller directement à la fin pour savoir qui est l'assassin ou si le héros va réussir.

Elle approuve.

– Évidemment, dit-il, je veux savoir comment tout ça va évoluer, mais je peux me retenir.

– Je comprends. Un jour, quand j'étais petite, je regardais le film E.T., et il y avait cette scène terrible où l'extraterrestre est mourant. Ma mère, voyant que je ne pleurais pas, m'a demandé pourquoi je restais aussi insensible. Je lui ai répondu : « C'est parce que j'ai déjà vu le film trois fois et que je sais qu'à la fin, E.T. va revivre, alors je ne vois pas pourquoi je me ferais du souci pour lui. »

À ce moment-là, ils entendent la sirène d'un paquebot. Ils remontent sur le pont et voient un grand pétrolier passer à quelques centaines de mètres d'eux. Tous les deux pensent la même chose.

Il aurait suffi que notre batterie soit à plat pour que cet immense bateau ne nous voie pas dans la nuit. Il nous aurait écrasés comme un éléphant écrase une souris, sans même s'en apercevoir.

Ils retournent dans la cabine. René reprend :

– Reste quand même une question : est-ce que la fin de leur histoire et celle de la nôtre sont immuables ? Y a-t-il d'autres dénouements possibles ?

– Vous en pensez quoi ?

– Il y a l'effet papillon. Normalement, un simple petit détail peut changer toute la trajectoire.

– Et ?

– Et nous ne le saurons qu'en le vivant, étape par étape, sans vouloir précipiter les choses ou connaître par avance les épisodes suivants.

– Je crois aussi que c'est plus raisonnable.

– Reste votre « Malgré moi » qui contredit la théorie de l'effet papillon. Dans votre tour, rien ne peut permettre à celui qui le pratique d'échouer, si j'ai bien compris.

– En effet. C'est un tour où vous ne pouvez pas perdre. Tout est décidé par avance. Par le magicien.

– Vous pouvez me le refaire pour que je tente de comprendre le truc ?

– Si vous voulez.

– J'ai quand même une requête : cette fois-ci, je voudrais avoir tout faux, c'est possible aussi ?

Opale acquiesce, sort les cartes achetées avant d'embarquer, pose une carte rouge et une carte noire, puis lui tend le paquet de cinquante cartes. Il les classe en fonction de leur couleur supposée. À nouveau, il est autorisé à avoir des remords ou des regrets.

Cette fois-ci, sous la carte rouge il n'y a que des cartes noires, et sous la carte noire, que des rouges.

Ici, pour une raison mystérieuse, l'effet papillon ne s'applique pas. Le scénario est écrit à l'avance, bon ou mauvais. Et tout se passe comme cela doit se passer.

– À vous maintenant de me faire votre tour de magie, René. À ce détail près que moi je ne veux pas échouer, je veux réussir à ouvrir cette satanée porte blindée, malgré la poignée brûlante !

Le professeur d'histoire ne se fait pas prier. Il guide à nouveau Opale vers la porte de son inconscient. Il estime, cette fois, qu'elle progressera plus facilement si elle se visualise dans une tenue de pompier ignifugée. Elle enfonce la clef et saisit la poignée imaginaire en la serrant avec son gros gant imaginaire. Mais elle est encore bloquée. De rage, elle donne un grand coup de pied dans la porte, sans obtenir plus de résultat. Déçue, elle remonte les marches et rejoint René.

– Désolé, dit-il.

– Ce n'est pas grave. Nous réussirons la prochaine fois, annonce-t-elle, déterminée.

Ils dînent et se couchent dans leurs cabines respectives.

Chacun de nous deux sait quelque chose que l'autre ignore. Et nous avons réellement besoin l'un de l'autre. Encore faut-il trouver la meilleure manière de nous aider mutuellement. Depuis combien de vies avons-nous pris l'habitude de nous retrouver pour accomplir des performances ensemble ?

Opale gratte une nouvelle plaque de psoriasis qui la démange au niveau de la cheville.

68.

Ils sont toujours sous le choc de la disparition de leur famille, de leur capitale, de leur civilisation.

– Nous avons encore des choses à faire, dit Geb. Il y a pire que mourir : être oublié. Et seul René peut nous éviter cela.

– Nous sommes cent soixante-quatorze à porter la mémoire d'un monde englouti, nous allons œuvrer pour ne pas disparaître. Nos enfants poursuivront cette tâche après nous, répond Nout.

– J'ai faim, dit Nephtys.

Ils n'ont pas pensé à prendre de la nourriture. Il n'y a qu'une seule denrée disponible : des cadavres de poisson. Ce sont les dauphins qui les pêchent pour eux, puis qui les projettent avec leur rostre sur le bateau. Les passagers examinent les corps des sardines qui se tortillent en agonisant et trouvent cela répugnant.

Partagés entre le dégoût et la faim, certains finissent pourtant par surmonter leur répulsion et approchent les chairs rouges de leurs lèvres. Plusieurs Atlantes qui ont ingurgité les sardines crues vomissent. Certains préfèrent jeûner.

En une journée, ils découvrent de nouvelles émotions jusqu'alors inconnues d'eux. La peur, la tristesse, la colère, les regrets.

Le fait de manger des cadavres d'animaux leur semble accroître encore ces quatre émotions négatives.

Geb se concentre sur son activité de capitaine de bateau et veut perfectionner son art de la navigation. Il sent que quelque chose a disparu à tout jamais, mais, conformément aux préceptes atlantes, il se répète : « Rien n'est grave. Tout ce qui nous arrive est pour notre bien. »

Il tente de se focaliser sur le futur plutôt que de vivre dans la nostalgie d'un passé irrécupérable. Il voit dans ses propres enfants une sorte de printemps possible pour la civilisation atlante qui vient de connaître son plus terrible hiver.

Nout, de son côté, improvise une poésie chantée que tous entonnent à l'unisson pour faire vibrer leur âme et se réconforter mutuellement :

« Ainsi a été détruit tout ce que nous chérissions.
Ainsi a disparu tout ce que nous aimions.
Mais il reste la rouar dans notre sang.
L'énergie de vie résiste au temps.
Mem-set bat dans nos poitrines, cœur premier.
L'esprit de nos frères et sœurs disparus continue de briller.
Et tant que l'un d'entre nous respirera,
Ha-mem-ptah pour l'éternité vivra. »

69.

Le vent propulse le *Poisson volant* au-dessus des crêtes des vagues. Tandis que le jour se lève, René, agrippé à la barre, maintient le cap sud-est. Quand il est trop fatigué, Opale prend la relève et il se repose.

Le soir, le professeur d'histoire et l'hypnotiseuse parlent de tout ce qui leur est arrivé. Opale essaie encore de descendre les dix marches, mais la porte brûlante résiste toujours.

Avant de se coucher, René rejoint Geb pour lui indiquer

comment naviguer de manière optimale. Il lui apprend à tirer des bords pour garder le cap, même lorsque les vents sont de face.

Parfois, Opale et René refont le tour de magie du « Malgré moi » qui fait revenir, lancinante, cette même question qui les obsède : « Est-ce que tout ce qui nous arrive est inscrit dans un destin immuable ? »

70. MNEMOS. ANANKÈ.

Dans la mythologie grecque, Anankè est la déesse du destin nécessaire.
Elle personnifie la nécessité qui dépasse les hommes. Nécessité naturelle, physique, logique, divine. Il ne sert à rien de la vénérer, de l'accuser ou de tenter de susciter sa pitié, elle est l'incarnation de la locution « il faut que ».
Cependant, Anankè n'implique pas que l'homme doive tout accepter avec résignation. Il lui faut au contraire s'insérer dans le flux de son destin et du destin collectif des hommes de manière harmonieuse, sans vouloir nager à contre-courant et sans se plaindre.
Cette déesse n'a jamais été très appréciée des Grecs qui la considéraient comme une source de problèmes. D'ailleurs, Anankè est la mère des sinistres Moires, les trois sœurs qui décident des destinées des hommes. Ces dernières sont Clotho, celle qui tisse le fil des existences humaines, Lachésis, celle qui répare les fils brisés par des nœuds, et Atropos, celle qui ne pardonne pas et coupe d'un coup de ciseaux les fils, donnant ainsi la mort.

Cependant, à partir de 560 avant Jésus-Christ, ceux qui pratiquaient le culte d'Orphée commencèrent à la vénérer comme une déesse à part entière.

Le mot « Anankè » est gravé sur l'une des pierres les plus visibles de la cathédrale Notre-Dame de Paris, désignant ainsi le principe fondamental qui régit le monde.

71.

Au troisième jour de traversée, plusieurs passagers réclament de faire demi-tour.

– Peut-être que l'île a fini par remonter, propose un Atlante optimiste.

– Peut-être que le sommet du volcan est encore émergé, suggère un autre.

– Peut-être qu'il y a des rescapés flottant sur des planches.

– Peut-être qu'il existe une côte plus proche vers l'ouest.

Ainsi, après la peur, la colère et la tristesse, les Atlantes découvrent les dissensions internes. Mais, comme il n'y a qu'un bateau, ils ne peuvent se séparer. Un débat de plus en plus animé oppose ceux qui veulent continuer vers l'est et ceux qui veulent revenir vers l'ouest.

Chacun est persuadé d'avoir raison. Le ton monte. Une bousculade succède à une gifle.

Certains en viennent aux mains, jusqu'à ce que Geb, bénéficiant de l'autorité de sauveur et de capitaine, parvienne à les calmer en leur rappelant qu'ils doivent avant tout survivre pour fonder une nouvelle colonie et préserver le souvenir de leur civilisation.

Nout apaise les passagers en entonnant des chants qui, cette fois, ne se contentent pas de glorifier leur civilisation disparue, mais annoncent sa renaissance sur un nouveau territoire. Ils chantent avec elle et cela les rassure un peu. Pas tous, mais la plupart.

Comprenant qu'il lui faut fournir à ses congénères d'autres gages de sécurité, Geb fait une déclaration dans laquelle il leur parle de René. Il leur apprend que cet homme du futur qui vient le visiter lui a déjà confié l'emplacement précis d'un lieu où ils pourront s'installer en toute quiétude.

Il rappelle que c'est René qui est à l'initiative de ce projet de sauvegarde et, pour ne pas l'oublier, ils décident de nommer leur propre bateau *Le René*. Dans leur langue, cela donne quelque chose comme « Râ-Néhé ».

72.

Le troisième jour, le vent se calme. René et Opale ont enfin du temps pour eux. Ils passent ainsi la journée à discuter d'hypnose, des réincarnations, de la fatalité de l'histoire.

Puis ils abordent des sujets plus intimes, parlent aussi de leurs déceptions amoureuses respectives et de la difficulté de bâtir un couple harmonieux.

73.

Geb garde le cap. Il tient la proue du bateau pointée vers le soleil levant, quand soudain, une mutinerie éclate. L'Atlante se voit alors maîtrisé par deux de ses congénères, tandis que trois autres poussent le gouvernail afin de faire demi-tour. Le voilier vire de bord. La proue se tourne vers le soleil couchant.

Une bataille éclate entre ceux qui veulent aller en avant et ceux qui veulent revenir en arrière. Le combat dure longtemps. L'un d'entre eux est tué.

Cela provoque une émotion nouvelle, qui met fin aux altercations.

Le corps du défunt est descendu dans l'eau. Les dauphins le portent un instant, avant de l'abandonner.

Les insurgés, effarés, renoncent alors à leur projet.

Après la mutinerie, les cent soixante-treize survivants qui restent doivent affronter le scorbut. Plusieurs passagers souffrent de fièvres qui les rendent incapables de se tenir debout. Leurs soins traditionnels ne sont plus efficaces.

En raison de la mutinerie et la maladie, huit passagers sont maintenant décédés. À la fin de cette journée, ils ne sont plus que cent soixante-six.

74.

Le quatrième jour, Opale tente à nouveau d'approcher de la porte de son inconscient et à nouveau, elle échoue et se brûle. Les plaques de psoriasis se remettent à la démanger. Pourtant elle refuse de renoncer.

75.

Les épreuves se succèdent.

Geb doit maîtriser une nouvelle tempête, et la voile, déjà percée par le volcan, se déchire tout à fait. Nout prend l'initiative de grimper en haut du mât pour recoudre le tissu. Durant cette manœuvre, elle tombe à l'eau. Elle est heureusement sauvée par les dauphins qui parviennent à lui faire regagner le navire.

Étrangement, cet épisode ressoude le groupe qui comprend que Geb et Nout sont les plus légitimes pour prendre les décisions. La traversée reprend donc plus tranquillement.

Ainsi, après avoir découvert la navigation en haute mer, l'ingurgitation de poisson, les émotions négatives, les conflits, la maladie, le groupe des Atlantes découvre le principe de confiance en un chef unique. Il devient clair que, dans leur situation, pour que tout fonctionne, ils n'ont plus le choix. Ils comprennent qu'ils doivent déléguer le pouvoir de décision à une ou deux personnes promptes à réagir vite et avec clairvoyance à chaque incident.

76.

Le matin du cinquième jour, Opale et René profitent que le vent est complètement tombé pour jeter l'ancre et se baigner dans la Méditerranée.

Puis, ils déjeunent et bronzent sur le pont. Ils apprécient pleinement ce moment de répit qui leur est accordé avant de se remettre à voguer vers le sud-est.

René et Opale sont de plus en plus complices. Pour passer

le temps, ils jouent aux échecs, ils écoutent les *Quatre Saisons* de Vivaldi sur la chaîne hi-fi du voilier dont les haut-parleurs donnent sur le cockpit.

Une routine s'installe. Le jour, ils naviguent, jouent, mangent ; le soir, ils discutent et, à 23 h 23, René retrouve Geb. Il a décidé de faire naviguer les Atlantes dans la même direction qu'eux et les aide à y parvenir en les conseillant.

77.

Le *Râ-Néhé* percute un rocher. La coque est perforée, ce qui provoque une montée de panique.

Geb et Nout maîtrisent au mieux la voie d'eau qui inonde la cale, mais le bateau commence à s'enfoncer. Tous les passagers se relaient pour écoper, tandis que Geb plonge pour reboucher le trou. Ils parviennent à rendre la coque de nouveau étanche.

Désormais, ils nomment le lieu où ils vivent non plus vaisseau, mais arche en référence au mot de leur langue qui signifie « lieu protégé et à protéger ». Et ils ne parlent plus de vaisseau de Râ-Néhé, mais d'arche de Râ-Néhé, puis, pour aller plus vite, d'arche de Né-hé.

78.

Sixième jour.

Les jours se suivent et se ressemblent. Comme ils ont encore beaucoup de temps avant d'arriver à bon port, enfermés tous les deux en tête à tête dans l'espace clos du bateau, Opale propose à René qu'ils échangent leur savoir.

Elle lui apprend l'hypnose : comment fixer l'attention, puis la contrôler et enfin l'utiliser pour véhiculer des suggestions.

Elle lui montre comment détecter si le cobaye est réceptif. Elle lui apprend que l'hypnotiseur ne fait rien, que c'est l'hypnotisé qui fait tout. Mais, pour cela, il faut savoir le motiver pour qu'il souhaite suffisamment fort que cela marche.

Opale lui parle de ses maîtres : Mesmer, Charcot, Freud, Erickson. Elle lui explique comment ils ont fait évoluer l'art de l'hypnose.

René, de son côté, lui apprend l'histoire, ravi de lui livrer sa vision du passé. Il lui raconte quelques-unes de ces « erreurs de l'histoire » qui, selon lui, mériteraient d'être rectifiées et qu'il a consignées dans son Mnemos.

79. MNEMOS. ERREURS DE L'HISTOIRE.

Il y a plusieurs informations qui méritent qu'on les rappelle :
Homère n'a jamais écrit l'*Odyssée* pour la seule et bonne raison qu'il était aveugle de naissance. C'était un aède, c'est-à-dire un poète oral. Ce sont probablement ses admirateurs qui ont rédigé ce texte.
Le philosophe Diogène n'a pas pu vivre dans un tonneau, car à son époque, à Athènes, les tonneaux n'existaient pas encore. Il est possible en revanche qu'il se soit agi d'une jarre de terre cuite.
Cléopâtre n'était pas égyptienne, mais grecque. Elle est la fille

de Ptolémée, un général d'Alexandre le Grand. Elle s'est toujours habillée et vêtue à la grecque et ne parlait que le grec.

Il n'existe aucune preuve de l'existence de Vercingétorix. On ne le connaît que par le récit de son pire ennemi, Jules César. De ce fait, il est fort probable que ce dernier l'ait inventé en mélangeant les caractéristiques de plusieurs chefs gaulois pour sa propre gloire. Il aurait ensuite mis à mort un Gaulois pris au hasard, qu'il aurait nommé Vercingétorix, pour faire défiler sa dépouille lors de son triomphe à Rome.

Attila n'était pas une brute inculte. Il parlait dix langues, dont le grec et le latin, et pratiquait tous les arts de son époque : musique, danse, poésie.

Le roi Charlemagne n'a pas inventé l'école. Il ne savait ni lire ni écrire et était un chef militaire plutôt violent. Ce mythe a été créé de toutes pièces pour légitimer l'école pour tous.

En 1200 en France, on se lavait plus qu'en 1600, tout simplement parce qu'il y avait des bains publics, les fameuses étuves. Ces dernières ont été fermées et interdites vers la fin du Moyen Âge parce que le pape pensait que, comme tous les participants à ces bains étaient nus, il pouvait exister des tentations sexuelles.

La loi de la gravitation universelle n'a pas été inspirée à Isaac Newton par la chute d'une pomme mais par la chute de son chat sur son visage. C'est Voltaire qui a inventé cette histoire de pomme pour illustrer d'une manière, selon lui simple à mémoriser, le principe de la chute des corps.

La guillotine n'a pas été inventée par Joseph Guillotin, mais par le médecin Antoine Louis. Guillotin était un député qui souhaitait abréger les souffrances des condamnés et il a donc plaidé à l'Assemblée pour qu'on utilise une exécution plus « humaine » que la pendaison ou la décapitation à la hache. Lors de la première utilisation de la guillotine, sous le nom de « Louisette », la foule hua, déçue que le spectacle soit si bref et si peu ludique. Ce fut Louis XVI, passionné de mécanique, qui eut l'idée de l'améliorer grâce à une lame en biseau. Lequel Louis XVI fut d'ailleurs lui-même guillotiné.

La prise de la Bastille n'a pas été un moment déterminant dans la chute de la monarchie. Le 14 juillet 1789, la prison ne comptait que sept détenus de droit commun. Et les émeutiers qui envahirent le bâtiment moururent pour la plupart, soit en se battant entre eux pour s'emparer des fusils, soit en essayant d'utiliser, sans l'expérience nécessaire, ces mêmes fusils qui leur explosèrent au visage.

Une partie de la gloire de Napoléon est liée au fait qu'il avait interdit la presse libre et rédigeait lui-même ou dictait aux journalistes les articles relatant ses batailles. Il est d'ailleurs l'auteur de la formule : « L'histoire est une suite de mensonges sur lesquels on est tous d'accord. »

Napoléon III, en revanche, souffre d'une mauvaise image en raison des campagnes de dénigrement systématique lancées par l'écrivain vedette de l'époque : Victor Hugo. Napoléon III fut le premier chef d'État français élu au suffrage universel. C'est lui qui développa un vaste réseau de voies ferrées et de routes, et qui contribua à lancer l'économie moderne en encourageant la création de banques et l'intégration de l'économie à un système financier novateur.

Le peintre Vincent Van Gogh ne s'est pas coupé l'oreille lui-même. Selon des recoupements de témoignages, il aurait perdu cet appendice lors d'une bagarre avec son ami Gauguin, alors qu'ils étaient tous les deux saouls.

La légende veut qu'il n'y ait pas de prix Nobel de mathématiques parce que la femme d'Alfred Nobel l'aurait trompé avec un mathématicien. Or, Alfred Nobel n'a jamais été marié. Ce dernier considérait simplement les mathématiques comme une science trop abstraite.

Walt Disney n'a jamais inventé Mickey Mouse pour amuser sa fille. Il n'a fait que récupérer le travail d'un dessinateur peu connu : Ub Iwerks, qu'il employait.

ACTE III

L'Égypte

80.

Enfin.

Après quinze jours de traversée depuis le port de Hyères, le *Poisson volant* arrive en vue des côtes égyptiennes.

Ne sachant pas si un mandat international a été lancé contre lui, René pense qu'il vaut mieux se faire discret et, plutôt que de rejoindre une grande ville, propose d'accoster dans la station balnéaire de Marsa Matruh, à 300 kilomètres à l'ouest d'Alexandrie.

Ils approchent des côtes, entrent dans le petit port et amarrent leur voilier à un ponton. Lorsque le responsable du service des douanes vient réclamer leurs passeports et procéder à une visite du bateau, Opale lui propose un billet de cent euros. L'Égyptien se crispe.

– Vous tentez de me corrompre avec de l'argent ? s'offusque-t-il dans un anglais parfait.

René propose quatre billets supplémentaires.

– Vous aggravez votre cas, je crois que je vais aller chercher mes collègues et que nous allons fouiller ce bateau qui m'a l'air hautement suspect. Drogue ? Alcool ? Cigarettes ? Vous êtes des criminels ?

Mais déjà Opale a le réflexe de lui poser la main sur l'épaule.

– Non, vous ne ferez pas ça, dit-elle, en plongeant ses grands yeux verts dans les siens.

– Et pourquoi donc ?

– Parce que vous êtes fatigué. Vous êtes très fatigué, même.

– Non, ça va.

– Si, vous avez la sensation d'être épuisé. Votre travail est probablement épuisant. Il vous faut des forces. Je vais vous aider. Regardez mon collier, il a le pouvoir de détendre les gens.

Il hésite à poursuivre sa démarche hostile, puis, par curiosité, jette un œil au bijou placé dans le décolleté plongeant.

– Ne le quittez pas des yeux, il va vous faire du bien.

Elle enlève son collier avec le dauphin en lapis-lazuli et l'utilise comme un pendule.

– Suivez le poisson. Ne le quittez pas des yeux. Il vous fascine et vous donne de l'énergie. Vous laissez entrer cette énergie en vous. Vous êtes de plus en plus fatigué, mais vous continuez à fixer le dauphin. Maintenant, je vous autorise à faire ce dont vous avez le plus envie : baisser les paupières.

Il obéit.

– Écoutez-moi bien, ma voix est le seul son que vous entendez et il vous guide. Laissez-le vous indiquer ce que vous devez faire. Vous allez dire à vos collègues que tout va bien sur ce bateau, n'est-ce pas ?

– Oui.

– Si vous faites ce que je vous ai demandé, vous serez heureux. Mais d'abord, vous allez régler pour nous toutes les formalités administratives.

L'homme acquiesce.

– Et c'est parce que vous l'aurez fait que dans votre vie tout va s'arranger. Mais si vous nous trahissez, il ne vous arrivera que des malheurs. Vous tomberez gravement malade, la chance vous abandonnera, personne ne vous aimera plus. Est-ce de cela que vous voulez ?

– Non, je ne le veux pas.

– Alors c'est votre choix. Faites ce qui semble le mieux pour vous. À trois, vous rouvrirez les yeux et vous vous sentirez en parfaite forme. Votre seule envie sera de nous faciliter la vie à nous aussi. 1… 2… 3.

Elle claque des doigts. Le douanier a la tête d'un homme qui vient de comprendre quelque chose d'important.

Une fois que le douanier est parti, encore un peu hagard, René l'interroge :

– C'est très impressionnant, vous pouvez m'expliquer comment cela fonctionne ?

Opale poursuit son enseignement.

– C'est un peu comme s'il y avait un chef d'orchestre dans notre cerveau. L'hypnose nous permet de proposer à ce chef d'orchestre de le remplacer. Il suffit de le demander gentiment dans un contexte que l'autre peut accepter sans qu'il ait l'impression de se faire flouer. Il doit se sentir en confiance. Alors, nous prenons la place du chef d'orchestre dans son cerveau et nous dirigeons différemment tous les musiciens. C'est encore le principe de la proposition-acceptation. Une fois que l'ancien chef d'orchestre a cédé sa place, on peut proposer aux musiciens de jouer une autre mélodie que celle qu'ils ont l'habitude d'interpréter.

– Et peut-on aller contre le libre arbitre du sujet ?

– Non. Il faut que la personne ait envie ou, en tout cas, ne voie pas d'objection à être hypnotisée. Ensuite, il faut lui proposer des suggestions acceptables. Je ne pense pas que j'aurais pu demander à ce douanier de se mettre nu. Cela serait entré en conflit avec la pudeur que ses parents lui ont inculquée. Il ne faut surtout pas aller contre les valeurs profondes de l'individu. Au contraire, il faut l'accompagner dans une direction vers laquelle il a déjà envie d'aller, sans le savoir. Allez, sortons d'ici, je commence à en avoir assez de la mer, je veux marcher sur la terre ferme.

Affublés de leurs vêtements de touristes européens, le couple arrive dans la petite ville qui ne compte pas encore parmi les hauts lieux touristiques d'Égypte, et semble plus prisée par les Égyptiens que par les Occidentaux.

Aussitôt, des enfants accourent, pour mendier, leur proposer des guides touristiques, ou tenter de leur vendre des petites pyramides en fer doré. Ils crient tous le même mot : « Euros, euros ».

Les deux Français donnent un peu d'argent, ce qui a pour effet de doubler le nombre d'enfants autour d'eux. Ils achètent un guide et s'installent au Beau Site Hôtel, un établissement moderne qui se trouve en front de mer. Les alentours de l'hôtel sont surveillés par des soldats armés et une chenillette. Il y a un checkpoint pour pénétrer dans la zone touristique, mais on ne leur demande pas leurs papiers, leur accoutrement de touristes et leur allure suffisant à les identifier.

C'est dans cet hôtel qu'ils comptent passer leur première nuit confortable. Le Beau Site Hôtel est un grand établissement en forme de U donnant directement sur une plage privée avec, au centre, un jardin de palmiers.

Les deux Français déposent leurs bagages, se douchent,

rangent leurs affaires, puis vont dîner au restaurant le Panorama, face à la mer. Après avoir commandé deux couscous aux légumes et avoir appris que le restaurant servait bien du vin, ils se détendent. René feuillette le guide touristique.

Il trouve la page retraçant l'histoire du lieu.

– Marsa Matruh existait déjà en Égypte antique. Alexandre le Grand l'a baptisée Amunia, puis les Romains l'ont rebaptisée Paraetonium. C'est ici que Cléopâtre et Marc Antoine se sont rencontrés et c'est là qu'ils ont commencé leur idylle.

Et c'est ici que j'aimerais bien commencer la mienne avec vous.

– Assez parlé d'histoire ! Concrètement, c'est quoi votre plan maintenant ? questionne-t-elle.

– Je vais guider Geb jusqu'ici. Ensuite mon idée est de les inciter à installer une colonie atlante.

– Et en quoi le fait que nous soyons ici va changer quelque chose ? Vous auriez pu accomplir la même mission depuis n'importe où.

– Je voudrais proposer à Geb de laisser une preuve matérielle incontestable de leur existence dans un lieu précis. Si je l'avais déterminé simplement sur une carte ou sur Internet, nous ne pourrions pas faire de repérage sur le terrain ni récupérer cette « preuve matérielle ».

– Mais pour l'instant elle n'existe pas, n'est-ce pas ?

– Geb devra la fabriquer. Je vais lui en parler ce soir.

– C'était cela votre plan depuis le début ?

– De toute façon, je ne pouvais pas rester en France au risque de finir en prison ou pire… de retourner auprès de Chob.

Un frisson le parcourt au souvenir des traitements que lui a infligés le psychiatre pervers. Il mange son couscous en tentant d'évacuer ces images de son esprit.

– Ce que je ne comprends pas, c'est vous, Opale. Vous avez tout abandonné pour me suivre au risque d'être considérée comme ma complice. Vous avez tout à perdre à rester avec moi.

– D'accord, je vais vous dire la vérité : premièrement, comme vous le savez, je suis persuadée d'avoir moi aussi été atlante ; deuxièmement, je crois que nous nous sommes déjà rencontrés auparavant et que j'ai des choses importantes à accomplir avec vous, et, troisièmement, je sais au fond de moi qu'il n'y a que vous qui soyez capable de débloquer cette foutue porte de mon inconscient.

Alors qu'un serveur dépose une bouteille de vin local égyptien, le Kouroum of the Nile, René a soudain une idée :

– « Selon moi vous n'êtes pas "que" ce que vous croyez être, alors saurez-vous vous rappeler qui vous êtes vraiment ? »

– Que voulez-vous dire ?

– C'est votre phrase d'accroche, non ? Eh bien, c'est peut-être cette phrase qui est la clef de votre déblocage.

– Je ne comprends pas.

– Peut-être que vous ne m'avez pas raconté la vraie histoire sur votre passé.

– Je vous l'ai dit : je suis hypermnésique, je me souviens de tout en détail.

– À moins que vous n'ayez, malgré tout, oublié ou caché des éléments sans vraiment en avoir conscience. On est tous prisonniers de l'histoire qu'on se raconte sur soi-même. Même si elle est fausse.

– Le passé que je vous ai raconté est la vérité.

– « Votre » vérité. Par exemple, vous m'avez dit que votre enfance était merveilleuse, avec des parents extraordinaires qui vous aimaient. Et soudain, j'ai un doute. Et s'il existait un mensonge entourant votre passé prétendument si heureux, que vous auriez si bien « mémorisé » ?

Il lui sert une belle rasade de vin. Elle fait signe qu'elle n'a pas soif.

— Buvez.

— Je n'en ai pas envie.

— C'est pourtant le remède à votre problème. *In vino veritas.* Dans le vin la vérité. Je crois que vous êtes complètement sous contrôle et, depuis que nous nous connaissons, je ne vous ai jamais vue boire jusqu'à vous enivrer. Comme si vous aviez peur de vous détendre vraiment.

Elle le regarde différemment, inspire puis souffle lentement.

— Je n'aime pas boire trop d'alcool, c'est tout.

— Vous craignez de perdre le contrôle ? Alors je vous pose la question : qu'est-ce qui vous effraie, Opale ? Vous m'avez dit vous-même que vous pensiez que j'étais le seul à pouvoir vous débloquer. Faites-moi confiance, ce n'est rien d'autre qu'un petit coup de main chimique, n'est-ce pas ?

Technique de programmation neutro-linguistique de base : utiliser les mêmes tics de langage que la personne face à soi pour la convaincre inconsciemment qu'on est similaires.

Opale accepte de boire un peu.

— Encore. Je veux vous voir complètement saoule.

— Et vous, vous ne buvez pas ?

— Le médecin n'a pas besoin de consommer le médicament qu'il prescrit, élude-t-il.

Elle boit encore plusieurs gorgées. Lorsqu'elle a absorbé la dose que René estime nécessaire, Opale se retient difficilement d'éclater de rire.

– Je crois que je suis pompette, déclare-t-elle. C'est ce que vous vouliez, n'est-ce pas ?

– Parfait. Alors je vais vous poser des questions et vous allez y répondre sans réfléchir.

Il lui prend les deux mains et les serre fort.

– Fermez les yeux.

Elle a de nouveau un petit rire mal contenu, avant d'obtempérer.

– Quel est le premier mauvais souvenir de votre enfance qui vous vient à l'esprit ?

Elle ouvre d'un coup les yeux. Il lui dit, d'un air sévère :

– Vous voulez débloquer la situation ou non ?

Elle referme les yeux.

– Eh bien… Il y a ce jour où…

Elle fronce les sourcils.

– Je suis dans la cour de récréation… Je dois avoir 8 ans… Il y a une fille qui arrive près de moi. Elle s'approche comme si elle craignait ma réaction, puis d'un coup elle me colle une gifle et déclare…

Opale s'arrête net dans son récit.

– Oui ? demande-t-il.

– Elle dit… « SALE ROUSSE QUI PUE » !

Elle grimace comme si elle recevait à nouveau l'insulte en pleine figure.

– Toutes les filles autour se moquent de moi et applaudissent. Elle a dû se fixer ça comme défi. « Chiche que je suis capable de gifler Opale et de l'insulter. »

– Vous réagissez comment ?

– Je la poursuis pour lui rendre sa gifle. Je suis en rage et en larmes, mais je ne cours pas assez vite. Tous les autres élèves me voient la poursuivre en vain et tous se moquent de moi. Ensuite...

Elle s'interrompt, la phrase reste en suspens.

– Ensuite ?

Comme Opale n'arrive plus à parler, il lui sert un autre verre de vin. Et comme elle garde les paupières closes, il introduit délicatement le bord du verre entre ses lèvres et en verse doucement dans sa bouche pour qu'elle continue de boire sans se déconnecter.

Des clients du restaurant commencent à les observer de loin.

– Opale, racontez-moi ce qu'il s'est passé ensuite.

– Ensuite la cloche sonne et nous rentrons tous en cours. Mais je suis encore furieuse à cause de la gifle et de l'insulte. Et je sens tous les regards des autres élèves posés sur moi, des regards satisfaits, comme si elle avait eu le courage de dire tout haut ce que tous pensaient tout bas. Je pleure et respire fort, alors le professeur me demande ce qui ne va pas. Je ne réponds rien. Mon voisin de table prend la parole : « C'est Violaine qui a traité Opale de "sale rousse qui pue", monsieur. » À nouveau toute la classe éclate de rire. Violaine se lève et fait un geste triomphal pour bien montrer qu'elle assume complètement son geste, comme un torero qui aurait planté une banderille, à ce détail près que le taureau, c'est moi. Le professeur dit : « Bon, vous vous calmez tous, et toi, Opale, si tu n'arrêtes pas de pleurer, tu sors ! » Il me dit ça comme si c'était moi qui étais fautive. Mais je ne peux pas m'arrêter de pleurer, alors le professeur répète : « Si tu ne te calmes pas, Opale, je te mets dehors. » Et comme je n'arrive toujours pas à m'apaiser, le professeur m'ordonne de quitter la salle, et toute la classe éclate de nouveau de rire. Comme il a dit « Je te laisserai revenir en classe lorsque tu seras calmée » et que je ne suis pas calmée, plutôt que d'attendre derrière la porte de la classe, je rentre chez moi. Arrivée à la maison, je n'ose pas raconter à mes parents ce qu'il s'est passé.

Elle s'arrête.

— Et ensuite ?

— Les jours suivants, je sens les regards des autres élèves qui me voient désormais comme la « sale rousse qui pue » et qui, en plus, n'a même pas été capable de se venger. Je me dis que personne ne m'aidera jamais, ni les professeurs, ni les autres élèves, ni mes parents. Je prends peu à peu conscience que je suis seule dans un monde hostile et que ça sera comme ça jusqu'à ma mort.

Il lui prend la main pour lui manifester son soutien.

— Ce n'est pas tout. Me revient un autre mauvais souvenir de ma jeunesse, reconnaît-elle.

— Je vous écoute.

— C'est bien plus tard. Je suis dans un théâtre, au premier rang. J'admire mon père. Soudain, ma mère surgit. Elle monte directement sur scène en plein milieu du tour de la femme coupée en morceaux et lui dit : « Si tu crois que je ne sais pas que tu couches avec mon mari, salope ! » Elle dévoile en même temps le double fond de la boîte et fait perdre la face à mon père devant tous les spectateurs.

— C'est pour cela que vous avez pris le relais comme assistante, je présume.

— Après ça mes parents se disputent tout le temps. Ma mère reproche à mon père de monter sur scène pour séduire les femmes, elle veut qu'il arrête son métier. Lui refuse, fait valoir que la magie, c'est sa vie. Ma mère se met à boire, elle devient violente et agressive, même avec moi. Un jour je la vois prostrée, le regard fixe, qui répète qu'elle a raté toute sa vie, qu'elle est nulle. Elle est soignée avec des antidépresseurs, ça la soulage, mais elle ne fait plus que dormir et, quand elle est éveillée, elle semble totalement amorphe. Pourtant, elle continue son travail de psy, et les clients ne voient pas qu'elle va moins bien qu'eux et ne se rend présentable qu'à coups de cosmétiques dissimulant son vrai visage.

Opale laisse passer un temps, visualise les images de l'époque pour clore son récit.

– Je me dis : « Jamais je ne serai comme elle. » Pourtant, je ne sais pas pourquoi, je finis par faire les mêmes études qu'elle, je vais au bout de cette « expérience » et je me résous finalement à faire le même métier que mon père.

Elle s'effondre en larmes dans les bras de René qui la réconforte. Elle ouvre les yeux et les autres clients les observent de loin, de plus en plus nombreux.

– Ça va aller. Ça va aller. C'est une vie normale, dit-il. Tout le monde vit des choses similiares, c'est juste que vous vous l'étiez dissimulé à vous-même. Maintenant, vous êtes face au réel et peut-être que ce soir on pourra essayer de débloquer, après la porte de vos souvenirs d'enfance, celle de votre inconscient.

– Et il n'y a pas que ça, dit-elle. Par la suite, la situation n'a fait que s'aggraver, et pourtant mes parents ne voulaient toujours pas divorcer. Alors ma mère dénigrait de plus en plus souvent le travail de mon père. Elle l'insultait. Mon père, pour sa part, disait que ma mère était folle. Elle s'est mise à fumer de plus en plus, jusqu'à ce qu'elle meure d'un cancer du poumon.

Opale tente de sourire malgré ses yeux humides.

– Nous avons tous un ou plusieurs cadavres cachés dans le placard.

– Ces deux histoires ont eu une influence capitale sur toute mon évolution. J'avais la hantise d'être une « rousse qui pue », alors je me badigeonnais de parfum. Je crois que je m'en mettais même un peu trop. Je devais sentir la cocotte.

– Moi, je trouve que vous sentez bon. Même sans parfum.

– Je me suis teinte en blonde, puis en brune. Quant à mes parents, j'ai finalement choisi mon camp, c'est-à-dire celui de mon père, en abandonnant le métier de ma mère pour les spectacles de magie, puis d'hypnose.

Il lui tend un kleenex, elle s'essuie, se mouche, puis prend une belle rasade de vin rouge qu'elle boit d'un trait.

– Excusez-moi, c'est comme si vous aviez ouvert une vanne et que l'eau n'arrivait plus à s'arrêter de couler.

– L'eau éteint le feu.

Elle regarde René sérieusement.

– Vous croyez que cette expérience peut m'aider à ouvrir la porte de mes mémoires antérieures ?

– Vous avez rendu fluide la période qui vous sépare de votre naissance. On peut espérer que cela ait aussi débloqué la porte menant à vos vies précédentes.

– Mais quand même. Cette fille qui m'a insultée, Violaine... Pourquoi a-t-elle fait ça ?

– Probablement qu'elle avait elle-même ses problèmes et qu'elle s'est dit qu'en arrivant à rendre une autre fille malheureuse cela la soulagerait.

– Vous croyez qu'il y a des gens fondamentalement méchants ?

– Il doit y avoir, là encore, une raison précise à leur méchanceté. Je l'ai vu avec le docteur Chob, c'était visiblement un psy qui prenait plaisir à faire souffrir ses patients pour avoir un sentiment de contrôle et de toute-puissance. Il avait à mon avis une motivation profonde, un complexe d'infériorité.

– Excuse facile.

– Vous avez raison, il ne faut pas toujours chercher des excuses, il y a réellement des gens qui veulent rendre les autres malheureux. Mais de ce que j'ai entendu de votre trajectoire, vous avez finalement eu une jeunesse avec des avantages et des handicaps qui s'équilibrent.

Un bruit les interrompt. Un serveur a allumé le grand téléviseur et plusieurs clients se regroupent pour suivre un match de football.

Opale et René sentent que c'est un signal de départ pour eux.

– Je suis prête, dit-elle. Rentrons à la chambre et effectuons une séance avant que ne sonne le rendez-vous de 23 h 23.

À nouveau, il a envie de la prendre dans ses bras, mais se retient.

81.

L'eau salée lui brûle la peau, mais Geb est cramponné au gouvernail de l'arche de Né-hé.

Après de multiples avaries, mutineries, tempêtes, ils sont arrivés sur les côtes d'un continent dont René leur a parlé en disant qu'il s'appellerait un jour l'Afrique. Les dauphins ont cessé de les suivre.

Suivant les conseils de son « futur lui-même », l'Atlante a franchi le détroit de Gibraltar pour s'enfoncer en Méditerranée. Il a longé la côte nord-africaine, passant près de ces régions qui bien

LA BOÎTE DE PANDORE

plus tard se nommeraient Maroc, Algérie, Tunisie, Libye, pour arriver sur les côtes de l'Égypte.

Mais alors que l'arche de Né-hé approche enfin de son objectif, les vagues se creusent. Le vent se lève à nouveau. La coquille de bois est malmenée par une bourrasque plus intense que les précédentes.

Un craquement indique que la grand-voile vient de se déchirer dans toute sa longueur. À l'intérieur du vaisseau, chacun s'agrippe comme il peut aux éléments fixés à la coque. L'arche de Né-hé monte, descend, tangue de gauche à droite. Un nouveau craquement indique que la quille vient de se briser sur les rochers affleurants.

Une vague, plus haute que les autres, projette la nef de bois contre un récif. Le vaisseau explose sous le choc dans un fracas de planches.

Tous les passagers se retrouvent à la mer.

Avant que Geb n'ait pu réagir, les cent soixante-six Atlantes survivants perdent tout appui et sont bringuebalés comme des bouchons flottants. Ils montent et descendent les crêtes d'écume, pris dans la furie des éléments. Le vent et l'eau s'acharnent sur eux.

Geb, une fois qu'il s'est assuré que sa compagne et ses quatre enfants sont bien vivants, improvise une stratégie pour tenter de sauver le groupe. Il propose à tous les naufragés de se tenir par la main, de former un cercle et de ne pas se lâcher, de sorte que chacun ait ainsi deux voisins pour le soutenir. Nout propose d'entonner un chant pour se donner du courage.

C'est à ce moment que se déclenche l'orage. Des éclairs illuminent la scène d'apocalypse et ces visages d'humains flottants qui pourtant ne cessent de chanter.

Certains sont arrachés de la ronde par une vague, sans qu'on puisse les rattraper. Les mains des voisins, laissées vides, se cherchent pour refermer le cercle.

Et c'est ainsi que les passagers de l'arche de Né-hé parviennent jusqu'à la plage, où ils gisent quelque temps sur le sable.

82.

Opale enlève tranquillement sa veste et ses chaussures. Elle s'étend sur le lit et ferme les yeux. Son guide en régression reprend leur rituel.

– Vous êtes prête ? Bien, descendez les dix marches de l'escalier. Vous voyez la porte, n'est-ce pas ?

Zut, je lui ai encore pris son tic.

– Oui, je la vois.

– Maintenant, imaginez que toutes les larmes que vous avez versées dans votre jeunesse sont dans une sorte de citerne que vous pouvez vider sur la porte de votre inconscient.

Elle fait une grimace et ses yeux bougent sous ses paupières.

– Ça y est. J'ai bien arrosé la porte.

– Alors activez la poignée.

Elle fronce les sourcils, puis soudain se détend.

– Cela fonctionne ! Je suis arrivée à l'ouvrir !

– Que voyez-vous ?

– Le couloir. Enfin un couloir avec des portes.

– Retournez-vous et regardez quel est le numéro de votre porte.

– C'est le 128.

– Donc c'est votre 128ᵉ vie et vous avez face à vous les 127 autres portes de vos vies précédentes, vous êtes d'accord ?

– Oui, mais il y a un problème. La porte de l'inconscient n'est plus touchée par le feu, éteint par mes larmes d'enfance, mais il y a toujours des flammes dans le couloir.

– Envoyez encore de l'eau de vos larmes pour l'éteindre.

– Je remonte le couloir. J…

Elle s'arrête.

– Je vois la porte d'où proviennent les flammes. C'est une porte en métal rouge. Du feu s'échappe d'autour de la porte.

– Quel est son numéro ?

– 73.

– Il y avait donc un problème dans votre enfance, mais aussi un traumatisme lié au feu dans vos vies précédentes, quelque chose qui vous empêche d'avancer dans ce couloir. Allez-y, arrosez la porte et ouvrez-la.

Elle se concentre à nouveau.

– Ça y est, je l'ouvre.

Tout son visage se tord dans une grimace douloureuse.

– Qu'est-ce que vous voyez ?

Elle bouge très vite des yeux et continue de produire un rictus.

– Non, pas ça, non ! murmure-t-elle.

– Dites-moi ce que vous voyez !

– Nous… nous sommes tout un groupe de femmes. Je sais que ce sont mes amies, des femmes formidables, il y en a peut-être une centaine, non, plusieurs centaines. Et…

– Quoi ?

– Nous sommes enchaînées. Nous marchons sur une grande route. Sur notre passage, les gens crient : « Mort aux sorcières. »

D'autres, moins nombreux, crient : « Injustice ! Injustice ! » En face de nous, il y a des poteaux au milieu de fagots de bois... Ce sont des bûchers. Je crois que la plupart de ces gens nous prennent pour des sorcières, et des soldats nous amènent pour nous brûler vives sur ces bûchers.

– Continuez.

– Nous arrivons face aux poteaux. On nous fait monter sur l'estrade. On nous attache chacune à un poteau. Un homme bien habillé arrive. Le silence se fait. Il déploie un rouleau de parchemin.

Elle se tait, semblant écouter quelqu'un qui lui parle.

– Voici ce qu'il dit : « Moi, Pierre de Lancre, juge missionné par le roi et par le pape pour enquêter sur l'affaire dite des "sorcières de Zugarramurdi", décrète, après avoir questionné et entendu des témoignages concordants sur des comportements odieux prouvant leur commerce avec Satan et les démons, que ces femmes doivent être purifiées. Que la sentence du tribunal de Saint-Jean-de-Luz soit appliquée en ce mois de novembre de l'an de grâce 1609. »

Elle a des spasmes.

– Que se passe-t-il ?

– Un homme approche une torche de moi. Je me débats dans mes chaînes. Je vois les autres femmes, mes amies, qui sont elles aussi enchaînées à des poteaux. Je sais pourquoi ils nous tuent. Parce que nous avons voulu être libres et que cela a déplu aux religieux et aux aristocrates du coin. Je hais ceux qui vont me tuer. Et je ressens une vague d'affection pour mes amies. Je voudrais tellement les sauver. Mais le feu commence à prendre dans les fagots. Me voici entourée de fumée. J'entends les autres femmes hurler et moi-même je sens les flammes qui touchent mes orteils.

C'est une sensation horrible, je commence à brûler à partir des jambes et les flammes m'embrasent jusqu'aux cheveux. À mon tour, je…

Alors Opale se met à hurler très fort, et René a juste le temps de mettre sa main sur sa bouche pour empêcher que cela n'alerte les clients des chambres voisines. Il lui crie à son tour :

– Vite ! Remontez ! Sortez du bûcher ! Franchissez la porte ! Revenez dans le couloir… Reprenez la porte 128, remontez les marches. À 3, ouvrez les yeux ! 1, 2, 3.

Il claque des doigts. Elle soulève les paupières pour révéler des yeux aux pupilles encore dilatées.

Elle reste prostrée, avec la respiration saccadée, le regard perdu, épuisée par l'intensité de l'expérience.

La sonnette de la porte retentit. René ouvre. C'est le garçon d'étage.

– J'ai entendu un hurlement, s'inquiète-t-il en anglais.

– C'est mon amie qui a fait un cauchemar.

L'homme, méfiant, s'avance et voit la jeune femme rousse qui semble en effet complètement bouleversée.

– Ça va, madame ?

– Oui, excusez-moi. Il a raison, j'ai fait un cauchemar, mais cela va mieux.

Elle se sert ostensiblement un verre d'eau et fait signe que cela la rafraîchit.

– Vous êtes toute rouge. Vous êtes sûre que vous allez bien ? demande l'homme, méfiant.

– C'est le soleil. Je suis rousse et j'ai une peau blanche et fine qui fait que je souffre facilement d'insolation.

Il semble convaincu par cette explication.

— Si vous avez besoin de quoi que ce soit, n'hésitez pas à m'appeler, dit-il.

— Cela ira, merci.

René referme la porte de la chambre derrière le maître d'hôtel. Opale peut enfin relâcher la pression. Elle se met à sangloter.

— C'était horrible.

Tout son corps est maintenant recouvert de plaques roses qu'elle gratte frénétiquement.

— C'était horrible ! répète-t-elle.

Elle récupère dans sa trousse de toilette un tube de crème. Elle se déshabille et révèle des plaques sur pratiquement tout son corps qu'elle recouvre de pommade.

— Vous aviez raison, c'était ça mon problème !

Elle maîtrise mieux sa respiration.

Il la prend dans ses bras.

— Et les autres… Toutes ces femmes étaient des femmes formidables, des amies proches. Je sais qu'elles ne faisaient que soigner les gens et les aider. Mais ce juge, Pierre de Lancre, était un homme si ignoble ! Il nous a toutes torturées, pour nous faire avouer des mensonges et nous faire nous accuser mutuellement.

— Au moins, maintenant vous savez.

— La porte de l'inconscient me protégeait du souvenir de cette vie traumatisante. Et ce feu me tenait à distance pour que je ne puisse pas me remémorer ce drame. Mais je veux savoir ce qu'il s'est vraiment passé… Je veux savoir ce qui est arrivé à mon ancienne moi qui a tant souffert. Ce n'est que comme cela que je pourrai définitivement arrêter de me sentir victime.

— Je crois savoir. Le roi dont il était question était Henri IV et le pape était Paul V. En tout cas je connais ce procès de sorcières basques.

– Donc cela s'est vraiment passé !

– Et comme Jules Michelet a décidé qu'il ne fallait retenir du règne d'Henri IV que la poule au pot (vœu pieux, au demeurant) et son assassinat par Ravaillac, on a oublié le reste. C'était en fait un roi belliqueux qui a pratiqué la guerre dès qu'il a été sur le trône. Et, on l'ignore souvent, il a ordonné des procès en sorcellerie pour mater les velléités d'indépendance du Pays basque. Je crois même me rappeler que Michelet a précisément consacré un chapitre à ce sujet dans son ouvrage *La Sorcière* paru en 1862 où il présente Lancre comme un héros luttant contre les mœurs dépravées et les adorateurs du diable.

Après cet exposé, René, sentant qu'il vaut mieux laisser l'hypnotiseuse seule pour digérer ce drame, s'installe sur la terrasse. Il regarde sa montre et se dit qu'il va contacter Geb pour savoir où il en est. Mais, avant cela, il veut approfondir le drame vécu par Opale. Il sort son ordinateur portable, cherche de la documentation sur Internet et crée un Mnemos spécial sur cet événement ressurgi des limbes du passé.

83. MNEMOS. LES SORCIÈRES DE ZUGARRAMURDI.

L'affaire commence par une rivalité entre deux clans pour un même terrain. Deux aristocrates, les seigneurs d'Amou et d'Urtubie, ne trouvant aucun argument pour spolier le propriétaire terrien voisin, l'accusent de pratiquer la sorcellerie. L'affaire aurait pu en rester là, mais le roi Henri IV envoie le juge Pierre de Lancre pour pacifier la situation. Ce dernier, considéré par ses collègues comme un « illuminé superstitieux », fait du zèle.

Donnant à ce petit différend de voisinage une dimension théologique, il soupçonne toutes les femmes non mariées de la région basque d'être des sorcières. Le fait qu'il commence à y avoir des communautés basques autogérées qui refusent l'autorité des aristocrates et du clergé n'arrange rien à l'affaire.

Pur hasard, il s'avère que la région est simultanément touchée par l'épidémie dite du « mal de Layra ». Il s'agit d'une vraie maladie qui entraîne des convulsions et des comportements étranges, comme le fait d'aboyer. Évidemment, cela ne fait que confirmer, pour Lancre, la nécessité d'agir contre les sorcières.

À partir du 2 juillet 1609, le tribunal itinérant de Pierre de Lancre s'installe successivement à Saint-Jean-de-Luz, Bayonne, Sare, Cambo. Sur dénonciation ou sur simple suspicion des juges, des suspects sont arrêtés. Essentiellement des femmes célibataires.

Les procédures se déroulent selon le rituel de l'Inquisition : recherche de marques du diable, interrogatoire sous torture, sentence, exécution immédiate pour ne pas encombrer les prisons, surpeuplées.

Les procès s'étendront jusqu'au Pays basque espagnol malgré plusieurs tentatives des populations de se rebeller contre ces inquisiteurs et de sauver ces innocentes.

Cela durera jusqu'en novembre 1610. Finalement, ce seront plus de six cents femmes suspectées de sorcellerie qui seront brûlées vives sur des bûchers.

84.

Elle relève ses longs cheveux noirs encore poisseux d'eau de mer alors que le soleil se lève.

Nout commence par vérifier que ses quatre enfants sont présents. Autour d'eux, les corps se relèvent lentement.

Ils ont connu des pertes. Après les maladies, les mutineries et la dernière tempête, les vagues et les récifs ont fini de clairsemer leurs rangs. Ils comptent : ils ont perdu encore vingt-deux personnes. Ils sont désormais cent quarante-quatre survivants sur les cent soixante-quatorze rescapés de Mem-set.

Le temps se calme et, tandis que le jour se lève et que le ciel se dégage, ils peuvent observer la côte. Ici, pas de cocotiers, pas de sable blanc, plutôt des rocailles prolongées par des falaises abruptes.

Un instant, Geb aperçoit la silhouette de ce qui lui semble un petit singe qui l'observe. Il y en a un, puis des dizaines, des centaines juchés sur les branches, qui les regardent de loin. Ils sont vêtus de peaux de bête et tiennent des objets dans les mains.

Il se dit que ces petits primates doivent peupler cette région sauvage et qu'il faudra faire attention à ce qu'ils ne les attaquent pas. Il se souvient que René lui a signifié qu'en dehors de l'île d'Ha-mem-ptah, les animaux, même les plus évolués, avaient tendance à défendre leur territoire et donc à être agressifs envers toute présence étrangère.

L'Atlante fait signe à tous les survivants de se regrouper pour allumer un grand feu. Ils se sèchent et se réchauffent enfin.

Geb les harangue :

— Maintenant, il ne nous reste plus qu'à reconstruire ici ce que nous avons perdu là-bas, en essayant de nous adapter aux nouvelles conditions de ce lieu.

Ils se tiennent serrés les uns contre les autres, reproduisant une ronde similaire à celle du naufrage.

– J'ai aperçu de tout petits singes dans les arbres, dit une Atlante.

– Je les ai repérés moi aussi, mais ils ont l'air très différents de ceux de chez nous. Ils sont vêtus de peaux de bête et tiennent des bâtons. Certains montraient les dents d'une manière qui m'a semblé agressive. Faites attention, ils sont peut-être dangereux.

Pendant qu'il parle, Geb sent que René cherche à entrer en contact avec lui.

85.

Geb s'est éloigné du groupe et entre en communication avec René, juché sur un promontoire rocheux en bord de mer.

Le professeur d'histoire voit avec satisfaction les Atlantes réunis autour du grand feu.

– Je suis tellement soulagé d'apprendre que vous avez réussi, Geb. Désormais tout est possible.

– Grâce à toi, René. Les cent quarante-quatre rescapés savent ce qu'on te doit. Ici, on t'a baptisé Né-hé, sonorité qui correspond mieux aux noms de chez nous. On peut dire qu'avec cette idée de grand bateau tu as changé le cours de notre histoire. On l'a baptisé l'arche de Né-hé. En hommage à toi.

– Je ne méritais pas tant d'honneurs.

Les deux hommes contemplent les alentours du campement de fortune.

– La faune et la flore sont très différentes de celles d'Ha-mem-ptah.

– C'est ce que je vous disais : si vous avez suivi mes recommandations, vous êtes arrivé en Afrique du Nord, dans un pays qu'on appelle de nos jours l'Égypte. Forcément, ce ne sont pas la même faune et la même flore qu'en Atlantide.

À ce moment, René voit quelque chose de surprenant : un minuscule chat s'approche et vient renifler les traces laissées par les naufragés.

Qu'est-ce que c'est que cet animal ?

Alors René observe mieux les alentours. Apparaît sous ses yeux ébahis un miniécosystème : de tout petits arbres semblables à des palmiers et des figuiers, d'autres petits chats, mais aussi de petits ânes, de petits dromadaires, de petites gazelles, de petits lions.

Tout est comme miniaturisé.

– Et puis il y a « eux », signale l'Atlante.

René distingue les tout petits hommes vêtus de vêtements en peaux qui les observent de loin. Ils brandissent des lances et des arcs.

– J'ai soudain un doute, dit René. Vous faites quelle taille, Geb ?

– Comment ça quelle taille ?

– Vous mesurez combien ?

– Je pense que nous n'avons ni le même calendrier pour mesurer le temps, ni les mêmes unités pour mesurer la hauteur. Il faudrait trouver un moyen objectif…

Les deux hommes cherchent. C'est René qui trouve.

– Les dauphins. Il y a des dauphins partout, en Atlantide et en Égypte. Vous me disiez que les dauphins tirent les bateaux.

– Oui, ils se mettent à plusieurs pour les faire avancer.

– À combien ?

– Beaucoup.

– Et ce sont les mêmes ? Je veux dire : est-ce qu'ils faisaient la même taille à Ha-mem-ptah et ici ?

– Ceux de chez nous nous ont laissés en abordant l'Afrique et je n'en ai pas encore vu ici. Mais j'imagine que ça doit être les mêmes.

– Parfait. Nous, les humains de l'époque où je vis, dans le pays où je vis, on pourrait dire que nous mesurons à peu près un dauphin. Par exemple, je mesure 1,75 mètre, c'est à peu près la taille de l'un de ces cétacés. Et donc vous, vous mesurez combien... de dauphins ?

Geb est abasourdi.

– Tu ne mesures que « un » dauphin ! Mais alors toi aussi tu es minuscule !

– Nous sommes huit milliards d'humains à mesurer plus ou moins un dauphin. Chez nous, c'est la taille normale. Et donc, vous, Atlantes, vous mesurez combien ?

– Hum... je mesure quelque chose comme dix dauphins.

Silence.

– J'ai dû mal entendre.

– Dix dauphins, je mesure au moins dix dauphins.

– Donc, vous faites 17 mètres de haut.

– Oui, je crois que c'est encore le ratio de dix qui nous sépare. René, dans ton époque, dans 12 000 ans, il semblerait que vous ayez tout diminué : la durée de vie comme la taille. Tu es en fait tout petit.

Le professeur d'histoire n'en revient toujours pas.

– VOUS FAITES 17 MÈTRES DE HAUT !

René comprend pourquoi il voyait des chats, des dromadaires et des ânes miniatures : à travers les yeux de Geb, il percevait le décor comme lui. Ce qui signifie qu'en Atlantide, déjà, les cocotiers, mais aussi les chats étaient dix fois plus grands. Tout là-bas était géant.

Il comprend aussi pourquoi ils vivent dix fois plus longtemps : les grands organismes, comme les baleines, battent les records de la longévité animale. Un plus grand cœur, un plus grand cerveau permettent d'avoir une vie plus longue.

– Geb, je dois t'avouer que je croyais avoir tout compris de votre monde. Mais je n'en ai eu qu'un simple aperçu. Cela me motive encore plus pour le faire renaître.

– J'aurai besoin de toi, René, pour m'adapter à ce nouveau décor.

– Justement, après la légende de l'Atlantide et celle de l'arche de Noé, enfin, de Né-hé, je crois que nous avons maintenant une troisième légende à transformer en information historique : les géants.

– Les quoi ?

– Les géants. Pratiquement dans toutes les mythologies, on trouve le récit d'une période où auraient vécu des géants, avant l'apparition de notre humanité. Dans la mythologie grecque, on les appelle les Titans. Dans la Bible, ce peuple de géants sont les Nephilim. Dans la mythologie hindoue, les Asura. Chez les Scandinaves, ces géants des origines sont les Jötnar.

– Je ne comprends rien à ce que tu me racontes, homme du futur.

– Je viens d'avoir une révélation : on nous a présenté comme des légendes et des mythes des histoires bien réelles : l'Atlantide, le Déluge, les géants. Vous ne vous imaginez pas combien cette information est extraordinaire pour un professeur d'histoire. Et vous ne vous imaginez pas combien j'ai envie de l'exposer à mes huit milliards de congénères.

– Eh bien vas-y, expose-la, qu'est-ce qui t'en empêche ?

– Les preuves concrètes. Il n'y a que mon témoignage comme preuve. Si je tente de diffuser ce que vous m'apprenez, on me répondra que je délire, que je suis fou, que je rêve, ou que j'ai des hallucinations. Il me faudrait une preuve irréfutable de votre existence, une preuve matérielle.

Les deux hommes se replacent sur le promontoire rocheux. De là, ils voient en contrebas le campement des Atlantes installé autour d'un feu. Ils commencent déjà à construire des huttes.

– Donne-moi un exemple.

– Il faudrait... un objet. Quelque chose qui résiste au temps. Quelque chose d'incontestable.

– Comme quoi ?

Ça y est, j'ai trouvé.

– Il faudrait que vous refassiez le coup des manuscrits de la mer Morte.

– Rappelle-toi que lorsque tu fais des références à ton époque, cela n'a aucune signification pour moi.

– Excusez-moi. L'idée serait que vous notiez sur des parchemins toute l'histoire du peuple atlante, avec le maximum de détails, pour que cela devienne incontestable. Vous notez les noms des personnes, des lieux, les dates selon votre calendrier. Vous ajoutez des dessins, des plans, des schémas. Vous consignez tout : les recettes de cuisine, les méthodes de voyage astral, la manière dont vous construisez les pyramides, vous expliquez votre gouvernement aux soixante-quatre sages, avec leurs noms, vous dessinez le plan de la cité de Mem-set. Vous racontez le Déluge et votre fuite. Plus il y aura de détails, plus cela sera crédible. Puis vous cousez ces pages pour en faire des rouleaux que vous introduisez dans des jarres et que vous cachez dans des grottes. Les 12 000 ans passeront et quand nous trouverons ces documents, nous pourrons les faire expertiser. La datation au carbone 14 confirmera la date.

— Donc des textes, reliés en rouleaux et disposés dans des jarres… Mais comment trouver la bonne grotte ?

— Il faudra en choisir une qui ne puisse pas être visitée par inadvertance. Donc une grotte peu accessible pendant les 12 000 prochaines années. L'idéal serait que vous arriviez à la fermer avec un gros rocher pour la dissimuler aux regards curieux.

— Et cette grotte, tu penses pouvoir la trouver à ton époque ?

— Je vais m'occuper de cette question dès demain. Pour l'instant, vous devez juste construire une cité. Une fois que vous aurez résolu tous les problèmes basiques de survie, il faudra vous mettre à rédiger ce texte sur votre civilisation et le déposer dans la grotte à l'emplacement que je vous indiquerai.

Geb perçoit l'enthousiasme de son futur lui-même.

— Je ferai ce que tu as dit. Et j'inscrirai sur les jarres le symbole que Nout et moi portons en collier autour du cou : un dauphin. Quant à notre cité, nous l'appellerons Mem-set. Comme notre capitale précédente.

— Vous ne pensez pas qu'il vaudrait mieux trouver un nouveau nom ?

— Si, tu as raison. Mem-set signifie « Cœur premier », dans notre langage. Alors nous l'appellerons… Mem-phis, « Cœur deuxième ».

86.

Il ouvre d'un coup les yeux.

– Des géants! s'exclame-t-il. Les Atlantes sont des géants! Depuis le début je ne me rendais pas compte de leur taille! Mais ce sont des géants de 17 mètres!

Opale, qui se remet doucement de sa régression, fronce les sourcils. René se lève pour noter sur Mnemos ce qu'il vient de découvrir et lui confie :

– Le rapport entre nos deux espaces-temps est de dix. Tout est lié à ce nombre. Ils vivent dix fois plus longtemps. Ils sont dix fois plus grands. Des géants! Ce sont des géants! Les Atlantes sont des géants! répète-t-il comme s'il n'arrivait même pas y croire lui-même.

– Et vous ne l'aviez pas vu avant? demande la jeune femme, étonnée.

– Non, car tout était proportionné. Leurs cocotiers devaient être immenses, leurs chats, leurs oiseaux, leurs papillons, tout était à leur mesure. Et nous sommes, pour eux…

De petits singes.

– … de petits hommes aux vies éphémères.

Opale gratte ses plaques de psoriasis d'un air dubitatif.

– Vous ne me croyez pas?

– Au point où j'en suis… J'ai déjà accepté qu'ils avaient une longévité de 1 000 ans et qu'ils pratiquaient le voyage astral comme nous prenons l'avion, alors, qu'ils aient des tailles titanesques, si, en fait, je peux l'envisager.

René est tout excité.

Des géants. J'ai parlé à un géant, représentant une espèce de géants qui a préexisté à notre espèce.

– Sinon, leur arrivée en Égypte s'est bien passée ?

– Parfaitement, oui. Nous avons mis au point un plan de sauvegarde : ils vont laisser à leur époque un message que nous pourrons trouver à la nôtre. Il faut seulement choisir la grotte idoine pour qu'ils y déposent les preuves de leur existence. Ensuite, nous pourrons les récupérer et les dater.

Elle souffle un nuage de fumée.

– Si cela se produit ainsi, vous êtes en train d'écrire l'Histoire.

– Que voulez-vous dire ?

– Eh bien, si vous n'étiez pas retourné dans votre vie précédente, si vous n'aviez pas averti Geb du Déluge, si vous ne lui aviez pas inspiré l'idée de construire un grand bateau, puis donné des indications pour se rendre en Égypte, peut-être qu'ils n'y seraient jamais allés.

– Et ?

– Peut-être que ce sont eux qui sont à la source de la civilisation égyptienne. Ils ont bien des géants dans leur cosmogonie, n'est-ce pas ?

– Je n'ai pourtant fait que réagir à chaque événement en fonction de ce qui me semblait la meilleure manière de survivre…

– Peut-être que vous avez accompli ce que vous deviez accomplir – ce qui était écrit. Peut-être que je n'ai appris l'hypnose que pour vous rencontrer. Nous ne sommes que les pions d'un projet plus vaste qui nous dépasse.

– Seriez-vous mystique, mademoiselle Etchegoyen ?

– Non, je suis juste consciente d'être dans un jeu dont je ne connais pas les règles. Et au lieu de recourir au concept de « Destin » ou de « Dieu », je me dis simplement que nous participons à une histoire qui a peut-être été préécrite. Toutes les cartes sont bien disposées, et nous avons sauvé cent quarante-quatre Atlantes géants qui sont en train de s'installer en Égypte.

Comme si elle craignait d'être entendue, elle allume la radio. Une musique locale résonne dans la pièce, couvrant le bruit des klaxons venus de dehors.

– Mais alors, si tout a été écrit, je n'ai aucun pouvoir de décision…

– C'est ce que j'essaie de comprendre. Il semble malgré tout que nous décidions quand même et que tout change en fonction de nos choix.

Elle se penche par la fenêtre et observe la plage encore éclairée par quelques réverbères. Un tank est garé devant l'entrée de la plage privée de l'hôtel et trois soldats égyptiens jouent aux cartes.

– Quand même, vous avez fait des découvertes déterminantes. C'est déjà indéniable. Grâce à vous, nous savons tous deux qu'il existait, il y a 12 000 ans, des géants qui habitaient une île au centre de l'océan Atlantique, qui vivaient 1 000 ans et mesuraient 17 mètres de haut. Et ces nouvelles connaissances, c'est à vous que nous les devons.

– Vous me croyez alors.

– Bien sûr, sinon je ne serais pas là maintenant. Mais cela ne change rien : vous m'avez persuadée, mais vous n'avez pas persuadé les autres. Tant que ce n'est pas prouvé, tout cela n'existe pas.

Il est tenté de la serrer dans ses bras et il a envie de l'embrasser, mais craignant d'être repoussé, il se retient. Il se contente d'être repris par son tic à l'œil auquel elle répond avec son habituel clin d'œil complice.

J'aimerais lire le scénario préécrit de ma vie pour savoir s'il est possible qu'il se passe quelque chose entre nous. Comme j'aimerais l'embrasser. Comme j'aimerais me blottir contre elle. Mais elle me semble tellement inaccessible.

Ils se couchent dans la même chambre, mais chacun dans un lit.

– Bonne nuit, René.

– Bonne nuit, Opale.

Cependant, l'excitation de sa découverte et son envie de faire l'amour avec Opale le maintiennent éveillé.

Ne trouvant pas les bras de Morphée, il est tenté de retourner voir où en sont les Atlantes, mais il se dit que cela ne sert à rien de déranger Geb, qui doit être en train de bâtir sa nouvelle capitale de Mem-phis. Alors lui vient l'idée d'ouvrir une autre porte.

Dix marches d'escalier. Porte de l'inconscient. Couloir aux 111 portes.

Il formule son vœu : « Je veux découvrir la vie où j'étais le plus à l'aise pour séduire les femmes. »

La lampe rouge au-dessus de la porte 72 s'éclaire.

87.

Il regarde ses mains. Elles sont fines, avec des ongles longs vernis et ornées de bracelets colorés aux poignets. Ses doigts arborent une vingtaine de bagues serties de pierres précieuses multicolores. En fait, il est couvert de bijoux féminins.

Soit je suis une femme, soit je suis sacrément efféminé...

Dans le doute, il prête attention à ses sensations corporelles et perçoit ses seins enserrés dans un bustier.

Peut-être que je me suis mal exprimé. J'ai souhaité voir la vie où je séduisais les femmes, pas celle où j'étais une femme.

Autour de lui, d'autres femmes. Toutes le regardent avec bienveillance et admiration. Arrive alors un homme en tenue indienne, avec un turban sur la tête. Ses vêtements sont en soie, il a une fine moustache, sa peau est cuivrée. Autour de lui, une foule de gens habillés à l'indienne lui jettent des pétales de fleurs.

Il observe mieux le décor.

Je suis en Inde et je crois que je suis en train de me marier.

On l'installe sur un trône et on le recouvre de colliers de fleurs. Son promis affiche une mine empruntée, celle d'un homme sérieux vivant un moment grave.

À côté de lui une autre femme, une très belle Indienne, lui adresse un signe de connivence et, tout d'un coup, René comprend pourquoi il est arrivé dans ce corps précis.

La femme dans laquelle je suis est en train de se marier avec cet homme, mais elle couche déjà avec cette autre jeune femme. Mon ancienne réincarnation est bisexuelle, c'est pour cela qu'elle est douée pour séduire les femmes.

Face à eux, des musiciens aux instruments compliqués, sitar, luth, flûtes et tambourins, commencent à jouer un air joyeux.

Mon ancienne moi-même a l'air de s'ennuyer. Je vais profiter de cet instant pour me présenter à elle.

– Euh, bonjour mademoiselle.

Sursaut.

– Qui me parle ?

– Je m'appelle René Toledano et je suis l'une de vos

prochaines réincarnations. Je suis revenu dans cette ancienne vie car j'ai besoin d'une experte en séduction des femmes. Puis-je vous déranger quelques instants ?

Tout en restant immobile et en gardant le regard perdu au loin, elle accepte.

Alors l'esprit de René sort du corps de la femme et se place devant elle. Il la voit ainsi en entier, avec sa robe très colorée de mariée. Elle est ravissante, avec ce troisième œil rouge écarlate au milieu du front, ces anneaux dans les oreilles et dans les narines. Sa coiffure est complexe, ornée de bijoux et de fils d'or.

L'Indienne a un infime tressaillement lorsqu'elle le voit, mais, compte tenu de la situation, elle n'ose ni bouger ni parler.

— Comment vous appelez-vous ? lui demande René.

— Shanti. Mais vous, qui êtes-vous réellement ? Si vous êtes une de mes réincarnations, où vivez-vous ?

— En France. Probablement plus de 300 ans dans votre futur. Et vous, Shanti, dans quelle ville êtes-vous ? En quelle année ?

— À Bénarès. Je connais le calendrier occidental utilisé par les Français : dans votre système, je suis en… en 1661 après votre Jésus-Christ.

— Très bien. Shanti, je ne vais pas y aller par quatre chemins : je viens vous voir pour vous demander des conseils. Il semble que vous êtes la mieux à même de m'aider.

— Si je peux assister ma future réincarnation, je n'y manque-rai pas.

René se dit que l'avantage de discuter d'esprit à esprit avec une Indienne, c'est que le concept de réincarnation n'est pas pour elle une hypothèse loufoque.

Alors, profitant de ce que le spectacle de danse et de musique s'éternise, René essaie de lui présenter de la manière la plus précise et la plus succincte possible sa situation sentimentale. Il lui parle de la personne qu'il convoite et à laquelle il n'ose déclarer sa flamme : Opale.

– Tout d'abord, je sens, dit-elle, que vous avez peur des femmes… Je pense qu'il y a quelque chose à surmonter là-dessus. Cela doit être lié à votre maman ou à des expériences ratées dans votre jeunesse.

René se dit que, peut-être, elle fait référence à des déceptions sentimentales qui l'ont rendu aussi craintif. Après tout, de ce qu'il sait de ses vies antérieures, ni Phirun ni Hippolyte n'ont connu une grande histoire d'amour solide et satisfaisante. Même Zeno a été émerveillé par une présence féminine, mais sans que cela aille plus loin.

Alors l'esprit de Shanti explique tranquillement à l'esprit de René les bases des rapports amoureux. Elle lui explique comment pensent les femmes, ce qu'elle croit qu'elles attendent d'un homme. Elle lui parle de désir, de fantasmes, d'imaginaire féminin.

Ensuite seulement, elle évoque l'énergie Kundalini qui monte le long la colonne vertébrale comme de la lave dans un volcan. Elle lui parle du Kamasutra, elle lui explique comment éveiller les yeux, les oreilles, les narines, les bouches, la peau, puis mettre en contact les lèvres, les langues et enfin connecter les âmes.

René a l'impression qu'il est à l'école.

Tous les anciens moi-même sont experts dans leur domaine propre. Je plains tous ceux qui se contentent des connaissances de leur simple vie.

Il se dit aussi qu'il est dommage qu'on n'apprenne pas tout ce que Shanti lui transmet comme informations sur les rapports hommes-femmes et la sexualité en conscience.

Il se rend compte que non seulement il ne connaissait rien aux rapports amoureux, mais que toutes ses relations précédentes étaient par essence insatisfaisantes car bourrées de blocages et de peurs. En fait, il ne s'était jamais vraiment demandé ce que pouvaient penser ses partenaires. Pas plus d'ailleurs qu'il ne s'était intéressé à ses propres ressentis durant l'acte. Pour lui, dès le moment où la femme acceptait de faire l'amour avec lui, le travail était fait, et seul l'assouvissement du corps comptait.

Alors que, selon l'enseignement de Shanti, c'est précisément à ce moment-là que tout commence.

De la sorte, Shanti, en une vingtaine de minutes, tout en assistant, immobile, à la fête célébrant son propre mariage, arrive à lui inculquer par l'esprit une éducation sentimentale et sexuelle.

Ce n'est que lorsque le père de Shanti vient la chercher pour l'amener à son futur mari qu'ils doivent se quitter.

– Je n'ai pas pensé à vous demander comment sera le monde dans 300 ans, s'excuse la jeune princesse hindoue. Mon manque de curiosité est impardonnable.

– Vous avez cet avantage d'avoir une culture si ancienne, si subtile et sophistiquée que vous absorbez ceux qui voudraient la modifier. Profitez bien de votre mariage et des… autres plaisirs que vous connaissez.

Il remonte les marches. Il regarde l'heure et comprend qu'il est resté plus longtemps qu'il ne le croyait au mariage de Shanti à Bénarès.

Il est tout émoustillé par ce qu'il vient de découvrir des rapports hommes-femmes. Grâce à Shanti, il a pu mesurer son ignorance d'homme qui, à 32 ans, croyait pourtant tout savoir.

Il regarde Opale en train de dormir. Il la trouve toujours aussi désirable et songe qu'enfin il a compris comment susciter un lien amoureux entre eux. Il se souvient d'une phrase de Shanti.

Fais tout pour lui donner l'impression que c'est elle qui t'a choisi et non le contraire. Laisse-la venir. Perçois-toi toi-même comme un objet de désir difficile à atteindre. Perçois-toi comme tu la perçois. Perçois-toi comme une femme inatteignable…

René se dit que c'est plus facile pour une jolie femme comme Shanti que pour lui qui s'est toujours vu comme un homme timide et maladroit. Il demeure ainsi à regarder l'hypnotiseuse profondément endormie.

Renonçant à trouver le sommeil après tout ce qu'il vient de comprendre, il allume son ordinateur et cherche une grotte dont l'issue mesure plus de 17 mètres de hauteur dans les environs de Marsa Matruh.

Il rejoindra demain les Atlantes à un moment où ils auront déjà commencé à construire leur cité de Mem-phis. Il leur désignera l'endroit où la preuve pourra être déposée.

88. MNEMOS. LES MANUSCRITS DE LA MER MORTE.

En 1947 en Jordanie, près d'un village nommé Qumrân, à deux kilomètres au nord-ouest de la mer Morte, un jeune berger, Mohammed ed-Dib, en voulant récupérer une chèvre égarée, découvre une grotte.

À l'intérieur, des jarres en terre cuite contenant des rouleaux de parchemins protégés par une toile de lin datant de plus de 2 000 ans.

L'ensemble forme 970 manuscrits rédigés principalement en hébreu, mais aussi, pour quelques-uns, en araméen et en grec. Ils révèlent l'existence d'une communauté de Juifs, les Esséniens, tous végétariens, célibataires et écologistes avant l'heure, qui avaient développé une spiritualité propre, en marge du judaïsme officiel de l'époque.

Parmi les manuscrits trouvés à Qumrân, figure le Livre des géants.

Selon ce texte, les géants durent affronter la destruction aussi rapide que totale de la cité où ils vivaient. Très peu survécurent à cette catastrophe. Parmi les rescapés figure Enoch qui inspira *Le Livre d'Hénoch*, dont voici un extrait :

« Le Géant Hénoch apprit aux hommes l'écriture et la connaissance et la sagesse. Il leur enseigna à lire les signes du ciel selon l'ordre de leur mois afin que les hommes connaissent les saisons des années. Il était le premier à écrire un témoignage destiné aux fils des hommes. »

89.

— Je crois que j'ai trouvé, dit Opale.

Alors que le soleil se lève, les deux Français sont déjà installés sur la terrasse de leur chambre donnant sur la mer. René utilise son ordinateur portable, et Opale, grâce à une rallonge, peut se servir de l'ordinateur mis à disposition par l'hôtel. Chacun se consacre à l'étude de cartes de la région pour trouver l'emplacement idéal.

Opale désigne sur l'écran une grotte qui sert actuellement de musée historique, la grotte de Rommel, où les Allemands se sont cachés pour préparer la bataille de El-Alamein durant la Seconde Guerre mondiale. René la déçoit :

– Ça n'ira pas, pour deux raisons. Tout d'abord, c'est un musée, donc il y a trop de passage. Ensuite, les Atlantes doivent pouvoir y pénétrer. Il faut donc que cela fasse au moins vingt mètres de hauteur.

Elle cherche encore, mais s'aperçoit qu'il n'y a rien qui corresponde à ces critères dans la région de Marsa Matruh. Elle élargit donc le périmètre de ses recherches à 20, 100 puis 300 kilomètres.

– Cette fois ça pourrait mieux convenir, annonce-t-elle enfin. Il s'agit d'une oasis au sud, proche de la Libye. Le lieu est entouré de montagnes de calcaire truffées de grottes : l'oasis de Siwa.

Il vient examiner le lieu par-dessus son épaule.

– Cela a l'air parfait, mais c'est à quelle distance d'ici précisément ?

– 307 kilomètres. Mais une route construite récemment relie directement Marsa Matruh à Siwa.

Il consulte sa page Internet. Cette oasis est en effet située dans une dépression rocheuse en plein milieu du désert, dans la zone de culture berbère. Opale l'informe :

– C'est une oasis isolée en plein désert, mais il semble que, depuis la nuit des temps, elle ait connu une activité humaine. Ce serait là qu'aurait mystérieusement disparu en 500 avant Jésus-Christ l'armée du roi perse Cambyse II qui avait détruit tout le nord de l'Égypte. C'est aussi là qu'a été construit le temple d'Ammon, l'un des lieux où l'on rendait les oracles. En –331, l'oracle d'Ammon aurait confirmé à Alexandre le Grand qu'il descendait du dieu Ammon, ce qui lui aurait permis de s'auto-proclamer nouveau pharaon. Par la suite, l'endroit a été habité par les Berbères et a constitué un carrefour de peuples, un croisement de routes pour le commerce de l'ivoire, de l'encens, de l'or, des animaux exotiques. En 708, les Berbères arrivent à contenir l'invasion arabo-musulmane et protègent le lieu qui tiendra comme une poche de résistance solide jusqu'au XIIe siècle. Le premier Européen à y être allé était un explorateur anglais, en 1792. Le développement touristique du site est récent et l'électricité n'a été installée dans l'oasis de Siwa qu'en 1987.

– Et vous avez repéré une montagne plus intéressante qu'une autre pour y cacher les jarres ?

– Oui, il y en a une qui me semble à la fois assez haute et truffée de tout un réseau de grottes qui communiquent. Elle a un drôle de nom, il ne faut pas être superstitieux, « la montagne de la mort ».

– Parfait, vous pouvez me donner son emplacement exact ?

Elle lui montre la page Internet.

– Ah non, cela n'ira pas. C'est un haut lieu touristique, où on a trouvé des tombes égyptiennes. Pas vraiment un lieu préservé des visites humaines inopportunes.

Le professeur d'histoire réfléchit.

– Il y a d'autres montagnes ?

Elle cherche, puis annonce :

– Ça y est, j'en ai trouvé une qui correspond mieux à vos critères. « La montagne blanche ». Elle est plus haute, plus grande et plus creuse que la montagne de la mort. Elle a trois grottes. Elle est dépourvue d'intérêt selon les guides touristiques : une montagne de roche claire remplie de scorpions et de serpents.

– Parfait. Ne perdons pas de temps, allons-y. Ce soir, nous nous installerons dans un hôtel de Siwa et, demain, nous irons vérifier l'emplacement. Je ferai ensuite une séance d'hypnose régressive pour retrouver Geb et lui indiquer où il pourra cacher les rouleaux de parchemin.

Ils rangent rapidement leurs affaires, règlent la note et quittent l'hôtel. Ils trouvent dans Marsa Matruh une agence de location de voitures, optent pour une jeep tout-terrain et, après avoir fait des réserves d'eau, acheté un jerrican d'essence et du matériel d'excavation, ils sortent de la ville.

Ils roulent vers le sud.

Peu à peu, les immeubles périphériques laissent la place à des fermes, puis à de rares arbustes et, enfin, au désert.

À l'horizon, seulement des dunes de sable. Tout devient beige et lisse. Seul l'asphalte anthracite de la route nationale indique la présence humaine. Et encore, très peu de voitures circulent sur cette voie. En dehors d'un bus de touristes, d'une charrette de vendeur de pastèques et d'un camion militaire, ils ne croisent personne.

Des pancartes en arabe alternent avec des panneaux indiquant que des chameaux risquent de traverser la route. Pour ne pas s'assoupir, ils mettent la climatisation et l'« Été » des *Quatre Saisons* de Vivaldi. Il fait de plus en plus chaud et la route commence à devenir brûlante.

L'horizon s'étire dans un halo flou qui semble vouloir les happer.

90.

Les Atlantes œuvrent à bâtir leur nouvelle cité.

Des maisons de bois temporaires sont rapidement montées, en attendant que soient édifiées les maisons de pierre, plus pérennes. Leur village Mem-phis est situé bien plus au nord-ouest que la cité homonyme qui sera construite 10 000 ans plus tard.

Les cent quarante-quatre rescapés s'habituent doucement à ce continent inconnu. Ils ont le sentiment d'avoir perdu ce qui leur était le plus précieux, mais ils se sentent en même temps chanceux d'avoir pu échapper à l'engloutissement de leur île.

Parfois, des disputes éclatent sous des prétextes futiles. Un jour, Geb, qui vient de placer une poutre pour poser le toit d'une maison, s'arrête en entendant deux de ses congénères se menacer. Il se dirige vers Nout. Elle n'arbore plus sa coiffure compliquée ni la robe qui dévoilait ses seins quand ils habitaient l'Atlantide. Participant à la construction des maisons, elle porte une tunique simple qui lui permet de bouger sans se blesser.

– Voilà que nous commençons à nous comporter comme les contemporains de Né-hé, en nous querellant pour des broutilles, regrette-t-il.

– Le bon arrive avec le mauvais. La voile avec la perte de notre île. La traversée de la mer avec la consommation de viande marine. La découverte de la roue avec le travail. La technique avec le sentiment de propriété.

– Et qu'est-ce qui viendra ensuite ? L'argent ? Le mariage ? Les chefs ? La police ? La justice ? La prison ? La torture ? Toutes ces notions étranges qu'a évoquées Né-hé.

– Ha-mem-ptah était un sanctuaire préservé de tous ces maux, mais il est naturel qu'ici nous perdions notre sérénité.

– Il faut que nous restions attentifs à la rouar qui circule en nous.

La jeune femme essuie son front ruisselant et observe les alentours.

– Tu les as vus ? demande-t-elle.

– Qui ?

– Les petits singes vêtus de peaux de bêtes. Ils sont encore là et ils me semblent de plus en plus nombreux.

– Non, pas aujourd'hui.

– Alors regarde discrètement à droite : un groupe s'est hissé sur le promontoire.

Geb tourne lentement la tête et distingue en effet des silhouettes simiesques aux vêtements gris ou marron qui se cachent derrière les palmiers, vraisemblablement pour les épier.

– À mon avis ce ne sont pas des singes, ce sont des primates. Les ancêtres des tout petits hommes qui vont vivre dans le futur. Les ancêtres de Né-hé.

– Qu'est-ce qui te fait penser cela ?

– Ils sont habillés et, si tu regardes bien, ils ont déjà des lances et toutes sortes d'objets pointus qui doivent être des armes. Or Né-hé m'en a parlé, il m'a dit qu'à son époque se déroulaient des guerres où des groupes de gens s'entretuent pour obtenir des territoires ou voler les richesses de leurs voisins.

– Une lignée d'humains parallèle ! Mais comment, dans ce cas, pourrais-tu être l'ancien Né-hé ?

– L'esprit circule librement dans les corps, il n'a pas besoin d'être incarné dans des corps de taille similaire, ni même dans des corps d'humains d'une même lignée. Peut-être même qu'avant d'être des corps de primates, ils étaient dans des corps d'animaux. Par moments, j'ai l'impression d'avoir été un dauphin.

Elle désigne un de ces petits humains primitifs qui s'est approché, camouflé par les herbes hautes.

– Et eux, pourquoi ils sont là ?

– Nos habitations doivent les intriguer. Ils vivent certainement dans des arbres ou dans des cavernes.

– Pourquoi ils ne tentent pas de communiquer avec nous ?

– On doit leur faire peur. Tu n'aurais pas peur de gens qui te ressemblent mais qui sont beaucoup plus grands, toi ?

– Ce sont plutôt eux qui m'inquiètent, admet Nout.

– C'est parce que, depuis que notre cité a été détruite, nous avons découvert des émotions négatives inconnues. Mais il ne faut pas les laisser nous envahir, sinon nous aussi nous finirons par faire la guerre et être inquiets en permanence. Garde ta sérénité, c'est notre principale force. Rien n'est grave. Tout ce qui nous arrive est pour notre bien.

Nout secoue la tête, peu convaincue.

– Et s'ils nous attaquaient ?

91.

Il fait encore jour lorsqu'ils arrivent vers 19 heures à l'oasis de Siwa. En dehors des palmiers, de rares réverbères, de quelques voitures en piètre état, de vélos et de carrioles tirées par des mulets, peu d'habitants circulent.

Le lieu est, par contre, quadrillé par les camions de l'armée. Un militaire leur adresse un signe amical pour leur faire comprendre que les touristes n'auront rien à craindre tant que eux, les hommes en uniforme, seront là.

Les deux Français se garent, franchissent la haie de vendeurs à la sauvette et de mendiants qui les hèlent, et trouvent l'hôtel qui leur semble le moins miteux, le Siwa Lodge. Ils s'installent dans une chambre aux murs beiges en karshef, la pierre locale composée de sel fossilisé et de boue. Là encore, une large terrasse surplombe la palmeraie. Des nuées de moustiques les accueillent. Heureusement, ils repèrent que les lits ont une moustiquaire et un ventilateur qui les broie méthodiquement.

Ils reprennent leur voiture et se dirigent vers la montagne blanche. De loin, le piton rocheux fait penser aux plateaux de canyon que l'on voit dans les décors de western. Les flancs clairs sont abrupts, truffés de petites cavités creusées par le vent et les pluies. Ils trouvent un chemin pour atteindre le centre de la montagne. Après avoir longtemps examiné toutes les grottes à la torche électrique, ils finissent par en repérer une coincée entre deux autres, qui est déjà bouchée par un gros rocher recouvert de plantes.

C'est là.

– L'œuf et la poule, philosophe Opale, amusée de voir ce qui semble obstrué par un bouchon minéral. Qui était là en premier ? Est-ce à cause de notre action que cette grotte géante va être obstruée ou est-ce parce que cette grotte est déjà obstruée que nous allons la choisir pour Geb ?

– En tout cas, elle a l'air parfaitement adaptée à ce que nous recherchons.

Ils prennent des photos et notent l'emplacement précis, longitude et latitude, que leur indique leur GPS.

À la nuit tombée, ils rejoignent leur voiture et leur hôtel. Ils se font livrer un dîner dans la chambre : un koshari – riz, pâtes et lentilles sous une délicieuse sauce pimentée –, puis, comme à son habitude, René s'installe pour son rendez-vous de 23 h 23.

92.

– Bonsoir, Né-hé.

– Bonjour, Geb. Comment se passe l'installation de votre colonie ?

L'Atlante lui fait visiter la dizaine de maisons qu'ils ont déjà aménagées autour d'un cercle. Au centre, une petite pyramide de bois.

– J'ai trouvé l'emplacement où vous allez pouvoir cacher les jarres. C'est une grotte dans une montagne appelée la montagne blanche. Le seul problème est qu'elle se trouve loin de Mem-phis.

– À quelle distance ?

– Disons à plusieurs milliers de dauphins de distance. De nos jours, l'espace qui vous sépare de ce lieu est désert, mais peut-être qu'à votre époque, il y a de la végétation.

– Eh bien, nous ferons ce que nous avons à faire, l'enjeu mérite des efforts. Et puis, tout ce que je vis maintenant n'est-il pas, après tout, un cadeau pour moi qui aurais dû mourir avec le Déluge ?

René propose à Geb de le guider en voyage astral pour lui montrer l'emplacement exact.

93. MNEMOS. BOÎTE DE PANDORE (SUITE ET FIN).

Dans la mythologie grecque, l'histoire de la boîte de Pandore ne s'arrêta pas là.

Lorsque Pandore ouvrit, poussée par sa curiosité, la jarre de terre cuite, la fameuse « boîte de Pandore », et qu'elle

eut ainsi libéré tous les maux de l'humanité : guerre, vieillesse, maladie, etc., elle continua à vivre avec son mari Épiméthée et eut, avec lui, une fille qu'ils appelèrent Pyrrha.

Rappelons qu'Épiméthée et Prométhée étaient deux frères titans (fils des géants Japet et Clymène), que Pandore était également géante, et ainsi que Pyrrha, leur fille, était elle-même gigantesque.

Pyrrha épousa à son tour un titan qui se nommait Deucalion, le fils de Prométhée et de Pronoïa.

Mais Zeus, pris à nouveau de colère contre les mortels, demanda à Poséidon de déclencher un déluge pour engloutir une fois pour toutes l'ensemble de l'humanité.

Ne survécurent à cette catastrophe que deux humains : Pyrrha et Deucalion. Avertis à temps, ils étaient en effet parvenus, avant que l'océan n'ait inondé toute la surface de la Terre, à se jucher sur le mont Parnasse.

Pyrrha et Deucalion repeuplèrent le monde à l'aide d'une méthode singulière : en ramassant des cailloux et en les jetant derrière leur dos. Les pierres que jetait Pyrrha se transformaient en femmes et celles que jetait Deucalion en hommes.

En grec, le même mot, *laos*, signifie à la fois « pierre » et « peuple ».

On peut imaginer que c'est là une métaphore et que Pyrrha, fille de Pandore, et Deucalion, fils de Prométhée, voyagèrent et créèrent des colonies de repeuplement qui permirent à l'humanité de renaître sur la surface de la planète.

94.

Geb ouvre les yeux et inspire. À chaque sortie de méditation, il a l'impression d'avoir rêvé et ressent le besoin de palper le contour de son corps pour reprendre possession de son enveloppe charnelle. Nout est, comme chaque fois, impatiente de l'écouter.

– C'est bon. Né-hé m'a indiqué où nous pourrons cacher les jarres. C'est à plusieurs jours de marche, dans le sud.

– Il nous faudra traverser une zone désertique tout en transportant les jarres ?

– C'est pourquoi nous devons n'en utiliser que deux. Une jarre pour toi et une jarre pour moi. Ainsi, nous pourrons les porter sur le dos, fixées par des cordes.

– Tu as commencé à rédiger les parchemins ?

– Bien sûr, mais j'en ai encore pour un certain temps.

Nout vient se blottir affectueusement dans ses bras et chuchote :

– Je peux aussi écrire si cela peut accélérer l'opération.

– Si tu veux.

Il regarde l'horizon et repère encore des silhouettes de petits humains.

– Ils sont de plus en plus nombreux.

À ce moment précis, l'Atlante sent sourdre au fond de son cœur une émotion qu'il n'a découverte que récemment : l'inquiétude face à une menace inconnue. Il sait que la peur leur a fait défaut à un moment où elle était nécessaire. Mais maintenant qu'elle est là, elle ne les quitte plus. Comme seul soutien, il n'a que ce contact avec cet esprit du futur qui les guide.

Par l'ouverture de leur maison de bois, il observe également ses congénères. Eux aussi ont perçu la menace que constituent ces indigènes qui affluent et les encerclent progressivement.

95.

Après une bonne nuit de sommeil, à peine troublée par les piqûres de dizaines de moustiques, René s'est réveillé le premier. À nouveau il observe Opale dormir.

Que fait-elle dans ma vie? Qui est-elle? Nous vivons ensemble depuis plusieurs jours et même si elle m'a raconté sa jeunesse, même si elle m'a confié ses blessures d'enfance, même si nous avons découvert ensemble sa vie antérieure la plus traumatisante, je ne la connais finalement pas. Elle est une sorte de compromis étrange entre la fantaisie de son père et la rigueur de sa mère. Ayant toujours été partagée entre les énergies de ses deux créateurs, elle se méfie comme moi du couple, lieu de tous les espoirs mais aussi de toutes les déceptions. Pourtant, il faut continuer d'y croire. Je crois en elle. Elle dégage une si belle énergie.

Opale se réveille enfin et s'étire. Dans tout ce qu'elle est et dans tout ce qu'elle fait, il la trouve invariablement ravissante. Elle ouvre les yeux et se lève. Elle jette un rapide coup d'œil à sa montre.

– Pas de temps à perdre. Il faut y aller avant qu'il ne fasse trop chaud, dit-elle en guise de bonjour.

Ils ne petit-déjeunent pas, se douchent, s'habillent, puis montent dans la jeep. Direction la montagne blanche. De jour, le massif beige clair ressemble à une grande table rectangulaire posée au milieu du désert.

413

Ils arrivent devant la grotte obstruée. Autour d'eux, l'air chaud fait trembler le décor.

C'est maintenant que tout va se décider. C'est maintenant que je vais savoir si je peux agir dans le passé.

La température monte vite. L'air sec brûle leurs poumons, malgré les petites gorgées d'eau minérale qu'ils avalent régulièrement.

– Dépêchons-nous, le presse Opale.

René sort alors des bâtons de dynamite, les place sous le rocher rond. Il déploie la longue mèche reliée au détonateur électrique. Aplatis derrière un talus, ils se bouchent les oreilles. René appuie sur le détonateur avec le pied.

L'explosion fait voler des mitrailles de roche au-dessus d'eux et fait trembler le sol. À la place de l'énorme rocher rond, figure maintenant un amoncellement de gravats.

René sort sa torche électrique et éclaire la cavité qu'ils ont dévoilée. Elle forme un long goulet rocheux qui s'enfonce sous la surface du sol. Ils descendent alors dans ce tunnel naturel qui doit faire une dizaine de mètres de hauteur.

Les Atlantes ont dû se baisser pour passer ici.

La descente dans la galerie est difficile. Des infiltrations d'eau salée créent des stalactites et des stalagmites de plus en plus longues et pointues. Ils progressent en enjambant ces pointes.

Il y a 12 000 ans, ces protubérances rocheuses n'existaient probablement pas. Ou en tout cas elles ne devaient pas être aussi longues.

L'air est de plus en plus frais et humide.

Cette sombre bouche pierreuse nous avale.

Le tunnel continue de descendre, révélant une grotte plus profonde qu'ils ne s'y attendaient.

Nous voici dans l'œsophage.

Enfin, ils débouchent sur une large caverne dont le centre est un bassin turquoise saturé de nappes de sel aux reflets cristallins.

L'estomac de la montagne et son suc gastrique.

La salle est aussi haute que large. Les deux explorateurs éclairent les parois et finissent par distinguer, au fond de la cathédrale minérale, des pointes fines et saillantes. Ils sont intrigués par ce qu'ils prennent tout d'abord pour des stalagmites : des arêtes pointues, fines et courbes.

Des côtes !

Ils éclairent le prolongement de ces protubérances et distinguent des vertèbres aboutissant à des bassins.

Des squelettes humains gigantesques.

Les bassins de formes différentes permettent de reconnaître un homme et une femme. Au-dessus des vertèbres, les triangles plats des clavicules et, encore au-dessus, deux crânes humanoïdes de plusieurs mètres de diamètre.

René pénètre dans la sphère que forme la plus grosse tête, probablement celle de l'homme.

Suis-je dans Geb ? Si c'est le cas, me voici à l'endroit précis où se nichait son esprit. Peut-être même son hippocampe.

Il éclaire l'intérieur du crâne, faisant ainsi jaillir le rayon de sa torche par les orbites vides.

Opale, de son côté, est intriguée par le crâne féminin à peine plus réduit. Elle enjambe la haie de la mâchoire inférieure et éclaire les arêtes du nez. Elle longe la colonne vertébrale de ce squelette d'une vingtaine de mètres de long. Elle suit les longs os caractéristiques des bras, humérus et radius.

René et Opale suivent chacun leur trajectoire et se retrouvent à un endroit où les métacarpes et les phalanges des deux squelettes sont entremêlés.

– Ils se tenaient par la main au moment de mourir, dit l'hypnotiseuse, émue.

Elle dirige sa lampe torche vers le sternum. Elle éclaire quelque chose de luisant : un collier terminé par un dauphin. Le second squelette porte le même pendentif.

Cela ne peut être qu'eux.

Opale et René respirent de plus en plus amplement.

Ils ont réussi. Nous avons réussi.

– Je n'ai jamais voulu y croire complètement. Jusqu'à maintenant, avoue-t-elle.

Ils éclairent les deux ossatures parfaitement conservées. Les squelettes sont complets. René continue de fouiller la caverne en balayant les parois de son faisceau lumineux. Il éclaire la salle sous tous les angles possibles et, enfin, s'arrête sur un renfoncement.

– Là !

Il désigne deux grandes jarres de dix mètres de haut.

– On les brise pour vérifier qu'il y a bien les rouleaux, n'est-ce pas ?

Opale brandit son piolet, mais René lui retient le poignet.

– Même les manuscrits de la mer Morte ont été détériorés par le contact avec la lumière et l'air. Dès que les jarres ont été brisées, les parchemins se sont effrités et se sont pour la plupart transformés en confettis et en poussière. Les archéologues ont dû travailler avec une extrême minutie pendant des années pour recomposer les textes qui s'étaient transformés en puzzle.

– Vous proposez quoi ?

– Ils ont attendu 12 000 ans ; ils peuvent bien attendre encore quelques heures.

René éclaire des symboles de dauphins gravés sur chacune des jarres.

– C'est le signe de reconnaissance que m'a proposé Geb. Il n'y a pas de doute, ce sont les bonnes jarres qui contiennent les précieux mais fragiles textes.

– Il nous faut fixer cet instant.

Ils dégainent leurs appareils photo et prennent des clichés sous tous les angles.

– Maintenant, nous allons pouvoir révéler au monde notre découverte et l'existence des Atlantes, la vérité sur ce qu'il s'est passé il y a 12 000 ans, dit-elle.

René reste perplexe.

– Même avec les photos, personne ne nous croira. Il y aura toujours des sceptiques pour clamer qu'elles sont truquées. D'ailleurs, Internet regorge de photos trafiquées pour laisser croire qu'on a trouvé des squelettes de géants. Ça passera pour un énième artefact.

– Alors comment faire ?

– Il nous faudrait des témoins neutres, objectifs, au-dessus de tout soupçon. L'idéal serait un journaliste célèbre ou un scientifique sérieux. Alors, on ne touche à rien et on fait venir médias et archéologues. Ainsi, nous aurons enfin des preuves irréfutables et le monde entier saura ce qu'il s'est passé.

Opale observe avec attendrissement les deux squelettes de géants.

– Pour qu'ils meurent en se tenant par la main, ici, après avoir accompli leur mission, ces deux Atlantes devaient vraiment s'aimer très fort.

René sourit et songe : *C'était la plus belle histoire d'amour que j'aie vécue en 111 réincarnations, depuis 12 000 ans.*

96.

Geb écrit avec application sur le parchemin de papyrus grâce à une fine branche taillée en biseau qu'il trempe dans de l'encre.

« Je m'appelle Geb et ceci est le témoignage de ce que j'ai vu et de ce que j'ai vécu.

« Je suis né sur l'île de Ha-mem-ptah. Sur cette île a existé un monde, mon monde. Nous étions 800 000 habitants à y vivre heureux.

« Nous en avons été chassés par une catastrophe naturelle. En un jour, une succession de tremblements de terre, d'éruptions volcaniques et l'apparition d'une haute vague ont détruit tout ce que nous avions bâti.

« Notre civilisation a ainsi été engloutie.

« Cependant, un petit groupe d'entre nous a pu fuir à temps et arriver ici, sur ce territoire beaucoup plus grand qu'une île. Ici où tout semble étrange. Les végétaux et les animaux sont minuscules... »

Nout lit par-dessus son épaule.

– Comment parviendra-t-il à comprendre notre langue ? demande-t-elle.

– Je compte apprendre à René notre alphabet et notre vocabulaire. Comme nous communiquons facilement par l'esprit, il ne devrait pas être difficile de lui expliquer les bases de notre langue.

– C'est un message que tu adresses à un homme du futur, n'oublie pas qu'ils auront forcément d'autres références.

– Je lui expliquerai chaque mot. Le plus important est que ce texte existe et qu'il puisse le trouver.

La trompette d'alerte résonne au loin. Geb et Nout sortent précipitamment de leur maison de bois. Ils voient un spectacle effrayant. Des collines alentour surgissent des milliers de petits humains armés de bâtons et de piques. Ils lancent des flèches dans leur direction.

– C'est quoi ça?

– Je crois que c'est ce que Né-hé nomme « la guerre ». Les petits primates essaient de nous tuer.

En effet, les minuscules humains s'élancent en nombre contre ces étrangers titanesques venus bâtir une ville sur. leur territoire.

Les flèches, aux pointes de silex taillé, et les lances, aux pointes durcies par le feu, n'arrivent pas à percer les épidermes atlantes, et s'y plantent comme de petites aiguilles.

Les nouveaux arrivants sont pris à partie par les indigènes. Certains sont même escaladés par des centaines de petits individus en peaux de bête qui semblent vouloir leur nuire avec rage. Des petites femmes poussent des cris hostiles et brandissent des couteaux en silex qu'elles enfoncent dans leurs pieds.

Heureusement, les géants n'ont guère de difficulté à repousser cette première offensive et à effrayer ces insignifiants adversaires.

Alors, au signal de l'un d'entre eux, tous les assaillants battent en retraite et repartent comme un vol d'étourneaux.

– Je crois que nous allons avoir des ennuis avec les autochtones, signale Nout en enlevant délicatement quelques flèches plantées dans sa cuisse.

97.

– Vous plaisantez ? Vous avez bien dit des Atlantes ? Dans une caverne située près d'une oasis dans le désert égyptien ? Désolé, nous n'avons pas de temps à perdre avec ce genre de balivernes.

On lui raccroche au nez. Opale et René sont revenus dans leur chambre d'hôtel. Ils tentent de contacter par téléphone, une à une, les rédactions de toutes les chaînes de télévision, de tous les magazines, de tous les quotidiens.

Personne ne les prend au sérieux, malgré leurs tentatives d'explications. Chaque fois ils obtiennent pour seule réponse moqueries, ricanements et blagues. Le plus souvent, les personnes contactées raccrochent d'un coup, sans même prendre la peine de clore la conversation.

– Nous allons rencontrer des difficultés pour diffuser notre découverte, n'est-ce pas ?

– Tout ce qui est nouveau paraît au début ridicule, avant d'être considéré comme dangereux, pour enfin devenir une évidence. Par exemple, la tour Eiffel.

– Le droit de vote des femmes est aussi passé par ces trois phases…

René tente ensuite de contacter des responsables de rubriques dans les journaux d'histoire ou d'archéologie. Il se heurte à des refus polis et revoit progressivement ses exigences à la baisse. Seuls les sites *new age*, de magie ou de complots se disent intéressés et prêts à relayer l'information, mais René conseille à Opale de ne surtout pas poursuivre sur cette voie :

– Leur soutien ne ferait que décrédibiliser encore plus notre découverte.

– Dans ce cas, nous n'avons officiellement aucun relais et nous avons accompli et découvert tout cela pour rien.

Alors, résigné, René tente son va-tout. Il compose un numéro.

– Élodie, il faut que tu m'aides.

– René! Tu es où? Tout le monde te recherche!

– Je sais, et pas forcément pour mon bien. Toujours le skinhead et l'incendie de l'hôpital?

– Mais non! Pour le skinhead, finalement, la police a trouvé une vidéo où l'on voit bien qu'il était menaçant et qu'il s'est enfoncé lui-même le couteau dans le corps.

Bon sang, se pourrait-il que le malheur vienne et reparte aussi facilement? Dire que si je ne l'avais pas rappelée, je n'aurais jamais su que tout s'était résolu sans que je n'aie rien à faire.

– Tu risques seulement des ennuis pour non-assistance à personne en danger. On aurait peut-être pu le sauver. Mais on ne te reprochera plus de l'avoir tué. Tu ne pourras être inculpé que pour avoir jeté le corps dans le fleuve. C'est évidemment beaucoup moins grave.

– Et pour l'hôpital?

– Une femme, une patiente, a été interrogée et affirme avoir assisté à la scène. Elle a raconté que Chob était en train de la torturer et que c'est toi qui lui es venu en aide. Il y a suffisamment d'indices troublants pour que la police mène l'enquête à charge contre lui. Finalement, c'est lui qui risque d'être inculpé! Tu peux revenir et tu pourras même donner ta version des faits, tu n'es plus mis en cause. Et je peux te garantir que Chob redoute ton témoignage.

Ainsi, la roue tourne. Parfois, il suffit d'attendre et la situation se transforme. Ce qui est en bas monte et ce qui est en haut tombe.

– Pour l'instant, j'ai une autre urgence à régler là où je me trouve. Et toi seule peux m'aider. C'est pour cela que je t'appelle, j'ai vraiment besoin de ton aide.

– Tu es où ?

– Dans l'oasis de Siwa au sud de l'Égypte, en plein milieu du désert du côté de la frontière libyenne.

– Qu'est-ce que tu fais dans le désert ? Tu es allé là-bas pour échapper à la police ?

– Je vais t'expliquer. Mais avant cela, il faut à tout prix que tu fasses quelque chose pour moi et aussi pour la vérité.

Il l'entend lâcher un soupir désabusé.

– Oh non, ne me dis pas que tu es encore parti dans tes délires atlantes ?

– En fait, c'étaient des géants. Cela dépasse nos petites individualités, c'est une information qu'il faut que le monde apprenne. Une vérité historique à rétablir.

– Bon, ok, je t'écoute.

René Toledano explique alors avec force détails tout ce qui lui est arrivé depuis la dernière fois où ils se sont vus. Quand il a fini de raconter, la professeure de sciences laisse s'écouler un long silence.

– Et tu dis qu'il y a des jarres qui peuvent prouver tout cela ?

– Deux jarres et deux squelettes. Il n'y a plus qu'à venir sur place authentifier les pièces et faire la datation au carbone 14. Alors, il n'y aura plus le moindre doute.

– Cela paraît quand même un peu fumeux. C'est quoi tes indices ?

– J'ai des photos. Je les ai prises il y a quelques heures à peine.

– Tu peux me les envoyer sur mon adresse mail ?

Le professeur d'histoire sélectionne les meilleurs clichés et les lui expédie.

Élodie examine les clichés.

— Je dois reconnaître que les images n'ont pas l'air truquées, ou alors, si ce sont des montages, c'est sacrément bien fait.

— Je te jure que ce n'en est pas.

— Et tu affirmes que tu as dynamité un rocher qui obstruait l'entrée d'une grotte pour accéder à cette découverte. Comment pouvais-tu savoir qu'il y avait quelque chose derrière ?

— Si tu te donnes la peine de te déplacer pour venir ici me rejoindre, je te montrerai et je t'expliquerai.

— Ne me dis pas que c'est encore par l'hypnose régressive ?

— Peu importent les moyens, c'est le résultat qui compte. Tu as vu les photos et si tu viens ici tu verras tout et tu comprendras. Nous sommes en face d'une découverte archéologique et historique fondamentale. Notre connaissance du passé risque d'être complètement bouleversée par cette révélation.

Élodie Tesquet hésite.

— Écoute, pour une fois j'ai envie de te faire confiance. Je vais voir ce que je peux faire pour t'aider. Tu as besoin de quoi précisément ?

— Il me faudrait un scientifique crédible et un journaliste connu pour permettre à l'information d'être diffusée et reconnue.

René raccroche.

— Il n'y a plus qu'à attendre, dit-il à Opale.

Ils diffusent à nouveau sur l'écran du grand téléviseur de leur chambre les photos. Ils s'arrêtent sur celle qui expose en plan large les deux squelettes géants étendus dans la caverne. La vision des os des mains unies leur procure un petit pincement au cœur.

98. MNEMOS. L'ERREUR DE LA NOSTALGIE.

La phrase « C'était mieux avant » a longtemps servi de refrain aux nostalgiques d'un passé qu'ils idéalisaient.

Voici quelques informations objectives mettant à mal leurs regrets :

Le premier calcul de l'espérance de vie date de 1740.

En moyenne, celle-ci était en France : en 1740 de 25 ans, en 1900 de 50 ans, en 2000 de 80 ans.

Donc, en moins de trois siècles, nous avons plus que triplé notre temps de vie.

La mortalité infantile était elle aussi bien plus importante. En France, en 1740, un quart des enfants mouraient dès la première année. Un tiers des enfants mouraient avant d'avoir 15 ans. De ce fait, les parents, ne sachant pas lesquels parmi leur progéniture allaient survivre, s'investissaient peu affectivement. Les enfants étaient confiés à des nourrices.

Pour ceux qui survivaient, la médecine était très balbutiante. Les petites opérations chirurgicales étaient accomplies jusqu'en 1900 par des barbiers parce qu'ils avaient de bons rasoirs et ciseaux. Malheureusement, ils étaient rarement propres et désinfectés. À la moindre infection, on amputait, pour éviter la gangrène. Pour cette opération, ce n'étaient plus des barbiers mais des bouchers et des charpentiers qui œuvraient car ils avaient des scies qu'ils savaient bien manier. Même chose pour la dentisterie : on arrachait à la pince les dents abîmées. Là encore sans anesthésie, et sur le marché, les gens venant assister à l'opération comme à un spectacle.

Comme il n'y avait pas l'eau courante, les gens se lavaient peu voire pas du tout.

Comme il n'y avait pas ou peu d'éclairage dans les rues, la moindre promenade nocturne se faisait dans l'obscurité et exposait au risque de se faire détrousser. Alors, les gens, une fois la nuit tombée, sortaient rarement de chez eux.

Les grands voyages étaient tout aussi dangereux car il y avait beaucoup de brigands sur les routes (souvent des soldats au chômage).

La nourriture était moins diversifiée et moins contrôlée. En l'absence de réfrigérateur, on ne savait pas conserver la viande autrement qu'avec du sel et les excès de sel abîmaient le système digestif.

Les MST, comme la petite vérole ou la syphilis, faisaient des ravages.

Malgré l'actualité souvent inquiétante, force est pourtant de constater qu'il y a aujourd'hui de moins en moins de morts dues aux famines ou aux guerres. Il y a de moins en moins d'épidémies. On a de moins en moins de risque d'être assassiné, et de moins en moins de violence en général. Dans notre pays, par exemple, le taux d'homicides a diminué de moitié ces vingt dernières années. Mais comme, parallèlement, on dispose de beaucoup plus d'informations sur les cas de violence, on a l'impression qu'elle ne fait qu'augmenter.

Vouloir comprendre notre monde en regardant les actualités revient à vouloir comprendre Paris en visitant le service des urgences d'un de ses hôpitaux.

99.

La trêve n'a pas duré longtemps. Nout désigne les collines alentour couvertes de petites silhouettes. Les indigènes primitifs ne sont plus des milliers, ils sont des dizaines de milliers.

Geb est inquiet.

— Mets les enfants en sécurité, intime-t-il à Nout.

100.

Par la fenêtre de l'hôtel, par-delà les dattiers de l'oasis, ils distinguent les deux lacs salés aux berges recouvertes de résidus mousseux, et les deux forteresses bâties à flanc de montagne, témoins des guerres qui se sont jadis déroulées ici, en plein milieu du désert.

Enfin, le téléphone sonne.

— J'ai une bonne et une mauvaise nouvelles, signale Élodie.

— Commençons par la bonne.

René met le haut-parleur pour qu'Opale puisse entendre.

— J'ai résolu ton problème. Tu te souviens, je t'avais parlé de cet ami de fac qui était amoureux de moi et qui est devenu une vedette de la télévision ? Un certain Gauthier ? Eh bien, je l'ai contacté. Je lui ai parlé de ton histoire, je lui ai montré tes photos. Il est prêt à venir faire un reportage sur place.

Enfin.

— Gauthier Carlson ?

— Lui-même !

— Ce serait idéal.

– Entre nous, je pense qu'il est toujours amoureux de moi et qu'il compte sur cette histoire pour tenter à nouveau sa chance.

Le décalage entre l'importance de la découverte et la raison de la venue du journaliste surprend René.

Elle est en train de me dire que c'est parce que son flirt de jeunesse veut encore la draguer que l'existence des Atlantes va pouvoir être révélée.

Il déglutit. Il essaie de ne pas montrer son désarroi.

– Et la mauvaise nouvelle ?

– Je n'ai pas trouvé de scientifique « sérieux » pour accéder à ta requête. Donc il faudra te contenter de moi. Tu sais, j'ai un diplôme en paléontologie que j'avais validé par pure passion.

– Entre ton ami journaliste et ton diplôme, ça devrait suffire, je pense.

– Et nous ne serons pas seuls. Gauthier veut venir avec une équipe complète de tournage.

– Quand ?

– Demain. Je dois avouer que cette fois-ci tu m'as convaincue.

Aurait-elle changé à ce point ?

– Cette histoire commence à m'exciter. Je veux voir ta caverne. Et Gauthier m'a dit qu'il pourrait trouver du matériel pour la datation au carbone 14.

– Tu es fabuleuse, Élodie.

– Juste un détail : comme Gauthier veut venir pour consigner cela de manière officielle, nous allons aussi avoir besoin d'une autorisation de tournage du ministère de la Culture égyptien. Donc il faut que tu me transmettes les coordonnées GPS précises de ta grotte, afin que nous puissions la communiquer aux autorités et obtenir le droit de tourner sur place.

– Pas de problème. Mais quand tu parles du ministère de la

Culture, tu veux dire qu'il pourrait y avoir une reconnaissance officielle du gouvernement égyptien ?

– Bien sûr. Ce serait un atout supplémentaire pour ta révélation, il me semble.

– Oui, certes, mais…

– Mais quoi ?

– C'est peut-être aller un peu vite en besogne. Il me semble d'abord qu'il faut avoir la confirmation scientifique, puis l'appui médiatique, avant de songer à une officialisation.

– Tu sais, René, tout va très vite de nos jours. Comme tu le dis souvent : « L'histoire s'accélère. » Gauthier a déjà averti les autorités locales et elles sont enthousiastes : tu as probablement découvert un nouveau site archéologique, qui pourra être transformé plus tard en musée, donc en attraction touristique, ce qui serait une chance inouïe pour cette région peu connue. Donc tu imagines bien que cela intéresse forcément le ministère de la Culture. Demain il y aura probablement quelques officiels égyptiens, des spécialistes du ministère, peut-être même le ministre en personne… Tu voulais de la reconnaissance. Tu ne vas quand même pas te plaindre d'en avoir trop ?

– Désolé. Je me suis senti un peu dépassé sur le coup. Un peu comme quand tu tapes sur une porte et que tout d'un coup, alors que tu n'y croyais plus, elle s'ouvre.

– Tu es emporté par l'élan ?

– L'enjeu est tellement important que je suis prêt à tout pour que cette révélation se fasse avec la plus large audience et le maximum de reconnaissance officielle. A fortiori des médias et des gouvernements.

– Dans ce cas, je crois que tu vas être satisfait car Gauthier est très fort dans son domaine et il est vraiment emballé. Tu sais, il a lui aussi longtemps examiné les photos avec un spécialiste de sa chaîne. Ils sont convaincus qu'il est impossible de truquer aussi efficacement des photos en haute résolution. Entre nous, il compte sur cet événement pour booster sa propre carrière qui est stagnante depuis quelque temps.

– Je ne sais pas quoi dire, Élodie.

– Alors ne dis rien. Tu vas devenir célèbre. Maintenant, quand on verra ta photo à la télévision, ce ne sera plus avec le bandeau « recherché pour meurtre », mais « découverte scientifique ».

– Oui, cela fait tout bizarre. C'est si rapide.

– C'est toi qui as été formidable et bien inspiré. Je peux t'appeler « mon Champollion » ?, plaisante-t-elle affectueusement.

– Appelle-moi comme tu veux ! Du moment que la vérité est dévoilée au grand public, je serai comblé. L'enjeu est tellement important. Et s'il faut faire un peu de spectacle pour attirer l'attention, ou serrer des mains d'officiels égyptiens, je suis prêt à tous les accommodements.

101.

Soudain un cri retentit. Les indigènes dévalent la colline en une horde compacte hurlant et brandissant des bâtons, des piques, des lances, des haches de pierre.

À nouveau c'est la confrontation des petits êtres et des grands.

– Pourquoi sont-ils aussi agressifs ? crie Nout.

– La peur engendre la peur. De ce que j'ai perçu du monde de Né-hé, ils semblent vivre en permanence dans la crainte. Tout ce qui est nouveau les inquiète. Alors ils frappent de peur d'être frappés.

– Et cette peur est contagieuse car ils nous la transmettent. Ce qui est surprenant, c'est qu'ils ne tentent même pas de communiquer avec nous.

Une femme atlante est déséquilibrée par une dizaine de petits indigènes qui ont fait passer une corde autour de ses pieds pour la faire chuter.

– Ils commencent à mettre au point des stratégies pour nous terrasser. Il va falloir nous défendre de manière plus radicale.

Alors, Geb fauche du tranchant de la main un groupe d'indigènes et crie aux cent quarante-trois autres Atlantes :

– Défendez-vous !

Se saisissant de bâtons, les Atlantes repoussent méthodiquement les petits assaillants en essayant malgré tout de leur faire le moins de mal possible. Mais ces derniers ne renoncent pas. La résistance des géants ne fait qu'augmenter leur pugnacité. Une maison atlante est incendiée par des flèches enflammées, tandis que les petits hommes poussent des cris de victoire.

La deuxième offensive dure plus longtemps que la première. Flèches enflammées, haches, lances, piques et couteaux des petits indigènes contre bâton, coups de pied et coups de poing des géants.

Une autre maison s'embrase et les petits humains s'encouragent mutuellement à ne pas renoncer à leurs attaques.

– Et maintenant, comment peut-on remédier à cette situation ? demande Nout en éloignant avec un bâton un groupe d'assaillants.

– La situation me dépasse. Je crois que nous sommes à nouveau en danger. Il faut que j'en parle tout de suite à Né-hé.

Au moment où il prononce cette phrase, une flèche enflammée vient se planter dans sa joue.

102.

– Il faut fêter ça.

Opale ouvre le petit réfrigérateur de la chambre et en sort une bouteille de champagne.

Est-ce que c'est moi qui ai changé ma manière de la percevoir depuis que j'ai discuté avec Shanti ou est-ce elle qui est différente ?

Elle met de la musique. « In your eyes » de Peter Gabriel. Elle verse la boisson dorée dans deux coupes de cristal.

– Je ne vous ai pas remercié de tout ce que vous avez fait pour moi, dit-elle. Vous m'avez permis de comprendre que je me mentais à moi-même sur mon enfance. Vous avez débloqué la porte de mon inconscient. Maintenant, grâce à vous, je connais enfin les vrais freins, visibles et invisibles, de mon âme.

– C'est bien naturel. Vous m'avez donné accès à mes mémoires cachées, et j'ai fait de même avec vous. Nous avons tous un cadavre dans le placard et les gonds de ce même placard sont plus ou moins rouillés.

Elle inspire profondément.

– Nous avons bien fait de nous rencontrer, René. Si je ne vous avais pas connu, ma vie aurait été incomplète.

– Et si je ne vous avais pas rencontrée, je serais actuellement en cours d'histoire en train de répéter les mêmes choses que l'année dernière et celle d'avant ; puis, je déjeunerais à la cantine du lycée avec Élodie et je rentrerais chez moi lire des livres d'histoire. Grâce à vous, je suis passé du rôle de spectateur à celui d'acteur.

Elle joue avec son dauphin en lapis-lazuli qu'elle balance comme elle le fait pour capter les regards lors d'une séance d'hypnose, si ce n'est que, là, c'est elle-même qui l'observe comme si elle cherchait une information dans ce bijou.

Elle l'invite à poursuivre la conversation sur la terrasse, ils regardent la voûte céleste éclairée par la pleine lune. Les dunes de sable du désert se transforment en nappe blanche ondulée.

– Dites-moi la vérité, René. Vous croyez que j'ai été... Nout ?

– Je ne sais pas... il faudra que vous remontiez jusqu'à votre porte numéro 1 pour le savoir.

Elle boit encore du champagne puis s'approche tout près de son visage.

– Moi je crois que là-bas, ces deux squelettes de géants... c'était nous deux, il y a 12 000 ans.

Il ne répond pas.

– Quoi qu'il en soit, je crois que vous et moi, René, nous faisons partie de la même famille d'âmes. C'est un concept lié à celui de réincarnation, qui veut que nous nous soyons déjà connus dans des vies précédentes et que nous ayons décidé de nous retrouver avant de naître.

L'alcool lui réussit. Cela la détend, lui enlève toute inhibition et augmente ses facultés de perception.

Elle s'approche encore, et il peut sentir son haleine parfumée au champagne. À son tour, il boit d'un trait sa coupe, la pose sur le rebord de la terrasse et déclare :

– Mon père m'a parlé des familles d'âmes, il disait qu'avec notre chakra n° 4, celui du cœur, nous pouvions percevoir les gens qui faisaient partie de la nôtre.

– À La boîte de Pandore, je ne vous ai peut-être pas choisi par hasard. Je pense que je vous ai reconnu.

Ne pas oublier les conseils de Shanti : la laisser venir pour lui donner l'impression que c'est elle qui prend les initiatives. Créer un espace vide à remplir.

– Vous pensez vraiment que tout ce qui nous est arrivé est purement fortuit et que si je suis là avec vous au milieu du désert, ce n'est que le fruit d'une succession d'infimes choix qui nous ont amenés « par hasard » à cet instant ? lui demande-t-elle.

– Vous pensez encore au « Malgré moi ». Selon vous, donc, nous serions là malgré nous, parce que cela a été écrit ?

Une étoile filante fend le ciel.

– Je crois que nous ne sommes pas là par hasard, en effet. Je crois que ce que vous avez accompli ne s'est pas produit par hasard, je crois que nous ne vivons pas cet instant par hasard, déclare-t-elle.

Elle a l'air de vouloir me faire comprendre quelque chose, mais je ne sais pas quoi.

Elle se ressert du champagne, puis lui prend la main et l'invite à s'asseoir sur le lit.

– Couchez-vous et fermez les yeux.

Il obtempère.

– Vous allez encore m'hypnotiser ?

Il reste là les yeux fermés. Il sent qu'elle s'approche et il perçoit son ombre au-dessus de lui. Il n'ouvre cependant pas les yeux. Le rideau des cheveux d'Opale s'abat alors sur ses joues. Il sent son parfum, puis son haleine d'où émanent toujours des effluves de champagne, mais il garde les yeux fermés, attentif à chaque stimulus.

Au bout d'un moment, n'en pouvant plus de se retenir, il finit par entrouvrir les yeux. Les deux cercles verts et leur trou noir au centre l'aspirent.

La musique de Peter Gabriel joue toujours en arrière-fond,

entrecoupée ponctuellement par quelques pépiements d'oiseaux depuis les dattiers. Il traduit dans son esprit les paroles.

Dans tes yeux
La lumière, la chaleur
Dans tes yeux
Je me sens entier
Dans tes yeux
La résolution de toutes les recherches jusque-là restées vaines

Au loin, la mosquée fait résonner le chant du muezzin qui appelle les fidèles à la prière. Elle prend sa main et la place au centre de sa poitrine.

— Vous sentez mon chakra n° 4 ?

Il sent une palpitation rapide sous sa paume et se demande si ce n'est pas son propre pouls.

La jeune femme place ensuite sa main sur son cœur.

— Jadis on pensait que le cœur était le siège de la mémoire, dit-il.

— Votre cœur bat fort, dit-elle. Vous percevez comme l'énergie circule bien entre nous ? Fermez les yeux. Comment vous appelez cette énergie, déjà ?

Il attend, mais n'ose plus rouvrir les paupières.

Il a l'impression qu'elle s'approche encore. Il sent la respiration de la jeune femme à quelques centimètres à peine de son visage. Leurs lèvres s'effleurent.

Ne pas ouvrir les yeux. Surtout ne pas ouvrir les yeux ou je risque de m'apercevoir que ce n'est qu'un songe… Ou, comme dans le mythe d'Orphée, si je regarde, tout disparaîtra instantanément.

Leurs lèvres s'unissent totalement. C'est doux, lisse, fin comme de la soie.

J'ai tant attendu cette seconde.

Chacun des deux sent le cœur de l'autre accélérer et son quatrième chakra chauffer.

Je suis en train de vivre le plus bel instant de ma vie. Surtout en savourer toutes les sensations.

Alors il entrouvre les lèvres et la langue de la jeune femme s'introduit doucement dans sa bouche. Il avance ses bras pour la serrer contre lui, mais elle prend l'initiative de dégrafer son soutien-gorge et d'écarter sa chemise pour qu'il puisse sentir ses seins nus sur son torse.

— J'aime quand cela se passe très lentement et très progressivement, lui chuchote-t-elle à l'oreille.

La jeune femme se met à l'embrasser sur le menton, dans le cou, sur le cœur. Il sent les doigts graciles d'Opale caresser sa peau. Il a l'impression que plusieurs bouches et des dizaines de doigts effleurent son épiderme.

Elle lui embrasse le torse, et descend très lentement.

À cet instant, il entend une voix à l'intérieur de son crâne :

— Excuse-moi de te déranger, Né-hé, mais c'est important.

— Non, pas maintenant.

— Si. Il faut que tu m'aides tout de suite, Né-hé.

— C'est-à-dire que ce n'est *vraiment pas* le moment.

— Il y a urgence. Peux-tu m'accorder juste un petit instant ?

René lâche un soupir puis interrompt l'élan de sa partenaire.

— Désolé, dit-il.

— Quoi ?

— Geb veut me parler.

La jeune femme aux grands yeux verts manifeste sa surprise.

435

Légèrement contrariée, elle accepte de se séparer de son partenaire et s'enferme dans la salle de bains.

René se mord la lèvre, se met en position du lotus. Il referme les yeux et s'en va là où le devoir l'appelle.

103.

René comprend immédiatement la situation.

Les petits hommes sont des dizaines de milliers autour d'eux et tentent de les tuer. Plusieurs maisons de bois brûlent.

— Crois bien, Né-hé, que sans cet incident inattendu, je n'aurais jamais osé te déranger en dehors de l'heure de notre rendez-vous.

Le professeur d'histoire évalue rapidement la situation et cherche comment aider son ancien lui-même.

— Nous pourrions les repousser, mais ce n'est pas dans les habitudes atlantes d'interrompre la vie des autres, explique Geb.

— Là, c'est votre survie qui est en jeu. Vous devez les repousser coûte que coûte. On réfléchira plus tard à une stratégie plus pérenne. Pour l'instant, vous devez vous défendre. C'est ce qu'on appelle de la « légitime défense ».

— Tu nous conseilles de les tuer ?

— Je crains que vous n'ayez pas le choix. Dis aux autres Atlantes de frapper fort pour les effrayer. Pour eux, vous êtes des géants, après tout. Je pense que dès qu'il y aura des morts dans leurs rangs, les autochtones vont se calmer. C'est malheureux à dire, mais mes ancêtres sont comme les animaux, ils ne comprennent que le rapport de force. Tout se réduit à une alternative : tuer ou être tué.

– Vraiment, tu nous donnes l'autorisation d'enlever la vie à ceux qui sont probablement tes ancêtres ?

– Ce sont peut-être mes ancêtres génétiques, mais toi tu es mon ancêtre spirituel. Or j'accorde plus d'importance à l'esprit qu'à la matière.

Ayant obtenu la permission de son futur lui-même, Geb indique aux autres qu'ils peuvent y aller « plus franchement ». Alors, suivant le conseil de cet ex-capitaine qui les a déjà sauvés du Déluge, les cent quarante-quatre Atlantes se regroupent et frappent méthodiquement les hordes de petits humains qui foncent sur eux en hurlant. Ils en repoussent plusieurs groupes et parfois reprennent à coups de pied le travail commencé avec leur bâton.

L'effet est immédiat : dès qu'ils commencent à y avoir des morts, les petits humains changent de comportement, leurs vociférations martiales se transforment en glapissements destinés à susciter la pitié.

La seconde partie de la bataille est plus rapide que la première. Lorsque le combat tourne clairement à l'avantage des plus grands, un cri nouveau est poussé par l'un des primates, leur chef certainement, et, par vagues successives, les autochtones reculent puis battent en retraite dans la forêt.

Les Atlantes, soulagés, constituent une chaîne pour asperger d'eau les maisons incendiées.

– Ils vont revenir, dit René. Ils vont chercher des renforts. Ils ont vu qu'ils pouvaient mettre le feu à vos maisons, ils vont tenter d'utiliser cette arme pour compenser leur infériorité.

– Alors on fait quoi ? Nous devrons toujours nous battre contre eux ?

– J'ai peut-être une autre solution, Geb.

– Je t'écoute.

– Inventez une… religion.

– Je ne sais même pas ce que ce mot signifie.

– Vous êtes des géants, vous avez surgi de nulle part, vous possédez des connaissances techniques et spirituelles qui leur font défaut. Pourquoi ne pas vous faire passer pour des dieux?

– Qu'est-ce qu'un dieu?

René lui transmet les rudiments possibles d'une religion vénérant des dieux géants surgis de la mer.

Geb semble dubitatif.

– Et un truc aussi enfantin pourrait nous permettre d'éviter la guerre? s'étonne l'Atlante. Ils sont aussi naïfs, ces petits hommes?

– Leur imagination les desservira.

– Je ne comprends pas.

– Pour la plupart des humains, ce qui est de l'ordre de la croyance est plus important que ce qui est de l'ordre de la vérité.

L'Atlante paraît toujours dubitatif.

– Vous allez leur fournir une cosmogonie qui leur servira de repère.

– Une cosmogonie?

– C'est une manière d'expliquer comment l'univers est né et pourquoi il est comme cela et pas autrement, pourquoi ils sont nés et pourquoi ils vont mourir.

– Mais…

– Pour l'instant, ils n'ont rien de tel, ils n'ont que des récits de chasse et ce sont toujours les mêmes, qui remontent tout au plus à trois générations avant eux. Ce qui a précédé, ils l'ignorent. Leur origine et leur existence même restent de l'ordre du mystère.

– Ah, je commence à comprendre…

– En créant une religion, vous allez non seulement leur fournir une grille de lecture de tout ce qui est arrivé avant eux, mais aussi un aperçu de ce qui risque d'arriver après eux.

– Passionnant.

– Vous allez apporter des réponses à leurs questions.

– Fausses.

– Ils s'en fichent ! Tout ce qu'ils veulent, c'est un scénario crédible et qui les fasse rêver. Soyez créatifs, imaginatifs, pensez à construire des images fortes. Par exemple, vous pouvez démarrer avec « Au commencement était la lumière » ou « Au commencement était le souffle de vie » ou « Au commencement il y avait deux énergies, une énergie mâle et une énergie femelle ». Quelque chose dans cet esprit-là.

– L'exercice commence à m'amuser, avoue l'Atlante, surtout s'il peut nous permettre d'apaiser ces sauvages.

– Ensuite, vous expliquerez que de la lumière ou des énergies mâle et femelle sont apparus les premiers géants et que ce sont eux qui, par exemple, ont inventé les petits hommes.

– Et ils vont croire cela ?

– Bien sûr, ils n'ont aucune autre manière d'expliquer leur propre existence. C'est là le pouvoir de la religion : occuper le vide laissé par l'ignorance.

– Impressionnant.

– Vous allez ajouter que vous avez été chassés du paradis.

– Ha-mem-ptah ?

– Appelez-le « le paradis ». Ensuite vous leur expliquerez que l'esprit et le corps sont séparés et qu'après la mort l'esprit survit.

– Et ils vont le croire ?

– Si vous inventez une jolie histoire, cela ne fait aucun doute. Il faudra rendre cela un peu poétique, joli, spectaculaire. Mettez-y de l'émotion. Il faut que le récit lui-même soit rempli de fracas, de peur, de visions impressionnantes.

– Je pourrais leur parler de la rouar.

– Parlez-leur de lumière et de vie, ce sera plus facile pour eux à comprendre.

– Et s'ils ne nous croient pas ? Si quelqu'un d'autre leur raconte une histoire différente ?

– Ce sera votre qualité de conteur qui créera la différence. Celui qui a la meilleure histoire gagnera.

Voyant que son ancien lui-même semble inquiet à l'idée de créer une religion, René décide de s'inspirer de ce dont il se souvient des cultes égyptiens les plus anciens. Il lui communique avec le maximum de détails la cosmogonie des origines que laissent deviner les papyrus. Geb mémorise sans difficulté le mécanisme qui va permettre d'associer les géants à des dieux venus pour les sauver.

– Voilà, il me tarde de savoir quelle sera leur réaction à la religion que vous allez leur révéler. Et surtout, n'oubliez pas de tout consigner sur les rouleaux.

– Tu peux compter sur moi, répond l'Atlante.

Les esprits des deux hommes se déconnectent. Quand René ouvre les yeux, Opale s'est rhabillée et endormie. Il est partagé entre la joie, la satisfaction, la frustration et l'inquiétude.

Joie d'avoir trouvé la caverne aux deux squelettes géants et deux jarres de terre cuite. Satisfaction que sa compagne de voyage s'intéresse enfin à lui. Frustration d'avoir dû interrompre leur échange charnel. Inquiétude pour les cent quarante-quatre Atlantes qui risquent d'être tués par les petits hommes.

Quelle journée extraordinaire. Tout semble se passer malgré moi pour le meilleur. Il faut que je renonce à vouloir tout contrôler et que j'accepte que le destin se déroule comme il doit se dérouler. Lâcher prise.

Alors, songeant aux bonheurs qui l'attendent : révéler au grand public l'existence de l'Atlantide, peut-être poursuivre son histoire avec Opale, il s'endort.

Si tout va bien, demain l'ancien monde connaîtra enfin la paix grâce à l'invention d'une religion. Demain le nouveau monde connaîtra enfin la paix grâce à la révélation de ses origines.

104. MNEMOS. LA MYTHOLOGIE ÉGYPTIENNE.

Dans la mythologie égyptienne, au commencement étaient Geb et Nout.

Geb était le dieu de la Terre, des fruits, des arbres et des minéraux. Nout était la déesse du ciel, donc aussi de la pluie, des nuages et des étoiles.

Ces deux divinités étaient inséparables.

Geb inventa le gouvernement des hommes et fut le premier roi d'Égypte. Le mot « pharaon » signifie « trône de Geb ».

Geb est représenté sur les papyrus comme un géant portant une barbe et une couronne rouge en trois parties. Il est aussi représenté avec, dans la main droite, le symbole de la réincarnation, l'Ankh, et dans la main gauche une oie, symbole de prospérité.

Geb est honoré aussi comme le dieu de la mémoire. C'est lui qui est censé guider la main des scribes dans leur récit de l'histoire des hommes.

105.

L'hélicoptère atterrit à 17 heures, sur un parking proche de l'hôtel Siwa Lodge. Élodie est accompagnée de trois personnes.

– Tu ne peux pas savoir comme cela me fait plaisir de te revoir, René.

– Et moi donc !

Une fois que le vacarme des pales s'est estompé et que l'hélicoptère est parti, la jeune femme présente ceux qui l'accompagnent.

– Gauthier Carlson.

Le journaliste porte une tenue d'explorateur colonial.

– René Toledano. Je suis très honoré, dit-il en serrant la main de la star de la télévision.

– Je suis venu avec mon équipe.

Une jeune femme brune ainsi qu'un homme chauve lui serrent la main. À son tour le professeur d'histoire présente l'hypnotiseuse.

– Et voici Opale qui a découvert la caverne avec moi.

Tous se saluent.

René les invite à discuter dans le patio à l'entrée de leur hôtel.

– Je suis enchanté que vous soyez venus si vite, dit le professeur d'histoire.

– Ne perdons pas de temps en mondanités ! Dès qu'Élodie m'a parlé de ton histoire et m'a montré les images, j'ai été sidéré, René, tu m'entends ? Si-dé-ré.

Le tutoiement direct le surprend.

– Je ne sais pas comment tu as fait ce coup, mais je te garantis que toi et moi, René, on est faits pour s'entendre. Je compte bien, avec ton histoire, frapper un gros coup qui va occuper les médias pendant plusieurs jours, tu vois ?

– Euh oui, je vois.

René se tourne vers les deux personnes qui les accompagnent.

– Elle, c'est Cerise, qui sera notre camérawoman.

La jeune fille brune esquisse une révérence.

– Ravie d'être sur ce reportage. Quand Gauthier m'a parlé du projet, cela m'a rappelé tous les films de mon enfance. C'est cool.

– Et Nicolas se chargera de la prise de son.

L'homme est gros, blond, avec une fine barbe et un tee-shirt sur lequel est inscrit « IRON MAIDEN », le groupe de hard-rock anglais.

Le journaliste se place devant ses deux accompagnateurs.

– J'ai réuni les meilleurs pour qu'on obtienne une qualité d'image cinématographique. Du cadre, de la lumière, du son, ça coûte cher, mais ça peut rapporter beaucoup.

– Pour ma part, j'ai dans cette grosse malle le matériel nécessaire pour faire une expertise, rajoute plus modestement Élodie, pour prendre les mesures scientifiques.

– Merci d'avoir été aussi rapide à réagir, dit René. Si vous voulez on peut y aller dès que vous vous serez tous rafraîchis.

– Je ne sais pas si Élodie te l'a dit, René, mais j'ai obtenu un passage en direct ce soir au journal national de 20 heures. C'est le maximum de couverture médiatique qu'on puisse souhaiter.

– Bravo !

– Je pense que l'idéal serait que nous filmions tout en arrivant, caméra à l'épaule. Nous découvrirons le site avec toi qui nous guideras, René, c'est jouable ? Comme ça, on conviera en direct tous nos spectateurs à une aventure incroyable.

Il lui donne une grande tape dans le dos.

– De nos jours, les gens sont blasés. Si on n'arrose pas de sauce l'actualité, ils trouvent tout fade. C'est contre cela que nous nous battons, René : l'indifférence et l'oubli. Comment obtenir l'attention du spectateur alors qu'il vient de voir des corps déchiquetés par une bombe, d'assister au discours haineux d'un dictateur qui appelle à la destruction massive, d'apprendre le résultat d'un match de football, ou qu'une grève-surprise va bloquer tout le pays ? Comment faire mieux que ça ? Je te pose la question, René.

– Euh… je ne sais pas.

– Si, tu le sais, René. Il faut du sensationnel, de l'extraordinaire, du merveilleux, du jamais-vu, du « pincez-moi, je rêve », du « complètement dingue », du « si j'en parle à mes voisins et qu'ils l'ont raté ils vont être verts de jalousie ». Tu vois, René ?

Je comprends surtout qu'en tant que journaliste télévisé il fait comme les hypnotiseurs : il obtient l'écoute et l'attention pour ensuite manipuler. Et lui, son truc, c'est de répéter mon prénom pour que je me sente bien concerné.

– Voilà le challenge, René. Je veux un audimat qui fasse péter tous les compteurs. Vingt millions de spectateurs, la langue pendante, qui s'arrêtent de parler, de manger, de baiser, de calomnier leur voisin. Je veux la France entière hébétée, comme après l'assassinat de Kennedy, les premiers pas de l'homme sur la Lune, le World Trade Center, ou la finale France-Allemagne.

Son truc c'est aussi de saouler avec des mots.

– N'oublie pas, René, l'ennemi c'est le désintérêt. Et la solution, la mise en scène qui surprend. C'est pour ça que j'ai engagé Nicolas et Cerise. Cerise a été chef-op sur le film *Les Cadavres du désert*, donc elle connaît parfaitement les lumières de ce genre de décor. Elle sait faire un ralenti sur une maison qui s'effondre,

444

elle sait zoomer sur une mère qui pleure, le corps de son enfant dans les bras. Nicolas a eu le prix de la meilleure prise de son pour *Hurlements au château*, un film d'horreur que tu as sûrement vu, René. Il a même travaillé en caverne, il sait régler les problèmes acoustiques de réverbération. Il sait saisir l'instant où il faut que le bruit de la respiration apeurée soit assourdissant.

– Ah ? Mais notre découverte ne relève pas du registre de l'épouvante, plutôt de l'histoire et de la science.

– Justement, René, c'est cela le problème. Tu vois, quand j'ai commencé dans le métier de journaliste, je me demandais pourquoi on n'annonçait que des atrocités dans les journaux. Eh bien je te pose la question : pourquoi la vision de ces cadavres, de ces massacres, des accidents de voiture et des terroristes ? Pourquoi ?

– Eh bien…

– Mais oui, parce que c'est cela qui provoque le maximum d'émotion ! On ne fait pas d'audimat avec des bonnes nouvelles. Tu crois que cela intéresse les gens de savoir qu'il y a de moins en moins de morts de la famine dans le monde ? Ou que le trou dans la couche d'ozone se résorbe naturellement ? Que la pollution baisse à Paris grâce aux voitures électriques ? Non, ce qui les intéresse, c'est la peur. Peur de la pollution, peur du terrorisme, peur de la guerre, peur du fascisme, peur des robots qui vont piquer leur boulot, peur de l'intelligence artificielle qui va gouverner le monde. C'est comme cela qu'on…

– … guide le troupeau de moutons ?

– Ah, tu es un plaisantin, René ! C'est rare pour un prof, mais j'aime ça. Mais je vais te donner la bonne réponse. C'est comme cela qu'on obtient l'émotion maximale, celle qui fait que les gens restent sur la chaîne, ne zappent pas et voient les publicités qui leur donnent envie d'acheter des trucs dont ils n'ont pas besoin pour se rassurer. La consommation est la résultante de la peur.

– Ah ?...

– Et c'est cet argent des pubs qui nous paie nos salaires. Plus de peur, plus d'émotion, plus d'attention, plus de publicités, plus d'argent... et plus on vend du dentifrice, de la lessive, des couches, des biscuits au chocolat, des voitures, des vacances, du jambon fumé et des yaourts.

– Je pensais pourtant que...

– C'est notre monde. Le seul problème, c'est qu'on est entrés dans la surenchère. Avant, un simple meurtre d'enfant jeté dans le fleuve suffisait à tenir le pays en haleine, maintenant si ce n'est pas au minimum un réseau pédophile dirigé par un ministre, les gens n'écoutent même plus. Il leur faut toujours plus de sensationnel. Alors on ajoute de la musique, la larme dans l'œil du présentateur, on montre les corps des accidentés et des victimes, on fait des gros plans sur les veuves éplorées. Sur place, le journaliste interroge directement les victimes : « Est-ce que c'est vraiment aussi affreux à vivre que cela en a l'air ? » Que veut le peuple ? Du pain et des jeux, comme il était inscrit sur le fronton des arènes romaines.

– Euh... non, pas vraiment. C'est plutôt une expression utilisée par...

– Bon, tu m'as compris, quoi. Ne pinaille pas et n'essaie pas de m'impressionner avec tes cours d'histoire. Un, je m'en fous ; deux, l'important ce n'est pas d'être exact mais, trois, que le spectateur s'arrête de manger quand on va lui donner l'info.

Ce type est dingue.

– L'émotion négative l'emportera toujours sur l'émotion positive parce que entre la personne qui veut te donner une gifle et celle qui veux t'offrir un gâteau, tu accorderas toujours plus d'attention à la première. C'est humain. C'est même animal. Tu vois, René, on est programmés comme ça depuis la préhistoire. Peut-être que, déjà à l'époque, l'arrivée d'un lion intéressait plus que la découverte d'une ruche. Le négatif c'est plus fort, donc meilleur pour l'audimat.

Il lui donne une grande tape dans le dos.

— Bon, mais assez philosophé. Nous sommes donc face à un redoutable challenge, si j'ai bien compris : intéresser les gens alors qu'il n'y a pas de morts…

— C'est-à-dire qu'il y a deux squelettes, mais ils sont décédés il y a 12 000 ans, croit bon de préciser Opale.

Le journaliste ne lui prête aucune attention.

— Pas d'enfant qui pleure, pas même d'ambulance avec des gens qui poussent des cris affolés, hein ? Cela va être difficile de conserver l'attention du spectateur. Surtout que la chaîne concurrente va ouvrir son journal par l'histoire de ce rappeur qui s'est fait arracher la main par son pitbull durant le tournage d'un clip. Ils ont pu récupérer les images. Il paraît que le chien jouait avec la main comme une balle avant que le rappeur ne l'abatte à bout portant avec sa main valide. Il y a du sang, il y a des cris, il y a du chien, il y a du rap, il y a de la célébrité, je ne te cache pas que c'est un sujet parfait, d'autant plus que ces salopards ont obtenu l'exclusivité. Je ne sais même pas le nom du chanteur. Personne ne le sait et tout le monde veut le savoir ! Ça va être difficile de concurrencer ça.

Il faut que je continue de sourire et que je fasse semblant de m'intéresser à ce que raconte ce type. C'est pour la bonne cause.

— Malgré tout, j'ai pu convaincre mon rédac' chef qu'on tenait du lourd, et le lourd c'est toi, René. Mais cela ne marche que si on fait du lourd « et » du beau. Façon chaîne culturelle, mais avec du sensationnel malgré tout. Pour la lumière, je propose qu'on crée une ambiance explorateur à l'ancienne avec des torches enflammées. Évidemment, l'idéal ce serait des serpents à mettre en premier plan, mais vu le temps imparti, il ne faut pas rêver. J'ai aussi prévu des costumes pour vous deux, qu'on soit tous raccord. Un peu façon Indiana Jones, quoi.

Nous sommes dans la société du spectacle qu'avait décrite Guy Debord. L'histoire est devenue un produit de consommation, comme la nourriture, et comme pour la nourriture des fast-foods, il faut l'arroser de sauce sucrée ou pimentée pour que cela ait plus de goût.

— Mais ne t'inquiète pas, René. Comme je te l'ai dit, tu es avec les meilleurs. J'avais déjà fait le même coup pour la découverte de la loge secrète dans la pyramide de Khéops il y a six mois. Tu te souviens, René ?

— Euh non, désolé.

— Eh bien, tu me croiras ou non, René, mais sur Khéops on est arrivés à obtenir plus d'audimat que la chaîne concurrente qui avait ouvert son journal sur une star de la téléréalité qui a poignardé son compagnon à coups de couteau. Les salauds, ils avaient même accompagné leur reportage avec la musique de *Psychose*. Du coup, on peut dire que j'ai pas mal d'expérience de ce genre de situation. Et Nicolas et Cerise étaient déjà avec moi. On avait mis en fond sonore la musique de *La Momie*, je peux te dire que l'audimat a grimpé. Et j'ai même eu une prime pour ça. D'ailleurs c'est un peu grâce à Khéops que j'ai pu leur vendre ton oasis de Siwa. L'Égypte, c'est mon truc. On a déjà trouvé un titre, d'ailleurs : « UN TRÉSOR MILLÉNAIRE RETROUVÉ

DANS LE DÉSERT ÉGYPTIEN », et le sous-titre : « LES MANUSCRITS RETROUVÉS DE L'ATLANTIDE ».

La jeune femme brune fait un signe modeste.

– À Paris, ils ajouteront la BO d'*Indiana Jones*. Juste pour que cela agisse sur l'inconscient, dit-elle.

Eh bien voilà, maintenant au moins, c'est clair. Je comprends la motivation de Gauthier.

– Et ce n'est pas tout, signale le journaliste avec fierté, j'ai obtenu un direct sur Internet. J'ai déjà averti tous mes followers : « Événement mondial en direct ».

René leur sert de l'eau agrémentée d'une rondelle de citron.

– Tu vois, René, nous souhaitons toucher un maximum de gens car c'est l'occasion de réhabiliter la pensée de tous ceux qui, depuis la nuit des temps, ont prétendu que l'Atlantide existait.

– Déjà en –500 avant Jésus-Christ, Pythagore évoquait l'Atlantide et personne n'y croyait et, 150 ans plus tard, quand Platon en reparlait dans son *Critias*, il a été l'objet de moqueries et de quolibets de la part de tous les philosophes de l'époque.

– Non, je ne pensais pas à Pythagore et Platon. Je pensais plutôt à la bande dessinée d'Edgar P. Jacobs, *Blake et Mortimer* et à l'album *L'Énigme de l'Atlantide*.

– Ah oui, bien sûr, désolé. Nous n'avons pas les mêmes références.

– Nicolas, tu cadres les intervenants légèrement d'en dessous pour qu'on ait l'impression que c'est un professeur qui nous donne un cours. Par contre, René, il faudra que tu soignes ton élocution. Articule mieux, et puis tu as un tic, tu dis tout le temps « désolé », tu vois, René ?

– Ah oui, désolé. Enfin, navré.

Comme il me tarde d'être ce soir.

– N'hésitez pas à user de superlatifs. Tu dis bien qu'après cette découverte tout sera différent. Qu'il faudra revoir les livres d'histoire, car l'existence d'un peuple de géants issus de l'Atlantide qui aurait colonisé et instruit les sauvages explique la naissance de toutes les civilisations. Cela explique aussi la construction des pyramides, car je t'avouerai qu'en visitant Khéops, en voyant ces gros blocs lourds de plusieurs tonnes, je me disais qu'aucun humain, même des milliers d'esclaves, ne pouvaient manipuler de telles masses.

– C'est le chaînon manquant de notre histoire, approuve Opale qui ne veut pas être en reste.

– Alors c'est toi l'hypnotiseuse ? Il faudra que tu me fasses une séance quand tout sera terminé : je n'arrive pas à m'arrêter de fumer. Et puis, je suis trop nerveux. Je suis incapable de me laisser aller.

– Dans ce cas, cela ne marchera pas. Pour que l'hypnose fonctionne, il faut que vous vous détendiez.

– Dans les émissions de télé sur ce sujet, tout le monde entre pourtant en transe, il me semble.

– Les cobayes sont souvent triés et préparés avant l'émission. Je ne peux pas vous forcer à vous relaxer. C'est un travail que vous devez accomplir seul et ce n'est qu'ensuite que je pourrai vous aider à aller plus loin dans la détente.

Il la regarde, puis éclate de rire.

– J'adore ton humour, Opale. Quoi qu'il en soit, pour ce soir, ce n'est pas de détente que j'ai besoin, c'est plutôt d'une tension extrême. Il faut que je sois complètement focus pour tenir les gens en haleine au fur et à mesure que nous dévoilerons le pot aux roses.

– En l'espèce, ce sont plutôt des «jarres aux parchemins», précise la jeune femme.

– Et les squelettes, ils sont comment? Deux hommes?

– Non, un couple. La différence de sexe est rendue évidente par les bassins nettement différenciés. Vous verrez, l'homme est un peu plus grand. Et ils se tiennent par la main ou, tout du moins, les phalanges de la main droite de la femme se mélangent aux phalanges de la main gauche de l'homme.

– Roméo et Juliette version il y a 12 000 ans, c'est parfait.

– Attends! J'ai peut-être mieux à proposer comme titre, dit Cerise. Peut-être que « LA GROTTE AUX SQUELETTES DE GÉANTS », ce serait plus vendeur.

– Tu as raison. L'Atlantide, plus personne ne sait ce que c'est. Les squelettes de géants c'est beaucoup mieux. Tu es vraiment la meilleure, Cerise.

Le journaliste regarde sa montre.

– Mais on cause, on cause, et le temps avance. Allez, préparez-vous tous, je crois qu'on ferait bien de se mettre en route.

– J'ai le temps de me raser? demande René.

– Surtout pas! Il te faut un look de baroudeur. Tu es l'historien qui va sur le terrain vérifier l'information. Imprègne-toi bien de ton personnage, s'il te plaît. Et toi, Opale, je voudrais aussi que tu apparaisses à l'écran, tu es télégénique, surtout si tu ouvres bien ton décolleté. Bon, on va te maquiller. Toi aussi il faut que tu sois dans la peau de ton personnage. Tu es comme l'actrice du premier *Indiana Jones*. Elle s'appelle comment déjà, Nicolas?

– Je ne me souviens pas non plus.

– Et toi, Cerise?

– Non plus.

– Bon, bref, on s'en fout de son nom, c'est pas ce qu'on va en retenir… donc, l'actrice brune qui marche avec lui.

Compte tenu de l'enjeu, Opale préfère avaler sa salive. René lui adresse un geste qui signifie : « Je sais, je pense la même chose que vous. »

– Élodie, tu joueras la scientifique sceptique qui est obligée de se rendre à l'évidence devant les preuves irréfutables. Tu pourras lui mettre un micro-cravate, Nicolas ?

Il change de voix quand il s'adresse à quelqu'un à qui il demande un service. Peut-être sont-ce des résidus de voix de ses vies antérieures. Sa voix de patron, sa voix d'employé mielleux qui réclame une augmentation, sa voix de charmeur, sa voix d'intimidation.

– Chacun a bien son rôle en tête ? Cerise, tu alternes plans larges de la caverne et plans serrés sur les visages pour capter les regards. Un coup sur lui puis sur les deux femmes qui suivent, pour apporter un peu de fraîcheur à l'image. Et surtout, n'oublie pas l'émotion, je veux de l'émotion.

Tous approuvent. René monte dans sa chambre pour se préparer. Il se regarde dans le miroir.

C'est le grand jour. Enfin, le monde entier va savoir.

Opale, derrière lui, lui adresse un signe complice qui signifie « ils ne font pas partie de notre famille d'âmes, mais grâce à eux on peut réussir ».

Je crois qu'on commence à se comprendre sans se parler.

106.

Geb s'avance vers la foule des milliers de petits hommes qui les menacent de leurs piques, de leurs lances, de leurs arcs. Derrière lui, Nout et une dizaine d'Atlantes suivent dans une lente procession.

Les minuscules indigènes semblent inquiets, mais la curiosité l'emporte sur la frayeur. Ils poussent plusieurs fois des cris aigus destinés à intimider ceux qui leur font face.

Celui qui semble être le chef des petits indigènes s'avance et se place en face de Geb. Il porte une jupe en peau de bête et un collier formé d'os. Un os plus large, placé dans ses narines, traverse sa cloison nasale de part en part.

Il est juché en haut d'une colline pour avoir ses yeux à la hauteur de son interlocuteur. Geb tend son index. Le petit chef montre les dents, grimace, puis, voyant que cela n'a pas d'effet dissuasif, finit par tendre lui aussi son minuscule index. Le contact a lieu.

Geb sait qu'il va pouvoir utiliser ses pouvoirs télépathiques pour entamer le dialogue. Le chef indigène ferme les yeux et reçoit le message du géant.

Laisse l'énergie de vie circuler entre nous deux. Comprends que c'est la même énergie qui circule dans nos deux corps. Comprends que je peux t'aider à évoluer.

Je peux t'apprendre à vaincre la peur. Je peux t'apprendre à rendre ton âme immortelle. Je peux t'apprendre l'amour.

Mais, pour cela, il faut que tu sois attentif, que tu m'écoutes et que tu cesses de vouloir détruire ce qui t'échappe.

Le minuscule indigène ouvre grand les yeux, puis se prosterne. Geb exige un nouveau contact d'index à index.

L'échange télépathique dure plusieurs minutes, le temps pour Geb de faire entrevoir à cet être primitif l'intérêt qu'il y a à élever sa conscience. À la fin, le chef indigène se retourne vers son peuple et s'adresse à lui. Sa voix est très aiguë. Cela évoque aux Atlantes un gazouillis d'oiseau.

À la fin de son discours, il y a un temps de flottement. Enfin, les petits hommes déposent leurs armes et se prosternent eux aussi aux pieds des Atlantes et scandent la même syllabe :

« GEB ! » « GEB ! » « GEB ! »

Les géants venus de la mer sont rassurés.

Nout chuchote à Geb :

– Il faudra aussi que tu consignes cet épisode demain sur le rouleau.

107.

Une araignée velue, effrayée, se réfugie dans un trou. Le bruyant groupe d'explorateurs humains et de journalistes approche de la caverne.

Gauthier Carlson annonce qu'ils sont désormais en direct sur la chaîne nationale. Nicolas tend la perche avec le micro, tandis que Cerise, caméra sur l'épaule, règle la balance des blancs, puis fait la mise au point. Enfin, quand la petite diode rouge s'éclaire, ils savent qu'ils sont désormais sur les ondes. Gauthier se lance :

– Chers téléspectateurs, vous allez assister à un événement historique pour la télévision : on va vous révéler un nouveau site archéologique qui va probablement bouleverser nos connaissances des origines de l'humanité. En effet, cette montagne au milieu du désert que vous voyez, filmée par notre équipe, est le lieu où le professeur René Toledano et son assistante ont fait pas plus tard qu'hier une découverte extraordinaire. Nous sommes ici en plein milieu du désert, dans l'oasis de Siwa dans l'ouest de l'Égypte, pas loin de la frontière libyenne, au cœur de la montagne blanche.

Ils marchent vers la grotte. Gauthier est en premier, suivi par René, Élodie et Opale qui brandissent comme convenu leurs torches pour éclairer les parois.

– Professeur Toledano, racontez-nous votre découverte. C'était hier, n'est-ce pas ? Vous êtes entré pour la première fois dans ce temple de roche, en faisant au préalable sauter à l'explosif l'énorme rocher qui en obstruait l'entrée. Me vient une première question : comment avez-vous su que vous découvririez quelque chose à cet endroit précis, professeur ?

– Eh bien, grâce à l'hypnose. J'étais en séance avec Opale Etchegoyen – c'est d'ailleurs comme cela que nous nous sommes rencontrés et…

René s'arrête net. Dans la zone sableuse, il aperçoit des traces de pas qui ne sont ni les siennes ni celles d'Opale.

Il y en a trop. Beaucoup trop. Des gens sont venus ici après nous. Au moins trois personnes. Et il y a aussi des traces de pneus. Ils avaient donc soit un chariot, soit un élévateur. Qu'est-ce que je fais ? Il faut tout arrêter.

Gauthier fronce les sourcils, il parle dans son micro, l'air grave.

– Et donc là, en nous enfonçant dans ce tunnel rocheux, nous allons comme vous hier découvrir ce lieu où se sont réfugiés… les Atlantes, enfin plus précisément un couple d'Atlantes. Oui, vous avez bien entendu, mesdames et messieurs, des Atlantes ! C'est ça l'énorme découverte qu'a faite hier René Toledano, hein, René ?

– Euh, oui, en effet, balbutie René soudain mal à l'aise.

Le journaliste, voyant le trouble de son vis-à-vis, tente de compenser.

– Ils s'y sont donc réfugiés pour mourir, mais aussi pour déposer dans de grandes jarres de terre cuite des rouleaux de parchemin qui décrivent leur civilisation avant qu'elle ne soit engloutie, c'est bien cela, professeur Toledano ?

René ne parle plus, il avance de plus en plus vite, s'éclairant non plus de sa torche enflammée, mais d'une torche électrique, beaucoup plus puissante. Sur le chemin, il trouve les stalagmites brisées, comme si un tank était passé et avait tout pulvérisé. Partout, des débris rocheux. René dépasse le champ de la caméra et là, il voit.

Oh ! Non pas ça ! PAS ÇA !

Cerise le rejoint, continuant de filmer, Nicolas tient la perche. Tous peuvent observer la situation : la salle est complètement vide. Seules des marques de pas et de pneus dans les zones sableuses témoignent que la grotte a récemment été visitée.

CE N'EST PAS POSSIBLE ! PAS ÇA !

René tombe à genoux.

– OH NOOOONNNNN ! PAS ÇA ! PAS MAINTENANT !

Tous sont atterrés. Gauthier Carlson est le plus prompt à réagir. Il occupe tout l'espace visuel face à la caméra et déclare à toute vitesse :

– Désolé, petit problème technique, nous allons devoir rendre l'antenne, nous vous tiendrons au courant de la suite des événements. Ici Siwa dans le désert égyptien, à vous Paris pour la suite des actualités.

René tremble de rage. Opale, tout aussi sidérée, s'approche de lui. Gauthier éructe :

– Une arnaque ! C'était une arnaque ! Vous m'avez ridiculisé

456

devant des millions de téléspectateurs! Et moi qui vous ai fait confiance! Vous me le paierez!

Élodie grimace. Cerise baisse sa caméra, déçue. Nicolas lâche un soupir désabusé. Gauthier ne décolère pas, il pointe du doigt le professeur d'histoire.

– Escroc! Vous m'avez humilié devant des millions de téléspectateurs. Jamais je ne vous pardonnerai ça, vous m'entendez, jamais!

Déjà il fait signe aux autres de repartir. Élodie, après une hésitation, s'en va avec les trois journalistes, laissant seuls René et Opale.

René se fait rouler sur le côté et s'étend sur le dos, dans une position assez proche de celle du squelette de géant. Instinctivement, Opale vient se placer exactement dans la même position que le squelette féminin. Leurs deux mains se touchent, puis se serrent.

Soudain, Opale éclate de rire, rapidement suivie par René.

Ils rient longtemps et leurs éclats résonnent en écho dans la caverne. Puis leurs rires ralentissent et cessent. Ils restent longtemps silencieux.

– C'était trop beau.

Ils restent là, les mains soudées. Soudain, plusieurs silhouettes en uniforme font leur entrée. L'homme qui ouvre la marche dégaine son révolver et dit dans un anglais au fort accent :

– Police! Vous êtes en état d'arrestation.

108.

Des offrandes sont déposées à leurs pieds. Un tam-tam joue pour tenter de les détendre. Des danseuses se contorsionnent en leur lançant des sourires respectueux.

Nout, installée sur un trône, contemple les populations de petits humains qui viennent en longues processions déposer des cadeaux et de la nourriture pour les satisfaire. Elle a l'impression que tout a été trop facile : depuis que Geb a inventé la religion, ces petits hommes accourent de partout pour les servir avec dévotion. Cela lui semble presque malsain.

Elle se tourne vers son compagnon, lui aussi installé sur un trône. Ce dernier hoche la tête en signe d'approbation à chaque nouvel élément déposé à ses pieds.

— Je n'arrive pas à comprendre comment on peut passer aussi vite de l'envie de tuer à celle de vénérer.

— René m'a permis de le comprendre : l'imaginaire de ces hommes est d'autant plus fort qu'il n'est pas vérifié. Ils sont complètement soumis à leurs croyances, alors ils ne réfléchissent pas et adorent obéir à des maîtres auxquels ils prêtent des pouvoirs magiques.

— Quand même, tu as vu à quelle vitesse ils sont passés de la haine à l'adoration !

— Ils semblent heureux de nous servir. Nous allons leur apporter tellement de connaissances qu'ils vont considérablement évoluer. Tu t'imagines combien de milliers d'années il leur aurait fallu s'ils n'avaient pas eu la chance de nous rencontrer ?

— Ils y seraient peut-être arrivés sans nous.

— Je ne crois pas. Nous allons leur offrir l'écriture, la médecine, la réincarnation, l'architecture.

— Tu as créé une religion très subtile, dit Nout. J'admire ta créativité.

— Né-hé m'a donné les grandes lignes, ensuite c'était facile. Je n'ai fait que suivre ses recommandations.

Nout observe une petite femme qui brandit devant elle une

statuette en bois la représentant. Elle s'en saisit et laisse échapper un soupir, puis à son tour hoche la tête en signe de remerciement.

– Quand même. J'ai l'impression que nous abusons de notre ascendant sur eux...

– L'important c'est la rédaction de notre rouleau. À ce sujet, la dernière fois que je lui ai parlé, Né-hé m'a demandé que tous les deux, nous portions en permanence un collier avec un dauphin bleu.

Nout claque dans les mains. Aussitôt, deux petits humains accourent.

Elle leur indique qu'elle veut manger. Quelques secondes plus tard, ils croulent sous les minuscules fruits locaux.

– Cela me surprend qu'ils s'épanouissent à ce point dans la soumission.

– Pourquoi vouloir à tout prix être libre et indépendant ?

– Ils ne peuvent quand même pas aimer être soumis.

– Et pourquoi pas ?

Geb leur signifie d'un geste qu'ils doivent tous déguerpir car ils souhaitent s'entretenir tranquillement entre dieux. Il invite Nout à le suivre vers une table et déploie un parchemin sur lequel il a déjà écrit de nombreuses lignes.

– Maintenant, grâce à ces rouleaux, il n'y aura plus de risque qu'on nous oublie. Tous les gens du futur sauront en détail comment on vivait sur notre île avant le Déluge.

Geb reprend son bambou taillé pour poursuivre la rédaction de l'histoire d'Ha-mem-ptah, de sa destruction et de leur installation en Égypte.

– Applique-toi, car si j'ai bien compris, dans 12 000 ans, ils seront huit milliards. Ce qui fait huit milliards de personnes qui pourront lire ce que tu écris maintenant.

Geb approuve.

– Et alors ce sera la gloire de Né-hé, l'homme qui aura révélé notre existence à ceux qui croyaient que nous n'étions qu'une légende.

108.

L'atmosphère est étouffante. Le diplomate sue à grosses gouttes. Il s'éponge le front avec son mouchoir marqué de ses initiales JCDV.

Face à lui, René, en tenue rouge, affiche un visage impassible. Le jeune homme présente sa carte de visite où est inscrit « Jean-Charles de Villambreuse, assistant culturel à l'ambassade de France au Caire ».

– Vous savez où vous êtes ?

– Non.

– Dans la prison de haute sécurité de Tora, appelée aussi Prison Scorpio. Dès que j'ai appris votre arrestation, monsieur Toledano, j'ai voulu savoir pourquoi on vous avait enfermé dans un tel endroit, réservé essentiellement aux opposants politiques. Et j'ai voulu vous rencontrer, annonce le jeune homme qui semble à peine avoir une vingtaine d'années.

Jean Charles… de Villambreuse ? Est-il possible que ce soit le descendant « organique » de Léontine ?

Depuis son arrestation dans la grotte de Siwa, le professeur d'histoire a bien senti que la réaction de la police était légèrement disproportionnée. On l'a traité comme un dangereux criminel.

Opale et lui ont été emmenés sous escorte renforcée vers cette prison de haute sécurité. Et, à son arrivée, il a été séparé de l'hypnotiseuse, emmenée dans un couloir adjacent.

On lui a confisqué ses affaires, puis fait une fouille au corps et on lui a intimé de porter une tenue qui ressemble à un pyjama rouge. Sa cellule mesure tout au plus trois mètres sur trois, avec un lavabo et un trou dans le sol en guise de toilettes. La fenêtre est une fente de dix centimètres.

Ils m'ont mis dans une « oubliette ».

René se souvient de cette punition des châteaux forts de la France médiévale. Il s'était dit à l'époque qu'il fallait être sacrément vicieux pour mettre ses congénères dans de tels lieux. Et maintenant, il en fait lui-même l'expérience.

Je suis dans une poubelle pour êtres humains.

Même sa cellule capitonnée de l'hôpital Marcel-Proust lui semble un palace à côté de ce trou à rats puant.

Peut-être qu'Opale est aussi mal traitée.

Un gardien lui a déposé un plateau de nourriture, un morceau d'os qui semblait avoir été déjà rongé par un chien, accompagné d'une miche de pain rond, rassis. Ensuite, il a attendu. Pas le moindre contact humain, pas de télévision, pas d'avocat, juste le temps qui passe et l'énervement qui monte.

Entre la déception de la montagne blanche, la culpabilité d'avoir entraîné dans ce cauchemar des gens qui lui faisaient confiance (*Ma pauvre Opale, tu aurais mieux fait de ne pas me choisir à La boîte de Pandore !*), et la peur de ce qu'il risque d'arriver (*un lent pourrissement dans cette oubliette*), il ne peut plus penser sereinement et s'avère incapable de toute autohypnose. Les quelques fois où il est parvenu à descendre les marches, il s'est retrouvé face à la porte fermée.

Et puis, on est venu le chercher et on l'a emmené dans le parloir où l'attend ce jeune homme au visage de premier de la classe, habillé comme s'il se rendait à un cocktail mondain, avec veston et cravate.

– Puis-je savoir ce qui est arrivé à mademoiselle Etchegoyen ? demande René.

– Mademoiselle Etchegoyen et vos quatre autres amis sont aussi dans la prison.

– Et quel est le motif de notre arrestation ?

Jean-Charles de Villambreuse baisse les yeux.

– Je crains de ne pas avoir de bonnes nouvelles pour vous, monsieur Toledano. Officiellement, vous êtes tous arrêtés pour destruction de pièces archéologiques.

– Pardon !?

– C'est le ministère de la Culture égyptien qui porte plainte contre vous. Ils prétendent qu'il y avait dans cet endroit des vestiges de l'ère pharaonique. Selon leurs dires, vous auriez méthodiquement tout détruit.

– Mais c'est le contraire, c'est moi qui...

– Ne vous en faites pas, monsieur Toledano, je connais la vérité car j'ai mené ma petite enquête et j'ai pu, en payant quelques personnes du ministère de la Culture, découvrir le fin mot de l'histoire.

– Je vous écoute, dit René.

– C'est le journaliste, Gauthier Carlson, qui a tout déclenché. C'est lui qui a révélé l'emplacement et envoyé les photos du site au ministère de la Culture, plus précisément à la section des affaires antiques, pour obtenir les autorisations de tournage.

J'étais sûr que cela allait créer des problèmes.

462

– Il ignorait les enjeux politiques entourant le secteur des antiquités.

– Quels enjeux ?

– Actuellement, l'Assemblée nationale égyptienne est de nouveau composée d'une majorité de représentants du parti de la Liberté et de la Justice, donc des Frères musulmans. Ce ne sont plus exactement les mêmes qu'à l'époque de l'ex-président Morsi, mais ils défendent les mêmes valeurs. Dès lors, le général Sissi, qui est plutôt laïque et moderne, a dû leur faire des concessions : il a offert le poste de ministre de la Culture, considéré comme un portefeuille secondaire, à Abdel Ali. C'est un ancien compagnon de route de Morsi qui a basculé dans le camp du général Sissi par opportunisme. Il est censé être modéré, mais à peine arrivé au pouvoir, il a poursuivi discrètement ce qu'il avait déjà amorcé à l'époque de Morsi : une entreprise d'éviction des artistes laïques, d'éloignement des archéologues occidentaux qui selon lui souillent et volent les richesses du pays. Il fait tout pour réduire le tourisme lié à l'Égypte antique qui, selon lui, ne relève que d'une fascination malsaine pour des cultes idolâtres préislamiques.

– C'est le même Abdel Ali qui avait demandé qu'on examine une proposition de dynamitage de la pyramide de Khéops ?

– Ah, vous vous souvenez de cet incident ? En effet, c'est lui. À l'époque, les djihadistes avaient l'impression qu'ils pouvaient détruire tous les sites archéologiques datant d'avant la naissance de Mahomet. Ils avaient déjà détruit au bulldozer les portes du temple de Nimrod en Irak. Ils avaient détruit en 2001 les bouddhas géants de Bamiyan en Afghanistan ou encore les sites archéologiques phéniciens au Liban sous le prétexte qu'ils étaient remplis d'inscriptions en hébreu.

Jean-Charles de Villambreuse s'exprime avec une élocution parfaite, sans la moindre émotion. Il se tient droit et son regard ne cille pas.

— Donc, ce ministre de la Culture, Abdel Ali, ce serait lui le responsable de nos ennuis ?

— Quand il a été averti du projet de tournage dans la montagne blanche, il a aussitôt réagi. Il a compris qu'il risquait d'y avoir là un chantier de fouilles archéologiques qui aboutirait à une augmentation du tourisme idolâtre. Il s'est dit que le mieux était d'étouffer l'affaire dans l'œuf avant que d'autres politiciens puissent s'en mêler. Comme il avait les coordonnées exactes du lieu, il a dépêché sur place une équipe de techniciens. Ils ont trouvé vos pièces archéologiques et les ont toutes emportées.

Donc les rouleaux sont peut-être encore intacts.

— Et où sont-elles maintenant ?

— Selon mon contact au ministère de la Culture, l'équipe envoyée pour « nettoyer » a emporté les pièces à conviction dans le désert où ils ont minutieusement détruit chacune d'entre elles, jusqu'à les réduire en poussière.

Comme j'ai été naïf de livrer ces informations de géolocalisation sans me méfier. J'ai tout gâché.

— Il paraît qu'ils ont trouvé des rouleaux de parchemin qu'ils ont brûlés et deux squelettes. Le plus difficile a été de détruire les dents. Ils ont utilisé de l'acide pour qu'il n'y ait aucune trace.

Voilà, c'est fini. Je ne pourrai plus jamais prouver ce qu'il s'est passé. Tout ce que nous avons accompli n'a servi à rien. Opale, Élodie et les journalistes vont pourrir ici jusqu'à ce qu'ils soient eux aussi oubliés.

— Et comment ont réagi les gens qui ont été mis au courant ?

– En France, comme c'était diffusé en direct sur la chaîne principale, l'affaire de la caverne de Siwa est devenue « caverne d'Ali Baba au rhum ». Le buzz sur Internet n'a fait qu'augmenter l'hilarité générale, aussi bien envers Gauthier Carlson que ses soi-disant Indiana Jones de la caverne vide.

Donc nous.

– Comme Carlson s'était avancé jusqu'à annoncer des révélations fracassantes sur des squelettes de géants et des jarres racontant l'histoire de l'Atlantide, les blagues sur ces deux sujets vont bon train. On revit un peu l'affaire Roswell, avec son faux extraterrestre en caoutchouc. Après ça, quiconque voudra aborder ces sujets controversés aura encore plus de mal à paraître crédible.

Qu'ai-je fait pour mériter ça ? Il faudra donc que je boive la ciguë jusqu'à la lie.

Le diplomate perçoit la détresse de son interlocuteur, mais poursuit néanmoins :

– Monsieur Carlson a beaucoup misé, donc, logiquement, il a beaucoup perdu. Tous ceux qui essaient de vous défendre deviennent l'objet de railleries. Même pour madame Tesquet, qui, à ce que je sais, est professeur de sciences au lycée, cela risque d'être compliqué d'échapper aux railleries de ses élèves. Quant à mademoiselle Etchegoyen, je ne pense pas qu'elle remonte sur une scène de sitôt, ou alors pour des spectacles comiques. Actuellement, elle a plutôt intérêt à se faire oublier. Même chose pour les deux techniciens.

René est partagé entre le soulagement de savoir enfin ce qu'il s'est passé et l'effondrement brutal de son projet.

Maintenant tout cela n'est plus qu'un souvenir ancré dans deux cerveaux, celui d'Opale et le mien. Et quand nous mourrons, ce souvenir disparaîtra définitivement.

— Je suis désolé de ne pas pouvoir vous aider davantage. Mais je suis là aussi pour vous signaler que le gouvernement français n'abandonne pas ses citoyens dans les prisons étrangères aussi facilement.

J'aime bien ce type.

— Surtout celle-ci, Scorpio, qui est une prison de haute sécurité au taux de mortalité anormalement élevé.

C'est vraiment le jour des « bonnes nouvelles ».

Ils entendent un hurlement.

— Je me suis renseigné, il y a beaucoup de violence ici : abus sexuels, sadisme des gardiens… L'ancien directeur a signalé dans une interview pour Amnesty International que cette prison a été conçue « pour que ceux qui y entrent n'en ressortent jamais ou alors les pieds devant ».

Pourquoi il me dit ça ? Décidément il veut gâcher ma journée.

— Tant que vous êtes dans des cellules isolées, vous n'avez rien à craindre. Si vous inquiétez ou agacez les cadres de la prison, il leur suffira de vous mettre dans des cellules avec les autres détenus, et alors nous ne pourrons plus vous protéger…

Il me dit ça pour que je reste docile et que je ne tente pas de m'évader.

— Néanmoins, il faut que vous gardiez à l'esprit que j'effectue un gros travail pour vous faire libérer. Je pense que d'ici quelques mois, je devrais y arriver. J'ai un collègue diplomate en poste ici qui a presque réussi à sauver un type qui était dans votre situation dans cette même prison.

— « Presque » ?

– Quand il y est parvenu, ce détenu est mort d'une infection mal soignée. Ce n'est pas de chance.

Je crois comprendre le message subliminal. Il ne me dit pas de ne rien tenter. Il me dit au contraire de tenter n'importe quoi pour ne pas rester ici, mais de le faire de manière efficace.

Les deux hommes se serrent la main et René est ramené dans sa cellule sombre, tiède, sans air.

110. MNEMOS. OUBLIETTES.

À partir du Moyen Âge, les châteaux forts français étaient fréquemment équipés de plusieurs pièces spéciales : les oubliettes. Il s'agissait de fosses situées dans les bas-fonds du château. On y accédait par une trappe et on ne pouvait y descendre que par une échelle ou une corde retirée dès que le détenu était en bas.

Les oubliettes étaient utilisées comme des cachots dépourvus de fenêtre et de porte, donc de lumière.

On trouvait des oubliettes dans la forteresse de la Bastille, et dans le château de Pierrefonds.

C'est la présence de graffitis sur les parois qui a permis de comprendre que ce n'étaient pas de simples caves ou celliers.

111.

René Toledano se met en position du lotus, ferme les yeux, ralentit sa respiration.

Il faut que j'y arrive. Il faut que j'y arrive. Pas seulement pour moi. Pour Opale aussi. Pour qu'il y ait une possibilité de transmettre ces informations, un jour, quelque part, sans que tout ça soit oublié. Sans que je sois oublié.

Il ferme les yeux, il descend lentement les marches qui mènent à la porte de l'inconscient. La poignée résiste.

Je dois me calmer. Lâcher prise.

Il inspire et souffle puis, délicatement, avec deux doigts, il baisse la poignée de porte qui cède enfin. Il se retrouve dans le couloir.

Bien. Maintenant, retrouver Hippolyte.

Porte 109.

Il ouvre la porte, retrouve le soldat de la Grande Guerre qui dort dans la tranchée.

– Bonjour Hippolyte. Vous me reconnaissez ?

L'esprit du jeune homme se réveille alors que son corps continue de dormir. Il le reconnaît.

– Bonjour René. Je ne pensais pas que vous reviendriez.

– J'ai encore besoin de vos services.

– Qu'est-ce qu'il vous arrive ?

– Comme d'habitude. J'ai à nouveau besoin de m'évader. Comme vous avez été d'une efficacité redoutable la dernière fois et que je me retrouve dans une situation similaire, je fais une nouvelle fois appel à vous. Cependant, je crains que sortir de cette prison égyptienne soit plus difficile que de l'hôpital psychiatrique parisien.

– Décrivez-moi votre situation.

– Je suis enfermé à Scorpio, une prison de haute sécurité. Il y a plusieurs bâtiments surveillés par des caméras, et je souhaiterais libérer aussi d'autres amis dans d'autres cellules, mais j'ignore leur emplacement exact.

— Combien de gardes ?

— Je présume qu'il y en a beaucoup plus que dans une prison normale. Les murs sont plus hauts, les systèmes de surveillance plus élaborés.

Le soldat réfléchit, avant de déclarer :

— Désolé. Cette fois-ci, je ne pense pas pouvoir vous être utile.

— Vous refusez de m'aider, Hippolyte ?

— J'aimerais vous aider, mais je ne suis pas la bonne personne, René. Cela ne sert à rien que j'intervienne.

— Vous baissez les bras ?

— Je suis sûr que vous pouvez trouver un rêveur plus apte à vous sortir de là.

— Vous êtes trop modeste, vous êtes un guerrier expérimenté qui a déjà fait ses preuves dans des situations très difficiles.

— Vous essayez de me flatter, mais je sais qui je suis. Je suis un simple conscrit qui, pour obéir à ses supérieurs et sauver sa vie, a appris à combattre, mais je suis aussi jeune et finalement pas si expérimenté que cela.

— Est-ce le moment de pécher par modestie ? Vous êtes décoré comme un héros. Vous *êtes* un vrai héros !

— Moi, un « héros » ? Non ! Je ne prends aucun plaisir à tout cela. Je ne rêve que de paix et de tranquillité.

— Vous êtes le cauchemar des Allemands !

— Je suis un jeune homme qui a prévu de prendre des cours de dessin après la guerre pour devenir peintre. C'est cela ma vocation. Je suis un artiste.

Je ne dois pas lui révéler la triste réalité de son avenir.

— Donc vous refusez ?

– Je refuse.

– Je me permets d'insister.

– Ma réponse est non.

– S'il vous plaît.

– J'ai dit non.

Bon sang, j'ai un peu présumé de mon ascendant sur mes ascendants. Ils peuvent refuser de m'aider. Il faudra que je tienne compte de cet élément.

– Désolé, René, croyez-moi, c'est mieux comme ça. Je connais mes limites. J'ai pris la mesure de la tâche. Une prison entière à affronter dans un pays étranger, et des camarades à libérer dans d'autres cellules dont vous ignorez l'emplacement, c'est bien ça ? Je suis désolé, mais il vous faut un guerrier beaucoup plus féroce et beaucoup plus expérimenté. Un vrai tueur, pas un banal conscrit. Un homme qui prend du plaisir à manipuler des armes, qui aime la guerre, qui aime la violence. Un homme plus âgé, plus sage et en même temps plus déterminé.

Il a raison. Hippolyte va quand même se faire tuer par un simple soldat allemand. Je ne peux pas me permettre de risquer l'échec. Pas ici, si loin de la France, avec la responsabilité de ceux qui m'ont fait confiance.

Alors René abandonne, franchit la porte, retrouve le couloir et, là, exprime un nouveau souhait : « Je veux rejoindre l'ancien moi-même le plus rapide, le plus fort, le plus maître de lui-même. Je veux celui qui soit le plus apte à me sortir de cette prison et à m'aider à sauver mes amis enfermés. Je veux rencontrer le pire tueur de toutes mes existences. »

Il répète plusieurs fois sa requête et enfin une porte s'allume. La 71.

Tiens. Juste avant Shanti.

Il s'approche de la poignée de la porte avec une légère appréhension.

Sur quel monstre vais-je tomber?

112.

Ses bras consistent en d'épaisses plaques noires lisses, luisantes, terminées par des pointes.

Bon sang, le plus féroce de mes anciens moi-même est un animal. Un scorpion noir? C'est de circonstance... Un scorpion pour sortir de la prison Scorpio.

Mais, à mieux examiner les plaques, il distingue au bout de son membre un gant sur lequel, précisément, est gravé un symbole de scorpion. Il sent ses doigts sous le cuir.

Je suis humain.

Dans sa main, un long manche terminé par un butoir rond métallique duquel jaillit une longue lame biseautée à son extrémité. Autour de lui, des nuages de poussière jaune.

Après l'image, il accède au son. Des cris de rage ou d'agonie, des chocs métalliques de sabres, des sifflements de flèches.

Zut, encore la guerre.

Des milliers de silhouettes gesticulent au milieu de volutes opaques provoquées par le piétinement nerveux du sol.

Ses pieds portent des chaussures qui laissent libres les deux gros orteils. Sur son crâne, il sent le poids d'un casque avec une visière qui lui couvre la moitié de la tête et une lanière qui lui serre le menton. Un masque dissimule son visage.

Face à lui, un homme en tenue de samouraï brandit un

sabre dans sa direction. Il porte un casque avec des cornes, une cuirasse, des jambières.

Les deux hommes se battent en duel dans une zone à l'écart des échauffourées.

L'homme dans lequel il se trouve, il le sent, est doté d'une grande force de caractère, d'une concentration absolue, d'une détermination totale. Il n'a pas choisi le symbole du scorpion par hasard. Il ne semble avoir aucune émotion, comme si dans ses veines coulait du sang froid d'arachnide.

Autour du cou de son adversaire, un objet macabre : un collier sur lequel sont enfilés une dizaine de nez, derniers vestiges des hommes qu'il a occis dans ses combats. En baissant la tête, René remarque qu'il a lui-même un collier similaire. Mais lui porte neuf nez, là où son adversaire n'en a que six.

René se dit que ce n'est pas le moment de le distraire en lui parlant. Il doit attendre la fin de ce duel.

Le combat commence. Les deux hommes dardent leur sabre en avant et tournent lentement pour se jauger.

René profite de ce répit pour mieux connaître son hôte. Il accède ainsi, sans difficulté, à la zone de souvenirs de son ancienne réincarnation. Il voit qui il est et quel a été son passé.

Il se nomme Shirō Yamamoto. Il était paysan, avant d'être recruté de force, puis engagé dans une armée en tant qu'ashigaru, fantassin armé d'une lance. Il avait participé à une bataille. Sachant que c'était une occasion unique de grimper dans la hiérarchie, il avait cherché à frapper de préférence un guerrier accompli.

Dans le tumulte des combats, le jeune Yamamoto avait surpris un duel entre deux vieux samouraïs. Au moment où l'un d'entre eux venait de porter le coup fatal à son adversaire, Yamamoto était sorti des broussailles et lui avait enfoncé sa lance dans le dos jusqu'à la faire ressortir par-devant. Ce n'était pas une manière de tuer très honorable, mais elle s'était révélée efficace. Puis il avait profité de la confusion de la bataille pour traîner le corps dans un fourré, il avait utilisé le katana de sa victime pour découper sa tête et l'accrocher par les cheveux à sa ceinture comme un trophée.

La règle était simple : si tu es ashigaru et si tu parviens à abattre un samouraï, tu peux devenir à ton tour samouraï, la seule condition étant d'être en mesure d'exhiber la preuve de ton action d'éclat.

Cependant, il avait eu quelques difficultés à mettre son plan en action : à peine avait-il réussi cet exploit que les autres ashigarus l'avaient poursuivi pour lui voler son trophée. Il avait dû se battre avec le katana de sa victime pour éloigner ses propres compagnons d'armes.

Et puis était arrivée la consécration. Après la bataille, chacun, à tour de rôle, devait montrer son trophée au seigneur de la guerre, le Daimyō. Un officier ennemi capturé fournissait le nom et le rang du défunt.

Yamamoto avait exhibé sa tête et, par chance, elle appartenait à un combattant de grande valeur. Le Daimyō l'avait donc récompensé en lui accordant le titre tant convoité de samouraï, une tenue complète de guerrier ainsi que le droit de conserver le katana du vaincu.

Samouraï signifiait « Celui qui sert son maître » et c'est ce qu'il avait fait. Il avait appris le bushido, qui était le code de conduite du guerrier. Il avait renoncé à prendre une maison avec des terres agricoles, à prendre des serviteurs, à prendre une épouse et avait préféré être simplement le tueur préféré du Daimyō.

Car cette première victoire lui avait donné le goût d'occire son prochain.

Il avait appris le iaidō, cet art martial qui requiert de s'agenouiller devant un challenger et de dégainer son sabre le plus vite possible, avec le geste le plus parfait, pour fendre le crâne de la personne en face, avant de rengainer l'arme dans le fourreau.

Cet art était peu pratiqué car très dangereux, mais il s'était révélé particulièrement doué en la matière.

Une pensée l'aidait à gagner : « Il suffit de prendre conscience qu'il y a un temps infini entre le moment où l'adversaire a pris la décision de frapper et le moment où le coup arrive. »

C'était cela la force de Yamamoto : il pouvait, par son esprit, s'immerger dans un monde au ralenti et continuer à penser et agir en accéléré. Le seul fait qu'il en soit persuadé lui procurait une célérité inouïe.

Son daimyō l'adorait. Il lui avait trouvé le surnom de Scorpion noir, car il piquait vite et de manière définitive.

Yamamoto vivait donc avec son seigneur dans son palais et se contentait d'obéir. Il appréciait particulièrement de ne pas avoir à prendre la moindre décision. Le bonheur dans l'obéissance. Quand le daimyō lui disait de tuer, il tuait sans se poser la moindre question, sans la douleur d'avoir à décider, et donc sans risquer de se tromper.

Yamamoto assassinait vite et bien, avec des gestes fluides et gracieux. Il était un esthète de la mise à mort. Son plaisir était de s'équiper des armes les plus adaptées à chaque situation de combat. Les boutiques de la ville proposaient des lames qu'on pouvait tester sur des condamnés à mort enchaînés à l'arrière des commerces.

Entre deux missions, Yamamoto passait ses journées à s'entraîner au sabre, mais aussi au kyūdō, tir à l'arc, et au combat avec ses quarante autres armes, couteaux, pointes et même poudre chimique à lancer au visage de l'adversaire pour lui irriter les yeux. Il pratiquait aussi le kobudō, un art martial paysan qui reposait sur la transformation d'objets de la vie quotidienne en armes.

Il n'avait connu que peu de femmes (essentiellement des viols ordonnés par son daimyō pour humilier ses adversaires ou ses vassaux désobéissants), mais, pour lui, les plaisirs de la chair, manger, faire l'amour, rire ou se reposer, étaient des plaisirs vils. Son attirance allait tout entière à la guerre et la mise à mort d'adversaires de plus en plus performants.

Il n'avait pas peur de perdre, d'être capturé, d'être torturé ou de mourir. Il se vantait de ne ressentir ni la souffrance, ni le froid, ni la fatigue. Il se baignait dans l'eau glacée des torrents, et pouvait rester plusieurs jours sans manger ni dormir.

Pourtant, il y avait quelque chose qu'il redoutait : les fantômes de ses victimes. Pour les tenir éloignés, il tuait toujours son adversaire de manière respectueuse. Il ne manquait jamais de le remercier après l'avoir tué du plaisir du combat qu'il lui avait offert et il effectuait une rapide prière pour que son âme monte vers la lumière au lieu de stagner.

Ainsi, en dehors du premier vieux samouraï qu'il avait transpercé de sa lance par-derrière, il n'avait jamais commis d'autre acte dont il puisse avoir honte. Par sécurité, de temps en temps, il sacrifiait une biche ou un prisonnier pour apaiser les fantômes de ses ennemis vaincus.

Le monde des samouraïs était très codifié, mais il y avait eu des évolutions notables : on était par exemple passé de la collection de têtes accrochées à la ceinture à celle de nez en collier. Cela sentait aussi mauvais mais c'était moins encombrant.

Et puis, il y avait eu des abus. Certains samouraïs malhonnêtes coupaient des nez d'adolescents ou de femmes et les faisaient passer pour des nez de combattants ! Alors les daimyō avaient exigé de prendre, avec le nez, la peau et la lèvre supérieure, pour montrer qu'il y avait un peu de poils d'homme adulte.

Combien de têtes, combien de nez Yamamoto avait-il déjà rapportés en trophée ? Assurément plusieurs centaines.

Et maintenant, il devait tuer cet homme à la superbe armure rouge aux motifs compliqués et au casque à cornes. Le scorpion noir contre le taureau rouge.

René Toledano reprend la vision directe à l'instant décisif où l'autre charge. Tout va très vite. Les sabres sifflent. Esquive. Feinte. Choc des lames. Nouvelle esquive. Mouvement latéral. Choc frontal de lames. Choc latéral de lames. Fausse garde. Les lames virevoltent, et les pieds semblent danser. À chaque choc, les bouches lâchent un cri guttural censé effrayer l'adversaire, tels deux mâles en rut se battant pour une femelle.

Au bout d'une vingtaine de minutes de chocs de lames et d'esquives diverses, les deux hommes sont épuisés. Ils savent que l'instant décisif est arrivé. Il est temps de tenter le coup final mortel. C'est là où sa connaissance du iaidō va être décisive.

Les deux guerriers s'observent derrière leur masque fixé de façon à dissimuler leur regard. Le masque du samouraï rouge affiche une sorte de rictus de colère.

René s'aperçoit qu'il ne ressent strictement aucune animosité envers cet adversaire, ni haine, ni peur, juste l'envie d'être plus rapide et de surprendre. Il lève son sabre, l'autre aussi. Il esquisse un mouvement direct vertical, avant, au dernier moment, de plier le genou, de poursuivre la trajectoire de son katana à l'oblique et de frapper à la limite de la cuissarde et de la genouillère, dans l'infime interstice séparant les plaques de protection.

L'autre émet un cri infime, puis tombe à genoux. Déjà Yamamoto l'a dépassé pour se placer derrière lui et là, dans un mouvement latéral d'une fluidité parfaite, il décapite son adversaire.

Il songe : «Taureau rouge, je t'offre le baiser du scorpion noir. »

Il ramasse la tête et, d'un geste précis, enlève le masque, puis le casque à cornes pour dévoiler la tête de celui qu'il a combattu. C'est un vieil homme qui lui ressemble.

Enfin, utilisant son sabre court, il découpe le nez et la lèvre supérieure du vaincu, et l'enfile dans son collier en se disant : «Merci pour ce combat, que ton âme monte vers la lumière, honorable adversaire. »

René se dit que le samouraï a l'esprit enfin disponible et qu'il peut tenter une approche.

– Bonjour Yamamoto.

Le Japonais sursaute.

– Qui me parle à l'intérieur de ma tête? Est-ce un démon? Est-ce un fantôme?

Déjà le samouraï se prosterne. Le professeur d'histoire se souvient que les Japonais sont adeptes du shinto et du bouddhisme, deux spiritualités qui intègrent la réincarnation.

– Non, rassure-toi. Je ne suis que ta future réincarnation. Je vis dans le futur. Un jour tu te réincarneras pour devenir moi.

Le scorpion noir tourne la tête dans tous les sens.

– Que faites-vous dans mon crâne, ô « réincarnation future »?

– Je me nomme René Toledano, sais-tu en quelle année tu vis dans le calendrier chrétien?

– Oui, je crois… 1642. Mais je n'ai pas envie de parler avec vous. Même si vous vivez au-delà de l'an 1700. Ce dont je doute.

– Même si je vis au-delà de l'an 2000 ?

– Je suis en pleine bataille et mon seul devoir est de rapporter la victoire à mon daimyō.

Il ressent alors une vive douleur à la poitrine ; une pointe de lance ressort par son sternum. Il se retourne sans lâcher son sabre et voit un jeune paysan qui a l'air ravi de lui avoir enfoncé sa lance dans le corps, par-derrière.

– Ainsi la boucle est bouclée, articule douloureusement Yamamoto en laissant un peu de sang déborder de ses propres lèvres.

Il sourit et se dit :

Tout va bien, tout est accompli.

Son esprit sort par le sommet de son crâne et monte pour se placer au-dessus de son propre cadavre.

– C'est à cause de vous que je suis mort. Vous m'avez distrait.

– Désolé.

Yamamoto regarde le paysan qui tente de couper sa tête.

– Quel maladroit ! Il ne sait pas s'y prendre, il va mettre un temps fou pour scier les cervicales alors que s'il avait tiré sa lame en arrière et coupé sous la pomme d'Adam, il aurait trouvé l'interstice entre les vertèbres et ça aurait été plus facile. J'aurais préféré me faire tuer en face par quelqu'un de plus expérimenté. Mais je m'estime déjà honoré d'être mort au combat, plutôt que de vieillesse ou de maladie.

– C'était une belle vie.

L'esprit du samouraï réfléchit vite, semble parcouru de différentes émotions, puis finalement assène :

– Non. Je n'ai fait qu'obéir sans faire de choix personnel. L'obéissance absolue à un maître est une facilité. Il faut faire des choix, quitte à se tromper. Est-ce que vous avez pris des décisions personnelles, René ?

– Pas mal, en effet. Surtout récemment.

– Dans ce cas, je peux mourir tranquille.

– Vous pouvez même décider dès maintenant si vous voulez être un homme ou une femme. Entre nous, je vous conseille une femme en Inde. Cela devrait vous amuser.

– De quoi vous me parlez ?

Zut ! Qu'est-ce que j'ai fait ? J'ai tenté d'influencer son choix pour qu'il soit... ce qu'il doit déjà devenir.

– Je suis désolé, mais j'ai un service « personnel », immédiat, à vous demander. Évidemment, vous pouvez me dire non, je comprendrais.

– De quoi s'agit-il, vénérable homme du futur ?

– J'aimerais que vous entriez dans mon corps et que vous me fassiez évader d'une prison, ainsi que quelques amis qui y sont enfermés. Il y a des gardes, il y a des armes, il y a beaucoup d'adversaires...

– Vous me lancez un défi ?

– Ce sera vraiment très difficile et je crois qu'il n'y a que vous parmi toutes mes réincarnations qui puissiez réussir une telle performance. Vous êtes le meilleur...

Tueur ?

– ... guerrier.

René marque un temps de silence et reprend :

– Est-ce que vous acceptez d'entrer en moi pour agir avec vos réflexes et mes mains ?

– Combien d'adversaires ?

– Peut-être plusieurs dizaines. Et ils ont des armes pour tirer à distance.

– J'aime quand c'est difficile. Je peux ainsi montrer ma bravoure.

– Alors vous acceptez?

– J'accepte.

– Parfait. Allons-y. Si jamais vous tuez des gens, vous n'aurez pas besoin de leur couper le nez, je n'oserai jamais porter un collier comme le vôtre.

– Vous n'aimez pas ce genre d'ornement?

– Disons que, dans le futur, couper les nez pour en faire un collier, ce n'est pas très apprécié. En plus, entre nous, cela sent quand même très mauvais... Tous ces nez en voie de putréfaction. Oh, et puis je vais même être plus direct, je préférerais que vous ne tuiez personne dans la mesure du possible.

– Ne pas tuer? Quelle drôle d'idée! Et pourquoi donc?

– Je ne voudrais pas alourdir mon karma actuel.

113.

René-Yamamoto reproduit, tout du moins au début, le scénario de l'évasion de l'hôpital psychiatrique : il attend que le garde apporte son repas. Il surgit par-derrière et lui enfonce les pouces sous le menton, jusqu'à ce que l'autre défaille. Puis il avance dans le couloir, se cache et frappe les surveillants qui apparaissent dans son champ de vision.

Le style de Yamamoto est très différent de celui d'Hippolyte. Au lieu de frapper avec le tranchant de la main, il n'utilise que deux doigts, l'index et le médium tendu en une pointe dure. Il poinçonne très vite et très fort des endroits précis du corps de ses victimes. Notamment les ganglions du cou. Il arrive ainsi, en silence, à faire s'évanouir ses adversaires. Ses deux doigts tendus sont le dard fulgurant du scorpion noir.

En l'absence d'informations sur le plan de la prison ou l'emplacement de ses compagnons d'aventure, il est obligé de regarder dans les œilletons pour identifier les occupants de chaque cellule.

Il finit par trouver celle de Nicolas et l'ouvre en fracturant la porte. Celui-ci se propose immédiatement d'aider à chercher les autres. C'est ensuite Gauthier qui, voyant son libérateur, lâche un :

– Vous êtes fous ! Ils vont nous tuer !

– Faites comme vous voulez, vous pouvez rester si vous préférez.

L'autre, après une hésitation, les suit en répétant : « On va mourir. On va mourir. »

Ils rejoignent ensuite l'aile des femmes et parviennent à libérer Cerise et enfin Opale. Celle-ci, en l'apercevant, s'écrie :

– René !

– Vite, il faut filer.

Outre ses doigts fulgurants, l'autre talent particulier de Yamamoto est d'arriver à transformer n'importe quel objet en arme. Un balai dont il détache la paille se transforme par exemple en bâton de combat.

Par chance, le samouraï a aussi été initié à l'art du bō-jutsu, le combat au bâton de bois. Sa rapidité compense le manque de tranchant de cette arme improvisée. À chaque affrontement, René peut constater de l'intérieur que le mantra du « temps infini entre l'instant où l'ennemi a décidé de frapper et celui où le coup est reçu » est une réalité.

Le bâton siffle, frappe, tournoie entre les mains expertes de Yamamoto. Le samouraï se permet même d'effectuer des figures en huit pour poursuivre le mouvement dans son élan et sa fluidité. Après chaque coup, il émet un petit soupir sec, peu bruyant, pour relâcher la pression. Malgré la gravité de l'instant, René ne peut s'empêcher d'avoir une pensée loufoque.

Yamamoto fait si bien tournoyer son bâton qu'il aurait pu aussi avoir une carrière de... majorette.

Mais s'il y a un instant où il ne faut pas avoir d'humour, c'est bien maintenant. D'ailleurs, lorsqu'il a exploré l'esprit du Japonais, il a découvert que le prix de son efficacité était aussi une totale absence d'humour.

Pour Yamamoto, rire était un signe de futilité. Un homme honorable est un homme qui suit la voie du guerrier, le bushido, et se sacrifie pour une cause qui le dépasse, avec sérieux. Pas de place dans cette ambition pour la plaisanterie ou le poil à gratter. Même le fait de sourire est pour lui un signe de faiblesse.

Vas-y Yamamoto, continue!

Le bâton fait encore plusieurs victimes, la pointe du balai frappe avec prédilection des points sur les tempes, l'extrémité du sternum, la pomme d'Adam, les ganglions du cou, le foie, le sexe.

Derrière René-Yamamoto, les cinq Français suivent, impressionnés par l'efficacité du professeur d'histoire contre ces gardes pourtant armés de longues matraques et de tasers.

Aucun coup de feu, aucun cri, aucun mort. Cependant, l'alerte a déjà été donnée par un garde.

– On va mourir, dit Gauthier Carlson qui ne peut dissimuler son inquiétude.

Alors, voyant le nombre de ses assaillants augmenter, René-Yamamoto, tirant les leçons de son évasion précédente de l'hôpital, trouve le briquet d'un gardien et l'utilise pour enflammer les draps d'un lit.

La fumée se répand dans les couloirs. Ce sont maintenant des centaines de personnes qui courent dans tous les sens.

Des cris de joie en provenance des cellules signalent que les autres détenus ont compris qu'il y avait une attaque dans la prison. Pour participer au chaos, René-Yamamoto pénètre dans la salle de contrôle général et appuie sur le bouton qui indique *control doors*.

Comme il l'espérait, cela libère d'un coup les verrous de toutes les cellules. Aussitôt, c'est l'émeute. Leur évasion se transforme en mutinerie générale.

Ajouter de la confusion à la confusion.

La fumée, le bruit, les cris, la sirène facilitent leur circulation dans les couloirs. Ils entendent des rafales d'arme automatique.

Bon, là on vient de franchir un cap.

Les gardes ont perdu le contrôle de la situation, préférant tirer que d'être lynchés par les détenus. René-Yamamoto sait qu'il a peu de temps pour rejoindre la sortie de la prison Scorpio. Il la cherche et finit par la trouver. Une centaine de détenus combattent une vingtaine de gardes totalement paniqués.

René-Yamamoto préfère rester en retrait et observer ce qu'il se passe. Les hommes en pyjama rouge ont du mal à franchir la ligne de défense formée d'hommes armés de fusils et de revolvers qui tirent désormais sans la moindre hésitation. À nouveau les cris, les détonations, la fumée. Des détenus tombent, mais d'autres parviennent à s'emparer d'armes à feu et la bataille s'équilibre entre les deux camps.

– On va mourir, on va mourir, on va mourir, répète Gauthier comme un mantra.

– On fait quoi ? demande Cerise, le souffle court.

– Attendez encore, propose René à ses compagnons.

Rester calme. Observer. Réfléchir. Surtout ne pas s'énerver.

Impressionnés par l'efficacité du professeur d'histoire, tous l'écoutent.

J'ai du temps. Ne pas se précipiter et faire n'importe quoi dans la panique.

Opale serre fort une matraque qu'elle a récupérée dans la course. Élodie tient le balai au cas où son ami voudrait encore s'en servir. Nicolas serre les poings, prêt à frapper. Cerise se plaque contre le mur pour être le moins visible possible. Derrière elle, Gauthier, les yeux fermés, marmonne toujours sa phrase « On va mourir ».

Rester calme. Observer. Réfléchir. Repérer les failles du système de défense.

Enfin la fumée du couloir atteint la zone de combat. René-Yamamoto fait alors signe à ses compagnons de procéder comme lui : profitant de l'opacité et du tumulte, ils tirent les corps de six gardes et leur enlèvent leurs vêtements pour les enfiler. Les femmes dissimulent leurs cheveux longs sous les képis pour ressembler au mieux à des hommes. Ainsi les fugitifs peuvent passer eux-mêmes pour des surveillants qui fuient le chaos.

Puis, tous les six ainsi accoutrés rampent sur l'un des côtés du couloir et parviennent à franchir la zone la plus animée des combats. Un détenu, croyant avoir affaire à un garde, tente de frapper Cerise, mais, déjà, René-Yamamoto s'est interposé, et la débarrasse de cet importun en lui enfonçant deux doigts dans la gorge.

Opale lui tend alors la matraque qu'elle a récupérée, se doutant qu'il en fera un meilleur usage qu'elle. En effet, plusieurs autres détenus sont mis hors d'état de nuire, ce qui accroît la crédibilité de René et ses amis auprès des surveillants qui, eux, ne leur prêtent guère attention.

Ils ne nous voient pas. La peur les aveugle.

René-Yamamoto, pour sa part, ne quitte pas des yeux la porte de sortie.

Encore quelques mètres et nous serons hors de la zone dangereuse.

Ils rampent encore et finissent par s'approcher du seuil au moment précis où jaillissent des renforts. Heureusement, ces derniers sont trop occupés pour prêter attention à ces six personnes en uniforme qui avancent dans le sens opposé à la bagarre.

Enfin, ils franchissent la porte d'entrée. Ils se retrouvent dans la cour carrée centrale. La sirène résonne et des soldats armés sont arrivés pour tenter de stopper la mutinerie. Les coups de feu se font encore plus nombreux.

Rester calme.

Près d'eux, plusieurs véhicules. Ils repèrent un camion de pompiers, dont les clés sont restées sur le tableau de bord. Tous s'engouffrent sur les sièges. Nicolas prend le volant et démarre. Ils parviennent à franchir la grille d'entrée restée grande ouverte pour laisser passer les renforts qui accourent.

– On va tous mourir, répète Gauthier.

– Ferme-la ! lui intime Élodie.

Surpris que la jeune femme ose lui parler ainsi, il s'enfonce dans son siège alors que Nicolas, habile conducteur, a eu la présence d'esprit de déclencher la sirène du camion. Ils se frayent un chemin parmi la foule qui commence à s'agglutiner autour de la prison de Scorpio, sur l'avenue Shamal-Tora.

– Sors-nous de là ! dit Cerise à son collègue.

485

Ils arrivent à s'éloigner suffisamment de la prison de Scorpio et se mêlent aux embouteillages de l'avenue, ce qui les oblige à avancer très lentement.

– On va où ? demande Nicolas.

– Droit devant pour s'éloigner de la prison. Et tu peux éteindre la sirène.

Ils se retrouvent sur la route de El-Nasr qui, à cette heure-ci, est complètement bloquée par les embouteillages. Ils ne peuvent plus avancer. Profitant de cette accalmie, René ferme les yeux et se concentre.

– Je pense que le moment est venu de nous séparer, Yamamoto. Je tenais à vous remercier de cette évasion délicate qui, grâce à vous, a été une réussite.

– Nos adversaires étaient peu valeureux, je suis déçu. Mais si j'ai pu vous rendre service, « vénérable futur moi-même », je suis ravi.

– Vous avez même réussi à ne tuer personne, ce qui, vu les circonstances, est une performance.

– Vous me l'avez demandé, je n'ai fait que vous obéir, René-san.

René sait que la syllabe « san » ajoutée après le nom est une marque de respect. Ainsi, il a obtenu l'estime de son ancien lui-même.

– Si jamais j'avais une autre situation difficile dont j'aurais à me sortir, pourrais-je faire appel de nouveau à vos services ?

– Ce sera toujours un grand honneur de servir celui que je deviendrai un jour.

Les deux esprits se saluent, puis se séparent. René reste songeur.

Et bientôt tu vas devenir une femme, Yamamoto-san. Après ta

vie à donner la mort, tu vas découvrir une vie à donner l'amour.
Veinard. Les parfums capiteux des palais de Bénarès vont te chan-
ger des champs de bataille aux remugles de sang.

Quand il rouvre les yeux, il a face à lui le visage d'Élodie.

– Ça va ? demande la jeune femme.

– Désolé, j'étais…

– Tu n'as pas à t'excuser, nous savons tous ce que tu as fait,
répond Élodie. Opale nous a expliqué.

– Nous avons pu juger sur pièces, reconnaît Cerise. En fait,
vous êtes comme Superman, si ce n'est que vous, vous avez le
pouvoir de faire revenir un spécialiste de votre problème parmi
111 candidats, c'est cela ?

– Euh… oui, on peut voir ça comme ça. Le seul inconvénient
c'est que ce n'est pas instantané, cela réclame un petit protocole
que je vise à écourter. Et sinon, où sommes-nous ?

– Je pense qu'on est suffisamment loin pour pouvoir trouver
une destination plus sûre.

– Quelqu'un connaît un point de chute au Caire ? demande
Cerise.

Personne ne répond.

– En uniforme de gardien de prison, dans un camion de pompiers, sans passeport et sans argent, on ne va pas pouvoir continuer à circuler bien longtemps, fait remarquer Opale.

René observe la jeune femme rousse aux grands yeux et a très
envie de se retrouver ailleurs, tranquille, avec elle. Dans son
cerveau tout va très vite, il cherche et trouve.

– J'ai une idée de destination, annonce-t-il.

114. MNEMOS. BEAUTÉ À TRAVERS L'HISTOIRE.

Chaque époque a ses propres critères de beauté.

Dans le passé, les hanches larges garantissaient un accouchement plus facile, les grosses poitrines, une production optimale de lait pour les nouveau-nés. L'une des plus célèbres statues de femmes est d'ailleurs la Vénus de Lespugue, datant du paléolithique, caractérisée par ses très grosses fesses et sa poitrine proéminente.

On retrouve des Vénus callipyges (du grec *kalos*, « beau », et *puge*, « fesse ») dans la plupart des représentations de splendeur féminine antiques. En 1600, le peintre flamand Pierre Paul Rubens a immortalisé dans ses toiles des femmes obèses, nues, mettant en valeur leurs bourrelets.

Chez les Latins, la blondeur et les yeux bleus étaient considérés comme des signes de stupidité, car c'étaient les caractéristiques des barbares nordiques.

En Occident, jusqu'au XIXe siècle, la peau blanche, dite laiteuse, était un symbole de pureté et de richesse : elle indiquait que la femme n'avait pas besoin de travailler dans les champs où le soleil lui aurait bruni l'épiderme.

En Chine, jusqu'au début du XXe siècle, le goût était aux femmes qui avaient de petits pieds.

Au Pérou, on appréciait les femmes qui avaient des poils aux jambes, car ils indiquaient une ascendance espagnole plutôt qu'indienne.

Parmi les femmes considérées par leur entourage comme des parangons de beauté, citons la princesse iranienne Taj Saltaneh Qadjar qui vivait en 1900 à Téhéran. C'était une femme de petite taille, aux gros mollets enveloppés dans des chaussettes hautes qui remontaient jusqu'à ses cuisses. Elle portait souvent un tutu (dont le motif pouvait ressembler à une nappe provençale) qui composait une corolle sur ses hanches très larges. Elle avait une fine moustache bien noire et d'épais sourcils qui formaient une barre. Ses congénères en étaient fous. Elle reçut cent quarante-six demandes en mariage des hommes de la plus haute noblesse persane. Treize d'entre eux se sont suicidés parce qu'elle les avait rejetés. Elle était aussi une grande poétesse et une femme aux idées très avancées.

115.

Jean-Charles de Villambreuse est surpris de voir ces six Français en uniforme bleu. Il les reçoit dans son bureau qui donne directement sur l'avenue du Général-de-Gaulle.

– Vous avez bien fait de libérer les autres détenus. On parle uniquement de l'émeute de la prison et non de vous.

– Je suis Gauthier Carlson, signale le journaliste, tu as dû me voir à la télévision. Il faut nous sauver. Je suis un ami proche de ton ministre des Affaires étrangères. Si tu nous sors de là, je lui en parlerai.

– Écoutez, monsieur Carlson, je vous connais, évidemment, mais je préférerais que vous vous absteniez de citer mon nom. Je risque mon poste, si on apprend que je vous aide. Mais, surtout, cela peut créer un incident diplomatique entre nos deux pays. Enfin, je souhaiterais que vous me vouvoyiez. Après tout, même si vous apparaissez souvent à l'écran, je ne crois pas que nous nous connaissions.

Le ton est suffisamment sec pour que le célèbre journaliste n'insiste pas.

— Je suis désolé, dit spontanément René.

— Je vais seulement vous demander d'être très discrets. Je vais vous fournir des vêtements qui vous feront passer plus facilement pour des touristes, mais je n'ai pas le temps de vous faire des passeports, il vous faut partir sur-le-champ.

— Un bateau nous attend à Marsa Matruh, signale Opale.

— Ah ? Ça pourrait résoudre le problème. Je vais vous prêter une voiture avec une plaque diplomatique. Partez vite, avant qu'ils n'installent des barrages à la sortie du Caire. Si la police vous arrête, appelez-moi immédiatement.

Il leur tend un téléphone portable.

— Nous vous devons beaucoup, dit René.

— En fait, je ne sais pas pourquoi je fais ça, reconnaît le jeune diplomate. C'est comme s'il y avait au fond de moi un instinct qui me disait que c'est la bonne chose à accomplir. Et puis vous, monsieur Toledano, j'ai comme un sentiment de déjà-vu, comme si je vous connaissais depuis longtemps.

J'adore ce type.

— Parfois le salut tient à peu de chose, une intuition, ou ce fameux sentiment de déjà-vu, élude René.

Jean-Charles de Villambreuse cherche dans son bureau et en sort des clefs.

— C'est la Peugeot 509 garée en bas. Roulez prudemment, ce serait dommage de vous faire arrêter pour excès de vitesse par un motard trop zélé.

René serre la clef et l'espoir revient. Opale lui adresse un geste admiratif sur la manière dont il a su gérer la situation.

– C'était très impressionnant. Vous étiez aidé de qui « à l'intérieur » ? questionne-t-elle.

– Un scorpion, répond-il.

116.

Les petits hommes cousent les parchemins pour en faire des rouleaux. Ils sont une centaine à travailler avec précision grâce à leurs minuscules doigts.

– Depuis que nous leur avons appris à nous vénérer, tout se passe mieux, reconnaît Nout. La religion est vraiment la solution à tous les problèmes. Tu as vu avec quelle ardeur ils s'activent pour nous obéir ?

– C'est vrai, nous servir a même l'air de les rendre heureux.

– Et il n'y a pas que les parchemins ! Ils font tout très bien : l'approvisionnement en nourriture, la construction des maisons. Ils compensent leur petite taille par leur nombre.

Geb se place près d'une ouverture dans le mur et scrute les larges artères remplies de petits humains habillés en tunique ou en jupe, qui font circuler des carrioles tirées par des ânes, des chameaux, des éléphants.

– Né-hé m'a dit qu'un jour ils seront plus que des milliers, plus que des millions, ils seront des milliards.

– Cela ne m'inquiète pas. Avec la religion, il sera très facile de leur faire faire ce qu'on veut quand on veut, sans qu'ils réfléchissent.

– Ils se reproduisent si vite ! Ils n'ont aucun sens de l'autorégulation et de l'harmonie avec la nature. Ils font des enfants sans les aimer et sans les éduquer, regrette-t-il.

– Tant mieux, nous les éduquerons avec la religion et cela nous fera encore plus de serviteurs dévoués.

La jeune femme lui rapporte des fruits.

– Cela peut s'avérer dangereux à la longue.

– Tu penses qu'il faudrait faire quoi ? Leur demander de réduire leurs naissances ? demande-t-elle.

La jeune femme boit à petites gorgées.

– Moi, je crois qu'il faut les occuper.

– Tu penses à quel genre de mission, Nout ?

– Découvrir et domestiquer les territoires sauvages qui nous entourent.

– Nous avons suffisamment de place, pourquoi vouloir s'étendre ?

Plusieurs petits humains, ayant fini de coudre un parchemin, vont en chercher un nouveau pour l'ajouter au rouleau déjà constitué.

– Se contenter de ce que l'on a est une idée adaptée à Ha-mem-ptah parce que Ha-mem-ptah était une île, donc un territoire déjà naturellement confiné. Ici nous sommes sur un continent, ce qui requiert que nous soyons un peu plus ambitieux. Il faut adapter notre civilisation à ce nouveau décor. Tu imagines si nos valeurs étaient diffusées sur tous les territoires que nous voyons lors de nos voyages astraux ?

Geb observe du haut du balcon l'activité des minuscules indigènes qui, maintenant, s'apprêtent comme des Atlantes.

– Cesse d'avoir peur de tout ce qui est nouveau. Pourquoi toujours agir de manière étriquée alors que notre esprit nous montre combien le monde est vaste et complexe ? ajoute Nout.

– Parce que chez les humains de petite taille, tout a toujours un prix. Ce qui va bien s'équilibre avec ce qui ne va pas. Ils sont incapables d'imaginer un monde stable et harmonieux. Ils veulent toujours plus de tout jusqu'à ce qu'il y ait des problèmes. Ils sont naturellement comme cela.

— Mais nous avons de nouveaux outils pour résoudre nos problèmes ainsi que les leurs, il me semble. Désormais, nous disposons de bateaux, de chariots avec des roues, de cultures agricoles sur de grands champs aux productions moins aléatoires que celles de nos anciens jardins individuels. Vois tout ce que nous avons fait en quelques décennies.

— Et s'ils venaient à se révolter ? dit Geb en chuchotant pour que leurs serviteurs proches ne les entendent pas.

— Nous sommes leurs dieux.

— Pour ceux-là peut-être, mais qu'en sera-t-il de ceux qui vivent plus loin ?

— Nos petits humains civilisés ont déjà pris d'eux-mêmes l'initiative de créer une armée pour nous protéger des autres petits humains sauvages qui voudraient nous attaquer, rappelle-t-elle.

— Je n'ai pas confiance dans « nos » petits humains, reconnaît-il. C'est pour cela que je viens de les charger de créer une police.

— Une police ?

— C'est encore un concept que m'a enseigné Né-hé : ils se surveillent entre eux, et quand il y en a un qui se comporte mal, ils l'enferment dans une pièce appelée prison. Et s'il continue, eh bien ils lui donnent des coups.

Geb se replace face à la grande table de bois qui lui sert de bureau et reprend la rédaction des parchemins. Il s'interrompt :

— Maintenant qu'ils nous connaissent mieux, ils sauront trouver nos points faibles. Comme des enfants avec leurs parents.

— Justement, nous les dominons par l'ascendant naturel que

nous exerçons sur eux et la gratitude qu'ils éprouvent à notre égard. Et puis ne sous-estime pas le pouvoir de la religion, c'est un joug qui les maintient parfaitement sous notre contrôle. Leur imaginaire joue contre eux. Et leur imaginaire n'a pas de limite.

– À ton tour, ne sous-estime pas le pouvoir de l'intelligence, Nout.

Face au silence de Nout, Geb conclut :

– Mais tant que nous n'avons pas de motif d'alarme, concentrons-nous sur notre projet : laisser les deux rouleaux décrivant notre civilisation dans les jarres. C'est là notre mission, actuellement la plus importante, car c'est comme cela que les hommes du futur sauront qui nous étions.

117.

Les six Français fugitifs sont parvenus à quitter l'énorme capitale du Caire pour prendre la route de Marsa Matruh à bord de la Peugeot 509. Après plusieurs heures de voyage dans le désert, ils finissent par arriver tard dans la nuit au nord du pays, pour rejoindre le port de la petite ville balnéaire.

Ils s'installent dans le *Poisson volant* et, sans attendre, larguent les amarres. Il n'y a pas de vent, alors ils utilisent le petit moteur à essence pour s'éloigner de Marsa Matruh.

Adieu l'Égypte.

Une fois qu'ils sont hors de vue de la côte, René branche le pilote automatique. Enfin, les six Français se retrouvent autour de la table de l'habitacle. Ils se regardent en silence.

Comme ils n'ont pas bien mangé depuis longtemps, Nicolas propose de préparer un dîner express avec les provisions qui leur restent de la précédente traversée. Il élabore une salade avec des légumes secs et des condiments. Nicolas se révèle être un excellent cuisinier. Il tente des mélanges subtils.

Après la nourriture insipide et frugale de la prison de Scorpio, tous apprécient chaque bouchée de ce plat simple.

— Qu'est-ce qui nous a pris de venir ici ? soupire Gauthier. J'aurais mieux fait de me casser une jambe lorsque tu m'as appelé, Élodie.

— Ça ne sert à rien de se rejeter mutuellement la faute, répond-elle.

— Quoi qu'il en soit, toi et ton pote, vous nous avez mis dans la merde et… vous nous en avez sortis, doit bien reconnaître le journaliste vedette. Je pense que ma carrière est fichue, mais bon, je me doute que ce n'est pas le moment de ne penser qu'à ma pomme, sinon on va encore me reprocher d'être égocentrique.

Il essaie de se contenir, puis jette le verre de vin.

— Putain ! Qu'est-ce qui m'a pris de venir !

— Je regrette de ne pas avoir pu filmer notre évasion, dit Cerise, c'était quand même très spectaculaire. Personnellement, je peux vous l'avouer maintenant, j'ai adoré ces instants de pure aventure.

Et tout en disant cela, Cerise ne peut se retenir de pouffer. Nicolas s'esclaffe lui aussi, et le phénomène est contagieux : Opale se met également à rire, puis René. Enfin Gauthier renonce à ronchonner et se déride. C'est comme si toutes les tensions accumulées se libéraient d'un coup. René reprend la parole.

— On a quand même une question en suspens : on fait quoi maintenant ?

— Nous rentrons en France, bien sûr, dit Gauthier.

— En France ? Vous l'avez avoué vous-même, votre carrière est fichue. Vous voulez faire quoi ? Être une « ancienne vedette de télévision au chômage » ?

– Et il propose quoi, le « petit professeur d'histoire spécialiste des cavernes vides » ?

– Précisément, je propose qu'on poursuive ce qui nous a réunis ici, c'est-à-dire notre mission de réhabilitation de la vérité sur nos origines.

Élodie intervient :

– Je dois avouer que tu as fini par me convaincre, René. Moi je te suis.

– Tu es prête à renoncer à ton travail à Paris ?

– De toute façon, je n'ai pas de famille, pas d'amoureux, pas d'enfant et je commençais à sacrément m'ennuyer dans mon travail. Comme tu dis, tenter d'éduquer des gens qui n'en ont pas envie est un métier trop ingrat. Là, avec cette aventure, j'ai enfin eu l'impression de vivre à fond, même si c'était risqué. Et si ton histoire d'Atlantide est vraie, eh bien, je trouve que rétablir la vérité historique est une noble cause. Au sein de notre petite communauté, si cela peut aider, je veux bien servir d'infirmière, j'ai un brevet de secouriste.

– Et vous, Opale ?

La jeune femme rousse laisse échapper un petit soupir.

– J'ai vu de mes yeux les squelettes géants et les jarres au signe du dauphin. Donc nul besoin de me convaincre. Je poursuis l'aventure. Je pourrais aider en tenant la barre, je suis une bonne skipper, René pourra vous le confirmer. Et sinon je pourrai vous aider, avec ma formation de psy, à vous sentir mieux.

– Avant qu'on me pose la question, je réponds, intervient Nicolas. Moi aussi je suis prêt à ne pas retourner en France. J'ai fait mon service militaire comme cuistot dans un torpilleur avant d'être preneur de son, je pourrai préparer la nourriture pour tous. Et je sais pêcher et préparer le poisson.

– Moi aussi, dit Cerise, j'ai une formation d'informaticienne et d'électronicienne et je pourrai réparer les machines en panne. Tout ce qui est mécanique ou électrique n'a pas de secret pour moi.

– C'est parfait, dit René, moi aussi je pourrai tenir la barre en alternance avec Opale et si cela peut aider la communauté, je pourrai aussi m'occuper de l'entretien du voilier.

Tous se tournent vers Gauthier Carlson.

– Je vous vois venir ! Vous êtes devenus dingues ! Ne pas retourner en France, mais pour aller où ?

– Nous avons quelques jours de bateau pour y réfléchir à tête reposée, élude René.

– Réfléchissons tous de notre côté pour trouver une solution, reprend Opale. L'idée est de trouver un moyen de diffuser la vérité malgré la destruction des preuves. Il y a forcément un moyen.

– En tout cas, je ne sais pas ce qu'il en est pour vous, mais moi je suis épuisée, je vais dormir. Tu peux me montrer ma cabine, René ? demande Cerise.

– Attends, dit Élodie. Nous avons tous présenté notre apport dans la communauté de ce bateau. Il faut que tu trouves ta place parmi nous, Gauthier.

– Je... enfin... c'est étrange ce que vous me demandez là. Je ne sais pas tenir un gouvernail, je ne sais pas soigner, je ne sais pas faire la cuisine, et je ne sais pas réparer les machines, si c'est ça votre question. J'ai une formation de scientifique théorique et de journaliste télévisé. Point.

497

– Dans ce cas, dit Opale, tu feras la vaisselle et le nettoyage. On a toujours besoin de gens pour récurer le pont, n'est-ce pas ?

Comme il n'y a que trois cabines, ils se regroupent par couples. René avec Opale, Gauthier avec Élodie, Cerise avec Nicolas.

À peine l'hypnotiseuse s'est-elle étendue sur le lit qu'elle s'endort, épuisée. René, pour sa part, est trop excité pour arriver à s'endormir. Alors, pour ne pas la réveiller, il monte sur le pont avant et s'étend de tout son long.

Il est seul. Au-dessus de lui, rien que le plafond étoilé et l'air chaud. Pas le moindre vent, pas la moindre vague, juste le ronronnement régulier du moteur qui les éloigne de l'Égypte.

Alors il accomplit ce qu'il sait faire de mieux : remonter dans ses mémoires antérieures. Cette fois-ci, il a envie de tester quelque chose d'un peu plus audacieux que tout ce qu'il a connu jusque-là.

Je suis sûr que c'est réalisable. Ce serait si... extraordinaire que j'y arrive.

Escalier. Descente prudente des dix marches. Ouverture délicate de la porte de l'inconscient. René retrouve le couloir aux 111 portes.

Maintenant, je vais enfin savoir si c'est possible. S'il est possible d'ouvrir simultanément toutes les portes de mes vies antérieures pour rencontrer d'un seul coup toutes mes anciennes incarnations.

Alors, profitant du simple pouvoir de sa pensée et de sa volonté, René courbe les murs et transforme le couloir longitudinal en arène circulaire, si bien que les 111 portes se retrouvent toutes face à face.

118.

Il fait chaud. Geb n'arrive pas à dormir.

Il contemple Mem-phis, et se dit que quelque chose dans cette cité étrangère ne lui plaît pas. L'énergie de vie, la rouar, circule de manière sporadique au lieu de glisser entre ses habitants, petits et grands, en un flux harmonieux continu.

Il arpente la cité. Les maisons de bois sont alignées jusqu'aux quartiers des petits hommes.

Il en repère qui sont en train de discuter à la lueur de torches. Il se demande de quoi ils peuvent parler si tard dans la nuit.

Puis, refusant d'imaginer des dangers là où il n'y en a pas, il se résout à rentrer chez lui. Il se couche près de Nout et attend que le sommeil arrive.

119.

René est dans l'arène de son inconscient. Il commence par ouvrir la porte 111, celle où se trouve Phirun.

Le moine cambodgien est encore enfermé dans sa cellule, en train de somnoler. Le professeur d'histoire lui propose de venir le rejoindre pour s'installer au centre du cercle. Phirun, intrigué, accepte et attend la suite des événements.

René ouvre ensuite, une à une, les cent dix portes restantes dans leur ordre chronologique décroissant. Seuls Léontine, Shanti, Zeno, Yamamoto ne semblent pas surpris. Les autres ont besoin qu'on leur éclaircisse brièvement cette situation nouvelle.

Heureusement, Shanti joue parfaitement son rôle d'hôtesse,

s'appuyant sur sa religion bouddhiste pour souligner combien tout cela est « normal », même si ça peut sembler bizarre à ceux qui ne sont pas familiers de la réincarnation.

Pour les plus sceptiques, René utilise l'argument passe-partout : « Vous êtes dans un rêve. »

Enfin, Geb, dernier à apparaître dans le couloir, salue l'assistance et prend sa place dans l'attroupement qui s'est spontanément créé.

– Bonsoir tout le monde, commence René. Bienvenue à cette première assemblée générale de toutes les réincarnations de mon âme. Asseyez-vous en tailleur afin que vous puissiez tous me voir et m'entendre, et que nous puissions communiquer plus facilement.

Il sent les énergies foisonnantes autour de lui. Pour se donner une contenance et un certain contrôle, il se fixe une règle numéro un : sourire.

– Merci de m'avoir fait confiance pour cet instant particulier, dans ce lieu imaginaire. Je ne sais pas si vous l'avez bien compris, mais, ici, nous sommes dans l'inconscient commun de chacun d'entre nous. Et tous ces gens qui ont surgi de derrière les portes et que vous voyez sont en fait les réincarnations successives d'une seule et même âme. La mienne. La vôtre ou plutôt, devrais-je dire, la « nôtre ».

Cette fois-ci, tous l'écoutent.

– La première âme à apparaître dans notre histoire, celle qui vit encore derrière la porte 1, est celle de Geb. Pouvez-vous vous lever pour qu'on vous voie bien, Geb, s'il vous plaît ?

L'Atlante se lève et René peut constater qu'il a la même taille que les autres, car c'est celle de l'esprit.

S'il était apparu en tant que géant, il aurait inquiété.

500

– Enchanté de vous rencontrer, «futurs moi-même», vous qui faites le lien entre moi et le dernier d'entre nous, René.

– Eh bien, puisque vous êtes tous des représentations d'une seule âme qui évolue à travers le temps et l'espace, je crois qu'il pourrait être intéressant que chacun à tour de rôle, en commençant par Geb, se présente en donnant son nom, sa date et son lieu de naissance.

Ainsi, l'un après l'autre, tous se lèvent, saluent l'assistance et se présentent. Tous s'observent avec une curiosité mutuelle qui ne fait qu'augmenter au fur et à mesure que les noms et les dates sont égrenés.

Bon sang, si on m'avait annoncé que j'assisterais à un tel spectacle. Dire que cette possibilité a toujours existé au fond de moi. Tous ces karmas étaient déjà là, je n'avais juste pas l'idée de les convoquer. C'est vraiment un moment surprenant.

René distingue parmi ses anciens lui-même des individus dont il devine automatiquement l'identité : un griot sénégalais, une jeune femme coréenne, un mandarin chinois, un Pygmée, une vieille shaman sibérienne, une Sioux, un chasseur de la forêt amazonienne, un cavalier mongol, un homme d'une tribu papoue, un autre Amérindien, une danseuse balinaise, un aborigène d'Australie, un bédouin, un soldat romain, un commerçant grec, un navigateur viking, un chasseur esquimau, une femme maya, un soufi turc, un prêtre arménien, une soldate kurde, un Juif hassidim polonais, un roi allemand médiéval, un cul-de-jatte finlandais, plus deux mendiants dont les haillons empêchent d'identifier leur pays ou leur époque, et une vingtaine d'autres dont il a du mal à deviner l'identité.

Ils semblent en même temps étonnés et émerveillés de se découvrir mutuellement.

501

– Nous sommes chacun d'entre nous composés de tous ceux qui sont là, déclare René.

Alors, pour permettre à son auditoire de mieux comprendre la situation, il fait apparaître un grand miroir rond qu'il frappe en son centre. Le miroir se fendille en plusieurs morceaux qui restent malgré tout fixés au support, si bien que, dans chaque morceau, un reflet légèrement différent renvoie une image de ce qui est en face.

– Selon moi, « notre âme » a choisi de vivre tous ces épisodes dans des décors et des situations différents pour une raison : expérimenter des émotions nouvelles.

Tout en parlant, le professeur d'histoire, placé au centre de la ronde, tourne sur lui-même pour être vu par tous.

– Vous avez tous choisi vos vies avant de naître. Vous avez tous choisi vos talents. Vous avez tous choisi vos parents.

Une rumeur circule dans l'assistance.

Même s'ils sont de temps et d'espaces différents, ils ont l'air de me comprendre sans exception. Même le Pygmée ou l'Esquimau. Heureusement que nous avons le langage universel de l'esprit pour communiquer.

– Nous avons connu des vies faciles et d'autres plus difficiles parce que notre âme a probablement souhaité expérimenter de tout pour apprendre. Comme un métal qui est plusieurs fois trempé et qui alterne le chaud et le froid pour se raffiner.

– Personnellement, je trouve que ma vie a mal démarré, dit le cul-de-jatte finlandais. Comment voulez-vous réussir sans jambes ?

– Moi aussi ! répond un autre qui n'a ni bras ni jambes.

– Et moi, je suis né paria !

– Moi, ma mère était alcoolique.

– Moi, j'ai été vendu par mes parents.

– Moi, j'ai été abandonnée sur un tas d'ordures à la naissance ! Mon père voulait un garçon et il n'a pas voulu payer de dot pour mon mariage.

– Moi, j'ai eu un cancer à 7 ans !

René a un geste apaisant pour éviter que son assemblée ne se transforme en bureau des réclamations. Il attend que le silence soit revenu, ménage son effet pour être bien certain que tous l'écoutent et comprennent.

– J'en suis arrivé à la conclusion qu'à la fin de chaque vie, chacun de vous a dû procéder à une sorte de bilan intérieur. Au terme de cette analyse, l'âme a sélectionné les caractéristiques qu'elle voulait pour sa vie suivante. Après une vie de roi, tel d'entre vous a peut-être eu l'envie de découvrir ce que cela faisait d'être pauvre dans la peau d'un mendiant. Après la vie de femme, une vie d'homme, après la vie dans la nature, une vie dans les grandes villes, après la vie d'esclave, la vie de maître, après la vie de bourreau, la vie de victime, après la vie de confort, la vie d'efforts.

– Et comment donc savez-vous cela ? demande le roi allemand, méfiant.

– Pour l'instant, écoutez-moi et je vous dirai comment j'en suis arrivé à cette conclusion. Je pense donc que nous avons testé des formules de réincarnation pour connaître les vies les plus différentes possible. Il y a un jeu à mon époque qui s'appelle le Mastermind. On doit deviner une combinaison de pions de couleur. On teste différentes possibilités et à partir de ce que l'on devine, en analysant ce qui fonctionne et ce qui ne fonctionne pas, on essaie une formule différente, jusqu'à ce que l'on trouve la solution.

Yamamoto lève la main.

– Il a raison, j'ai passé ma vie à obéir à mon daimyō. Je n'ai jamais fait de choix personnel. J'ai fini par souhaiter une vie inverse où je ferais des choix personnels en assumant toutes mes décisions.

Il désigne Shanti.

– Et je viens de découvrir que je suis devenu elle.

– En effet, c'est moi qui ai suivi Yamamoto, dit l'Indienne. Je suis le karma derrière la porte 72. J'ai connu une vie de raffinements dans tous les domaines, mais il m'a manqué le rire. Alors je souhaite désormais une vie où je pourrais toujours plaisanter. Et je vais devenir…

Un homme en perruque et habillé à la mode Louis XV effectue une courbette sophistiquée en utilisant son tricorne devant la porte 73.

– Moi. Giovanni. Musicien vivant à Venise, pour vous servir. J'ai voyagé toute ma vie, je n'ai tué personne, et je n'ai jamais appartenu à qui que ce soit. Je ris beaucoup et je sais séduire les femmes grâce à mon esprit. D'ailleurs, maintenant que je suis à la fin de ma vie, il me semble que les femmes sont plus subtiles et plus sensibles que les hommes, alors je voudrais renaître en femme dans un pays ensoleillé.

– Et ce sera moi, dit une jeune femme habillée à la marocaine. Je m'appelle Fatima. Je vis dans le confort, avec de beaux vêtements, une chambre luxueuse, mais enfermée dans une cage dorée loin de la nature. Alors il me semble logique que, après ma mort, j'aie souhaité vivre en forêt dans une tribu nomade, en mouvement. Et aussi que j'aie voulu fonder une famille soudée. Car dans mon harem, je n'ai pas eu d'enfants et je ne vois pratiquement jamais l'homme auquel j'appartiens.

Le Pygmée signale qu'il est issu de ce souhait.

– Donc moi, Ngotso. Je vis une vie proche de la nature, mais qui dépend de la chasse et de la cueillette. J'en ai marre de me déplacer à pied. J'ai vu récemment un homme à cheval, qui m'a donné une impression de force et de puissance. Je rêve désormais de galoper dans les steppes à cheval.

– Moi, dit un cavalier mongol, ce qui me manque le plus, c'est de savoir lire et écrire. Je suis désolé d'être incapable de comprendre la première inscription venue. Alors j'ai déjà formulé le souhait, dans ma vie suivante, d'être…

– … moi, répond aussitôt un prêtre en soutane. Moi qui sais lire et écrire, mais qui ne connais pas les plaisirs de la chair. Alors, dans ma vie suivante, je veux être…

– … moi, annonce une femme habillée comme une prostituée.

Maintenant tous, à tour de rôle, expliquent pourquoi ils sont devenus dans leur vie suivante ce qu'ils auraient souhaité être dans leur vie précédente. René les interrompt.

– Je crois que vous venez tous de comprendre ce que j'ai moi-même fini par déduire. Nous avons tous souhaité, avant de renaître, devenir quelqu'un de précis dans un endroit précis. Ensuite, même si nous avons conservé notre libre arbitre, nous étions déterminés à embrasser la trajectoire souhaitée par notre prédécesseur. D'ailleurs, peut-être que si mon moi précédent, Phirun, a choisi que je naisse dans une famille qui m'a prénommé René, c'était pour que je m'intéresse à la question de savoir comment on « renaît ».

Tous sont amusés par l'idée que cela puisse être aussi simple. Phirun approuve et déclare :

– Examinez vos prénoms, ils contiennent peut-être une clef pour comprendre vos missions d'âmes respectives.

Plusieurs murmurent. Certains sont étonnés de constater que leur vie entière était déjà contenue dans le mot qui les désigne.

– Ah oui… Je m'appelle Melody, et je suis chanteuse, signale une femme dont les vêtements semblent dater de l'Empire, soit juste avant Hippolyte.

– Pierre, je suis bijoutier.

– Marguerite, je suis cultivatrice de fleurs.

– Édith, je suis dans l'édition.

– Roman, je suis romancier.

D'autres prénoms sont énoncés et, chaque fois, celui qui le porte est surpris de ne pas avoir prêté plus d'attention à ce mot qui les définissait dès leur naissance.

– Moi, je me prénomme Anne… je ne vois pas ce que cela peut signifier.

La jeune femme affiche un air déçu.

– Ce n'est pas systématique, mais cela peut parfois être un indice, transige René. Nous avons tous reçu, avant de naître, de la part de notre prédécesseur, une sorte de souhait quant aux talents et même aux rencontres qui allaient être ceux de la prochaine incarnation. Il existe des familles d'amis ou d'amants qui se retrouvent vie après vie pour s'entraider. C'est ce que l'on peut nommer des « familles d'âmes ». Et tous, au sein de ces familles d'âmes, nous nous aidons à faire émerger et à utiliser nos talents, nous nous soutenons. Car, souvenez-vous, à la fin, il ne vous sera posé qu'une seule question : « Qu'as-tu fait de tes talents ? »

Shanti lève la main.

– Ce que je ne comprends pas, c'est que Geb a l'air d'avoir déjà tous les talents, et en plus il semble sage et heureux. Pourquoi a-t-il fallu passer par des vies moins talentueuses, moins sages et moins confortables après la sienne ?

– Bonne question. Geb, pouvez-vous donner votre interprétation ?

L'Atlante, jusque-là silencieux, se tourne vers le groupe et dit :

– Certes, mon monde était gouverné par l'harmonie et une manière de vivre très douce et très agréable. Nous les gens d'Hamem-ptah vivions en osmose avec la nature, connectés à la vie, nous entretenions des rapports très détendus, mais...

Il cherche la meilleure manière d'exprimer son idée.

– ... mais nous stagnions dans un bonheur qui ne nous faisait pas progresser. Sans peur, sans enjeu, sans risque, sans angoisse, nous nous endormions. Tout ce que nous produisions comme activité de l'esprit, aussi subtile fût-elle, s'évaporait avec le temps. Nous n'avions même pas pensé (jusqu'à ce que je rencontre René) à laisser une trace écrite de notre propre existence. Nous étions sages pour rien. Parce que nous n'avions pas le moindre historien capable de laisser une trace de notre mémoire dans des livres.

Il désigne René.

– En fait, moi aussi, cela m'a surpris, au bout de 12 000 ans, de devenir un petit professeur d'histoire à la vie nerveuse et courte.

Giovanni ne peut retenir un ricanement.

– Pourquoi riez-vous ?

Le musicien vénitien explique :

– Parce qu'une blague de chez nous dit : « Mieux vaut en avoir une petite nerveuse qu'une grosse paresseuse. » C'est un peu coquin, mais avec ton récit cela prend un tout autre sens. Continue, Geb.

– J'ai fini par comprendre que René Toledano, né en France à son époque avec cette tête-là, ce corps-là, est l'aboutissement de ce qu'il pouvait y avoir de mieux pour l'évolution de mon âme. Et la preuve ultime, s'il était encore nécessaire de la signaler, c'est qu'il a eu cette idée de me contacter.

– De « nous » contacter tous autant que nous sommes, rectifie Shanti.

– Oui, cet instant est le point d'aboutissement de tout ce que nous avons chacun entrepris à notre époque, et nous offre la possibilité d'être connus et jamais oubliés, précise Phirun.

Tous digèrent l'information et mesurent ce qu'elle implique.

Yamamoto approuve :

– La vie de René est finalement la plus aboutie. Car lui seul a suffisamment d'informations pour recouper les éléments du passé.

– C'est vrai, dit Zeno, je ne savais même pas qu'il existait des peuples comme les Amérindiens ou les Chinois. Je les découvre seulement maintenant !

Geb poursuit :

– René, grâce à sa curiosité, a répertorié la succession des événements historiques sur chaque territoire. Et il a su s'intéresser à autre chose qu'à la vie des chefs militaires et leurs victoires.

Le roi allemand considère que la connaissance des guerres est la meilleure manière de maîtriser l'histoire. Il a envie de réagir, mais il se retient.

– Moi aussi, dit Shanti, je reconnais que j'ignorais qu'il existait des territoires aussi vastes et aussi peuplés. Je discutais tout à l'heure avec l'aborigène d'Australie, je ne savais même pas que le continent australien existait.

– Je savais que l'Australie, la Chine ou l'Amérique existaient, dit Léontine, mais je n'avais pas connaissance de ce qu'il s'y passait. Il pouvait y avoir une guerre en Orient, personne ne le savait en France.

– Je confirme qu'au Japon, à mon époque, nous ne savions pas non plus grand-chose de ce qu'il se passait à l'ouest, ironise Yamamoto. Pour nous, ce n'étaient que des barbares.

Geb reprend :

– Beaucoup parmi vous ignoraient l'existence de l'Antarctique ou de l'Arctique. René est le seul à avoir lu des livres sur toutes les cultures des cinq continents, c'est le seul à avoir goûté des plats de toutes les cuisines du monde, à avoir écouté des musiques de tous les pays, à avoir eu accès aux philosophies orientales comme à celle des Grecs, à avoir voyagé sur les cinq continents.

– C'est vrai, reconnaît l'intéressé, je ne me rendais pas compte à quel point j'étais privilégié. J'ai pu profiter du train, de la voiture, de l'avion, j'ai bénéficié des livres et des ordinateurs, j'ai eu à ma disposition tellement d'outils que beaucoup d'entre vous ignorent.

– Précisément. Qu'est-ce qu'un avion ? demande Zeno.

– Et un ordinateur ? demande le roi allemand.

– René est l'humain rempli de connaissances et d'expériences que nous avons tous souhaité devenir. Certains parmi nous ne savaient pas lire ou écrire, ne savaient pas nager... Lui sait faire tout cela et plus encore.

– Un avion est un véhicule qui vole dans le ciel, annonce Hippolyte en spécialiste.

– Donc c'est possible, dit Giovanni. Je le savais, certains en parlaient à mon époque mais personne ne les croyait.

À nouveau, les réincarnations sont impressionnées.

– Je n'avais jamais pris conscience de ma chance avant aujourd'hui, reconnaît René.

Se souvenant de son Mnemos « L'erreur de la nostalgie », il énumère :

– Dans mon pays et à mon époque, donc votre futur, il n'y a pas eu de guerre depuis plus de 70 ans, on a pu contenir les grandes épidémies grâce aux vaccins et aux antibiotiques, il n'y a plus de famine, on construit des immeubles de plus de trente étages dont les murs de verre sont presque entièrement transparents, on a de l'eau chaude et de l'eau froide potable qui arrivent directement dans tous les appartements, la plupart des gens se déplacent en voiture – des charrettes sans chevaux.

Tous sont impressionnés.

– Alors c'est cela le monde futur ? Le monde de René ! s'extasie le roi allemand. Ma foi, cela a l'air agréable.

– Et les gens travaillent encore dans des usines ? questionne Hippolyte.

– La plupart des tâches pénibles sont effectuées par des machines que l'on appelle des robots. Il y a aussi des machines, comme les ordinateurs dont je vous parlais tout à l'heure, qui permettent de faire des calculs ainsi que des recherches à notre place.

– Vous vous faites aider pour réfléchir ? s'étonne Giovanni. Et les machines servent aussi à faire de la musique ?

– Oui… Nous travaillons probablement moins que vous et nous sommes dans ce qu'on pourrait appeler une « société de consommation et de loisirs ». Beaucoup de repos, beaucoup de voyages, enfin, pas pour tous, mais la plupart des gens en France et dans les pays occidentaux modernes, en tout cas.

Geb reprend la parole.

– René m'a même appris qu'à son époque on avait envoyé une fusée sur la Lune.

Une rumeur étonnée accueille cette information dans l'arène circulaire.

– Voilà un exemple parmi les milliers d'informations que René possède et que très peu d'entre nous ont même envisagées. Pour tout vous dire, je n'avais jamais imaginé que ce fût possible d'aller sur la Lune autrement qu'en voyage astral.

Le professeur d'histoire temporise.

– Vous êtes trop modeste, Geb. Votre monde est parfait. Pas de guerre, pas de famine, pas d'épidémie, de l'altruisme, et une totale harmonie avec la nature. Cela vaut bien tous les avions, tous les vaccins, toutes les fusées sur la Lune. Vous étiez heureux.

– Heureux comme des ignorants. Bien sûr qu'il est plus satisfaisant de n'avoir aucun désir ni aucune crainte, mais cela rend aussi léthargique. Toi, René, tu es un inquiet, un peureux, un timide, un angoissé, donc tu te remets en question et tu évolues vite. Ce qui t'a permis d'affronter des périls énormes et de faire les bons choix. Je crois que rien que pour ça on peut t'applaudir, pour que tu saches que nous sommes tous fiers de t'avoir comme dernier représentant de « notre âme ».

– Vous êtes admirable ! dit Léontine.

– Oui vous êtes formidable, confirme Yamamoto.

– Et courageux, précise Hippolyte.

Les 111 âmes applaudissent René. Il en est ému.

Bon sang, si je m'attendais à être un jour applaudi par mes réincarnations précédentes.

– Reste une question : pourquoi nous avoir réunis ici maintenant ? demande la shaman sibérienne. Puisque tu es complet et que tu as tout compris, qu'attends-tu de nous, René ?

Le professeur d'histoire prend son temps. Tous se rassoient en tailleur sur le sol.

– Eh bien, en fait, j'attends... une idée.

– Quel genre d'idée ? demande Roman.

– Voilà, vous avez tous vécu… et on vous a oubliés. Si je ne vous avais pas réunis ici, je ne saurais même pas qu'un jour vous avez existé. En général, le souvenir d'une vie « non célèbre » n'excède pas quatre générations, dans le meilleur des cas. C'est Phirun qui m'a appris qu'on pouvait faire oublier sciemment l'existence d'un être humain. Et c'est Geb qui m'a fait prendre conscience qu'on pouvait même oublier celle d'une ville, d'un pays, voire d'une civilisation.

Tous deux approuvent.

– Et j'ai découvert récemment une preuve de l'existence de la civilisation atlante : je l'ai apprise en séance de régression, j'ai mis au point une stratégie pour la transformer en preuve matérielle, mais des circonstances particulières ont fait que…

Il déglutit sous le coup de l'émotion.

– Cela a failli marcher, mais ça a échoué au dernier moment. Si bien que, dans mon monde, à mon époque, on considère malheureusement que l'Atlantide n'est qu'une légende.

Un tumulte parcourt l'assistance.

– Alors maintenant que je n'ai plus de preuve matérielle, je cherche comment restaurer la mémoire oubliée de Geb et de sa civilisation.

Un silence suit. Tous se concentrent pour trouver comment sauver leur mémoire.

Shanti intervient.

– Regardez qui vous êtes, là où vous êtes et ce que vous êtes, René.

– Où voulez-vous en venir ?

– Vous êtes professeur d'histoire. Si Phirun a choisi de se réincarner en vous, c'est, vous l'avez dit, parce qu'il sentait que la question de la mémoire historique allait être un enjeu important. Si vous vous retrouvez dans un pays et à une époque aussi développés pour diffuser la pensée, ce n'est pas non plus un hasard.

– Que proposez-vous, Shanti ?

C'est Léontine qui répond.

– Joue la partie avec tes cartes. Si j'ai bien compris, tous, nous avons l'impression d'avoir reçu un jeu imparfait, mais toi, tu as tous les atouts en main. Tu as le carré d'as ! Jamais le jeu n'a été aussi facile à jouer, alors joue-le !

Geb prend le relais.

– Elle a raison, tu n'as pas pu préserver mes jarres avec les parchemins ni mon squelette, mais si tu communiques à ton époque avec les outils de diffusion modernes, tu peux utiliser l'humanité entière pour t'aider à chercher d'autres preuves.

René réfléchit.

– Nous comptons sur toi pour le faire, dit l'Arménien.

– Rétablis partout la vérité, ajoute le Juif hassidique polonais. Il faut trouver une méthodologie incontestable pour qu'un fait du passé soit considéré comme vrai.

Phirun conclut.

– Désormais, tu dois placer tes cartes dans la partie qui s'offre à toi. Comme l'a dit Léontine, utilise tes atouts et joue-les !

– Tu as le devoir de rétablir la vérité historique sur nous tous et nous t'aiderons tous dans ta connaissance, dit la femme kurde.

– De notre côté, nous te fournirons les informations nécessaires pour que tu aies suffisamment de détails qui confirment les faits. Comme ça tu seras incontestable, ajoute l'aborigène d'Australie.

– Tu pourras revenir et chacun d'entre nous te dira comment cela s'est vraiment passé, ce que nous avons vu, et non pas ce que nous avons entendu dire par d'autres ni par la propagande officielle. L'humanité a besoin de retrouver sa mémoire, clôt le moine cambodgien qui finalement le tutoie lui aussi.

René salue ses 111 incarnations par une courbette compliquée assez similaire à celle de Giovanni.

– Merci à tous. Vous avez résolu mon problème.

Une onde de satisfaction parcourt toutes les âmes présentes. Chacun repasse sa porte et s'apprête à poursuivre son destin, le cœur gonflé par cette rencontre inattendue. Un nouveau sentiment les envahit, qui se résume à : « Je ne suis pas né par hasard. »

120. MNEMOS. LA TOMBE D'ALLAN KARDEC.

Allan Kardec, de son vrai nom Hippolyte Rivail, est le fondateur de la philosophie spirite en France. Il a pris ce pseudonyme car il se considère comme la réincarnation d'un druide celte qui portait ce nom.

Né à Lyon en 1804, il découvre les tables tournantes en 1855, notamment grâce aux trois sœurs Fox, les vedettes du spiritisme américain. Il lance des cercles de spiritisme en France, auxquels participeront des célébrités tels Victor Hugo, Théophile Gautier, Camille Flammarion ou encore Arthur Conan Doyle.

En 1857, il publie *Le Livre des esprits*, qui sera un best-seller de l'époque.

On peut y lire :

« L'homme n'est pas seulement composé de matière, il y a en lui un principe pensant relié au corps physique

qu'il quitte, comme on quitte un vêtement usagé, lorsque son incarnation présente est achevée. Une fois désincarnés, les morts peuvent communiquer avec les vivants, soit directement, soit par l'intermédiaire de médiums de manière visible ou invisible. »

Il meurt en 1869. Sur sa tombe, au cimetière du Père-Lachaise à Paris, on trouve son buste sculpté, sous lequel est inscrit :
« Tout effet a une cause, tout effet intelligent a une cause intelligente, la puissance de la cause est en raison de la grandeur de l'effet. »

Pour son éloge funèbre, Camille Flammarion dira : « Le spiritisme n'est pas une religion mais est une science. »
Enfin, sur sa pierre tombale est gravé en lettres majuscules le fondement même de sa doctrine : « NAÎTRE, MOURIR, RENAÎTRE ENCORE ET PROGRESSER SANS CESSE, TELLE EST LA LOI. »

121.

Il rouvre les yeux.
– Alors, c'était comment ? demande la femme.
Il met un temps à revenir dans son monde.
– René est vraiment un type formidable. Il a l'air timide et pourtant il a des initiatives surprenantes. Cette fois-ci, il a entrepris de réunir simultanément toutes ses vies antérieures.

– Toutes ses vies antérieures ? Tu veux dire toutes ses existences entre sa première et sa dernière incarnation ?

– Nous étions en tout cent douze.

Geb se lève et se place à la fenêtre d'où il peut voir désormais Mem-phis grouiller de son activité matinale, centrée non pas sur la place centrale, la zone des géants, mais sur le marché périphérique, où s'échangent les aliments et les objets manufacturés entre petits hommes.

– Grâce à cette réunion, René a trouvé un moyen de sauver notre mémoire.

– Les jarres ?

Geb se mord la lèvre inférieure.

– Non, les jarres cela ne va pas marcher.

– Dommage, nous venions juste d'en terminer la rédaction.

– Nous allons quand même aller jusqu'au bout de cette mission. Même s'il n'y a qu'une chance infime que notre futur soit différent de ce que raconte René, je veux la saisir. Peut-être qu'il y a une version de l'avenir où nos jarres ne seront pas détruites et où nos parchemins pourront être lus.

– Cela veut dire que tu ne crois pas que René connaisse notre avenir ?

– Je crois qu'il y a une forte probabilité pour qu'il ait raison, mais que ce n'est pas une certitude absolue. Il existe un minuscule risque pour que d'infimes détails modifient ce qu'il va se passer.

Leurs quatre enfants les rejoignent. Ils embrassent leurs parents avant de se réunir autour de la table pour déguster leur petit déjeuner.

– Comme tu voudras. Après, j'aimerais bien qu'on apprenne à Osiris, Seth, Isis et Nephtys l'art du voyage astral.

Geb se saisit des deux parchemins aux pages cousues et les place délicatement dans les deux jarres prévues à cet usage. Puis il les referme et les scelle avec de la cire.

— Voilà notre mémoire, dit-il en inscrivant le symbole du dauphin sur la paroi de terre cuite. Puisse-t-elle vivre longtemps.

122.

Elle est étendue et ronfle légèrement. René se déshabille et, avec des gestes précautionneux, essaie de s'étendre sur la couche sans réveiller Opale.

Les ronflements s'arrêtent d'un coup.

Zut. Raté.

— Je vous attendais, chuchote-t-elle sans ouvrir les yeux.

— Désolé, je vous ai réveillée ?

— Je me demandais combien de temps vous alliez mettre à me rejoindre.

— Je croyais que vous étiez fatiguée et que vous dormiez.

Elle soulève le drap et dévoile sa nudité. Lentement, Opale approche sa main pour la placer sur le cœur de René et s'empare de la sienne pour qu'il fasse la même chose.

Il sent les battements accélérés de la jeune femme.

Je sens son cœur, et je sens aussi son énergie de vie.

Nos deux rouars se connectent via nos mains sur nos cœurs.

— Je crois que nous avons été interrompus la dernière fois par votre Atlante, puis par les péripéties liées à nos « activités ludo-éducatives », dit-elle avec un clin d'œil.

C'est comme cela qu'elle appelle la découverte des squelettes géants et notre séjour en prison ?

– Il faudrait donc reprendre là où nous nous étions arrêtés, n'est-ce pas ?

Alors, intimidé, il s'approche et serre dans ses bras la femme qu'il désire le plus au monde.

J'ai tant attendu cet instant. Saurai-je en apprécier toute l'intensité ?

Ils s'embrassent. Alors leurs deux âmes fusionnent pour produire une énergie qui les dépasse.

Cet instant, je veux ne jamais l'oublier.

123. MNEMOS. LA DISPARITION D'UN PEUPLE.

Parfois, ce sont carrément les souvenirs de l'existence complète d'un peuple qui sont oubliés. Ainsi, en Tasmanie, vivait il y a plus de 10 000 ans une population indigène avec sa propre langue et sa propre culture.

En 1642, le Néerlandais Abel Tasman est le premier Européen à poser les pieds sur cette île située au sud de l'Australie. Suivront, en 1772, un Français (Marion-Dufresne), puis, en 1773, un Anglais (James Cook).

En 1803, une colonie anglaise, essentiellement formée d'un bagne avec ses prisonniers et ses gardiens, est installée sur la côte sud. Les anciens criminels, transformés en agriculteurs, développent une économie en perpétuelle croissance. Et, tandis que les Anglais se débarrassent de leurs condamnés, les Tasmaniens sont progressivement chassés de toutes les terres potentiellement cultivables pour finir confinés dans une zone désertique. L'alcool et la syphilis font des ravages chez les Tasmaniens, si bien que de 1803 à 1833 la population passe de 5 000 individus à 300. Des missionnaires sont envoyés pour convertir les survivants, selon le postulat qu'ils ont dû commettre bien des péchés pour que le sort s'acharne à ce point sur eux. Cela ne suffit pas à arrêter l'hémorragie démographique.

Les derniers Tasmaniens, dont on ignore jusqu'au nom qu'ils utilisaient pour se désigner, cessent de faire des enfants et perdent le goût de vivre. En 1876, des anthropologues emmènent dans la ville d'Hobart celle qui est considérée comme la dernière Tasmanienne, une femme nommée Truganini, morte à l'âge de 64 ans. Sa dernière phrase avait été adressée à son médecin : « Ne les laissez pas me couper en morceaux. » Après son décès, son corps fut exposé dans la vitrine du Tasmanian Museum comme pièce de collection. Et il fallut attendre 1976, centenaire de sa mort, pour que, malgré les objections de ce musée, son corps soit incinéré. Le groupe australien Midnight Oil lui rendit hommage avec la chanson « Truganini ».

C'est tout ce qu'il reste comme souvenir de la civilisation indigène de Tasmanie : une chanson de rock.

124.

Ils écoutent l'« Automne » des *Quatre Saisons* de Vivaldi.

Après les événements égyptiens, René, Opale, Gauthier, Élodie, Cerise et Nicolas ont choisi de poursuivre ensemble leur aventure. Chacun se débrouille donc pour temporiser vis-à-vis de son entourage et de son employeur : à l'approche des côtes,

Élodie utilise le smartphone offert par Villambreuse pour appeler le proviseur et lui annoncer qu'elle se met en congé maladie prolongé. Gauthier annonce à la rédaction de sa chaîne qu'il réalise un reportage top-secret, sur lequel il ne peut donner plus d'informations, et précise qu'il a engagé Cerise et Nicolas pour cette mission délicate. Opale, quant à elle, s'arrange avec son père pour que celui-ci reprenne le spectacle de la péniche pendant son absence qui pourrait s'avérer plus longue que prévu. René, enfin, tente d'avoir une conversation avec son propre père, avant de contacter le lieutenant Raziel et de lui fournir son témoignage sur les manipulations et tortures pratiquées par le docteur Chob. Raziel lui répond que l'enquête devrait prendre du temps avant d'aboutir.

L'esprit plus serein, les membres de l'équipage peuvent se consacrer à leur vie sur le voilier.

Le *Poisson volant* poursuit sa route vers l'ouest, bénéficiant cette fois d'une météo clémente. La vie au grand air, ses horizons illimités et ses cieux étoilés épargnés par les lumières des cités les confortent dans leur désir de vivre momentanément coupés des mégapoles.

Après le sentiment d'échec lié à l'aventure en Égypte et son triste dénouement, ils sont unis par leur volonté de servir un plan plus ambitieux, que René, seul, semble envisager dans son ensemble. Ils décident de s'organiser, tandis que les rapports qui les unissent se modifient : trois couples se sont formés : René et Opale, Cerise et Nicolas, Élodie et Gauthier.

Doucement, se crée ainsi leur petite communauté. Ils découvrent des façons nouvelles d'exploiter leurs talents et se révèlent complémentaires.

Quand Nicolas parvient enfin à acheter des aliments frais dans les ports où ils s'arrêtent, il prépare pour tous des plats délicieux. La qualité gastronomique des repas ainsi que des vins qui les accompagnent participent dans un premier temps à les détendre et les rassembler.

Ensuite, c'est Opale qui, grâce à ses diverses formations, offre des séances aussi bien individuelles que collectives de relaxation, qui contribuent à dépoussiérer le passé de chacun.

Gauthier, en excellent conteur, leur raconte ses reportages et leur enseigne des rudiments d'astronomie. Très vite, les six sont ainsi capables de reconnaître les constellations, puis les planètes et les étoiles.

Élodie offre des massages et soigne les petits problèmes de santé des uns et des autres.

Enfin, le soir, sous la voûte céleste, René décrit l'Atlantide tel qu'il se souvient de l'avoir visitée durant ses séances d'autohypnose. Et par ces récits singuliers, il crée une mythologie des passagers du *Poisson volant* comme jadis les conteurs au coin du feu créaient les cultures.

Ils se relaient à la barre et voyagent à la vitesse moyenne de six nœuds, soit environ dix kilomètres par heure. Les jours passent ainsi, et ils apprennent à mieux se connaître et à s'apprécier.

En proue du bateau, René, seul face au vent, repense à Geb. Cela fait maintenant plusieurs soirées qu'il ne s'est plus livré à son rituel de régression. Comme si la réunion des 111 lui avait donné l'impression d'avoir résolu tous ses problèmes. Et puis, sachant que le projet des jarres aux parchemins a abouti à un fiasco, il a l'impression qu'il n'y a plus rien à faire d'autre que de laisser Geb et Nout régner sur Mem-phis et vivre leur vie en Égypte, entourés de petits humains qui les vénèrent comme des dieux.

Il se dit que s'il le contactait malgré tout, il devrait s'expliquer sur son retard, comme autrefois quand il oubliait d'aller voir sa grand-mère.

Alors, dans le doute, il préfère ne plus le déranger.

125.

Trompette d'alerte. Nout et Geb sont réveillés par le son caractéristique annonçant une catastrophe imminente. Ils se lèvent, s'approchent de la fenêtre et, en un regard, mesurent la situation.

Des milliers de petits humains en armure brandissent des armes de métal et hurlent. Certains, à cheval, forment une cavalerie. Ils enflamment les maisons des Atlantes les unes après les autres et parviennent à faire choir les géants qui tentent de les arrêter. Les flèches aux pointes non plus de silex mais de fer s'enfoncent profondément. De même que les lances, les haches, les couteaux.

Les points stratégiques tenus par les Atlantes cèdent peu à peu face aux nouvelles armes perfectionnées qu'utilisent les petits hommes.

— Va chercher Osiris, Seth, Isis et Nephtys, il faut vite déguerpir, dit Geb en attrapant les deux jarres qui contiennent les parchemins.

Tous les six s'enfuient dans la direction opposée. Une fois arrivés sur la colline qui surplombe Mem-phis, ils s'arrêtent pour observer de manière panoramique la situation.

— Nous étions leurs dieux. J'avais fini par croire qu'ils nous aimaient vraiment, confesse avec peine la femme atlante.

— Je crois bien qu'ils ont abattu leurs idoles.

– Pourtant nous les avons éduqués comme des parents atten-
tionnés.

– Dans ce cas, ce sont des enfants ingrats. Ou en tout cas des
enfants qui veulent s'émanciper de notre tutelle, dit-il.

– Quel a été l'élément déclencheur ? Pourquoi la religion n'a-
t-elle pas suffi à contenir leur pulsion de destruction ? questionne-t-elle.

– Parce qu'ils ont réinterprété la même religion que nous leur
avons inculquée pour lui faire dire l'exact contraire.

– Nous avons pourtant tout fait pour être clairs.

– Un jour ils oublieront ce que nous leur avons apporté et
ils nous transformeront en divinités imaginaires pour ne plus
avoir à se rappeler ce qu'il s'est vraiment passé. Ils vénéreront
un Geb et une Nout entièrement réinventés au gré de leurs
besoins politiques. Ils nous feront dire des choses que nous
n'avons pas dites. Ils prétendront que nous étions le contraire
de ce que nous sommes. Et il n'y aura personne pour les
contredire.

– On contacte Né-hé pour savoir ce qu'il faut faire ?

Geb laisse échapper un soupir.

– Inutile de le déranger. Cela fait tellement longtemps que
nous ne nous sommes par parlé que je ne pense pas qu'il se sou-
cie encore de nous. Et puis, il nous a déjà dit tout ce que nous
devions faire.

Ils voient les maisons des Atlantes être incendiées une à une
par les minuscules envahisseurs.

– Allons-y, dit-il.

– Où ? demande Nout.

– Dans la caverne sanctuaire.

– Je crois que le mieux serait que nous nous séparions. Osiris,

Seth, Isis et Nephtys sont nos derniers espoirs. Ils ont leur vie à commencer. Toi et moi nous devons terminer la nôtre.

Alors ils conseillent à leurs quatre enfants de partir vers le sud-est, de remonter le fleuve et de fonder, là où cela leur semblera le plus propice, une civilisation.

– Souvenez-vous de nos conseils. Ne faites pas n'importe quoi avec les indigènes. Il faut punir très vite les moindres contrevenants avant que cela ne dégénère. Il faut créer une caste de prêtres dirigeants pour les contenir par la superstition. Il ne faut pas tout leur apprendre trop vite.

Les quatre enfants promettent de rebâtir une nouvelle Memphis mieux maîtrisée et, à partir de là, de faire rayonner la sagesse de l'Ha-mem-ptah disparue.

Ils s'étreignent et se séparent pour prendre des routes différentes.

126.

Le *Poisson volant* file, longeant la côte nord-africaine. Il dépasse la Libye, puis la Tunisie, l'Algérie, le Maroc. Il franchit le détroit de Gibraltar pour rejoindre l'océan Atlantique.

Les six Français naviguent sans la moindre terre en vue. Au bout de plusieurs semaines de traversée, ils parviennent à l'archipel des Açores, au cœur de l'Atlantique, et font halte sur l'île de Pico.

Ils songent, au début, à rester aux Açores, mais le décor rugueux et l'hostilité des autochtones, anciens chasseurs de baleines et de dauphins, leur semblent peu propices.

Alors, ils repartent vers l'ouest. Encore des jours, encore des nuits avec pour seul décor l'océan, les baleines et les dauphins.

Ils arrivent ainsi dans l'archipel des Bermudes, autre groupement d'îles dans l'Atlantique, qui constitue peut-être le résidu d'un continent englouti.

Ils observent les côtes depuis leur voilier.

– Je crois que nous avons trouvé l'endroit idéal pour notre projet, avance Élodie.

– La météo est clémente, les plages sont de sable fin, l'eau est claire. On a l'impression d'être loin de tout, ajoute Gauthier.

– On va être comme en vacances, dit Cerise.

Ils ont franchi 8 800 kilomètres entre la côte égyptienne et la côte des Bermudes. Le *Poisson volant* fait le tour de l'île par le sud et pose l'ancre dans le port de la baie d'Ely. Ils rejoignent enfin la terre ferme, et se mettent aussitôt à la recherche d'une agence immobilière. Par chance, il y en a plusieurs dans l'avenue principale de Somerset Village. Il leur est conseillé de s'installer dans ce coin à l'ouest de l'archipel des Bermudes, le plus loin possible de l'aéroport international situé sur l'île de Saint-David à l'est de l'archipel.

Durant la journée, ils visitent plusieurs maisons et décident de ne pas perdre plus de temps. Profitant de l'héritage de Léontine de Villambreuse, ils louent une petite villa de Somerset Village, qui donne directement sur la plage de Long Bay située au nord-ouest de l'île.

La bâtisse est de construction récente, solide pour résister aux ouragans et a bénéficié des plus récentes techniques de domotique. Ils s'installent dans les trois chambres et passent leur première nuit tranquille sur terre.

Le lendemain, ils procèdent à des achats. Tout d'abord des

réserves de nourriture. Puis ils louent une voiture et rejoignent la capitale, Hamilton. La ville aux bâtiments colorés qui évoquent des maisons de poupée est un pur joyau de l'empire colonial anglais. Même les policiers portent encore le casque typique des bobbies londoniens. Les hommes circulent en chemises à manches courtes, shorts larges et chaussettes hautes, les femmes semblent pour beaucoup abuser de la chirurgie esthétique afin de rester éternellement jeunes. La principale activité de l'île est bien visible : les banques s'alignent sur les avenues comme s'il s'agissait de restaurants. L'archipel des Bermudes est un paradis fiscal très prisé.

Cerise et Nicolas trouvent un magasin de matériel électronique. Puisant toujours dans la réserve de Léontine, ils achètent les émetteurs-récepteurs les plus performants.

Puis, après s'être équipés de vêtements, d'ustensiles de cuisine, de draps et de tout ce qui semble nécessaire à leur vie quotidienne dans cette île paradisiaque, les six repartent dans leur villa.

À l'initiative de René, ils comptent utiliser cette demeure des Bermudes pour diffuser, essentiellement sous forme de vidéos, une autre version de l'histoire officielle en apportant le maximum de preuves et de sources. Ils créent même une chaîne de télévision sur Internet. Et pour cela, Cerise et Gauthier placent sur le toit une grande antenne satellite en forme de fleur.

Tous ont l'impression d'avoir donné un sens à leur vie.

127.

Ils marchent au milieu des dunes de sable beige. Au-dessus d'eux, le soleil blanc brûle tout. Sur leur dos, ils portent les deux jarres contenant leur histoire. Elles sont maintenues sur leurs épaules par des courroies en corde.

– Tu es sûr que c'est par là ? questionne Nout.

– Né-hé m'a montré précisément la grotte en voyage astral. Je sais où elle se trouve exactement. Il faut seulement continuer vers le sud, répond Geb.

– J'ai soif.

– Tiens bon. Ce n'est plus très loin. Cela vaut le coup de supporter cette traversée du désert : il en va de la mémoire de notre civilisation.

128.

Les six sont enfin prêts.

Leur chaîne s'appelle « Mnemos » et leur logo est formé d'une page des manuscrits de la mer Morte.

Gauthier a récupéré le fichier des abonnés de sa chaîne et leur a envoyé une alerte pour les inciter à suivre le programme. Cerise a monté un générique en images de synthèse qui mélange tableaux anciens et photos historiques modernes. Nicolas a fabriqué l'arrière du décor en dévalisant un antiquaire de Hamilton. Élodie en a composé le devant avec un bureau, un buste de Pythagore, un dauphin crétois, un chat égyptien et une colonne romaine.

Le soir même, désireux de ne pas perdre plus de temps et de tester la formule, ils filment une première séquence vidéo en anglais, afin de toucher une plus large audience. Cette première émission s'ouvre sur un sujet dont tout le monde a, selon René, une vision erronée : les règnes des deux rois de France Louis XIV et Louis XVI. Il se place face à la caméra de Cerise et lorsque celle-ci lui fait signe qu'elle est prête, il livre en direct sa version du passé.

129. MNEMOS. LOUIS XIV ET LOUIS XVI.

On croit souvent que Louis XIV fut un grand roi et Louis XVI un roi déplorable parce que le premier s'est autoproclamé « Roi-Soleil », a construit Versailles, a multiplié les conquêtes amoureuses alors que le second a fini cocu et guillotiné sous les huées de la foule.

Mais si on regarde bien les faits, la réalité est tout autre. Louis XIV fut l'un des pires rois de France et Louis XVI probablement le meilleur.

Rappelons en effet la succession des événements : Louis XIV, roi mégalomane, a passé l'essentiel de son règne à engager des guerres très coûteuses sur toutes ses frontières, qu'il a souvent perdues.

Il a fait arrêter son ministre Nicolas Fouquet uniquement par jalousie et a récupéré tous les amis de Fouquet pour les installer à sa propre cour. Pour n'en citer que quelques-uns : le comédien Molière, le fabuliste Jean de La Fontaine, le dramaturge Pierre Corneille, le cuisinier Vatel, le musicien Lully, le peintre Poussin. Seul La Fontaine a osé dénoncer la trahison de Louis XIV envers Fouquet.

Louis XIV a fait interdire la liberté de la presse, il a exempté les nobles d'impôts, il a ruiné le pays pour embellir Versailles (copie fastueuse du château de Vaux-le-Vicomte du même Fouquet).

Le Roi-Soleil n'a pas su endiguer la grande famine de 1693-1694 qui a ravagé le pays (2,8 millions de morts!), et il a maté toutes les révoltes populaires par des massacres systématiques – comme la révolte des camisards.

Il a interdit le culte protestant et persécuté ses membres, les forçant à fuir le pays, alors même que ces derniers participaient activement au dynamisme économique et culturel du pays – comme les Rockefeller dont l'ancêtre était le marquis de Roquefeuille.

Une fois Versailles construit, au prix de la vie de centaines d'ouvriers, ce monarque a passé son temps à jouer aux cartes dans son château transformé en casino et à participer à des orgies avec ses nombreuses maîtresses auxquelles il transmettait systématiquement ses maladies sexuelles, notamment la petite vérole. Il finit par mourir d'une gangrène à la jambe, dégageant une odeur pestilentielle qu'il tentait maladroitement de dissimuler derrière des parfums, entouré de ses courtisans qui continuaient à lui réclamer des faveurs. Il laisse à sa mort le pays ruiné.

Mais il avait pris la précaution de s'entourer de biographes flatteurs et les tableaux le représentant étaient trompeurs. Son portrait le plus célèbre est l'œuvre du peintre Hyacinthe Rigaud qui avait utilisé comme modèle le corps du plus grand athlète de l'époque, ne gardant du roi que son visage.

À peine arrivé sur le trône, Louis XVI a voulu réparer les erreurs de son grand-père. Il a aboli la monarchie absolue pour revenir à la monarchie constitutionnelle, s'inspirant du modèle anglais, beaucoup plus souple et moderne.

Il a nommé un ministre efficace, Turgot, pour analyser la

situation économique du pays. Il a lancé la première enquête proposant aux gens du peuple de témoigner de leurs problèmes personnels, les fameuses « lettres de doléances ». Des millions de gens du peuple jusque-là méprisés, ignorés et qui n'avaient pas le droit à la parole racontaient leurs soucis quotidiens.

De plus, Louis XVI a décidé d'abolir le servage qui subsistait encore en France. Il a fait cesser les orgies à Versailles et chassé la nuée de nobliaux parasites qui s'y étaient installés ; il a rétabli un impôt équitable pour tous, riches et pauvres, quitte à se mettre toute l'aristocratie à dos. Il a su endiguer les risques de famine grâce à la diffusion d'un nouveau tubercule amené par Parmentier : la pomme de terre. Il a rétabli la liberté de culte, mis fin aux persécutions religieuses, interdit l'usage de la torture par la police.

Dans le domaine économique, il a lancé toutes les réformes nécessaires au passage à l'ère industrielle, et financé la révolution américaine grâce au marquis de La Fayette, une victoire qui a permis de ralentir l'expansion coloniale anglaise. Il a financé des expéditions pour explorer de nouvelles terres dans le monde entier, ce qui a permis d'accroître l'empire colonial français. Il obligeait les colons à respecter les populations autochtones. Quand les mouvements de révolte populaire ont commencé à enflammer Paris, il a interdit à sa police de tirer sur la foule : « Jamais un soldat français ne fera couler le sang d'un autre Français. » Cet honorable scrupule a entraîné sa chute.

Quand il est monté sur l'échafaud, dernière élégance, Louis XVI a demandé au bourreau : « A-t-on des nouvelles de monsieur de La Pérouse ? », un explorateur français qui n'avait pas donné signe de vie depuis plusieurs semaines, avant de placer sans défaillir sa tête sous la guillotine.

130.

Les deux Atlantes sont épuisés. Ils n'ont pas cessé de marcher vers le sud.

Depuis qu'ils ont quitté Mem-phis, ils n'ont trouvé aucun point d'eau, ni aucune zone d'ombre. Ils utilisent l'étoffe de leurs vêtements pour se protéger la tête. Lorsque la température est vraiment trop élevée, ils s'arrêtent et attendent. Ils n'ont plus suffisamment d'énergie pour parler.

Ils se regardent et se comprennent. Un simple sourire suffit à les encourager à continuer quand l'un des deux perd confiance.

Lorsque la température devient enfin plus supportable, ils repartent.

La nuit, ils s'arrêtent pour dormir. Il fait très froid, mais au moins ils profitent d'un peu d'humidité. Et en léchant leurs vêtements, ils peuvent récupérer un peu de rosée du matin.

Inlassablement, ils replacent les jarres contenant leur passé sur leur dos et reprennent leur chemin.

131.

C'est un fiasco.

L'émission sur la comparaison des règnes de Louis XIV et de Louis XVI obtient des résultats d'audience très décevants.

Les six membres se retrouvent autour de la table ronde du patio qui donne sur la plage. L'ambiance est à la morosité.

– Ce n'était peut-être pas un bon choix de sujet. Je pense que cela n'a intéressé que les Occidentaux. Et encore, beaucoup d'Américains ignorent l'histoire de France, rappelle Gauthier.

– Alors, comme «idole à déboulonner», après Louis XIV, je peux vous proposer John Kennedy.

– Ce fut le meilleur président américain !

– C'était l'un des pires. Son père était Joseph Kennedy, mafieux, gangster qui trafiquait de l'alcool sur la frontière canadienne, ambassadeur des États-Unis en Angleterre en 1938, qui a milité pour que l'Amérique ne s'engage pas dans la guerre contre son «ami» Hitler. Le fils, John Kennedy, était accro aux narcotiques, se livrait à des orgies sexuelles organisées par son frère à la Maison-Blanche. C'était un fou qui a fait fabriquer à profusion des missiles nucléaires, ce qui a accru la tension avec les Russes, risquant à tout moment de dégénérer en troisième guerre mondiale. Il a frôlé la catastrophe avec l'affaire de la baie des Cochons à Cuba, destinée uniquement à assurer sa popularité en vue des prochaines élections. C'est lui aussi qui, en 1961, a envoyé les soldats américains au Vietnam, rappelle René.

– Moi qui ai toujours cru que Kennedy était un président beau, riche, honnête et courageux ! C'est peut-être parce que je le jugeais par rapport au choix de sa femme : la formidable Jackie, reconnaît Nicolas.

– Il est intéressant de faire tomber les vedettes médiatiques de leur piédestal entièrement fabriqué par des conseillers en communication, ajoute Gauthier.

– Tu as d'autres exemples de types qu'on croyait admirables et qui se révèlent être décevants ? questionne Nicolas.

– On sait maintenant que Staline, longtemps considéré comme l'incarnation du communisme, était un agent tsariste infiltré chez ces mêmes communistes. Et c'est lui qui a transformé la révolte des soviets en une dictature du prolétariat encore plus dure et totalitaire que le règne du tsar.

– J'ignorais cette partie de l'histoire, reconnaît le journaliste. Qui d'autre ?

– Je parlerais de Mao Tsé-Toung, libérateur du peuple qui a éliminé tous les intellectuels et fait disparaître avec sa révolution prétendument «culturelle» trois mille ans de tradition raffinée et de science chinoise.

– Qui d'autre ?

– Che Guevara, ou Saint-Just, deux icônes révolutionnaires soi-disant romantiques qui ont sur la conscience des milliers de morts inutiles et d'innocents suppliciés.

– Et pourtant ils sont arborés sur les tee-shirts des jeunes ados qui se veulent révoltés, dit Nicolas.

– Je parlerais de Napoléon qui a envahi les pays voisins pour placer comme rois fantoches sa famille et ses copains. Je parlerais de César, un autre mégalomane qui n'a fait que semer la guerre et la désolation pour satisfaire ses ambitions politiques. Tous ces types qui ont causé des catastrophes en chaîne ont pourtant été retenus par les historiens comme de grands dirigeants charisma-tiques.

– Il faut reconnaître que, dans l'inconscient collectif, on a fini par admettre l'idée que si tuer une personne est un crime, tuer des millions de personnes est un projet politique ambitieux…, ironise Nicolas qui s'intéresse de plus en plus aux sujets évoqués par René.

Tous réfléchissent aux raisons de l'échec de leur première émission « Mnemos ».

Opale ressert un peu de vin rouge, ce qui a pour effet de les détendre.

— Ne te contente pas de dénoncer les dictateurs, René. Il faut aussi que tu sois plus positif, parle-nous des vrais héros oubliés, rappelle Élodie. Parle-nous des vrais types admirables qui ont juste raté leur campagne de communication : Hannibal, Pythagore, Lamarck, Semmelweis. Tu sais, tous ceux dont tu me parlais à la cantine de Johnny-Hallyday. Les gens ont plus besoin de personnages à admirer que de fantoches à mépriser.

Une fois de plus, René reconnaît la justesse d'analyse de son amie.

— Je ferai ma prochaine chronique sur le pharaon Akhenaton. Il a essayé de moderniser et de démocratiser la société égyptienne, mais a été assassiné par un complot des prêtres du culte d'Amon qui ont tout fait pour salir son image avant d'essayer purement et simplement de le faire oublier.

— Cela ne marchera pas, dit Cerise.

Tous se tournent vers elle.

— Nous voulons dire la vérité, mais nous nous y prenons comme des menteurs. Internet regorge de sites complotistes qui eux aussi prétendent dire la vérité et finalement diffusent des mensonges encore plus gros.

... qui passionnent mon père.

— C'est parce que nous avons un ton et une manière de dénoncer le système ancien qui sont démodés, ajoute la jeune femme.

— Elle a raison, de tout temps, chacun prétend détenir la vérité face aux autres qui seraient des menteurs, renchérit Nicolas.

Nous apparaissons comme des prétentieux qui affirment parler au nom de la vérité au milieu d'autres prétentieux. Notre site ne semble proposer qu'un point de vue subjectif au milieu d'autres points de vue subjectifs. Nous ne pouvons pas apporter la preuve absolue que nous seuls détenons la vérité.

Tous saisissent la pertinence de la remarque.

– Alors on fait quoi ? On baisse les bras et on renonce à donner notre vision de l'histoire du monde ? s'agace René.

– Commençons par dire la vérité sur ce qu'on connaît le mieux et que les gens qui nous écoutent connaissent le moins bien, dit Cerise.

– Quoi ?

– Nous. Je pense qu'il faut signaler que la source de nos informations historiques est l'hypnose régressive, ajoute la jeune femme brune.

– Je te suis à 200 % ! Mais on va passer pour des illuminés, signale Opale.

– Cerise a raison. Ainsi nous n'aurons plus l'image de savants, mais de passionnés d'histoire qui utilisent un nouvel outil pour explorer les recoins cachés du passé, reprend Élodie.

Dans l'arbre en face d'eux apparaissent deux petits singes qui les observent en dodelinant de la tête.

– Évoquer l'hypnose régressive ? répète Gauthier, sceptique.

– Au moins cela aura l'avantage d'être original, dit Élodie. Ton Mnemos sur Louis XIV et Louis XVI, tu l'as écrit à partir de documents historiques connus. Tu n'as fait que sélectionner certains papiers et certains témoignages. Un autre historien pourra dire le contraire en sélectionnant d'autres papiers et d'autres témoignages. Il y aura toujours un doute et une suspicion de partialité. Mais imagine comment serait ta rubrique si…

La jeune femme laisse planer le suspense.

– Si ? questionne Gauthier.

– Si René pouvait raconter la vie quotidienne à Versailles avec des détails croustillants qu'on ne trouve dans aucun livre.

Profitant de ce que la fenêtre est entrouverte, un petit singe pénètre hâtivement dans la pièce et vole une banane dans la grande corbeille de fruits posée sur la commode. Personne n'y prête attention.

– Imagine si toi, René, tu pouvais raconter l'exécution de Louis XVI comme si tu y étais. Comme un documentaire réalisé grâce à un nouvel outil, une sorte de machine à remonter le temps qui n'a pour seules limites que celles de la pensée. De même, tu pourrais raconter la vie dans les provinces, dans les champs, dans le château de Léontine en donnant des informations exclusives, puisqu'elles seront issues de tes voyages dans le temps en hypnose régressive.

Gauthier, en tant que professionnel de la communication, ne veut pas paraître dépassé, mais il n'est pas convaincu.

Opale prend donc le relais :

– Cerise a raison. Il faut utiliser notre spécificité et la mettre en avant. Ensuite, les gens sentiront par le nombre de détails que nous leur fournirons que cela ne peut pas être issu uniquement de notre imagination délirante. Et c'est là où « Mnemos » prendra tout d'un coup sa place dans la mémoire collective. Par la masse des détails inconnus qui se recoupent, sont cohérents et permettent d'expliquer ce que les historiens normaux n'arrivent pas à expliquer. Notre force sera la précision dans les descriptions de scènes.

Les six s'observent mutuellement.

– Vous voulez que nous pratiquions tous des régressions ? demande René.

– Pourquoi pas ? À nous six, en prenant comme postulat que nous avons, chacun d'entre nous, eu une centaine de vies, à toutes les époques et dans tous les pays, nous allons pouvoir couvrir un champ très large, assène Élodie.

– C'est toi qui me dis ça ? Je croyais que tu considérais Opale comme une manipulatrice…

– Il n'y a que les imbéciles qui ne changent pas d'avis. Le monde évolue, j'évolue. Et puis, avant, je ne la connaissais pas vraiment. On juge vite ce qu'on ne connaît pas pour se convaincre qu'on le domine.

Élodie laisse l'idée germer dans son esprit, puis reprend :

– Plus nous aurons de détails qui se recoupent, plus nous serons crédibles. C'est comme cela que nous rendrons à l'humanité la vérité sur son passé.

Les six sont de plus en plus excités par cette nouvelle proposition.

– Cela sera une psychanalyse collective à l'échelle de la planète, s'enthousiasme Opale. Ensemble, nous retrouverons les vérités cachées, comme j'ai découvert le massacre oublié des six cents sorcières basques.

– Ça ne sera pas facile de faire admettre une telle méthode, nuance Gauthier.

– Ne sois pas défaitiste, le coupe Élodie. C'est normal que les gens soient un peu récalcitrants à affronter les vérités cachées ou oubliées. Cela prendra du temps. Mais c'est un projet nouveau. « Psychanalyse collective à l'échelle planétaire ».

– Cela pourrait être le prochain grand challenge pour arriver à un apaisement mondial : dire la vérité sur ce qu'il s'est vraiment passé, insiste Élodie.

Gauthier boit du vin comme s'il souhaitait lui-même abolir ses dernières réticences. Il répète :

— « Les secrets de famille de l'humanité ».

— Oui, ce qui fermente dans nos caves, comme de vieux fromages oubliés qui n'en finissent pas d'empuantir toute la maison.

— Dans ce cas, peut-être qu'il faut aller plus loin, ajoute Gauthier.

— Tu penses à quoi ?

— Diffusons les outils pour que tout le monde fasse comme nous. Instruisons-les sur la manière de s'y prendre.

Plusieurs petits singes surgissent par la fenêtre, convaincus par les premiers qu'il y a des aliments à glaner dans cette villa.

— Mais encore, Gauthier ?

— Opale n'aura qu'à proposer une séance d'hypnose régressive en direct sur Internet, pour tous ceux qui ont envie de tenter l'expérience. Comme elle l'a fait pour René.

Nicolas approuve.

— Des dizaines de millions de personnes pourront ainsi vivre en direct l'expérience que tu as vécue, René. Elles pourront accéder à leur mémoire profonde et venir témoigner.

— Et nous nous prêterons aussi à l'expérience en même temps, précise Cerise.

Les six décident de ne pas attendre. Ils se séparent pour préparer la prochaine émission. Opale, très motivée, dicte à René un Mnemos décrivant sa technique de guidage. C'est ce texte qu'elle compte lire à voix haute face à la caméra.

132. MNEMOS. HYPNOSE RÉGRESSIVE.

Installez-vous dans un endroit tranquille où vous ne risquez pas d'être dérangé.

Éteignez votre téléphone portable, éteignez tous les écrans
autour de vous, éteignez la lumière.

Défaites votre ceinture et débarrassez-vous de tout ce qui
peut vous serrer : montre, bracelet, lunettes, bague, collier…

Étendez-vous de manière à relaxer complètement votre
dos.

Fermez les yeux, respirez de plus en plus lentement jusqu'à
ce que vos poumons soient bercés par une vague douce et
lente.

Visualisez un escalier. C'est l'escalier qui mène à votre
inconscient. Chaque fois que vous descendez une marche,
vous descendez plus profondément en vous-même, mais
sans vous endormir, juste en atteignant un état de relaxation qui vous fait oublier tous vos problèmes pour vous
rapprocher de votre essence la plus intime.

10, 9, 8… descendez chaque marche en sachant que vous
vous approchez de la porte de votre inconscient.

… 7, 6, 5…

Préparez-vous à voir la porte de votre inconscient. Et
souvenez-vous que, derrière, il y a vos vies antérieures.

… 4, 3, 2, 1… zéro !

Ça y est, vous y êtes. Vous voyez la porte de votre inconscient, observez-la. Regardez sa poignée, tournez-la.

Derrière cette porte, vous trouvez un couloir aux portes
numérotées.

Derrière chacune de ces portes se trouve un accès à l'une de vos vies précédentes.

Avant d'ouvrir une porte, faites un vœu. Dans ce vœu, indiquez quelle vie vous voulez visiter et précisez à quel moment de cette vie vous voulez accéder.

Une fois que votre souhait est clairement formulé, une porte s'éclaire pour vous indiquer qu'elle correspond à votre choix. Ouvrez-la.

Et ensuite…

Ensuite, vous verrez bien.

133.

— « Ensuite, vous verrez bien ? » Cela veut dire quoi ? demande René après avoir noté le texte sur son ordinateur.

— Ce n'est qu'une première mouture. Cela signifie que, pour chacun, l'expérience sera différente. Peut-être que certains ne trouveront rien, peut-être qu'ils trouveront comme toi des sortes de petits films dont ils sont les héros.

— Donc on aurait pu aussi bien finir par « Ensuite, advienne que pourra » ou « Ensuite, il se passera ce qu'il doit se passer » ?

Elle lui masse les épaules. Devant eux, l'océan.

— Tu crois toujours que tout est écrit, comme dans ton tour du « Malgré moi » ?

Elle se retourne, le fixe de ses grands yeux verts.

— Je pense que les choses tendent naturellement vers une direction précise, quels que soient nos choix. Nous devions nous rencontrer, nous devions faire l'expérience de la régression, nous devions nous revoir, tu devais sauver les cent quarante-quatre Atlantes, nous devions aller en Égypte.

– Et les jarres et les squelettes devaient être détruits aussi ?

– Probablement. Et nous devions nous retrouver tous les six pour nous installer aux Bermudes.

Elle l'embrasse.

– Et nous devions nous embrasser à cette seconde. Cela doit être écrit quelque part, dans un roman, un scénario de film ou un grand livre des destins.

– Tu m'expliqueras un jour le truc de ton tour du « Malgré moi[1] » ?

Elle lui adresse un clin d'œil.

– Tu ne crois pas que cela peut être intéressant de garder une part de mystère ? En fait, comme pour tous les tours de magie, tu risques d'être très déçu quand tu sauras combien c'est simple. Regarde ton Geb, comment vivrait-il si tu avais pu lui dire tout ce qu'il va lui arriver ? Et toi ? Comment vivrais-tu si tu pouvais lire dans un livre la suite de ta propre vie ?

– Je ne crois pas que tout est écrit. Je crois que nous avons notre libre arbitre. Il n'y a encore personne derrière la porte 113. Et peut-être même que, pour Geb, à cette seconde, il existe encore une marge de manœuvre pour qu'il arrive quelque chose d'imprévu. Qui sait ?

---

1. Si vous voulez connaître l'astuce du tour de magie « Malgré moi », voici l'adresse Internet sur laquelle j'ai déposé l'explication pratique : www.bernard werber.com/pandore/malgre-moi/

134.

Les deux Atlantes sont tellement épuisés et assoiffés qu'ils ne parviennent plus à tenir debout. Ils parcourent les derniers kilomètres à quatre pattes, puis rampent jusqu'à l'oasis de Siwa.

Enfin, Geb et Nout se désaltèrent dans l'eau douce du lac turquoise.

Ils cueillent des végétaux pour s'en nourrir, se reposent un peu, avant de reprendre leur route pour rejoindre la grotte de la montagne blanche.

Ils n'ont guère de difficulté à trouver la cavité rocheuse et franchissent son seuil. Nout veut descendre dans le tunnel qui se révèle face à eux, mais son compagnon lui indique qu'il doit au préalable prendre une disposition. Il cherche un gros rocher rond puis, de l'intérieur, il le pousse comme une porte coulissante jusqu'à obstruer entièrement le passage. Geb et Nout allument des torches et descendent au plus profond du tunnel jusqu'à atteindre une caverne circulaire.

– Nous y voilà, annonce Geb.

Les deux Atlantes déposent les deux jarres de terre cuite sur une plateforme rocheuse.

– Maintenant, nous avons accompli ce que nous devions accomplir, dit Geb. Il y a une chance infime pour que cela soit lu, mais une chance quand même.

Nout sort de sa poche deux fioles contenant un liquide bleu. Ils boivent le poison à tour de rôle.

Tous deux s'étendent sur le sol. Ils ont encore les yeux ouverts et regardent le plafond couvert de stalactites. Nout vient poser sa main dans celle de son compagnon.

– C'était bien, hein ? dit-elle.

– La vie est facile quand tu acceptes l'existence que tu as reçue. Et que tu en profites un maximum.

– J'ai adoré tout ce que j'ai vécu.

– Moi aussi, grâce à toi, reconnaît-il.

Ils inspirent amplement.

– J'aimerais te retrouver plus tard, déclare-t-elle.

– Comment pourrons-nous nous reconnaître ?

Ils sentent que leurs cœurs, qui battent à l'unisson, commencent à ralentir.

– Je porterai un collier avec un dauphin bleu en pendentif. Cela pourrait constituer un bon signe de reconnaissance, n'est-ce pas ?

Ils s'embrassent, ferment les yeux et sourient.

– Adieu, Nout.

– Maintenant qu'on sait ce qu'il advient de nos âmes, disons-nous plutôt « au revoir »…

REMERCIEMENTS

À Amélie Andrieux qui m'a éclairé, soutenu et supporté durant toute l'écriture de cet ouvrage.

À mon éditeur, Richard Ducousset, qui me suit depuis 28 ans.

À ma nouvelle éditrice, Caroline Ripoll, qui m'a aidé à accoucher de ce dernier bébé.

À MES AMIS MAGICIENS.

Pascal Leguern qui m'a appris le tour de magie « Malgré moi » (et m'a enseigné l'hypnose de spectacle).

Yann Frisch et Éric Antoine qui m'ont aidé à l'améliorer en me montrant des variantes sur ce tour de leur invention.

À MES AMIS HYPNOTISEURS RÉGRESSIFS.

Thierry Leroux (ancien batteur de Johnny Hallyday) qui m'a permis de faire ma première séance de régression (me donnant l'impression, comme par hasard, de visiter l'Atlantide).

Alessandro Jodorowski, qui m'a initié à l'hypnose de projection dans des mondes imaginaires (et enseigné la lecture des cartes de tarot).

Sabine Mulko qui m'a fait découvrir l'hypnose ericksonienne.

David Picard qui, lors d'une séance mémorable, a fait évoluer ma technique de plongée dans mes vies antérieures et m'a fait visiter une vie particulièrement surprenante (archer en Angleterre en 1200, un travail qui ressemble finalement assez à celui d'intermittent du spectacle... puisqu'on attend qu'il y ait des batailles pour avoir du boulot comme un acteur attend d'être engagé dans des films).

À MES AMIS HISTORIENS.
Franck Ferrand.
Julien Hervieux, prof d'histoire (aussi connu sous le nom d'« Odieux Connard » pour son blog Internet).
Vivianne Perret, historienne (spécialiste entre autres d'Houdini et de l'histoire de la magie).

À MES PREMIERS LECTEURS QUI ONT EU LA PATIENCE DE LIRE LES 11 VERSIONS BROUILLONS COMPLÈTEMENT DIFFÉRENTES DE CET OUVRAGE (à chaque fois je change d'intrigue et de personnages) : Jonathan Werber, Zoé Andrieux, Sylvain Timsit, Mélanie Lajoinie, Sébastien Tesquet, Agathe Maire, Isabelle Doll, Charlotte Ganouna-Cohen, Laurence Malençon, Laurent Bertin, Stéphane Pouyaud, Hélène Pau, Gilles Malençon, Béryl Husser, Steven Le Bozec, David Galley, Gil Meyland.

MUSIQUES ÉCOUTÉES
DURANT L'ÉCRITURE DE CE ROMAN

Vivaldi, *Les Quatre Saisons*, version classique et version hard-rock.
Supertramp, « Fool's Overture ».
Peter Gabriel, « In Your Eyes ».
René Aubry, « Steppes ».
Pink Floyd, « Shine on Your Crazy Diamond ».

Sites Internet : www.bernardwerber.com
www.esraonline.com
www.arbredespossibles.com
Facebook : bernard werber officiel.

Vous pouvez noter ici les souvenirs de vos vies anté-rieures.

Page nº 1 :

Époque probable :
Lieu probable :
Identité probable :
Descriptif de l'expérience vécue :

Page de souvenirs de vies antérieures n° 2 :

Époque probable :
Lieu probable :
Identité probable :
Descriptif de l'expérience vécue :

Page de souvenirs de vies antérieures n° 3 :

Époque probable :
Lieu probable :
Identité probable :
Descriptif de l'expérience vécue :

Page de souvenirs de vies antérieures n° 4 :

Époque probable :
Lieu probable :
Identité probable :
Descriptif de l'expérience vécue :

Composition : IGS-CP
Impression en septembre 2018
Éditions Albin Michel
22, rue Huyghens, 75014 Paris
www.albin-michel.fr
ISBN : 978-2-226-43839-3
Nᵒ d'édition : 23236/01
Dépôt légal : octobre 2018
Imprimé au Canada chez Marquis imprimeur inc.